de Bibliotheek
Breda
Centrum

D0271696

DE BOURNE VERGELDING

Van Robert Ludlum zijn verschenen:

De Scarlatti erfenis ◈
Het Osterman weekend
Het Matlock document
Het Rhinemann spel
De Fontini strijders
Het Parsifal mozaïek
Het Trevayne verraad
Het Hoover archief
Het Holcroft pact
Het Matarese mysterie
Het Shepherd commando
De Aquitaine samenzwering
Het Omaha conflict
De Scorpio obsessie
De Icarus intrige
De Daedalus dreiging
Het Halidon complot
De Matarese finale
Het Prometheus project
Het Sigma protocol
De Tristan strategie
Het Janson dilemma ◈
Het Ambler alarm
De Bancroft strategie
Het Janson commando (met Paul Garrison) ◈
De Janson optie ◈

JASON BOURNE THRILLERS

1 Het Bourne bedrog ◈
2 Het Bourne dubbelspel ◈
3 Het Bourne ultimatum ◈
4 Het Bourne testament (met Eric van Lustbader) ◈
5 Het Bourne Verraad (met Eric van Lustbader) ◈
6 De Bourne Sanctie (met Eric van Lustbader) ◈
7 De Bourne Misleiding (met Eric van Lustbader) ◈
8 De Bourne Missie (met Eric van Lustbader) ◈
9 De Bourne Belofte (met Eric van Lustbader) ◈
10 Het Bourne Bevel (met Eric van Lustbader) ◈
11 De Bourne Vergelding (met Eric van Lustbader) ◈

JON SMITH THRILLERS

1 De Hades Factor (met Gayle Lynds)
2 Het Cassandra Verbond (met Philip Shelby)
3 De Armageddon Machine (met Gayle Lynds)
4 De Altman Code (met Gayle Lynds)
5 De Lazarus Vendetta (met Patrick Larkin)
6 De Moskou Vector (met Patrick Larkin)
7 Het Noordpool Conflict (met James Cobb)
8 Het Ares Akkoord (met Kyle Mills) ◈
9 Het Janus Complot (met Jamie Freveletti) ◈
10 Het Utopia Experiment (met Kyle Mills) ◈

◈ Ook als e-book verkrijgbaar

Robert Ludlum's

De Bourne vergelding

Eric van Lustbader

UITGEVERIJ LUITINGH-SIJTHOFF

Uitgeverij Luitingh Sijthoff en Drukkerij Ten Brink vinden het belangrijk om op milieuvriendelijke en verantwoorde wijze met natuurlijke bronnen om te gaan.

Oorspronkelijke titel: *The Bourne Retribution*
Vertaling: Frans van Delft
Omslagontwerp: Wouter van der Struys
Omslagfotografie: Getty Images

ISBN 978 90 245 6295 4
NUR 332

www.lsamsterdam.nl
www.watleesjij.nu
www.boekenwereld.com

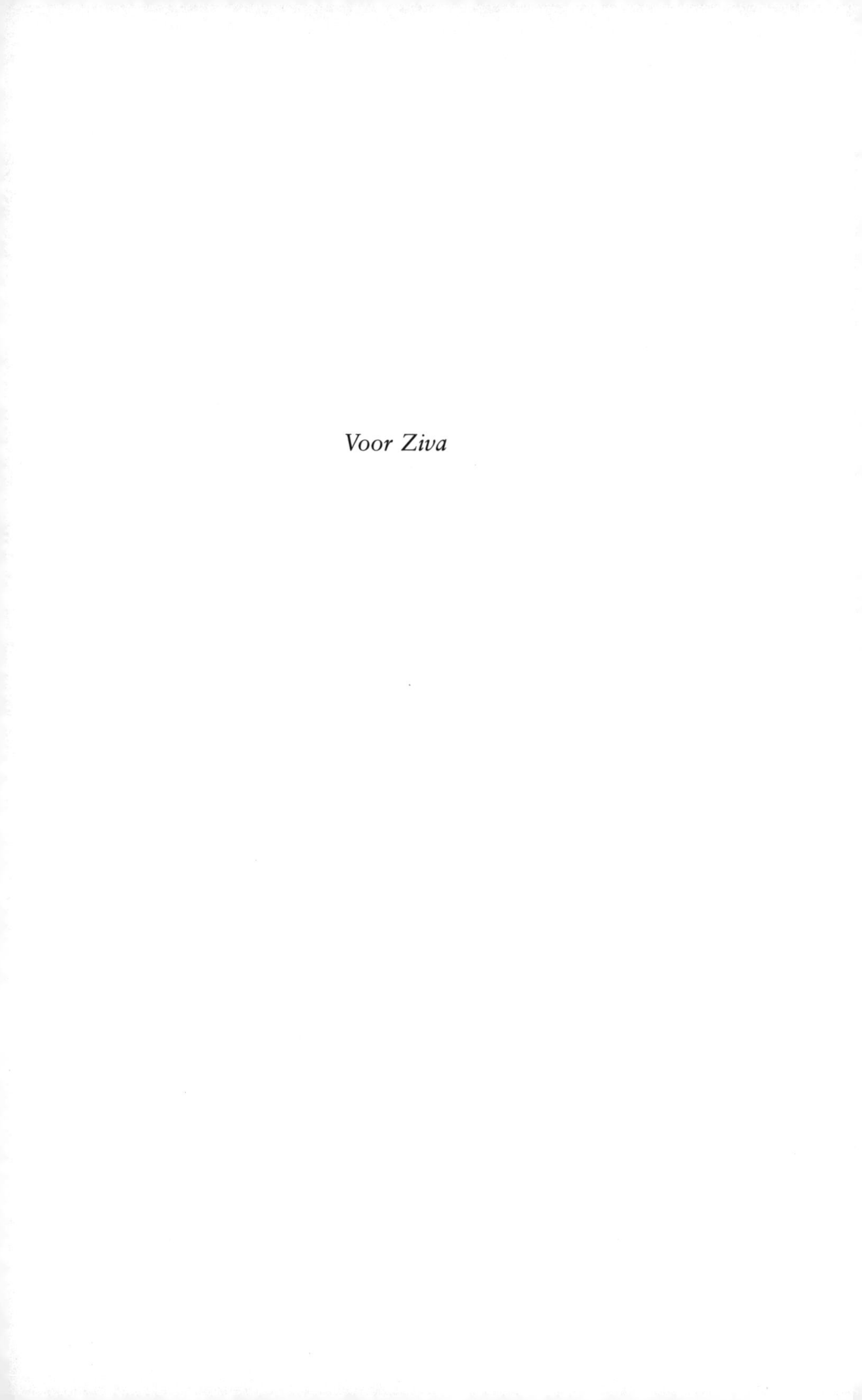

Voor Ziva

PROLOOG

Las Peñas, Michoacán, Mexico

In de elf jaar dat het resort bestond, was La Concha d'Oro nog nooit zo zwaarbewaakt geweest. Met arendsogen liepen de gewapende *federales* om het terrein van het exclusieve oord, en parallel aan het sikkelvormige strand kruiste een patrouilleboot de zee. Overal waar de twee beveiligde personen voor wie het complex volledig was ontruimd, doorgelicht en beveiligd, heen gingen, vlogen hun lijfwachten achter hen aan, als bijenzwermen louter gericht op de verzorging van hun bloemen.

Die bloemen waren twee mannen, Carlos Danda Carlos, de onlangs benoemde chef van het antidrugsagentschap van Mexico, en Eden Mazar, antiterreurspecialist bij de Mossad. De Mexicanen konden alle hulp gebruiken in hun strijd tegen de diepgewortelde corruptie en angst waarmee de drie machtigste drugskartels het land in de greep hielden. Dat was precies de reden waarom Carlos Danda Carlos om assistentie van de Mossad had gevraagd. Zo luidde tenminste de verklaring die de directeur van de Mossad drie dagen daarvoor aan Jason Bourne had gegeven.

Volgens de directeur was Carlos Danda Carlos typisch een Mexicaan van deze tijd – een man die opgeleid was in de Verenigde Staten en openstond voor vernieuwing. Een eigengereide vechter die het land uit zijn wurggreep wilde bevrijden.

'De gevaarlijkste groep is het kartel van Los Zetas,' had de directeur gezegd. 'De Zetas zijn gedeserteerde elite-eenheden van de Bijzondere Strijdkrachten van het Mexicaanse leger.' De directeur had zijn hand op Bournes schouder gelegd. 'Maar de bewaking is zo streng, deze klus zal een eitje voor je zijn. Je hoeft alleen maar op Eden Mazar te passen en ondertussen wat te zonnebaden en te relaxen.'

'Ik werk niet voor jou. Ik werk voor niemand, nooit meer,' had Bourne geantwoord – een ondankbare reactie gelet op de vorstelijke behandeling die hij van de directeur had gekregen bij zijn terugkeer naar Israël nadat hij Encarnación had uitgeschakeld.

Er schemerde zowel verdriet als spijt door de glimlach van de directeur. 'Rebeka was als een dochter voor me. Haar begrafenis is nu een maand geleden, maar je lijkt nog steeds geen aanstalten te maken om te vertrekken. Zo ken ik je niet.'

'Ik ken mezelf niet meer,' had Bourne geantwoord. 'Diep vanbinnen is er iets in mij veranderd. Niets kan me nog boeien.'

De directeur had hem een poos gadegeslagen. Hij was klein van stuk, een krans van springerig wit haar omzoomde zijn verder kale schedel. Elke groef in zijn doorleefde kop stond symbool voor een nederlaag of een vermoorde collega, ze overwoekerden zijn triomfen. 'Ik dacht, misschien zorgt deze reis wel voor wat afleiding.'

'Niets kan me afleiden van haar dood,' antwoordde Bourne schor.

De directeur knikte. 'Het is nog te vroeg. Ik begrijp het.' Hij tuurde naar de kade van de haven. 'Nou, dan blijf je nog maar een maandje hier, of zo lang je wilt.'

Bourne liet de woorden op zich inwerken, probeerde er een vleugje ironie in te ontdekken, maar bespeurde daar niets van. Blijkbaar meende de directeur oprecht wat hij zei. Hij zette zijn opties op een rijtje. 'Ach, misschien heb je wel gelijk. Een nieuwe klus is misschien precies wat ik nodig heb.'

En zodoende had hij kennisgemaakt met Eden Mazar, was hij in het privévliegtuig van de Mossad met hem en zijn contingent lijfwachten meegevlogen naar de andere kant van de wereld en uitgestapt op het kleine, voor gasten van La Concha d'Oro gereserveerde privévliegveld, dat de Mexicaanse federale politie om veiligheidsredenen in de achtenveertig uur voorafgaand aan de landing had afgesloten.

Daar stond hij dan, enkele passen verwijderd van de twee exotische bloemen en hun lijfwachten. Hij speurde het terrein af op problemen die zich vast niet zouden voordoen. Het enige probleem was dat hij weer in Mexico zat, en hoewel Mexico-Stad, waar Rebeka was vermoord, ver hiervandaan lag, herinnerde hij zich nog steeds het beeld en de geur van haar dode lichaam op de achterbank van de taxi, die door de naargeestige straten scheurde.

Waarschijnlijk had de directeur niet beseft hoe groot de impact was die deze snelle terugkeer naar het land waar Rebeka was omgebracht op Bourne zou hebben. Of misschien had hij dit voorstel juist opzettelijk gedaan. Vaak kon je het paard dat je van zijn rug geworpen heeft, het best weer meteen bestijgen.

Deze keer niet.

Zonder dat Bourne het in de gaten had gehad, had Rebeka zich door zijn pantser geboord en was ze tot in zijn ziel doorgedrongen. Haar dood klopte binnen in hem als een interne wond die maar niet wilde genezen. Ik heb andere vrouwen gehad zoals zij, dacht hij, maar steevast kwam daarna de onherroepelijke gedachte: er is er maar een zoals zij.

Van dit soort zwarte gedachten had hij niet vaak last. Hij was na al zijn beproevingen zo gehard dat hij er bijna zeker van was dat niets hem lang of überhaupt kon raken. Maar het verlies van Rebeka, de zoveelste vrouw die een poging had gedaan dicht bij hem te komen, was zo groot dat hij erdoor dreigde te verstikken, erdoor werd overweldigd. Hoe kon het anders? Zijn leven was weinig meer dan een levende dood geweest sinds de dag dat hij door vissers uit het zwarte water van de Middellandse Zee werd gevist en besefte dat hij zijn geheugen, zijn verleden, zijn leven tot het moment waarop hij in die onbekende omgeving zijn ogen opende, had verloren.

Van onder de vrolijk beschilderde houten overkapping van het achthoekige terras aan de Stille Oceaan liep Eden Mazar naar hem toe. Hij deed Bourne beseffen dat hij zich opnieuw in een vreemde omgeving bevond. Ditmaal echter voelde hij zich verloren, als een zeekapitein zonder navigatiekaart die was vergeten hoe hij op de sterren moest varen.

'Een betreurenswaardig volk is dit,' merkte Eden op met een ontevreden ondertoon. 'Ze zijn óf niet gemotiveerd, óf te corrupt om de kartels op een gecoördineerde manier aan te pakken. Hoe dan ook, ik heb hier niets meer te zoeken. Mexico wordt niet door een regering bestuurd, maar door de kartels. Vanavond na het diner gaan wij naar huis.'

Bourne knikte.

Eden liep weg, hield zijn pas in en draaide zich om naar Bourne met een spottend lachje op zijn gezicht. 'Verveel je je nu al?'

'Waarom denk je dat ik me verveel?'

'Ik zie het aan je gezicht. En ik ken je dossier,' mompelde Eden.

Het alarmeerde Bourne dat de Mossad blijkbaar een dossier over hem bijhield, maar het choqueerde hem niet. Hij vroeg zich alleen maar af hoe nauwkeurig het was.

'Jij hebt hier niets te zoeken,' ging Eden verder. 'Geloof me, dit is niks voor jou. Infiltreren en uitschakelen, daar ben je goed in. Daarom houdt de directeur zo van je.'

'Ik wist niet dat er zoveel over mij gesproken werd binnen de Mossad.'

Eden glimlachte vriendelijk. 'Jij had een relatie met Rebeka. Zoiets overkwam haar niet.'

Ineens begreep Bourne het. 'En voor de directeur ben ik de laatste, nog levende schakel met haar.'

'Ze was een bijzondere vrouw en een al even opmerkelijke spionne. We missen haar, maar zullen haar nooit kunnen vervangen. Haar dood was een grote klap voor ons. Die moeten we vergelden.'

'Want zo gaat dat bij de Mossad.'

Mazar ging niet in op deze opmerking. 'Ik ga terug naar Carlos. Het is geen kwaaie vent, maar zijn handen zijn gebonden als het aankomt op echte veranderingen, op de gezamenlijke inspanningen die nodig zijn om Mexico van zijn kartels te verlossen. Zoals ik al zei, een betreurenswaardig volk.'

Bourne keek de man peinzend aan. 'Wat doen jullie hier eigenlijk? Waarom is de Mossad in de Mexicaanse drugskartels geïnteresseerd?'

'Had je dat niet aan de directeur gevraagd?'

Bourne besefte dat hij dat had moeten doen. Blijkbaar was hij nog steeds niet helemaal de oude.

Mazar glimlachte. 'Maar eigenlijk hoef je deze vraag toch niet te stellen, Jason, of wel?'

Bourne zag hem de treden op lopen van het overkapte terras, waar Carlos en zijn gespierde hulptroepen geduldig in de schaduw stonden te wachten. Vanaf het water stak een koele bries op, waaide door het haar van Bourne en deed de haartjes op zijn onderarmen trillen. Wat bedoelde Eden? Wist de Mossad van de connecties tussen Encarnación, de Mexicaanse kartels en de Chinese regering die Bourne had ontdekt? Zat Rebeka al op dat spoor voordat ze hem had ontmoet? Hij moest en zou het antwoord op deze vragen uit Eden Mazar lospeuteren.

Toen Jason Bourne een zeurderig, insectachtig gezoem hoorde, keek hij op. Hoog in de lucht vloog een klein vliegtuig. Turend door zijn wimpers zag hij dat het naderende toestel een landingsgestel van drijvers had. Een watervliegtuig dus. Terwijl hij met een hand het zonlicht tegenhield, zag hij dat ook de bemanning van de patrouilleboot het vliegtuigje had gezien. Op het dek ontstond paniek, uit de loop van automatische wapens flitste vuur.

Edens lijfwachten stonden onder het dak van het terras en Bourne besefte dat zij het vliegtuigje niet konden zien. Hij wilde het trapje op gaan om Eden te waarschuwen, maar op dat moment trokken de mannen van Carlos Danda Carlos hun machetes en onthoofdden daarmee de twee lijfwachten van Eden.

Het bloed gutste over Eden en hij probeerde te vluchten. Bourne reikte hem de hand, maar Carlos, die een .357 Magnum op Bourne gericht hield, schudde zijn hoofd. Eden keek achterom en zocht met zijn blik Bourne toen een van Carlos' lijfwachten zijn machete met zoveel kracht naar Eden zwaaide dat het hoofd van de Israëlische terreurexpert met één zwiep van zijn romp werd gescheiden en met een boogje op het strand viel; het rolde over de flauwe helling naar beneden totdat het door de turkooizen golven die tegen het warme zand klotsten, werd gekust.

Bourne greep zijn kans en dook op de man met de machete af. Hij trok het hakmes uit zijn hand en plantte het lemmet in het lijf van zijn tegenstander tot hij het borstbeen hoorde kraken.

Op dat moment beukte een oorverdovend geroffel op zijn trommelvliezen, en meteen daarna sloeg hij achterover door de zware kogel die zich door de spieren van zijn linkerschouder drong.

Schreeuwend van de pijn tuimelde hij over de aan flarden geschoten reling van het prieel en plofte neer op het strand.

Toen hij zich uren later weer kon verroeren, stonden de lucht, de zee en het zand in de bloedrode gloed van de ondergaande zon. In zijn gezichtsveld dobberde Edens hoofd als een afgedankt stuk speelgoed op het water, besmeurd met zwart bloed.

Bourne draaide zijn hoofd om en knipperde met zijn ogen tot hij weer scherp kon zien. Er was geen mens meer te bekennen. Iedereen leek het resort te hebben verlaten.

De zachte branding bracht het hoofd van Eden in botsing met het zijne en deed het langzaam draaien, met de onvermijdelijkheid waarmee de aarde van dag naar nacht draait. Er lag een dunne waas over Edens ogen. Ze keken hem verwijtend aan. Bourne wilde zich verdedigen, alsof er een beschuldiging was uitgesproken, maar plotseling kromp hij door een intense pijn ineen en viel hij in een genadige bewusteloosheid.

DEEL EEN

Tien dagen later

1

Van oudsher werd de directeur van de Mossad door zijn personeel *Memune* genoemd, 'eerste onder gelijken'. Eli Yadin wilde dat niet. 'Ik heb van mijn ouders een naam gekregen,' zei hij steevast bij zijn ontmoeting met nieuwe medewerkers. 'Gebruik die maar.'

Van nature was Eli Yadin een optimistisch mens. Bij het werk dat hij deed, moest je wel optimistisch zijn, anders zou je je binnen achttien maanden een kogel door het hoofd jagen. Maar vandaag was hij somber. Sterker nog, zijn optimisme liet hem in de steek. Misschien kwam dat door Amir Ophir, de man die tegenover hem zat aan boord van zijn zeilboot, de veiligste locatie in Tel Aviv – misschien wel in heel Israël.

Ophir stond aan het hoofd van de Metsada, de afdeling Bijzondere Operaties. In samenwerking met de Kidon, de Mossad-afdeling die daadwerkelijk aanslagen uitvoerde, was Metsada verantwoordelijk voor moordaanslagen, sabotageacties, paramilitaire operaties en psychologische oorlogvoering. Anders dan de directeur had Ophir een donkere huid en zwart haar. Zijn ver uit elkaar staande ogen waren zwart als de pupil van een ravenoog. Vaak vreesde Yadin dat Ophirs ziel al even duister was.

'Eerlijk gezegd begrijp ik u niet goed, Memune.' Ophir schudde zijn hoofd. 'Toen hij nog leefde, was hij weliswaar een blok aan het been, een vloek zelfs. Nu is hij uitgeschakeld, afgedaan en kan hij bij het grofvuil worden gezet. Maar de Mexicanen hebben Eden niet alleen vermoord, ze hebben hem ontheiligd. En dat kunnen we niet over onze kant laten gaan. Daar zullen ze voor boeten.'

'Vertel jij mij wat ik moet doen, Amir?'

'Natuurlijk niet, Memune,' corrigeerde Ophir zich snel. 'Ik geef alleen maar uiting aan mijn woede – de woede van onze hele familie.'

'Ik ben hier net zo boos over, Amir. En geloof me, de daders zullen ervoor boeten.'

'Ik zal een teller ontwerpen voor alle Mexicanen die...'

'Dat doe je niet,' onderbrak de directeur hem.

'Hoezo niet?'

'Ouyang Jidan is het brein achter de Mexicanen. We hebben een groter plan.'

Ophir keek gekwetst. 'Daar wist ik helemaal niets van.'

'Dan weet je het nu,' zei de directeur koel.

'Details.'

'Die krijg je niet.'

Ophir reageerde beledigd door deze botte afwijzing. 'Vertrouw je me soms niet?'

'Doe normaal, Amir.'

'Nou...'

De directeur keek hem indringend aan. 'Bourne is bij het plan betrokken.'

Ophir tuitte zijn lippen en maakte een spottend geluid.

De directeur stak zijn hand op. 'Nou, eh, je begrijpt...'

'Memune, luister alsjeblieft. Waar Bourne is, vallen doden. Eerst Rebeka en nu Eden. Ik snap niet waarom je hem tot de kern van de familie hebt toegelaten.'

'Ik weet dat je met Eden bevriend was.'

'Eden Mazar was een van mijn beste mannen.'

De directeur merkte dat Ophir gevoeliger was dan gewoonlijk.

'Ik voel met je mee, Amir,' zei de directeur, 'maar Bourne is voor ons van groot strategisch belang.'

'Bourne is uitgeblust. Niemand kan hem nog gebruiken.'

'Dat ben ik niet met je eens.'

Ophir trok een van zijn zwarte wenkbrauwen op. 'Maar stel dat je gelijk hebt, wat ik ernstig betwijfel: weegt dat belang dan op tegen het leven van Eden Mazar?'

'Amir, Amir, daar kan alleen de Heer over oordelen.'

'Ja, God, die overal en nergens is,' zei Ophir honend. 'Feit is dat God niets te maken heeft met het vak waarvoor wij hebben gekozen. Als God bestond, dan zou er geen Mossad of Kidon zijn.'

De directeur besefte helaas al te goed wat Ophir bedoelde. Juist in deze tijd – nu het leven van de Mossad-directeur door angst gekleurd werd – leek God zijn uitverkoren volk in de steek te hebben gelaten. Maar gedachten als deze waren alleen maar contraproductief.

'Laten we God er alsjeblieft buiten houden,' zei de directeur. Zijn verzuchting klonk niet als een bevel, maar was dat wel. Zo ging dat nu eenmaal bij de Mossad.

'Je maakt een denkfout door deze twee doden aan Bourne toe te schrijven,' ging hij verder. 'Hij was hooguit de voorbode, zeker niet de oorzaak.'

'Hij heeft Rebeka niet kunnen beschermen.'

'Rebeka had geen bescherming nodig,' beet de directeur hem toe. 'Dat weet jij als geen ander.'

'En Eden dan?'

De directeur stond op. De wind was van richting veranderd, en hij concentreerde zich op het bijstellen van de zeilen. Nadat hij de zeilen naar tevredenheid had vastgezet, liep hij terug naar zijn plaats. Hij keek Ophir in zijn gitzwarte ogen.

'Amir, we zitten in een lastig parket; ik vrees dat deze situatie ons vermogen te boven gaat. We hebben hulp nodig.'

'Ik kan voor alles zorgen wat je nodig hebt.'

De directeur schudde zijn hoofd. 'Dat denk ik niet. Deze keer niet.'

'Memune, alsjeblieft. Die Bourne is gewoon niet te vertrouwen.' Ophirs ogen werden donker en dreigend. 'Hij is niet een van ons; hij is geen familie,' zei hij met grote nadruk.

De directeur boog zich voorover, plantte zijn ellebogen op zijn knieën en vouwde zijn handen ineen alsof hij ging bidden. 'Maar toch, Bourne is er voor ons, in voor- en tegenspoed, Amir. Bourne is de enige die ons nu kan helpen.'

Jason Bourne zat in een eeuwenoude schaduw te staren naar het zonlicht dat in fonkelende scherven stukviel op de golven van de Middellandse Zee. Hij stelde zich elke scherf voor als een vis die uit het water sprong en probeerde te visualiseren hoe een vis er tijdens zijn sprong boven het water uit zou zien. In plaats daarvan zag hij het afgehouwen hoofd van Eden Mazar over het terras vliegen en richting de branding rollen.

De fonkelende scherven werden bloedspetters die op hem neerregenden. Edens bewaasde ogen staarden hem verwijtend aan. Toen Bourne daarna zijn ogen sloot, verschenen er beelden van Rebeka op zijn netvlies; ze waren in Mexico-Stad en zij lag stervend op de achterbank van een taxi.

Boven zich zag Bourne de bogen van het eeuwenoude aquaduct

dat in de eerste eeuw voor Christus tijdens de heerschappij van koning Herodus was aangelegd. Driehonderd jaar later, toen de stad Caesarea flink was gegroeid, werd de gemetselde waterleiding uitgebreid om het frisse, schone water naar de stad te leiden vanuit de bronnen van Shummi, die tien kilometer verderop aan de voet van de berg Carmel lagen. Nu werd het moderne resort Caesarea, dat naast de ruïnen van de oude stad lag, beheerd door een privéonderneming.

Op een gegeven moment merkte Bourne dat iemand zijn eilandje van schaduw had betreden. Dat irriteerde hem, omdat hij, meer dan wat ook, met rust gelaten wilde worden. Hij draaide zich om, om uiting te geven aan zijn ergernis, toen hij de directeur zag staan, gekleed in een van de vele lichte linnen pakken uit zijn garderobe. De enige concessie die hij aan het strand had gedaan, waren de glanzend leren sandalen.

'Het duurde even voordat ik je gevonden had,' zei de directeur. 'Dat was vast de bedoeling, neem ik aan.'

Bourne gaf geen antwoord en staarde weer naar de zee. De directeur deed een stap dichterbij en ging naast hem zitten.

'Ik begrijp dat je het ziekenhuis voortijdig hebt verlaten.'

'Daarover verschillen de meningen,' antwoordde Bourne gelaten.

'Volgens de arts...'

'Ik ken mijn lichaam beter dan welke arts ook,' snauwde Bourne.

Een poos lang bleef het ongemakkelijk stil. Jonge vrouwen in kleine bikini's renden luid lachend de branding in om hun frisbeeënde vriendjes te plagen. Een toerist maakte foto's van het aquaduct. Een moeder liep achter haar twee kinderen aan het water uit naar het strand en droogde hun druipende hoofden stevig met een handdoek af. De zilte lucht was doortrokken van de geur van zonnebrandcrème en vers zweet.

'Hoe gaat het met je schouder?'

'Aan mijn schouder mankeert niks,' zei Bourne. 'Ben je daarom hiernaartoe gekomen? Om te informeren naar mijn gezondheid? Ik heb geen schouder nodig.'

'Ik heb je ook geen schouder te bieden,' antwoordde de directeur nors. Hij zuchtte diep. 'Misschien moet je er eens uit, Jason...'

'Ik wil er helemaal niet uit. Ik wil alleen maar hier zijn.'

'Om de hele dag aan haar te denken.'

'Wat ik doe is mijn zaak.'

'De hele dag lummelen aan het strand is niets voor mensen zoals wij.'

Bourne deed er het zwijgen toe.

'Wij komen pas aan rust toe als we dood zijn,' merkte de directeur droogjes op. 'Hoe dan ook, ik ben hier niet om met je te praten over de voordelen van het soort leven dat wij leiden. Ik ben gekomen om je te vertellen dat onze vijanden nog steeds naar jou op zoek zijn.'

'De aanslag op Eden bewijst dat ik er nog niet klaar voor ben.'

'Niemand had Eden kunnen redden, niet van het verraad door Carlos. Vergeet niet dat Eden werd omringd door lijfwachten die hij zelf had uitgekozen. Ze werden meteen vermoord. Je hebt gedaan wat je kon doen.'

'Ik had beter mijn best moeten doen. Vroeger...'

'Vroeger is voorbij,' zei de directeur. 'Het verleden is verleden tijd. We moeten ons richten op het heden.'

Bournes aandacht werd afgeleid door de twee stuurse medewerkers van de directeur die vanaf het strand kwamen aanlopen. Ze voerden de toerist af die foto's van het aquaduct stond te maken.

'Het kostte me minder moeite dan ik zei om je te vinden,' zei de directeur. 'En ook voor Ouyang Jidan bleek het een peulenschil.'

Bourne knipperde met zijn ogen in het felle zonlicht. Was de opgepakte toerist met camera een Chinees?

De directeur pakte een sigaar, maar maakte geen aanstalten om hem aan te steken. Hij rolde hem alleen maar tussen zijn vingers als een toverstokje. 'Vergeet niet dat Ouyang je permanent in de gaten houdt, Jason.' Het gezicht van de directeur gaf Bourne een beetje troost. 'Je hebt hem beschaamd, door jou heeft hij gezichtsverlies geleden. Hij zal toeslaan op je zwakste moment.'

Bourne draaide zijn hoofd de andere kant op. 'Wist Rebeka van Ouyang?'

'Wat? O, nee.'

'Wie wel, afgezien van jou?'

De directeur slaakte opnieuw een diepe zucht. 'Het hoofd van de Metsada, Amir Ophir.'

'Waarom liet Ouyang haar dan vermoorden?'

Even verstijfde de directeur. Hij voelde de hartslag in zijn rechterslaap. 'Dat bevel kwam van Encarnación.'

'Nee,' zei Bourne, 'dat bevel kwam niet van hem.'

2

'Goed.' Bijna achteloos wierp Quan, de wushu-meester, een *jian* naar Ouyang Jidan. Hij ving het smalle, dubbelzijdige zwaard, dat in vroeger tijden alleen door heren en wetenschappers mocht worden gebruikt, kundig op bij de greep, waarna de meester uitriep: 'De figuur van de Witte Slang.'

Ouyang bleef stokstijf in het midden van de sportzaal staan. De drie mannen tegen wie hij in de twintig minuten daarvoor had gevochten in de stijl van de Rode Feniks – een techniek met open handen – pakten nu hun zwaarden op. Anders dan Ouyang gebruikten zij een *dao*, een kort, eenzijdig en breed zwaard. De gebruikte wapens waren van staal, anders dan de bekende houten oefenzwaarden. Dat stadium was Ouyang al jaren voorbij. Er bestonden negenentwintig niveaus in de door hem gekozen wushu-discipline; hij zat op niveau vijftien.

De kleine, spichtige Quan was oud op de manier waarop alle grote wushu-meesters oud zijn: alleen in jaren. Hij had de motoriek van een dertigjarige, maar zijn geest bezat de rijkdom die een mens alleen na tientallen jaren levenservaring kan hebben. Hij zat op niveau negenentwintig.

'Goed,' zei Quan tegen de drie mannen, 'val aan.'

Ouyang verroerde geen vin toen de mannen hem beslopen; in het oog van een opstekende orkaan was hij een oase van totale kalmte. De drie mannen – de ene lang, de andere gemiddeld en de laatste klein van postuur – slopen een voor een op hem af, met de vloeiende, gestrekte bewegingen die hoorden bij de figuur van het Chinese Rechte Zwaard.

De kleine man was de eerste die aanviel, met een klap op het hoofd, bedoeld om iemands schedel te splijten. Ouyang pareerde de aanval zonder zijn benen of bovenlijf ook maar een beetje te verroeren. Hij gebruikte alleen maar zijn armen, razendsnel; men hoorde staal tegen staal en zag een bliksemschicht van vonken, waarna de kleine man onthutst een pas naar achteren deed, precies op het moment dat de lange man een stoot maakte die tot op iemands ruggengraat moest doordringen. Met een snelle draaibeweging van zijn polsen waar minachting noch triomfantelijkheid uit sprak, sloeg Ouyang de dao van zijn tegenstander opzij.

De aanval van de derde man was van geheel andere aard. Hij was een expert in de Heilige Steen, dezelfde figuur die Ouyang gebruikte.

Bijna vijf minuten lang stonden de twee mannen tegenover elkaar. Alleen hun armen en wapens bewogen, totdat Ouyang zijn tegenstander met een verrassende manoeuvre onderuithaalde.

De drie mannen verspreidden zich en vielen Ouyang vanuit verschillende hoeken gezamenlijk aan; de middelste man verruilde de bewegingloze Heilige Steen voor de beweeglijke Vuurdans. Lange tijd was er niets anders dan gekletter van staal op staal, een regen van vonken, nevels die als mist het interieur van de zaal aan het zicht onttrokken. Keer op keer probeerden de mannen Ouyang te verslaan. Keer op keer werden ze op het verkeerde been gezet en adembenemend snel ontwapend en verslagen.

'Zozo,' zei kolonel Sun toen het gevecht voorbij was en Ouyang tijdens een korte ceremonie tot niveau zestien werd bevorderd, 'zelfs ik ben onder de indruk.'

Ouyang keek hem aan, zijn zwaard rustend op zijn haarloze onderarm. 'Misschien wil je het tegen me opnemen.'

Kolonel Sun grinnikte en schudde zijn hoofd. 'U bent van de oude stempel, minister. Ik heb me nooit gewaagd aan de figuren van het Rechte Zwaard.'

'Te primitief, zeker.' Ouyang stak zijn jian in de schede met een eerbied die de jongere man tegenover hem nooit zou kunnen begrijpen. 'Dan zit er een hiaat in je expertise.'

Kolonel Sun grinnikte opnieuw, maar nu met een wat ongemakkelijke ondertoon, alsof hij op de een of andere manier gefaald had. Hij was jong voor iemand met zo'n hoge rang – midden dertig, een knappe man met licht Mantsjoerijse trekken in zijn ogen en jukbeenderen. Ouyang was zijn mentor geweest, hij had hem opgeleid en zijn bliksemcarrière in het leger gevolgd. Sun was net als Ouyang een intelligente, nieuwsgierige en visionaire man, een adept van de nieuwe generatie die, zo hoopte Ouyang, het Middenrijk de wereldhegemonie zou brengen die het meer dan verdiende.

'Ik ben van mening veranderd,' zei kolonel Sun, 'betreffende ministers die in kantoren zitten en met papieren schuiven terwijl ze besluiten nemen.'

'Alleen ik,' zei Ouyang met een schalkse glimlach. 'Alleen ik.'

Later zaten de twee mannen in de besloten eetzaal van het Hyatt aan de Bund, die exclusief voor Ouyang was gereserveerd. Ze dronken koffie van Starbucks en aten het Amerikaanse ontbijt, en ook al kon je er niet van genieten, Ouyang vond dat je het ontbijt op zijn minst binnen moest kunnen houden; het hoorde bij de voorbereidingen op de wereldhegemonie. Ze keken uit over de Pudong en de schitterende boog van de Bund, al eeuwenlang een van de bekendste oeverpromenades ter wereld.

Kolonel Sun, die genoeg had van zijn exotische voedsel, legde zijn vork neer en zei: 'Een van onze mensen is in Caesarea in hechtenis genomen.'

Ouyang fronste zijn voorhoofd. 'Dat is slecht nieuws.'

Kolonel Sun spoelde de smaak van het vreemde eten weg met een slok water en knikte. 'Jason Bourne was daar met Mossad-directeur Yadin.'

'Die smerige kakkerlak,' merkte Ouyang op. 'Hij is niet kapot te krijgen, zoals je in de catacomben van Rome hebt gemerkt. Je hebt het twee keer geprobeerd en twee keer is het mislukt.'

Kolonel Sun kromp ineen. 'Het is nog nooit iemand gelukt. Dat wil niet zeggen dat het mij straks niet zal lukken.'

Ouyang knikte. 'Dat zou mooi zijn, Sun. En een reden voor je volgende promotie.' Hij veegde zijn mond af. 'Goed, laten we het hebben over die operatie in Mexico.'

'In Las Peñas is een fout gemaakt,' barstte kolonel Sun uit. 'Mexicanen! Je mag er niet van uitgaan dat ze zelfstandig kunnen denken. Al pakte dat in het verleden juist gunstig voor ons uit.' Hij aarzelde een moment, alsof hij er niet zeker van was of hij zijn gedachten moest uitspreken. 'En dan heb je nog Maricruz.'

Ouyang verstijfde zichtbaar. 'De dochter van Maceo Encarnación is een verhaal apart.'

'Maar toch,' zei kolonel Sun, 'zij is degene die ons met de Mexicanen in contact heeft gebracht.'

'In het verleden pakte dat altijd gunstig voor ons uit,' bauwde Ouyang zijn beschermeling opzettelijk na.

'Dat het ons in Dahr El Ahmar niet gelukt is het Israëlische laserproces voor het verrijken van uranium te bemachtigen, betekende niet alleen een terugslag voor onze plannen in Afrika, maar ook dat Cho Xilan nu de benodigde munitie heeft om onze langetermijnplannen voor China te torpederen.'

Cho was de secretaris van de machtige Chongqing Partij, de grootste rivaal van Ouyang in het Centraal Comité. De Chongqing stond ook bekend als de Partij van de Zuivere Hemel vanwege haar conservatieve visie op het van oudsher gevolgde beleid van het Middenrijk van isolatie en neutraliteit ten opzichte van het Westen. De kloof tussen conservatieve en progressieve facties binnen de regering was groter geworden door de al te openbare zuivering van Bo Xilai en de daaropvolgende arrestatie van zijn vrouw wegens een vermeende moord op een westerling.

'Luister, Sun. Nu de president het partijcongres bijeen heeft geroepen, is alles veranderd,' zei Ouyang. 'Over twee weken zijn onze plannen gereed en kan de macht worden overgedragen aan een nieuwe generatie leiders.

Ik weet zeker dat ik een van die leiders zal zijn. Zoals ik er even zeker van ben dat Cho Xilan daar niet bij zal horen. Hij kreeg promotie nadat Bo Xilai was weggezuiverd. We moeten ervoor zorgen dat hij verdacht wordt van samenzwering met de voormalige leider van de Chongqing Partij.'

Kolonel Sun liet deze opmerking op zich inwerken. 'Dat zal niet gemakkelijk zijn. Cho heeft veel machtige vrienden.'

'Niets van wat we doen is gemakkelijk, Sun.' Ouyang liet zijn vork op weg naar zijn mond stil in de lucht hangen. 'Luister goed. Van de Mexicanen viel niet te verwachten dat ze Jason Bourne aankonden, een man die ze niet kenden. Carlos deed wat hem was opgedragen, waardoor de Mossad opnieuw een gevoelig verlies heeft geleden – eerst de sterke spionne Rebeka en nu Eden Mazar.'

'Het is dus geen wonder dat Yadin met Bourne in gesprek is.'

'Maar de vraag is: waarom luistert Bourne naar hem?' Ouyang kauwde peinzend op een stuk brood met ei en bacon. 'Hoe hebben ze Bourne zover gekregen om in Las Peñas Eden Mazar te beschermen? Bourne is een solist. Hij haat en wantrouwt overheidsinstanties.' Hij schudde zijn hoofd en staarde naar de schitterende wolkenkrabbers aan de skyline van Sjanghai. 'Er is iets fundamenteels veranderd. Daar moeten we achter zien te komen, Sun.'

De kolonel schudde zijn hoofd. 'Ik begrijp het niet.'

Ouyang tuitte zijn lippen. 'Je weet nooit wat Bourne gaat doen, Sun, hij is altijd onberekenbaar geweest. We mogen onze plannen niet door hem of de Mossad in de war laten gooien.'

'Ik begrijp niet waarom u zich nog steeds zorgen om de Mossad maakt. Van agent Rebeka hebben we niets meer te vrezen.'

'Met de kennis van nu, Sun, acht ik de kans groot dat de Mossad-directeur Bourne heeft gevraagd om in de voetsporen van Rebeka te treden.'

'Ik begrijp het nog steeds niet...'

'Je weet wat je moet weten, Sun.' Ouyang keerde zich van hem af. 'Concentreer je maar op Bourne. Hij is degene op wie je moet focussen.'

Bourne had een kamer geboekt in een anoniem motel in een vervallen buitenwijk van Caesarea, ver van het gelikte toeristencentrum waar de rijken kwamen. De gekalkte façade leek mishandeld, toegetakeld door het verleden. Maar het motel was bij meer mensen bekend, onder anderen bij de toerist met een weekendtas, die een eenpersoonskamer voor één nacht boekte en contant betaalde. Terwijl de receptionist zich omdraaide om de kamersleutel te pakken, zocht de toerist op het computerscherm naar het kamernummer van Bourne.

De man had een volmaakt onopvallend gezicht. Al enkele minuten na het inchecken was de receptionist vergeten hoe hij eruitzag. Ondertussen stond de toerist op de tweede verdieping voor de deur van Bournes kamer.

Hij zette zijn weekendtas neer, ritste hem open en haalde er een kunststof pakketje uit. Bij het uitrollen bleek het een soort pak te zijn, dat hij aantrok. Toen hij de rits aan de voorkant dichttrok, leek zijn lichaam te verdwijnen. Hij trok plastic hoezen over zijn schoenen en daarna deed hij latex handschoenen aan.

Toen hij binnen was, keek hij met een klinisch oog om zich heen. Grondig inspecteerde hij elke lade en plank, hij zocht achter elk schilderij, onder het bed, en zorgde ervoor dat hij alles precies terug op zijn plaats zette. Hij vond niets bijzonders en liep naar de badkamer. Daar voelde hij achter de stortbak van het toilet, tilde het porseleinen deksel op en keek of er iets onder was verstopt. Van de wasbak pakte hij een waterglas. Hij hield het bij de bodem en de rand vast en sprayde een fijn wit poeder over de ronde zijkant. Onmiddellijk verschenen er enkele vingerafdrukken. Hij plakte een stuk speciaal voor dit doel ontworpen tape over de afdrukken en trok die er weer voorzichtig af. De vingerafdrukken waren nu nauwkeurig op de tape vastgelegd.

Even later glipte hij stil, als een geest, de kamer uit. Hij stroopte het kunststof pak van zijn lijf en de hoezen van zijn schoenen en stopte alles terug in zijn tas. De latex handschoenen hield hij aan. Hij liep twee aluminium trappen af en ging ongezien door de achterdeur naar buiten, waarna hij in het felle daglicht van het middaguur verdween.

3

'In mijn wereld,' zei Mossad-directeur Yadin, starend naar de hemelsblauwe golven die neersloegen op het strand, 'bestaat alleen maar zwart of wit. De grijstinten zijn voor de anderen. Mijn werk dwingt me de mensheid in twee kampen te verdelen: in helden en schurken – mensen die me willen helpen en mensen die uit zijn op mijn ondergang. We kunnen ons niet de luxe van besluiteloosheid permitteren, de luxe van aarzeling, want aan het einde van de nacht wacht altijd de vernietiging.'

Moe van hun gestoei in de branding renden de jonge mannen en vrouwen terug het strand op, hun gebronsde lichamen tegelijkertijd hard en sensueel.

'Weet je,' merkte Yadin op, 'pas als je een bepaalde leeftijd hebt bereikt, kun je de lichamelijke schoonheid van de jeugd ten volle appreciëren.' Hij draaide zich naar Bourne om. 'Het hoort bij mijn werk die prachtige lichamen aan gevaren bloot te stellen, en ik heb niet eens tijd om te beseffen hoe zonde dat is. Mijn enige minnares is de noodzaak.'

Met zijn kin rustend op zijn over elkaar geslagen onderarmen zei Bourne: 'Wat heeft dit allemaal te maken met mijn verleden met Ouyang Jidan?'

De directeur gromde. 'Ondanks alles wat ik net gezegd heb, brengt elke generatie iemand voort wiens vaardigheden, vindingrijkheid en dreiging buiten alle categorieën van mijn universum vallen. Jij bent zo iemand. Net als Ouyang Jidan. Dus eigenlijk is het helemaal niet zo verrassend dat jullie een gezamenlijk verleden hebben. Op een of andere mysterieuze manier hebben jullie elkaar opgezocht, al was het maar omdat jullie elkaars tegenpolen zijn.'

De directeur staakte het gefriemel met de sigaar tussen zijn vingers, deed hem in zijn mond en stak hem omstandig aan. Zijn ogen glansden onheilspellend in de oplaaiende vlam en de twee mannen werden kort gehuld in een blauwe walm, voordat de zeebries de aromatische rook wegnam.

'Tien jaar geleden voerden Ophir en ik een operatie uit in Syrië,' zei de directeur. In die tijd werkten we nog voor de Kidon. Het ging om een uiterst geheime klus, die niet alleen voor ons, maar ook voor de staat buitengewoon gevaarlijk was.' Hij begon onverwachts te grinniken. 'We noemden ons "Bureau Sluipmoord". We waren een stel idioten!'

De ernst in zijn blik keerde snel terug. 'Goed dan. We waren uitgezonden om te infiltreren en uit te schakelen. Dat zijn ook jouw specialiteiten, Jason. Maar wat bleek? We waren niet de enigen.'

Hij zweeg en keek peinzend naar de kegel van zijn sigaar, die gloeide met een helse hitte. 'Ken je brigadegeneraal Wadi Khalid nog? Hij stond aan het hoofd van de Syrische militaire inlichtingendienst, we noemden hem de "minister van de krochten".'

De directeur nam een trek van zijn sigaar en tuitte zijn lippen met de bedoeling de rook uit te blazen, maar in plaats daarvan draaide hij zich om en begon te hoesten. De uitgekuchte rook omcirkelde zijn hoofd en dreef toen weg.

'Khalid was, zoals je misschien nog weet, het brein achter de Martelarchipel, het netwerk van ondergrondse martelkamers verspreid over het hele land,' ging de directeur verder nadat hij was bijgekomen. 'Dat moesten we natuurlijk vernietigen, maar om voor de hand liggende redenen, vooral om het moreel onder de Syrische manschappen in een oogwenk te ondermijnen, moest Khalid als eerste worden opgeruimd.'

Yadin hoestte opnieuw, maar minder heftig deze keer, en schraapte zijn keel. 'Zoals ik al zei, Ophir en ik waren in die tijd lefgozers. We maakten fouten, kleine weliswaar, maar het waren er genoeg.'

Ver van de kust ging een donkerblauwe zeilboot, met het grootzeil naar buiten, overstag. Op het strand begon een baby te huilen. De jonge vrouwen spreidden een picknickkleed uit, hun vriendjes speelden kaart of lagen te zonnen.

'Ik begrijp dat jullie Khalid dus niet te pakken konden krijgen,' zei Bourne na een poos.

'Ophir en ik hadden geluk dat we levend uit Damascus wegkwamen.' De directeur tuurde naar zijn sigaar. Hij leek er nog maar weinig plezier aan te beleven. 'Maar we kwamen thuis met verbijsterende informatie: de Chinezen hadden de Syrische militaire inlichtingendienst nieuwe verhoortechnieken bijgebracht.'

De directeur wist dat Bourne zou opkijken van die laatste opmerking. 'De Chinezen...'

'Ouyang deelt al langere tijd speldenprikken aan ons uit.' De blik van de directeur ontmoette die van Bourne. 'Nu woedt er een cyberoorlog, proberen ze met behulp van computervirussen en trojans achter onze geheimen te komen, maar het doel is nog altijd hetzelfde. Ze zijn uit op onze geavanceerde technologie.'

'Dus Ouyang coördineert alle aanvallen tegen jullie.'

Nu was het Yadin die naar de zee staarde. 'Ouyang haat en vreest ons al tientallen jaren. Hij was door zijn toenmalige meesters naar Damascus gestuurd. Hij was het die de Syrische inlichtingendienst onderwees in obscure marteltechnieken.'

'Wacht even, hoelang is dit precies geleden?' vroeg Bourne.

'Elf jaar. Op 5 november zijn we ontsnapt.'

Bourne schudde zijn hoofd. 'Ik herinner me dat Khalid in dat jaar op 4 november werd vermoord.'

'Twee kogels uit een sluipschuttersgeweer, één in zijn borst en één door zijn hoofd.'

'Als jullie dat niet hebben gedaan...'

'Ik neem aan,' merkte Yadin droogjes op, 'dat jij je niet meer herinnert dat jíj destijds die schoten hebt gelost.'

'Heb ík Khalid uitgeschakeld?'

'Ja, jij.' De directeur knikte. 'Brigadegeneraal Wadi Khalid was in Syrië de voornaamste leerling van onze vriend Ouyang, iemand die hij jarenlang zorgvuldig had getraind. Jij maakte al zijn werk in één klap ongedaan. Stel je zijn gezichtsverlies eens voor.'

Maricruz Encarnación had de hoge Spaanse jukbeenderen en de heerszuchtige blik van de conquistadores van Mexico, maar met haar grote, donkerbruine ogen en lange golvende haar had ze ook een Azteekse prinses kunnen zijn. Ze straalde hoe dan ook de kracht uit van de zon.

Minister Ouyang Jidan, die naast haar zat in de limousine op weg naar de internationale luchthaven Sjanghai Pudong, grijnsde zelfgenoegzaam zonder dat haar te laten merken. Hij vond het hoogst amusant dat zij zowel zijn vrienden als zijn vijanden boos en bang kon maken. Ze was een buitenstaander, een westerling. Niemand begreep haar, niemand kon haar doorgronden, niemand kon haar wensen of verlangens voorspellen. *Lăo mò* noemden ze haar achter haar rug, een Mandarijns racistisch scheldwoord voor Mexicanen, zo dom dat hij het bestaan ervan niet wenste te erkennen, laat staan degenen die het bezigden ermee te confronteren. Maar vanbinnen raasde een kille, zich snel uitspreidende woede. Dat had hij haar nooit verteld. Hij wist hoe moordzuchtig ze was; dat was een van de dingen die hij in haar bewonderde. Ze was wreed als een Bengaalse tijger en net zo onafhankelijk als alle mannen die hij kende.

'Vind je dit echt wel verstandig?' vroeg hij nu. Hoewel hij het antwoord al wist, voelde hij zich verplicht haar die vraag nog één keer te stellen.

'Mijn vader en broer zijn allebei dood,' antwoordde Maricruz met melodieuze, lage stem. 'Als ik er niet heen ga, wordt het een grote chaos. Erger nog, degenen die aan de legitieme kant van deze business werken, zullen steeds meer onder druk komen te staan van de drugsbaronnen die door de macht en invloed van mijn vader in toom werden gehouden.'

'Ik volg het nieuws uit Mexico net zo nauwgezet als jij.'

'Jidan, daar twijfel ik geen moment aan.'

'Door het verlies van Maceo Encarnación,' ging hij met overtuiging verder, 'is de strijd tussen Los Zetas en het Sinaloa-kartel zo ernstig uit de hand gelopen dat, als die niet onder controle wordt gehouden, het hele land in een burgeroorlog zal raken.'

'Toch moet ik gaan.'

'Ik denk dat je onderschat hoe gevaarlijk het daar is voor jou, Maricruz. Ik vind het niet verstandig dat je je in deze strijd mengt.'

'Je vreest dat mij iets overkomt.'

'Buiten China kan ik je niet beschermen.'

Maricruz ontblootte haar kleine, witte tanden in een tijgerachtige glimlach. 'Ik ben de dochter van mijn vader, Jidan.' Ze legde haar hand op zijn dijbeen. 'En trouwens, je wilt je lucratieve connecties toch niet kwijt? Met de opium en chemicaliën die we naar Mexico smokkelen voor de productie van meth, halen we een omzet van vijf miljard dollar per jaar.'

'Maar wat ik niet wil, Maricruz, is dat jouw lijf gescheiden wordt van jouw hoofd.'

'Daar zal ik aan denken,' zei ze lachend, waarna ze haar benen spreidde, de limoengele rok van Chinese zijde over haar sterke, glanzende dijbenen naar boven trok en schrijlings op hem ging zitten. Ze droeg geen ondergoed, en met haar behendige vingers ritste ze snel zijn gulp open om zijn geslacht te bevrijden. Daarna liet ze zich op hem zakken. Het ging gemakkelijk; ze was al nat.

Ouyang zuchtte diep. Met haar handen plat tegen zijn borst kon ze zijn hart opgewonden voelen kloppen, de naschokken van een kleine aardbeving.

Ze bereed hem met de regelmaat van de getijden. Ouyangs ogen vielen half dicht van genot.

'Geloof je echt dat je door je achternaam zult worden beschermd?'

'Jidan, hou op. Ik ken Mexico. Ik ken de kartels.'

Uit alle macht probeerde hij te voorkomen dat zijn kritische denkvermogen verdween in de snel opkomende golf van extase. 'Los Zetas zijn anders,' wierp hij koppig tegen. 'Het zijn deserteurs van de voormalige Bijzondere Strijdkrachten. Ze zijn gevaarlijk en wreed.'

'Dat zijn huurlingen per definitie, gevaarlijk en wreed, hoe ver je ook teruggaat in de geschiedenis.' Ze glimlachte, alsof ze zich iets herinnerde. Hun intieme samensmelting leek haar volledig koud te hebben gelaten. 'Het enige wat ze met elkaar gemeen hebben is hun hebzucht. Ik ben op alles voorbereid. Geloof me maar, Jidan, mij zal niets overkomen.' Nu pas begon ze zacht te kreunen, haar enige blijk van de krachten die ze in zich had. 'Het komt allemaal goed.'

Ouyang bleef haar nastaren totdat alles van haar – haar kaarsrechte ballerina-achtige lichaamshouding, haar lange, sterke benen, haar onmogelijk strakke billen – door de poortjes van de vertrekhal was verdwenen. Zijn hart kromp ineen en leek te imploderen. Haar afwezigheid was voor hem als de afwezigheid van vuur voor iemand die het stervenskoud heeft. Zijn mobiele telefoon ging, maar hij nam niet op. Hij durfde nu met niemand te praten.

'Jij hebt Ouyang dus diep vernederd,' zei de directeur. 'En daarna kon hij de Syrische regering niet meer infiltreren. Die nederlaag heeft hij nooit kunnen vergeten. Vandaar dat hij achter je aan zit; hij zal niet rusten tot je dood bent.'

Bourne streelde Rebeka's gouden davidster. 'Het kan me niet schelen.'

'Vergeet niet dat ze...'

'Rebeka is vermoord door de zoon van Maceo Encarnación. Ik heb hem én Maceo zelf uitgeschakeld, dus dat is afgehandeld.'

'Dat is het dus niet, Jason,' wierp Yadin meteen tegen. 'Ouyang Jidan was de partner van Maceo Encarnación.'

'Dat is geen nieuws voor me.'

'Maar hoe ver die samenwerking ging misschien wel.' De directeur haalde een paar flinterdunne blaadjes uit zijn borstzak, vouwde ze voorzichtig open en gaf ze aan Bourne. 'Hier, lees zelf maar.'

Bourne wilde er niet eens naar kijken. Hij wilde niets meer te maken hebben met Yadin, de Mossad, Ouyang, met niemand uit het korte leven dat hij zich nog herinnerde. In zijn sombere toekomst was het enige, grijzige lichtpuntje, zijn enige ontsnappingsmogelijkheid, de keuze voor een totaal ander leven. Maar hij had geen enkel idee hoe dat eruit zou kunnen zien. Hij zou terug kunnen gaan naar de universiteit van Georgetown en weer colleges Vergelijkende Taalkunde kunnen gaan geven, maar hij wist goed dat hij zich al na één semester stierlijk zou vervelen. Wat kon hij verder? Zijn opleiding aan Treadstone had hem maar voor één ding klaargestoomd.

Met tegenzin en terwijl een akelig gevoel zich van hem meester maakte, keek hij naar de eerste bladzijde en begon het hele verhaal te lezen over hoe Ouyang zich verrijkte met de smokkel van opium en grondstoffen die, logisch gezien, alleen maar bestemd konden zijn voor de meth-laboratoria in het beheer van Encarnacións kartels.

'Vijf jaar geleden was Encarnación nog de enige leverancier,' zei de directeur. 'Logisch ook. Als hoge minister was Ouyang honderd procent betrouwbaar, een waterdichte bron, zoals je begrijpt. Geen wonder dat Encarnación niet alleen exclusief bij hem inkocht, maar hem ook vijfentwintig procent van de winst uit de verkoop gaf.'

Bourne had alle informatie gelezen en gaf de papieren terug aan Yadin. Hij begon een bekende en gevaarlijke prikkel te voelen. 'Hebben jullie die Ouyang wel in de gaten gehouden?'

'Jarenlang,' antwoordde Yadin met een knik. 'Hij zit op dit moment in Sjanghai.'

'Is hij nooit in Mexico geweest?'

'Nee.'

'Ook niet in de buurt?'

Yadin schudde zijn hoofd.

Bourne staarde naar de kabbelende zee en dacht aan zaken die nog steeds niet waren opgelost. Hij kon Rebeka's dood niet ongewroken laten, en hij kon nergens heen. Dat oude gevoel was weer tot leven gewekt, de donkere mist in zijn hoofd trok op en zijn verstand begon weer te werken zoals het hoorde.

'Wat vreemd is,' zei hij, 'is hoe deze mannen überhaupt met elkaar in contact zijn gekomen. Ze zitten aan verschillende kanten van de wereld, begeven zich in totaal verschillende kringen.'

'Totaal verschillend zou ik niet zeggen. Encarnación was de CEO van SteelTrap, 's werelds grootste internetbeveiligingsbedrijf. Waarschijnlijk hebben ze elkaar leren kennen toen de Chinezen hun eerste schreden op het pad van cyberspionage zetten.'

Bourne schudde zijn hoofd. 'Dat geloof ik niet. Ik heb Encarnación gekend. Hij was iemand die zijn uiterste best deed zijn legitieme zaken te scheiden van zijn criminele activiteiten. Voor SteelTrap zou zelfs de schijn van zakendoen met de Chinezen al zelfmoord zijn.

Nee, er moet nog een connectie zijn waarvan we niets weten, een connectie die we moeten vinden.'

De directeur borg de papieren zorgvuldig op en overhandigde Bourne een verzegeld pakket. Bourne maakte het open en zag tienduizend dollar, een businessclassticket van Tel Aviv naar Sjanghai en een paspoort op naam van Lawrence Davidoff.

'Welkom terug,' zei Yadin. 'Morgenavond vertrek je.'

Hij wachtte even, om te zien of Bourne hem het pakket zou teruggeven. Toen dat niet gebeurde, stond Yadin op en stapte zwijgend uit de schaduw van de stenen boog op weg naar zijn lijfwachten, die geduldig op het strand stonden te wachten.

4

Zodra het vliegtuig naar Tel Aviv kruishoogte had bereikt, stond Bourne op, liep door het middenpad naar achteren en sloot zich op in een van de twee toiletten. Nadat hij het valse paspoort van de Mossad uit zijn binnenzak had gehaald, bladerde hij er langzaam doorheen om elke pagina grondig te inspecteren. Hij trof niets bijzonders aan, maar toen hij de achterkant bekeek, dacht hij iets vreemds te zien.

Hij hield de rand van het paspoort tegen het licht en ontdekte een piepklein restje lijm. Nadat hij dat had weggekrabd, zag hij een sleufje in de kaft ter dikte van een haar. Hij zocht om zich heen naar iets bruikbaars. In de vuilnisemmer lag een verkreukt plastic drinkglas. Hij viste het eruit, zette het op de metalen fontein en verbrijzelde het met zijn vuist.

Hij trok er een flinter uit die voor zijn doel geschikt was en stak een aantal keren achter elkaar het puntje ervan in de rand van de kaft, tot het sleufje zich opende. Langzaam en voorzichtig verwijderde hij het minuscule voorwerp dat tussen de twee laagjes karton zat verborgen.

Hij staarde naar een flinterdun rechthoekje met siliconen verbindingen.

Tijdens de weken waarin Bourne bij directeur Yadin in Tel Aviv te gast was geweest, had hij het dagritme van de directeur op zijn duimpje leren kennen. Vandaar zijn verbazing toen hij Yadin rond lunchtijd het hoofdkwartier van de Mossad uit zag lopen. Normaliter werkte hij tot in de middaguren door, soms met een sandwich die een assistent voor hem uit de ondergrondse kantine had gehaald.

Gisteren echter stapte een opmerkelijk sportief geklede Yadin in een wit linnen overhemd, korte broek en bootschoenen in een burgerauto van de Mossad. Hij was alleen, geen lijfwacht te bekennen. Zijn gewone, gepantserde auto stond ongebruikt en bewaakt in de keldergarage van het gebouw.

Bourne startte de motor die hij had gekocht om door de drukte van het stadsverkeer te laveren, en achtervolgde Yadin, die met zijn wagen uit de drukte probeerde weg te komen. Gezien Yadins outfit vermoedde Bourne dat hij op weg was naar zijn geliefde boot in de jachthaven, maar toen Yadin afsloeg richting het centrum van de stad, besefte hij dat hij het bij het verkeerde eind had.

Twaalf straten verderop stopte de auto van de directeur op een parkeerplaats bij een bushalte. Bourne manoeuvreerde zijn motor naar de stoeprand. Een naderende bus minderde vaart met zuchtende, pneumatische remmen. Bourne zag Yadin in de rij staan. De directeur leek een oud mannetje zoals hij achter de anderen aan slofte, een gepensioneerde man met een kromme rug en een te laag inkomen.

Nadat de logge bus zich weer in het verkeer had gevoegd, ging Bourne erachteraan, bij elke halte geduldig wachtend om te kijken of Yadin uitstapte.

Eindelijk deed hij dat, bij de halte in de Weizmannstraat. Bourne zag hem de straat oversteken richting een groot, veelkantig gebouw van glas en staal met een enorme ronde koepel op het dak. Het deed hem denken aan een CIA-gebouw in Washington.

Bourne reed een eindje door met zijn motor, parkeerde die tegen de stoeprand en volgde Yadin tussen de pilaren door naar een voetgangershelling. Terwijl Yadin het gebouw binnenliep, werd Bourne verrast door een bord met de tekst: TEL AVIV SOURASKY MEDISCH CENTRUM. Onmiddellijk dacht hij terug aan Yadins hoestbui op het strand van Caesarea, zijn maar half opgerookte sigaar. Misschien was Yadin ziek en mocht niemand dat weten. Als dat zo was, zou Bourne dat respecteren.

Hij liep de helling af, stapte op zijn motor, keerde om en reed weg.

De Jemenitische juwelier aan het einde van de Mazal Dagimstraat, in de Oude Jaffabazaar van Tel Aviv, had een onopvallende pui die er verweerd uitzag, maar boven de ingang hing een fraai, handgeschilderd bord. Binnen glansde het zilverwerk door het fraaie, typisch Jemenitische filigreinwerk. De smeedkunst was prachtig. De familie Ben Asher was op dit adres gevestigd en verfijnde het ambacht al lang voordat Israël bestond.

Apter Ben Asher, de huidige pater familias, was de man die Bourne volgens Rebeka moest opzoeken als hij in het geheim ergens aan wilde komen.

'Alles?' had hij haar gevraagd.

'Wat het ook is,' had ze geantwoord met de raadselachtige glimlach die hij nog voor zich zag toen hij vanuit de late ochtendzon de koele, donkere ruimte betrad. Hij had twee slapeloze nachten gehad in een hotel in Tel Aviv en was in alle vroegte, nadat hij zich ervan verzekerd had dat hij door niemand werd achtervolgd, niet door een van Ouyangs mannen, niet door een loopjongen van de directeur, naar deze zilversmid gereden.

De zaak werd slim uitgelicht door strategisch geplaatste spotjes, gericht op de rijen met vitrines die op heuphoogte tegen de achter- en zijwanden stonden opgesteld. De kleine ruimte stond vol met klanten die over de vitrines gebogen de juwelen bewonderden en vroegen of ze een halsketting of armband mochten passen. Achter in de zaak was een smal deurtje dat waarschijnlijk naar het atelier leidde.

Bourne wachtte het juiste moment af en vroeg een jonge verkoopster naar Apter Ben Asher.

Op de vraag wie hij was, antwoordde hij: 'Vertel hem maar dat hij bezoek heeft van een vriend van Rebeka.'

De vrouw keek hem wantrouwend aan en knikte stijfjes. Terwijl ze naar de achterdeur liep, keek ze nog even naar hem om. Bourne wist zeker dat hij in het voorbijgaan een glimp van angst op haar gezicht had gezien.

Tijdens het wachten bewonderde Bourne het zilverwerk. Toen hij opkeek, stond er plotseling een kleine, dikke man in een gehavende leren schort in de deuropening. Hij had een volle baard, met plukjes grijs erdoor die pasten bij de kleur van zijn toegeknepen ogen. De man had een breed gezicht en volle lippen. In plaats van zelf de winkel in te lopen, wenkte hij Bourne met zijn wijsvinger.

Hij bleef zwijgen toen Bourne langs hem heen het atelier binnenliep en deed de deur achter hem dicht. Binnen ging hij op een houten kruk zitten en met zijn handen in zijn schoot gevouwen keek hij Bourne aan.

'Dus jij bent de man over wie ze het had?' zei hij na een poos. 'Wat kan ik voor je doen?'

Bourne gaf hem het paspoort dat hij van de directeur had gekregen.

Ben Asher pakte het document aan, bladerde erdoorheen, keerde zich om en hield een blad tegen het felle licht van een juweliersloep. Na een poos mompelde hij iets. Hij keerde zich om en reikte Bourne het paspoort aan.

'Het is prettig om te zien dat er nog steeds niets schort aan de expertise van de Mossad.'

Bourne glimlachte een beetje zuur. 'Mijn vraag is of je de achterkant kunt herstellen.'

Fronsend draaide Ben Asher zich weer om en legde het paspoort midden in een cirkel van licht. Hij zag het sneetje meteen.

'Wat zat erin?'

'Een gps-tracker.'

'O.' Ben Asher keek Bourne weer aan. 'Je wilt hier dus een andere naam en een nieuwe barcode voor hebben.'

'Nee,' antwoordde Bourne, toen hij het paspoort weer aannam. 'Ik wil een nieuwe.'

'Met andere woorden: een geheel nieuwe identiteit.'

'Precies. Een pas die er gebruikt uitziet – met visums en al.'

'Uiteraard.'

'Waaronder een stempel uit Sjanghai met de datum van morgen.'

Ben Asher keek hem aan. 'Hoe laat vertrekt je vlucht?'

'Halfnegen vanavond.'

'Dat is te doen.' Asher tikte met zijn wijsvinger tegen zijn onderlip. 'Goed, welke nationaliteit wil je hebben? Jammer dat je geen Aziatisch bloed hebt; een Maleisische zakenman laten ze in Sjanghai ongezien door.' Hij bestudeerde Bournes gezicht. 'Ik zou een Syriër van je kunnen maken, maar daar krijg je problemen mee.'

'Een Canadees misschien?'

'Perfect, onopvallend als doorzichtige soep. Heb je ook al een naam?'

'Laten we er Carl Halliday van maken,' antwoordde Bourne. 'Wat kost het?'

'Je gaat me toch niet beledigen.'

'Je moet een ambachtsman goed betalen voor zijn werk.'

Ben Asher glimlachte en haalde zijn schouders op. 'Maar ja, jij bent de man van wie Rebeka hield.'

5

Het was treurig thuiskomen voor Maricruz. Ze kon het niet helpen dat de trage, eindeloos saaie autorit door het drukke verkeer vanaf de luchthaven naar het in smog gehulde Mexico-Stad haar deed denken aan een begrafenisstoet.

De villa aan Calle Castelar, in de wijk Polanco, keek uit over het Lincolnpark. Daar had Jason Bourne, zo had ze vernomen, het leven proberen te redden van de Mossad-agente die door haar broer was neergestoken nadat ze samen uit het huis waren ontsnapt. Ze had Bourne nog nooit ontmoet, wist niet hoe hij eruitzag, maar had wél een duidelijk beeld van hem in haar hoofd. Bourne had haar broer en haar vader vermoord, dat wist ze, meer niet. De dood van haar broer was geen groot verlies, maar haar vader... Dat was een heel andere kwestie.

Ze had verwacht dat het huis waarin ze was opgegroeid er oud en vervallen zou uitzien, met scheuren in het stucwerk, maar het pand waarvoor ze stond, werd omzoomd door kleurige bloembedden en gesierd door weelderige bougainvillestruiken. Het stond er schitterend bij in het fletse zonlicht, alsof het onlangs nog een opknapbeurt had gekregen. De muren waren opnieuw gevoegd, het stucwerk was pas geverfd.

Binnen wachtten haar nog meer verrassingen. Naast de voordeur stond Wendell Marsh, de advocaat van SteelTrap, die persoonlijk door haar vader was aangenomen. Maceo Encarnación had ervoor gezorgd dat Marsh, een weeskind, naar school kon en zich omhoog kon werken. In feite was hij nu lid van de familie, al voelde hij dat zelf niet zo.

'Maricruz.' Hij omhelsde haar. 'Wat goed om je weer te zien. Hoelang is het geleden?'

'Te lang.' Maricruz deed een stap naar achteren en monsterde Marsh. Hij had brede schouders, krachtige gelaatstrekken en dik, achterovergekamd haar dat bijna helemaal wit was. Marsh was een geboren pessimist, een eigenschap die hij nooit van zich had afgeschud.

‘Nog gecondoleerd met je verlies,’ zei Marsh. Hij liep voor haar uit door de gang naar de overvolle huiskamer. ‘Ik neem aan dat je hier even rond wilt kijken. Neem de tijd. Als je klaar bent, liggen de papieren klaar die je moet ondertekenen.’

Ze knikte afwezig en merkte nauwelijks dat Marsh de kamer uit liep. Vaak genoeg had ze gehoord dat wanneer je na een lange periode terugging naar je ouderlijk huis, alles er veel kleiner leek dan in je herinnering, soms ook armoediger. Dus was ze enigszins verrast door de grootte van de kamers, de overdaad van de vele kunstwerken, vloerkleden, kroonluchters en de met zilver en goud bewerkte beelden die volgens haar in een museum hoorden. Van alles om haar heen droop de weelde af, maar haar vader was er niet meer. Met de doortastendheid van een professional had Jason Bourne hem van de aardbodem doen verdwijnen. Toch was de geest van haar vader nog aanwezig, en die riep haar, terwijl ze door de vertrekken dwaalde, de trap op naar de eerste verdieping, dan rechts de gang in, aan het einde waarvan de slaapkamersuite van haar vader lag.

Ze stond voor de drempel, opende de deur, maar bleef in de gang staan. Starend naar het ronde bed vroeg ze zich af hoeveel vrouwen haar vader daarop geneukt had sinds die ochtend dat ze hem had betrapt, boven op een onbekende vrouw. Heel veel, bedacht ze. Over de identiteit van haar moeder had Ouyang pas enkele maanden geleden uitsluitsel gekregen. Ze wist zeker dat hij zich nu aan de andere kant van de wereld afvroeg of ze op bezoek zou gaan bij Constanza Camargo. Ze woonde per slot van rekening aan de andere kant van het park, op de kruising van Alejandro Dumas en Luis G Urbina.

Maricruz stapte naar binnen, liep langs het bed naar het raam, waar ze bleef staren naar de bomen in het Lincolnpark. Ze meende het huis op de hoek van Alejandro Dumas en Luis G Urbina te kunnen zien, maar waarschijnlijk verbeeldde ze zich dat maar. Ze riep het beeld op van haar vader, maar dat verdween bijna onmiddellijk, als een steen naar de bodem van een meer. Onwillekeurig voelde ze door de Chinese zijde van haar handtas aan een klein jaden kistje, kostbaar als een bloedrode Birmaanse robijn. In dit geschenk van Ouyang zat een klein opgevouwen stukje papier. Daarop stonden de naam en het huidige adres van Constanza, de moeder van Maricruz, die, zo had Ouyang haar verzekerd, nog steeds leefde. Ze droeg het kistje altijd bij zich, pakte het soms vast alsof het een talisman was.

Ze ging met haar rug naar het raam staan en begon haar vaders slaapkamer systematisch te doorzoeken. Ze opende kasten en laden, wierp er een blik in, maar raakte niets aan, als een schim van het ene naar het andere persoonlijke voorwerp glijdend. Ze voelde zich bijna een geestverschijning toen ze, onhoorbaar als een zachte bries, de trap afging richting de woonkamer, waar Wendell Marsh geduldig op haar wachtend van een kopje zwarte espresso genoot.

'Er hangt een vreemde sfeer in het huis,' zei hij, 'nu hij er niet meer is, vind je ook niet?'

Maricruz vond van niet. Voor haar had het huis altijd de sfeer van een museum gehad, en nu was het dat eindelijk.

'Ga zitten,' zei Marsh, knikkend naar een stoel naast de bijzettafel. 'Wat wil je drinken? Een espresso, een biertje of iets sterkers?'

Maricruz sloeg alle suggesties af. Ze kon het niet uitstaan dat Marsh zich in dit huis meer op zijn gemak voelde dan zij. Dit was niet zijn huis, dacht ze. En dat zou het ook nooit worden.

'Laten we meteen aan de slag gaan, Wendell.'

Licht verrast keek hij op. 'Zoals je wilt.' Hij legde drie kopieën van zes verschillende documenten op het tafeltje en haalde een pen uit zijn borstzak.

'Je ziet bleek, Wendell. Ben je ziek?'

Hij keek op met een flauwe glimlach. Met een katoenen zakdoek depte hij het zweet van zijn voorhoofd en zijn nek. 'Je kent me, Maricruz, ik ben nooit zo'n liefhebber van Mexico geweest. En momenteel stroomt het bloed door de straatgoten. Mensen worden koelbloedig afgemaakt...' Hij deed er plotseling het zwijgen toe. 'Excuses. Het blijft jouw land.'

'Nou, dat was het ooit.' Ze pakte het eerste stapeltje papieren op, maar keek er niet naar. 'Waar is de kokkin eigenlijk, Maria-Elena?'

'Vermoord, daar lijkt het tenminste op. Vergiftigd.'

Wat een volk, dacht Maricruz. Het beetje beschaving dat nog restte, is de in bloed gedrenkte Mexicaanse bodem ingeslagen. 'En haar dochter?' vroeg ze. 'Ze had toch een dochter?'

'Klopt. Dat meisje lijkt van de aardbodem te zijn verdwenen.'

'Dat kan toch haast niet meer in deze tijd?'

'Maar toch...' Marsh spreidde zijn handen om aan te geven dat hij het ook niet kon helpen.

'Heb je al geprobeerd om haar op te sporen?'

Hij knikte naar de documenten op de tafel. 'Ik had andere zaken te doen.'

Maricruz knikte afwezig en wierp uiteindelijk een blik op het document dat ze in haar handen hield. 'Zullen we dan maar?' Ze rommelde wat in de paperassen en wierp een blik op Marsh, die leek te wachten op de litanie van bezwaren die ze ongetwijfeld zou uiten.

'Wie is in hemelsnaam die Gavin Royce?

'Dat is de nieuwe CEO van SteelTrap.'

'Dat is hij pas nadat ik zijn benoeming heb goedgekeurd.'

'Je vader heeft hem als zijn opvolger aangewezen.'

'Maar ik heb nog nooit van hem gehoord. Ik heb hem nog nooit ontmoet.'

'De afgelopen acht jaar leidde hij de bijzonder lucratieve projecten van SteelTrap in Europa. Hij kent de business van haver tot gort, en hij heeft succes.'

'Dat kan wel zo zijn, maar hij woont in Londen. In Europa doen ze op een andere manier zaken dan mijn vader deed.'

'Zoals ik al zei, Gavin had het vertrouwen van je vader.'

'Ik dacht dat ik de executeur-testamentair van de nalatenschap van Maceo Encarnación was, toch?'

'Natuurlijk,' gaf Marsh toe. 'Maar je hebt behoorlijk lang in China gewoond. Hierin en in bijna alles wat de nalatenschap betreft, moet je vertrouwen hebben in mij, Maricruz.'

Ze staarde naar Marsh, naar zijn open gezicht, zijn zware lichaam, zijn perfect gesneden pak. 'Jij genoot het vertrouwen van mijn vader,' zei ze uiteindelijk. 'Mijn vertrouwen moet je nog winnen.'

Er sloop een harde trek in het aimabele gezicht van Marsh; zijn ogen werden donker. 'Wat moet ik doen?' Zijn woorden kwamen er moeizaam uit, alsof hij in de maag was gestompt.

'Ik wil de heer Royce zelf spreken. Als hij naar mijn idee geschikt is voor de functie, kan hij een contract van achttien maanden krijgen.'

Marsh leek even van zijn stuk gebracht. 'Achttien maanden? Daar gaat hij niet op in.'

'Jawel hoor,' zei Maricruz, 'als hij deze baan echt wil.'

'Maar hij is... Jezus christus, Maricruz, denk toch eens na! Deze man doet zijn uiterste best. Hij werkt vierentwintig uur per dag sinds de dood van je vader.'

'Geef hem een vette bonus, beloon hem naar zijn prestaties. Gebruik je overredingskrachten. Moedig hem aan, Wendell.'

'Ik zal mijn best doen.'

'Ik verwacht meer van je.' Ze fronste haar wenkbrauwen. 'Ik neem aan dat de heer Royce niets weet van de andere kant van papa's zaken.'

'Nee, helemaal niets. Je vader wist SteelTrap altijd zorgvuldig van de rest gescheiden te houden.'

'Dan is het goed.' Ondertussen bladerde Maricruz door het volgende document en scande de pagina's vol juridisch jargon. 'Vertel me eens: wat staat er nou werkelijk in die jaarverslagen van SteelTrap?'

6

Nadat hij als de heer Lawrence Davidoff door de paspoortcontrole was gegaan, kocht hij op weg door de aankomsthal bij een kiosk een pakje kauwgom. Het snoepgoed was van Chinese makelij en bevatte zeldzame kruiden die, aldus de verpakking, de lever van allerlei ongerechtigheden zouden zuiveren. Bourne peuterde een staafje uit de wikkel en stopte het in zijn mond. De bittere, zurige smaak herinnerde hem aan de geur van verbrande turf. Hij gooide de wikkel weg, net als het paspoort op naam van Davidoff.

Buiten in de klamme hitte ging hij in de rij staan voor een taxi. Terwijl hij langs een taxi liep, liet hij het pakje kauwgom op de grond vallen. Toen hij zich bukte om het op te rapen, nam hij de kauwgom uit zijn mond, stak er de gps-tracker van de Mossad in en plakte het kleverige propje tegen het chassis van de taxi.

Hij stond op, voegde zich weer in de rij en liet zich even later naar de stad brengen.

Bourne herinnerde zich Sjanghai als een droom. Terwijl hij door de straten slenterde, liet hij de bonte kleurenpracht en exotische geuren op zich afkomen. Ze riepen vergeten herinneringen bij hem op, die in de krochten van zijn bewustzijn krioelden en als vervaarlijke, onzichtbare beesten bij elk beeld en iedere geur nieuwsgierig hun kop opstaken.

Overal om zich heen hoorde hij de rijke klanken van het Sjanghainees, een taal die in niets leek op het wat grove, monotone Kantonees en het knauwerige, formele Mandarijn. Het dialect uit het noordelijke Wuyu was voor inwoners van Beijing en omstreken vroeger nauwelijks te verstaan. Maar tegenwoordig doorspekken de jonge, ondernemende inwoners van Sjanghai hun taal met Mandarijnse uitdrukkingen. Het dialect van de drieëntwintig miljoen inwoners van Sjanghai, de grootste stad van China, is zodoende de lingua franca geworden van de handel, de humor, de jeugdige levenslust, de toekomst.

Eens stonden er Britse en Hollandse handelskantoren aan de Bund, de beroemde oeverpromenade van de stad. Inmiddels zijn achter deze relatief lage gebouwen de architectonische wonderen verrezen die de futuristische skyline kenmerken van deze postmoderne stad, die rechtstreeks uit een sciencefictionfilm lijkt te komen. Bourne was met het openbaar vervoer naar de oude Franse Concessie gegaan en liep door naar de Yu Yuanweg. Hij zou de plaatselijke agent van de directeur, een zekere Wei-Wei, ontmoeten in een restaurant dat was gevestigd in een fraai gerenoveerde villa met drie verdiepingen.

Bourne werd naar de gereserveerde tafel geleid op de veranda van de eerste verdieping, die over de lengte van de villa liep. Hij keek uit over een kleine, maar onberispelijk onderhouden binnentuin, prettig overschaduwd door de enorme pruimenboom in het midden. Zo kon hij zien wie het restaurant binnenkwam of verliet.

Hij bestelde gerookte zalm en speklapjes in een Sjanghainese saus die tegelijk scherp en zoet beloofde te zijn, en wachtte op de agent.

Hij was bijna klaar met eten toen de serveerster naar hem toe kwam, zich uitgebreid verontschuldigde omdat ze hem tijdens zijn lunch moest storen en hem met een sierlijke buiging een klein, vierkant envelopje aanreikte. Hij keek om zich heen, bespeurde niets verdachts en sneed de envelop open. Op een klein, dubbelgevouwen blaadje stond een haastig geschreven boodschap:

Wegens zaken verhinderd. Kom alstublieft naar mijn appartement. Er stond een adres bij waaruit Bourne opmaakte dat Wei-Wei in een wijk in het district Huangpu woonde, een doolhof van enigszins vervallen bouwwerken aan de andere kant van de rivier tegenover de Bund; de oevers van de rivier leken de wijk te ondersteunen en nog enigszins bij elkaar te houden.

Toen hij klaar was met zijn maaltijd legde Bourne enkele bankbiljetten op tafel. Terwijl hij de smalle houten trappen af liep naar de ingang van de tuin, zag hij een opvallend goed verzorgde Sjanghainese jongeman zitten. De man droeg een grijs pak en glanzende loafers, en legde een bovenmatige interesse voor Bourne aan de dag.

Hij zat in de tuin aan een achthoekig tafeltje waarop een pot met thee stond. Het was Bourne opgevallen dat de man nog niet één slokje had genomen van de thee die de serveerster voor hem had ingeschonken. Wanneer hij niet vanuit een ooghoek naar Bourne zat te loeren, bestudeerde hij zijn nagels, die glansden alsof ze waren gelakt.

De man stond op nadat Bourne hem was gepasseerd en slenterde onverschillig achter hem aan, alsof hij alle tijd van de wereld had. Bourne liep in oostelijke richting naar de ruisende boomtoppen van het Zhongshanpark. Hij passeerde de kleurrijke bloembedden en wandelde onder de driebogige sierpoort door naar binnen. In het park was de moderne stad naar de achtergrond verdrongen om plaats te maken voor charmante lanen met flanerende jonge stelletjes en oude mensen; speelse fonteinen met grote, felgekleurde water spugende vissen en manshoge, doorzichtige plastic bollen, omringd door lachende kinderen; dynastieke paviljoens die als reigers uit kalme vijvers oprezen.

Bourne liep naar een van de grootste paviljoens, waar hij werd omgeven door de vele toeristengroepen. Hij sloot zich aan bij een groepje Zweden en raakte in gesprek met twee jonge meisjes, zusjes. Hij vertelde de meisjes bijzonderheden over de families die vroeger in dit soort paviljoens woonden. De meisjes giechelden en wilden meer horen. Inmiddels had Bourne ook de aandacht van hun ouders getrokken. Hij stelde zich voor, vertelde dat hij hier als docent Vergelijkende Taalkunde op bezoek was en charmeerde het gezin door iets in het Sjanghainees te zeggen en dat vervolgens in het Engels en het Zweeds te vertalen.

Toen de vader Bourne vroeg of hij met het gezin wilde lunchen, sloeg hij dat aanbod af. Hij loog dat hij een belangrijke afspraak had.

'Maar,' ging Bourne verder, 'u zou me wel kunnen helpen...'

'O, waarmee dan?' vroeg de vader.

'Ziet u die man daar in dat pak en met dat achterovergekamde haar?' vroeg Bourne. 'Hij volgt me al de hele ochtend. Het is de broer van mijn vriendin. Hij wil niet dat ik met zijn zus omga, omdat ik uit het Westen kom, en ik ben bang dat hij me iets wil aandoen.'

De vader knikte begripvol. 'Ik heb een artikel gelezen over een ultraconservatieve organisatie hier.'

'Het Bureau Openbare Veiligheid.'

'Precies. Totale xenofoben toch?'

'Dat klopt,' zei Bourne. 'Zou u me willen helpen hem van me af te schudden, zodat ik ongestoord naar mijn vriendin kan gaan?'

'Aha!' De vader grijnsde breeduit. 'Dat is dus die belangrijke afspraak!' Hij tikte met zijn stevige wijsvinger tegen zijn neusvleugel. 'Nu begrijp ik het.' Zijn ogen twinkelden. 'Volgens mij hebt u al een plan.'

'Dat hebt u goed geraden,' zei Bourne. 'En daar heb ik uw hulp bij nodig.'

'O, pap, mogen we meedoen?' smeekten de meisjes.

Grinnikend trok de man zijn dochters liefdevol aan hun oor. 'Het is me altijd een genoegen ware liefde een handje te helpen.' Hij draaide zich om naar Bourne. 'Zeg maar wat we moeten doen.'

Van een afstand zag Wu Lin Bourne in gesprek met het Zweedse gezin. Het feit dat ze lachten bevreemdde hem. Dit was dus geen zakelijke ontmoeting, met die jonge meisjes erbij. Zat hij wel achter de juiste buitenlander aan, vroeg hij zich ineens af? Ze leken ook zoveel op elkaar. Maar toen hij de foto op zijn mobiel opnieuw bekeek, wist hij dat hij goed zat.

Bourne had de meisjes bij de hand genomen en liep met hen het paviljoen in. De vader en de moeder slenterden achter hen aan, waardoor Wu Lin zijn prooi niet meer kon zien. Uit angst ze uit het oog te verliezen rende hij achter hen aan en dook de stroom toeristen in, die door de vele zich vertakkende kamers en over de wirwar van veranda's dwaalden.

Even later had hij de vader en de moeder ingehaald. Ze stonden te lachen, waarschijnlijk om een grappige opmerking van een van hun dochters. Wu Lin was opgelucht dat hij ze zo snel weer had achterhaald en liep op zijn gemak achter hen aan. Nu hij ze weer in het vizier had, kon hij rustig aan doen.

Maar tien minuten later, in een andere ruimte van het paviljoen, toen hij besefte dat hij al die tijd noch Bourne noch de meisjes had gezien, zette hij de pas erin. Hij ging links van het Zweedse echtpaar lopen en ontdekte tot zijn schrik dat er van de meisjes en Bourne geen spoor te bekennen was.

Toen hij het echtpaar inhaalde, ving hij door het woud van benen een glimp op van de meisjes, die met gekruiste benen naast elkaar op een van de meest verafgelegen veranda's zaten. Van Bourne echter geen spoor. Het echtpaar liep naar de tweeling, hurkte naast ze neer en zei iets in een taal die Wu Lin niet verstond.

Vloekend en tierend wendde Wu Lin zich van het gezin af en wurmde zich door de andere vertrekken van het paviljoen. Hij kwam nauwelijks vooruit in die menigte toeristen, die als vee door de eindeloze hoeveelheid kamers sjokten.

Bourne zag zijn achtervolger vergeefs naar hem zoeken. Hij zou nu weg kunnen gaan uit het paviljoen en het park en de man verloren en verbijsterd achter kunnen laten, maar hij had een ander plan. De prooi had besloten om jager te worden en de man te achtervolgen naar zijn opdrachtgever. Hij moest weten wie dat was, want hij was koud in Sjanghai gearriveerd of er zat al iemand achter hem aan. Dat hij werd gevolgd was des te verontrustender omdat alleen de directeur, Ophir en een select gezelschap binnen de Mossad wisten dat hij in Sjanghai zat.

Een halfuur lang achtervolgde Bourne de Sjanghainees bij het paviljoen, daarna in concentrische cirkels steeds verder en verder van het paviljoen af. Zijn systematische manier van zoeken bewees dat deze man een professional was, en in China wilde dat waarschijnlijk zeggen dat hij voor het landelijke inlichtingenbureau werkte.

Dit was geen goed begin van zijn missie, en Bourne moest de neiging onderdrukken de man van straat te sleuren om hem zijn identiteit en die van zijn opdrachtgever te ontfutselen. In elk ander land zou hij dat hebben gedaan. Maar dit was China. Als je je hier gedeisd hield, kon je inderdaad ongezien blijven. Hij moest vooral niet de aandacht op zich vestigen.

De man stond stil bij een oversteekplaats en keek op zijn horloge. Plotseling liep hij verder in zuidwestelijke richting. Bourne bleef hem nog ruim een kwartier achtervolgen. Het verkeer stond bijna stil; op dit tijdstip van de dag kon je je het best te voet verplaatsen in de stad.

Bourne stond aan de overkant van de straat. De man bleef stilstaan voor een school en liep de treden op naar de hogergelegen ingang, terwijl een groepje identiek geklede tieners naar buiten kwam gerend. Een van hen, zichtbaar de zoon van de man, liep naar de man toe. Hij werd vergezeld door iemand die eruitzag als een leraar, of anders een staflid van de school was. De geheim agent stuurde zijn tienerzoon naar zijn vrienden en begon te praten met de andere man. Diens gezicht betrok steeds meer terwijl hij luisterde naar Bournes achtervolger. Toen knikte hij kort om aan te geven dat het gesprek ten einde was. Bournes achtervolger riep zijn zoon, daalde met hem de trap van het schoolgebouw af en vertrok.

Bourne verwachtte dat de leraar weer naar binnen zou gaan en stak de straat over, net op tijd om te zien dat een witte Mercedes naast de stoeprand tot stilstand kwam. Alsof hij door een wesp werd gestoken, rende de leraar de trap af.

Vanwaar hij stond, zag Bourne het ondoorzichtige glas van het achterportier omlaag zakken. De leraar boog zich voorover naar de persoon in de auto. Bourne veranderde van positie zodat hij kon zien wie er in de auto zat en schrok enorm: op de achterbank zat kolonel Sun.

Kolonel Sun was niet blij met wat hij hoorde.

'Stap in,' snauwde hij tegen Go Han. 'Je lijkt wel een straathoer zoals je daar staat.'

De leraar opende het portier en nam gedwee plaats naast kolonel Sun.

'Hoe heeft Wu Lin het in godsnaam voor elkaar gekregen om Jason Bourne uit het oog te verliezen?'

'Geen idee, kolonel.' Go Han liet verslagen het hoofd hangen. '-Bourne had aangepapt met een groepje toeristen. Ze gingen om hem heen staan zodat hij kon ontsnappen.'

Kolonel Sun leunde mopperend achterover in de pluchen bank. 'Bourne wist dus dat hij werd achtervolgd.'

'Misschien had hij gewoon de gebruikelijke voorzorgsmaatregelen getroffen.' Go Han kromp direct ineen onder de vernietigende blik van kolonel Sun.

'Jij kent deze man niet,' zei kolonel Sun. 'Jij hebt geen idee waartoe hij in staat is, hoever hij gaat om iemand uit de weg te ruimen, hoe laag zijn acties zijn.' Hij wuifde de man weg. 'Eruit, nu! Ik kan je niet meer gebruiken.'

Op het moment dat kolonel Sun zich vooroverboog om het portier dicht te trekken, ving hij uit een ooghoek een glimp van Bourne op. Even vroeg hij zich af of dat gepland was, maar snel besloot hij dat die vraag er niet toe deed.

De kolonel gaf zijn chauffeur het sein de auto te starten en de hoek om te gaan. Toen ze door het langzaam rijdende verkeer aankwamen bij de plek waar hij Bourne had gezien, was de geheim agent al vertrokken. Natuurlijk had kolonel Sun niet verwacht dat Bourne daar nog zou staan, maar hij wist ook dat hij niet ver weg kon zijn. Na hun confrontatie in Rome zou Bourne kolonel Sun niet uit het oog willen verliezen. De kolonel gaf via de directe lijn in zijn auto zijn mannen het bevel het gebied af te sluiten.

'Trek een vierkant van zes huizenblokken groot rondom de locatie van mijn auto,' zei hij tegen zijn adjudant. 'Daarna ga je op mijn bevel de buurt in. Ik wil dat alle huizen worden doorzocht. Zorg ervoor dat iedereen de foto van Bourne krijgt die ik zelf ook heb.' Hij dacht aan de beloning die minister Ouyang hem had beloofd en hij voelde zijn vastberadenheid als een vuur in zich oplaaien. 'Laat hem niet ontsnappen, begrepen?' schreeuwde hij in de hoorn voordat hij ophing.

Ondanks de protesten van zijn chauffeur stapte kolonel Sun uit voordat de auto volledig tot stilstand was gekomen. Hij wilde dat Bourne hem niet alleen kon zien, maar hem ook zou gaan volgen. Sun fungeerde als het aas waarmee hij zijn tegenstander in de val zou lokken.

En deze keer zal ik hem krijgen, dacht hij.

7

Toen Bourne de kolonel uit de nog rijdende auto zag stappen, wist hij dat Sun in zijn val was gelopen.

Meteen nadat hij de kolonel had herkend, was hij van plan geweest hem uit de auto te lokken. Dat zou het best lukken als hij zichzelf heel even aan Sun zou laten zien. Toen hij dat gedaan had, trok hij zich terug in een tijdelijke schuilplaats en wachtte hij af of zijn plan zou werken.

Hij vond het grappig om kolonel Sun als een toerist op straat te zien wandelen, terwijl hij ongezien naar hem stond te kijken. Vele maanden geleden was Bourne met Rebeka in Rome geweest. Zij werd daar ontvoerd – geen eenvoudige operatie als het om een Mossad-agent gaat, en zeker niet als die spion Rebeka heette. Ze hadden haar meegenomen naar de Romeinse crypten onder de Via Appia, de eeuwenoude snelweg naar de imperiale stad.

Bourne was haar gevolgd tot in de eeuwige duisternis van de crypten, waar kolonel Sun hem bijna had vermoord. En nadat Rebeka en haar assistent, Ophir, waren vertrokken, had Sun nog een keer geprobeerd hem te vermoorden, wat de dood van twee van zijn mannen tot gevolg had.

De kolonel keek op zijn horloge. Het was een steelse blik, en Bourne, gespitst op de kleinste afwijking, begon te beseffen wat er aan de hand was. Zodra hij achter Sun aan zou gaan, zou de kolonel met superieure mankracht de achtervolging op hem inzetten. Terwijl hij vanuit zijn schuilplaats de kolonel stond te observeren, legden Suns mannen op dat moment ongetwijfeld een kordon om het gebied.

In elk ander land zou een simpele ontsnapping voldoende zijn geweest, maar niet in China. In dit land was een extra dimensie nodig: vernedering, daar draaide het hele spel om. Kolonel Sun zou ten overstaan van zijn mannen aan gezichtsverlies moeten lijden.

Bourne keerde zich om; hij was niet meer geïnteresseerd in Suns activiteiten. Hij beende door de drukke straten. Bij een kledingzaak ging hij naar binnen en kocht een net overhemd met een das, trok het aan, koos er een Chinese pet bij uit en zette die op zijn hoofd, de klep diep over zijn voorhoofd getrokken. Met een ingestudeerd mank loopje liep hij de kledingzaak uit.

In deze vermomming verliet hij de plek waar hij en Sun elkaar hadden gezien, voor Bourne nu een soort 'ground zero'. Even later kwam er een politieagent op hem af, een van de vele die hij om zich heen zag. Het was duidelijk dat het kordon werd dichtgetrokken.

Bourne schuurde tegen de agent aan toen ze elkaar passeerden. De agent stond stil en greep Bourne bij de arm.

'Bieden we een agent geen excuses meer aan?' riep de man boos.

'Ik mag hier toch wel lopen?' antwoordde Bourne op dezelfde toon.

'Jouw houding bevalt me niet,' zei de agent.

Bourne rukte zijn arm los. 'En die van jou bevalt míj niet.'

'Dat zullen we wel eens zien.' De agent trok zijn pistool en duwde Bourne de schaduw van een portiek in.

Zodra ze buiten het zicht van de andere agenten waren, sloeg Bourne met de muis van zijn hand tegen de neus van de agent, daarna gaf hij hem een welgemikte klap tegen zijn strottenhoofd. De agent zakte in elkaar en Bourne sleepte hem verder het gebouw in. De gang was smal, donker en het stonk er naar ranzig frituurvet.

Achter de steile trap was een kleine ruimte die naar een achterdeur leidde. Bourne ging aan de slag en even later droeg hij het uniform van de agent, diens penning diep weggestopt in het borstzakje. Het pak zat niet perfect, omdat de agent kleiner was dan Bourne, maar het moest maar. Bourne sleepte de agent naar de schimmelige ruimte achter de trap, waar het zo donker was dat hij niet snel zou worden gezien.

Terug op straat haastte hij zich om de plaats van de agent in het kordon in te nemen. Een blok verder, terwijl de rij agenten 'ground zero' naderde, brak hij uit de lijn en ging recht op de onberispelijk witte Mercedes van kolonel Sun af. Hij tikte tegen de geblindeerde ruit van de chauffeur. Terwijl het raam openschoof leunde Bourne naar binnen en deelde drie korte, harde stoten uit, die de chauffeur buiten bewustzijn brachten.

Hij opende het portier, trapte de chauffeur naar de beenruimte voor de passagiersstoel en ging achter het stuur zitten. Een dikke glazen wand achter hem scheidde hem van de nu lege achterbank.

Hij startte de motor, wachtte op een opening in het trage verkeer, voegde in en maakte een U-bocht. Dat leverde verbijsterde uitroepen en een kakofonie van claxongeluiden op. Toch lieten de andere bestuurders, misschien geïntimideerd door de enorme Mercedes, hem voorgaan en kon hij doorrijden naar kolonel Sun.

Intussen was de commandant van het kordon bij kolonel Sun aangekomen en stond met hem te praten. Als Bourne op dat moment op de stoep had gelopen, hadden die twee mannen recht voor hem gestaan. Hij gaf een ruk aan het stuur en even later manoeuvreerde hij de Mercedes over de stoeprand het trottoir op, de voetgangers uit elkaar drijvend als de boeggolf van een slagschip.

De commandant was de eerste die de auto op hem en zijn baas zag afkomen. In een flits trok hij zijn wapen en schoot. Normaal gesproken zou de voorruit verbrijzeld moeten zijn, maar dit was de zwaar gepantserde auto van kolonel Sun. De kogels ketsten als hagel van het glas. De ogen van de commandant sperden zich open. Hij had nog net genoeg tijd om kolonel Sun opzij te duwen voordat de Mercedes hem schepte en hem meters hoog de lucht in slingerde.

Bourne scheurde onmiddellijk door, deels over de stoep, deels ernaast. Toen hij door de massa voetgangers niet meer verder kon, stak hij de weg over en scheurde verder over de middenberm, de planten en sierstruiken neermaaiend.

Hij naderde de Dapu-tunnel, die hem naar de andere kant van de rivier zou brengen – van de wijk met de indrukwekkende hoogbouw naar het oude district vol met eeuwenoude panden met hun roodgelakte daken, smalle straatjes met straatventers die op kolenvuur bereide snacks verkochten, en verkeersvrije winkelzones. Hij had voor deze route gekozen omdat hij op de Verhoogde Binnenste Ringweg en de bruggen daarvan een te gemakkelijk doelwit zou zijn.

Precies op het moment dat hij de tunnel in reed, begonnen de sirenes achter hem te loeien. Hij keek in de achteruitkijkspiegel en zag drie politieagenten op motoren de achtervolging op hem inzetten. Hij stelde zich voor hoe een immens chagrijnige kolonel Sun als een bezetene zijn commandanten in alle hoeken en gaten van de stad opbelde in een poging zijn eigen witte Mercedes terug te vinden. Sterker nog, toen hij het communicatiesysteem in het dashboard aanzette, kon hij Suns stem ook echt horen, waar woede en, als Bourne het goed hoorde, vernedering in doorklonken. De kolonel braakte zijn bevelen uit, precies zoals Bourne het zich had voorgesteld. Hij lachte kort en hard, maar concentreerde zich weer snel op het verkeer voor hem en de motoren achter hem.

Bournes hersenen verwerkten razendsnel de informatie die hij via zijn ogen binnenkreeg. Als in een soort reuzenschaakspel wist hij wat zijn volgende zetten zouden zijn, gebruikmakend van de gaten die in het verkeer ontstonden en die even later als luiken dichtvielen. Hij voelde zich uitzonderlijk goed beschermd, omgeven door de met staal en titanium gepantserde flanken van Suns Mercedes.

Hij reed de linkerrijstrook op, gaf plankgas en botste claxonnerend tegen de auto voor hem. Hij kon de verschrikte blik van de chauffeur in diens achteruitkijkspiegel zien, terwijl de man zijn best deed de Mercedes te laten passeren.

De meer wendbare motoren kwamen dichterbij. Bourne had daar geen moeite mee. Sterker nog, daar had hij op gerekend. De auto vóór hem week uit naar rechts en raakte de achterbumper van het voertuig daarvoor.

Opnieuw voerde Bourne het tempo op en dwong de voorste motorrijder hetzelfde te doen om hem bij te kunnen houden. Met zijn ogen gericht op de zijspiegel berekende Bourne op basis van snelheid en afstand het punt waarop ze samen zouden komen.

Toen de voorste motor dat punt bereikte, trapte Bourne zo hard hij kon op de rem. De banden van de Mercedes gierden protesterend terwijl de voorwaartse beweging werd afgeremd. De motorrijder zat te dicht op hem om nog te kunnen reageren en botste met zoveel vaart tegen de achterkant van de Mercedes dat hij de lucht in vloog alsof hij door een kanon was afgeschoten. De motor werd door de impact met de massieve Mercedes in elkaar gefrommeld, en de motorrijder tuimelde over het dak, raakte de motorkap van de auto voor Bourne en gleed op het asfalt.

Of de motorrijder als eerste door zijn Mercedes werd geraakt of door een van de slippende auto's van de in paniek geraakte bestuurders, zou Bourne nooit te weten komen. Hij scheurde verder en deed zijn voordeel met de chaos achter hem door tussen de gaten in de verkeersstroom heen te zigzaggen.

Het was minder druk op de weg nu het verkeer achter hem door de botsing volledig tot stilstand was gekomen, maar hij moest nog twee andere motoren van zich afschudden. De motorrijders, die hadden gezien hoe hun collega meedogenloos onderuit was gegaan, raceten met getrokken pistolen achter Bourne aan en schoten op de Mercedes. Ze hadden evengoed het vuur op een Sherman-tank kunnen openen, zo weinig effect hadden hun kogels op het voertuig.

Opnieuw week Bourne uit, maar nu zat het verkeer voor hem vast en zag hij geen gaten meer waar hij doorheen kon manoeuvreren. Hij was gedwongen het gas los te laten, waardoor een van de overgebleven motorrijders naast hem kwam rijden.

Vervaarlijk grijnzend ontblootte de agent zijn ivoorblanke tanden en probeerde met de kolf van zijn pistool het portierraam in te slaan. Bourne gaf een ruk aan het stuur naar links en reed de motorrijder klem tussen de Mercedes en de tunnelwand. De vonken sprongen van het metaal dat tegen het beton kraste terwijl tegels barstten en als granaatscherven van de wand af vlogen.

De agent sloeg instinctief zijn arm voor zijn gezicht, en Bourne maakte daar gebruik van door de Mercedes nog dichter tegen hem aan sturen. De scherven bleven van de wand springen, maar nu drukte de agent de loop van zijn pistool tegen het glas van het portierraam.

Het pistoolschot dat volgde, versplinterde het portierraam, maar slingerde tegelijkertijd de agent tegen de tunnelwand aan. Hij verloor zijn evenwicht en zijn linkerbeen schuurde tegen de wand, waardoor zijn huid en de pezen daaronder bloot kwamen te liggen.

Het lukte de agent zijn evenwicht te herstellen en met een van pijn vertrokken gezicht richtte hij zijn pistool op Bournes hoofd. Bourne gooide het portier van de Mercedes open. Het raakte de agent als een mokerslag. Hij knalde achterover en zijn hoofd raakte de tunnelwand, en daarna, terwijl hij onderuitging, het achterwiel van zijn motor.

Opgeruimd staat netjes. Nog één te gaan, dacht Bourne.

Ook nu loste het verkeer door het gevecht tussen de Mercedes en de motor op, doordat de auto's zo ver mogelijk van het ongeluk uitweken of zo hard mogelijk de tunnel uit reden.

Bourne kon het zware geronk van de derde motor al horen voordat hij hem zag. De motor baande zich met vloeiende bewegingen een weg langs de stilstaande auto's die hij achter zich had gelaten. Mensen stapten uit en staarden verbijsterd naar de verfomfaaide motor en de bloedende, zwaargewonde bestuurder.

Bourne besefte dat hij de stem van kolonel Sun niet meer had gehoord sinds hij de tunnel in was gereden. Hij draaide het volume van de politiezender omhoog, maar hoorde alleen maar gekraak. Hij voelde iets warms over zijn linkerwang stromen. Hij leunde naar rechts om zichzelf in de achteruitkijkspiegel te zien en zag kleine stroompjes bloed, veroorzaakt door glassplinters.

Toen hij het geronk van de laatste motor hoorde, richtte hij zich weer op en zag het silhouet van zijn achtervolger groeien in de spiegel. Hij zwenkte naar rechts; de motorrijder deed hetzelfde. De bestuurder kwam verstandig genoeg niet te dichtbij. Hij volgde elke beweging van Bourne, om koste wat kost bij hem te blijven.

Het einde van de tunnel kwam snel in zicht. Er was iets vreemds aan de hand: de tunnelopening was veel te licht, alsof het verkeer voor hem als bij toverslag was verdwenen.

De Mercedes kwam de tunnel uit. Uit een ooghoek zag Bourne dat de overgebleven motoragent vaart minderde en naar de kant reed. Ineens begreep hij waarom hij niets hoorde op de politiezender, waarom de derde motoragent hem tot het allerlaatste moment was blijven volgen en toen stopte, waarom het zo stil was op de weg.

Het volgende moment suisde er een door een raketwerper afgeschoten granaat op de Mercedes af en raakte die een fractie van een seconde later. De explosie was op kilometers afstand te zien.

8

Jidan had een soort amfibische kalmte over hem, dacht Maricruz, terwijl ze achteroverlag in de grote, zwaar geornamenteerde badkuip van haar vader. De kranen en handvaten waren van jade en azuursteen, de rand was uit een enorme, massieve plaat jaspis gehouwen.

Ze vond het maar protserig, al paste het precies bij de smaak van Maceo Encarnación, die alles had laten uitvoeren met een adembenemende overdaad.

Dat was precies de reden waarom ze ooit verliefd op Jidan was geworden, besefte ze terwijl ze haar rug strekte en haar met donkere tepels bekroonde, zware borsten als nieuwsgierige zeedieren uit het water omhoogkwamen. Jidan leek in niets op de heetgebakerde mannetjes met wie ze was opgegroeid, die eerst handelden en daarna pas nadachten.

Aanvankelijk was kalmte iets wat Maricruz respecteerde. Te midden van het nimmer aflatende rumoer in haar steden – Mexico-Stad en Beijing – waren de kamers die Jidan ontwierp en haar aanbood, oasen van een plechtige stilte die men moest koesteren en die slechts af en toe, en dan alleen maar door kreten en gilletjes van extase, mocht worden doorbroken. Die tijd leek alweer lang geleden.

Haar grote, bruine ogen vielen uiteindelijk op het kleine jaden kistje dat ze van Jidan had gekregen, de dag voordat ze uit Beijing vertrok. Dat Jidan had ontdekt wie haar moeder was, een moeder die ze zelf nooit gekend had, een moeder uit wier armen haar vader haar had weggerukt, zodat hij haar naar zijn inzichten kon opvoeden, was al wonderlijk genoeg, peinsde Maricruz, maar dat haar moeder nog leefde overtrof haar stoutste verwachtingen. Ze had het kistje al eens opengemaakt, en de naam en het adres van haar moeder gelezen. Of ze haar ooit durfde op te zoeken, dat vroeg ze zich af.

Ze werd verscheurd door tegenstrijdige emoties: het verlangen om te worden gekoesterd door de vrouw die haar gebaard had, de woede omdat ze haar had afgestaan, onbegrip over het feit dat haar moeder nooit had geprobeerd contact met haar op te nemen.

Het jaden kistje glansde. De twee erin gegraveerde draken leken haar spottend aan te kijken. Verstandelijk kon ze begrijpen dat geen man, en zeker geen vrouw, het zou kunnen opnemen tegen haar vader als die eenmaal een besluit had genomen. Haar moeder had niet anders gekund dan buigen voor zijn wensen. Maar toch...

Ze hoorde plotseling geritsel in de slaapkamersuite achter de gesloten badkamerdeur.

'Wendell,' riep ze, 'ben jij dat?'

'Ja, ik ben het, Maricruz, sorry dat ik je stoor. Ik zoek een paar documenten van je vader.'

'Kan ik je daarbij helpen?'

'Misschien. Als je klaar bent met je bad.'

'Ik ben al klaar, Wendell,' zei ze.

'Ik begrijp niet...'

'Niet zo preuts. Kom maar binnen.'

'Dat lijkt me niet verstandig, Maricruz.'

Ze hoorde aan zijn stem dat hij bij de deur stond. 'Maar mij wel, Wendell.'

De deurknop draaide, eerst langzaam, daarna snel, terwijl hij de deur opende. Hij stond op de drempel en met zijn ogen nam hij haar sensuele, stevige lichaam gretig in zich op.

Zijn mond viel open. 'O, mijn god,' prevelde hij.

Maricruz negeerde zijn openhangende mond en zei: 'Wendell, ik besef ineens dat ik helemaal niets van je weet. Ik heb natuurlijk je cv gezien, maar een man is meer dan alleen zijn schoolprestaties, vind je niet?'

Marsh reageerde niet. Het leek of hij de godin Medusa had gezien en was veranderd in steen.

'Je hebt je tong verloren, zie ik,' zei ze met een veelbetekenende glimlach. 'Maar dat is niet erg. Ik denk dat ik uitstekende mensenkennis heb. Ik zal je vertellen wat voor iemand je bent. Je hoeft alleen maar ja of nee te zeggen.' Ze keek hem schuin aan en tuitte haar lippen. 'Dat is toch niet te veel gevraagd?'

Hij schraapte zijn keel en probeerde vergeefs iets uit te brengen.

Maricruz monsterde hem van top tot teen en keek hem weer aan. 'Eens kijken, je bent ofwel gescheiden of nooit getrouwd geweest. Hoe dan ook, je hebt geen kinderen.'

'Gescheiden,' antwoordde Marsh met moeite. 'Geen kinderen.'

'En ook geen vriendin,' zei Maricruz. 'Al een tijdje niet.'

Marsh slikte. Hij knikte werktuiglijk. Hij kon zijn ogen niet afhouden van de glanzende halve bollen die haar borsten waren.

'Hmm. Hoe kom je dan aan je trekken, Wendell?' Ze keek nadrukkelijk naar de bobbel in zijn broek. 'Ik zie dat je niet impotent bent.' Plotseling kwam ze overeind, haar borsten dobberden uitdagend op het water. 'Hoeren, prostituees, callgirls, escortmeisjes. Geil je daarop?'

Marsh gaf geen antwoord, maar zijn rood aangelopen gezicht bevestigde de waarheid van haar suggestie.

'Je hoeft je niet te schamen, Wendell. Seks is een normale menselijke behoefte.' Ze stapte uit het bad en zonder zich af te drogen rechtte ze haar rug en schouders, strekte haar indrukwekkende dijbenen en liep over de tegelvloer op hem af om haar glinsterende naakte lichaam tegen zijn lijf aan te drukken.

Hij piepte benauwd, maar verzette zich niet. Met een flauwe glimlach om haar lippen wrong Maricruz een arm tussen hen in en pakte het groeiende geslacht tussen zijn benen.

'Lekker stevig, Wendell,' fluisterde ze in zijn oor. 'Daar hou ik van.'

Ze duwde zich tegen hem aan en Marsh deed een stap achteruit. Zo bewogen ze samen verder. Terwijl ze aan elkaar kleefden en zijn kleren steeds natter werden, duwde ze hem naar de grote slaapkamer van haar vader. Toen het bed de achterkant van Marsh' benen raakte, boog Maricruz haar bovenlichaam zo ver naar voren dat hij achterover op het matras viel.

Ze ging schrijlings op hem zitten en knoopte zijn kleren los. Er vielen druppels van haar haren en haar harde tepels. Langzaam stak hij zijn trillende handen uit om haar borsten te omvatten.

'Vind je dat lekker, Wendell?' Ze rukte zijn doorweekte overhemd van zijn lijf. 'Ik durf te wedden van wel.'

Hij kneep zacht in haar tepels, en heel even sloot ze haar ogen.

Haar handen werden gretiger, openden zijn gulp, maakten zijn riem los en pelden zijn broek van hem af. Ze vouwde hem open als een origamiwerkje.

Ze boog zich over hem heen, haar platte buik trok samen van genot.

'Dit vind ik nou lekker, Wendell.'

Door de schokgolf die volgde op de inslag van de granaat in de witte Mercedes van kolonel Sun, werd de over de stoep rollende Bourne in één keer van de weg in een afwateringssloot geslingerd, waar hij beschermd werd tegen de wrakstukken van de auto, die als granaatscherven, of een soort minikogels, alle kanten op vlogen.

Verdoofd en tijdelijk doof bleef Bourne een poos roerloos in de sloot liggen. Hij zag de kleur van het luchtruim veranderen van oranje naar geel en rookgrijs, en daarna weer naar helderblauw, zoals het was op het moment dat hij de tunnel verliet.

Hij probeerde de verdoofdheid van zich af te schudden, maar bleef die tinteling diep in zijn botten voelen. Plotseling kon hij, na een onaangenaam plopgeluid, weer horen, en toen hij naar boven keek, zag hij een politiehelikopter naderen.

Hij klom uit de sloot en rende naar de huizen met de roodgelakte daken, naar de vergulde uithangborden en smalle straatjes van het district Huangpu.

Het wrak van de witte Mercedes brandde nog na toen de helikopter op veilige afstand landde. Meteen na de landing gooide kolonel Sun de deur open en sprong naar buiten. Hij werd op de voet gevolgd door een andere man in legeruniform.

'Wie is hier verantwoordelijk voor?' riep hij, wijzend naar het vuur. 'Ik wil namen!'

Een officier verscheen, salueerde en wees naar de soldaat die de raket had afgeschoten. Sun richtte zich op de jongeman, die bijna vloeibaar leek te worden toen de kolonel hem naderde.

'Wat is dit voor geknoei?'

'Ik volgde alleen maar bevelen op, kolonel,' antwoordde de soldaat angstig.

De donkere ogen van de kolonel boorden zich ondraaglijk intens in die van de soldaat. 'Het bevel was de granaat vlak voor het voertuig te laten inslaan, niet om het te raken!'

Kolonel Sun sloeg de jongen hard in het gezicht, een spoor van bloed en ontvelde huid achterlatend. Terwijl hij nadacht over wat hij tegen Ouyang zou zeggen, bleef hij de jongeman slaan, totdat die op zijn knieën neerviel. Het was niet de bedoeling dat Bourne zou omkomen, niet nu, niet hier. Nog niet. Kolonel Sun gaf de man zo'n harde trap dat hij achteroverviel.

'Haal die hond hier weg, ik wil hem niet meer zien,' snauwde hij naar de officier.

Nadat de man was afgevoerd, richtte kolonel Sun zich tot degene die met hem uit de helikopter was gestapt. 'Kapitein Lim, zodra het vuur is gedoofd, laat je het forensisch team komen. Ik wil dat de identiteit van de chauffeur zo snel mogelijk wordt vastgesteld.'

'Wow!' Wendell Marsh lag glinsterend van het zweet op het bed van zijn voormalige baas en staarde naar de perfecte rug van Maricruz, die rechtop zat. 'Wanneer kunnen we dat nog eens doen?'

Maricruz lachte. 'Ik ben niet een van je callgirls, Wendell.'

'Ik vraag alleen maar...'

'Ik ben degene die de vragen stelt. Dat zou ik goed onthouden als ik jou was.'

Hij keek naar haar, een beetje angstig nu. Hij bevond zich in een vreemd land waar hij de kriebels van kreeg en in een situatie die hij niet kon bevatten. Hij wachtte af, luisterend naar zijn eigen ademhaling, tot hij de stilte niet meer kon verdragen.

'Ik wilde niet respectloos zijn, Maricruz.'

'Natuurlijk niet. Maar je bent gewoon zo. Je hebt nooit geleerd hoe je met vrouwen moet omgaan.'

Vooral niet met een vrouw als jij, dacht hij, maar dat hield hij wijselijk voor zich.

Maricruz slaakte een diepe zucht. 'Besef je eigenlijk wel, Wendell, dat jij een heel stoute jongen bent geweest.'

Van schrik ging hij rechtop zitten, tegen het hoofdkussen achter zijn rug. 'Hoezo?'

'Dacht je nou echt dat ik je zou ontmoeten zonder alle informatie over je te verzamelen die er bestaat? Jij hebt geld van mijn vader achtergehouden, beste Wendell.'

Wendells bloeddruk schoot omhoog; hij voelde een onaangename warmte als een onzichtbare slang door zijn lijf trekken. 'Ik betaal alles terug, Maricruz. Tot de laatste cent. Daar ben ik zelfs al mee begonnen...'

'Waarom heb je het gedaan?' Ze draaide zich naar hem om, en bij het zien van de kracht en vastberadenheid in haar ogen kromp hij ineen. 'Mijn vader had zoveel vertrouwen in je.'

Marsh liet zijn hoofd hangen. 'Het was niet voor mezelf, maar voor mijn zus. Ze trouwde een heel rijke, maar heel gewelddadige man. Ze dacht dat ze van hem hield en dat ze hem kon veranderen...' Hij haalde zijn schouders op. 'Uiteindelijk kreeg ik haar zover dat ze bij hem wegging. Als wraak stuurde hij zijn advocaten op haar af, die probeerden haar al haar rechten te ontnemen. Ik kon niet anders dan de beste verdediging voor haar zoeken die ik kon betalen. Het probleem was dat de advocaten en privédetectives zelfs voor mij onbetaalbaar waren.'

Maricruz liet het verhaal tot zich doordringen. Ze wist dat hij de waarheid vertelde, maar de puinhoop die hij ervan had gemaakt, moest worden opgeruimd voordat ze verder konden gaan. 'Waarom heb je mijn vader niet gewoon om geld gevraagd?'

'Een lening, bedoel je?'

'Voor de strijd tegen zo'n kerel had hij je het geld gewoon gegeven.'

Marsh keek van haar weg. 'Ik schaamde me.'

'En dus drukte je geld achterover.'

'Ik was er zeker van dat ik het kon terugbetalen voordat iemand het zou merken, maar de scheiding liep uit op een slepende kwestie, ik had steeds meer geld nodig, en toen was het te laat.' Hij keek haar weer aan. 'Is het te laat voor jou?'

Ze keek hem onderzoekend aan. 'Weet jij wat *aliyah* betekent, Wendell?'

Hij schudde zijn hoofd.

'Dat verbaast me niets. "Aliyah" is Hebreeuws. Het betekent "boetedoening" of "zoenoffer". Jij zult een aliyah voor me moeten brengen, Wendell.'

Hij voelde een verkoelende golf van opluchting door hem heen gaan die de vuurslang verjoeg. 'Maar natuurlijk, Maricruz. Graag zelfs.'

'Het zal geen makkelijke aliyah zijn, Wendell, een die grote risico's met zich meebrengt. Pas als je hem hebt volbracht, weet ik dat ik je weer kan vertrouwen.'

Wei-Wei, de Mossad-agent ter plaatse die zulke geheimzinnige, dringende zaken te doen had dat hij zijn afspraak met Bourne ervoor had verzet, woonde aan de Jiujiaochangweg, tegenover de opzichtige pui van de China Citic Bank en de juwelierszaak Fanghua. Verder weg verpestte een rijtje pastelkleurige flatgebouwen de skyline van de stad, als de afgekloven nagels aan de geparfumeerde hand van een adellijke weduwe.

Wei-Wei's woning bevond zich op de eerste verdieping, boven de China Beauty Shop, waar vrouwen een keur aan bonte zijden sjaals pasten. Bourne was nog licht verdoofd, zijn vingers tintelden en deden niet helemaal wat hij wilde. Onderweg kocht hij een nieuwe garderobe in een kledingzaak, waar hij zijn verbrande, gescheurde jack, zijn overhemd en broek in de vuilnisemmer dumpte naast de wasbak van het smerige toilet. Hij vond het jammer om het uniform weg te gooien, maar hij had geen keuze: het stonk te erg naar geschroeid haar en geblakerd staal.

Hij liep verder de straat in en kocht bij een eetkraampje heerlijke satés op een bamboestokje en spoelde alle proteïnen weg met twee flesjes cola die zo koud waren dat er stukjes ijs in dreven. Na de maaltijd waren de tintelingen in zijn vingers verdwenen en kon hij weer helder nadenken.

Aangekomen bij de Jiujiaochangweg nam hij enkele minuten de tijd om de omgeving te verkennen. Hij observeerde de passanten en ving flarden op van hun gesprekken. Er viel niets bijzonders te bespeuren. De sirene die hij in de verte hoorde, ging de andere kant op. Uiteindelijk dook hij via de voordeur van het gebouw waarin Wei-Wei woonde een smalle gang in, waar het rook naar hete olie en scherpe szechuanpeper. De trap die voor hem lag, was steil en kraakte bij elke trede die hij nam.

Op de galerij van de eerste verdieping rook het nog sterker naar eten. Zelfs in de buitenlucht prikte de peperolie in zijn ogen. Het appartement van Wei-Wei lag helemaal achteraan. De ramen van de woningen die hij voorbijliep, waren grauw en vuil. Hij wierp een blik over de balustrade en keek in een steegje dat omzoomd werd door de overhangende dakpannen van de steile puntdaken van de rondom liggende huizen.

Omdat de bel niet werkte, klopte hij aan, steeds luider. Geen reactie. Hij hield zijn oor tegen de deur. Eerst hoorde hij alleen maar de tocht die door het appartement trok, alsof er een raam openstond. Pas nadat hij voor de derde keer had aangeklopt, hoorde hij geritsel, het geluid van stijve stof tegen een lichaam. Maar nog steeds geen teken van Wei-Wei.

Bourne deed een pas naar achteren, trapte de deur in en keek in het gezicht van een Sjanghainese politieagent die zijn pistool op hem gericht hield.

'Wie bent u?' riep de agent op onnatuurlijke en dwingende toon. 'En wat doet u hier?'

'Ik ben een vriend van Wei-Wei,' antwoordde Bourne. Hij liet de agent zijn Carl Halliday-paspoort zien. 'Ik doe soms zaken met hem.'

De agent keek hem achterdochtig aan. 'Wat voor zaken dan?' De loop van zijn dienstpistool week geen seconde van Bournes borst.

'O, niks bijzonders,' zei Bourne. 'We doen in grote partijen gom.'

'Gom?'

'Kauwgom.' Bourne haalde het pakje dat hij op het vliegveld had gekocht tevoorschijn. 'Chinese kruiden. Ziet u? De Canadezen zijn dol op Chinese kruiden.'

Bourne stopte het pakje kauwgom terug in zijn zak en fronste zijn wenkbrauwen. 'Waar is mijn goede vriend? Waar is Wei-Wei?'

Met zijn vrije hand wenkte de agent hem naar binnen. Hij liep voor Bourne uit naar de kleine slaapkamer, waar de man die bekendstond als Wei-Wei aan een touw om een houten dwarsbalk bungelde.

'Het lijkt erop dat een concurrent hem te pakken heeft gekregen,' zei de agent. Hij gebaarde met zijn pistool. 'Ik moet u vragen deze ruimte te verlaten. Het forensisch team is al onderweg. Ik verhoor u op de galerij.'

Bourne wilde tegensputteren, maar hoorde plotseling een vreemd geluid, een soort harde 'plop'. De ogen van de agent sperden zich open, zijn opgetrokken lippen ontblootten zijn bruingerookte tanden. Hij viel voorover in Bournes armen.

In zijn hals stak een minuscuul pijltje.

9

Dani Amit, hoofd Inlichtingen, liep met een grimmige blik de werkkamer van Yadin binnen. Tegenover de directeur zat Amir Ophir.

'We zijn Davidoff kwijt,' zei Amit.

De directeur keek verbijsterd op. 'Hoezo, kwijt? Hij zit toch in Sjanghai?'

'Misschien,' antwoordde Amit, 'maar misschien ook niet.'

'Dat moet je even uitleggen,' vond Ophir.

Amit gunde Ophir slechts een vluchtige blik. Via zijn tablet liet hij een korte video zien op het grote scherm van de directeur, dat bijna de hele wand tegenover zijn bureau besloeg. De drie mannen keken hoe Bourne door de paspoortcontrole ging.

'Dit zijn beelden van de luchthaven in Sjanghai,' zei Amit. 'Bourne heeft de vlucht genomen die we voor hem hebben geboekt en is, zoals we hier zien, na de landing veilig aangekomen in Sjanghai als Lawrence Davidoff, de schuilnaam die we voor hem hebben bedacht.'

Yadin spreidde zijn handen. 'Wat is dan het probleem?'

Amit veegde het zweet van zijn voorhoofd. 'Vanaf dat moment is hij door de stad gaan zwerven met hier en daar een stop volgens een schijnbaar volstrekt willekeurig patroon.'

'Kun je een lijst samenstellen van de plekken die hij aandeed?' vroeg Ophir.

Amit tikte op het scherm van zijn tablet en de video maakte plaats voor een adressenlijst.

'Misschien probeert hij iemand van zich af te schudden,' opperde Ophir.

Amit schudde zijn hoofd. 'Het gaat zo al uren door.'

De frons in het voorhoofd van de directeur werd dieper. 'Onze man in Sjanghai heeft zich nog steeds niet gemeld.' Hij keek op zijn horloge. 'Hij kan nu elk moment een ontmoeting hebben met Bourne.' Hij wendde zijn blik van het scherm en keek naar de twee mannen tegenover hem. 'Ik geef Bourne het voordeel van de twijfel. Laten we hem nog wat tijd gunnen.'

'Wat als Bourne van de radar is verdwenen?' vroeg Amit. 'Dat zou betekenen dat hij vervalt in dat gevaarlijke, onberekenbare gedrag waar hij bij de Amerikanen om bekendstond.'

'Hij weet te veel van onze plannen,' merkte Ophir op. Niet zozeer in zijn woorden, maar vooral in de toon van zijn opmerking klonk het verwijt door dat de directeur van de Mossad te veel vertrouwen in de Amerikaan had gesteld. 'Zoals ik ooit al opmerkte, hij is niet een van ons.'

De directeur liet alles wat hij had gehoord bezinken. Plotseling veranderde de uitdrukking op zijn gezicht. Hij had zijn besluit genomen.

'Amit, het gaat hier om surveillance. Inlichtingen moet het heft in handen nemen.'

Ophir wilde daar een stokje voor steken. 'Maar Retzach zit op een uurtje vliegen van Sjanghai!'

'Retzach is een huurmoordenaar,' zei Amit.

'Hij is veel meer dan dat,' wierp Ophir tegen, die vocht om de zaak onder zijn verantwoordelijkheid te houden. 'En hij heeft heel veel ervaring in China.'

De directeur staarde peinzend voor zich uit. 'Voorlopig doe jij helemaal niets, Amir, begrepen?'

'*Elef Ahuz*, volkomen duidelijk,' zei Ophir, terwijl hij achter zijn rug het nummer van Retzach op zijn mobieltje intoetste.

Vroeger, dacht Maricruz, terwijl ze op de achterbank van een zwaar gepantserd voertuig naast Wendell Marsh zat, kon ze van dit soort confrontaties genieten. Ze stond er zelfs op dat haar vader háár en niet haar broer naar dit soort oefeningen meenam, want haar broer had nooit veel militair inzicht getoond. Nu hoorde dit soort zaken bij haar werk. Nu vond haar leven plaats in een ver land aan de Pacific Rim. Nu woonde, werkte en konkelde ze met volwassenen.

Deze eeuwige pubers in haar geboorteland, met hun geweren, messen en machetes, waren niet meer dan nepsoldaatjes die slachtoffers maakten onder zwakke, bange, weerloze mensen. Ze vond het afschuwelijk dat ze ook vrouwen vermoordden. Alleen al in Ciudad Juárez waren sinds 2008 duizenden vrouwen en meisjes verdwenen of vermoord. En hoewel het in sommige gevallen een familievete betrof, was de overgrote meerderheid van hen slachtoffer van de drugsoorlog.

Wat wisten de kartelleiders over de wereld buiten de bloederige grenzen van Mexico? Ze kenden maar één manier om te handelen en reageren. Dat de acties en beslissingen van haar landgenoten zo voorspelbaar waren, maakte hen helaas niet minder gevaarlijk. Hun wapens stonden altijd op scherp, hun woede kon op elk moment overkoken. Ze wist dat ze geen enkele moeite hadden iemand te doden. Ze waren niet alleen wetteloos, maar ook beschavingsloos. Niets kon ze iets schelen.

Maricruz keek door het kleine, vierkante raampje naar buiten, terwijl deze gedachten door haar heen gingen. Het kogelvrije glas was zo dik, zo doorweven met draden van titanium, dat ze de wereld uit haar jeugd die aan haar voorbijtrok, niet meer herkende.

Ze voelde aan de handgemaakte kolf van de Bersa Thunder .380, die uit het foedraal om haar middel stak. Een kleiner pistool, een .25, had ze om haar been gegespt, vlak boven haar rechterlaars. Ze was zwaarder gewapend dan een Romeinse centurio op weg naar het slagveld.

Een slagveld was precies waar ze nu heen gingen. Ze had Felipe Matamoros met haar mobiel gebeld. Matamoros was de leider van Los Zetas, de enige drugsbaron die ze nodig had. Het Golfkartel was door Los Zetas gedecimeerd, er was bijna niets meer van over, en het traditionele territorium van het Sinaloa-kartel, dat in getal nog steeds het grootst was, was door Los Zetas in de afgelopen maanden grotendeels ingepikt. Het was een kwestie van tijd voordat Raul Giron, de leider van het Sinaloa-kartel, zijn laatste restje macht zou verliezen. De strategieën die de paramilitairen in de top van Los Zetas hadden bedacht, waren veel te geavanceerd voor de ouderwetse, achterlijke drugsbaronnen van het platteland. Nadat ze Marsh had ingelicht, had zich bij het huis van haar vader een groep van vijftien zwaarbewapende mannen verzameld, die hen naar het klaarstaande gepantserde voertuig escorteerde, waarna ze vertrokken naar de plek die met Matamoros was afgesproken.

De onrustige bewegingen van Marsh brachten haar terug naar de werkelijkheid.

'Waarom?' vroeg hij.

'Waarom wat?' Ze was met haar hoofd nog bij de uitgestippelde strategie voor deze dag.

'Waarom heb je mij verleid?'

Ze keek naar hem en haalde haar schouders op. 'Hoe kan ik er anders achter komen wat voor soort man jij bent?'

'Je bedoelt, het was een soort test?'

'Ja. Om te bepalen of ik je zou houden of dumpen.'

Hij schudde ongelovig zijn hoofd. 'Wat valt er nou...'

'Op het hoogtepunt van de seks laten mannen een stuk van zichzelf zien waar ze zich niet bewust van zijn. Jij hebt iets, Wendell, iets wat ik niet wil laten gaan.'

'Je bedoelt dat je mij wel kunt gebruiken.'

'Dat is wel heel negatief en beperkt uitgedrukt. Ik voelde dat ik je kon vertrouwen, dat je geleerd hebt van je misstap.'

'Dat heb ik zeker.'

'Nou, dan is onze vrijpartij een succes geweest.' Ze glimlachte op een manier waar een andere vrouw kribbig van zou worden en een man rillingen van over zijn rug zou krijgen. 'Voor ons allebei.'

Marsh staarde naar de stalen vloer onder zijn voeten. Ze voelde dat hij zat te tobben, en voordat hij bang zou kunnen worden, zei ze: 'Je bent geknipt voor de rol in ons kleine toneelstukje.'

'Toneelstukje?' zei Marsh. 'Noem je onze ontmoeting met de meest gevreesde man van Mexico een toneelstukje?'

Ze legde haar hand op zijn onderarm. '*Cálmate, Juanito, por favor.*' Ze liet opnieuw haar superieure glimlach zien. 'Het komt allemaal goed. Mijn vaders macht geeft ons meer bescherming dan deze gewapende mannen.'

'Wat doen zij hier dan?'

Nu glimlachte ze breeduit. 'Machismo, Wendell, is de leidraad van mijn leven. Ik had geen keuze. Daarom ben ik weggegaan uit Mexico, dat geen plek is voor een eenvoudige vrouw. Maar toen ik terugkwam, was ik een vrouw van de wereld. En zulke vrouwen vormen een bedreiging voor mannen als Matamoros. Mannen zoals hij hebben geen benul van de wereld buiten Mexico. Ze weten wat ze moeten weten, maar meer niet. Ze weten alles over hun eigen wereld en daar voelen ze zich veilig bij. Maar dat beperkt hen ook.'

'Matamoros is anders dan de rest,' zei Marsh. 'Hij is opgeleid in het Mexicaanse leger.'

'En jij denkt dat de wereld van het leger verschilt van die van de kartels?' Ze schudde haar hoofd. 'Hooguit in de manier van oorlogvoering. Maar weet je, Wendell, hoe superieur het leger ook is op het gebied van wapens, helikopters en mankracht, wat betreft wilskracht kan het niet opboksen tegen de kartels. Die buigen de Mexicaanse staat naar hun wil. Alles daarbuiten is vreemd voor ze, van geen belang.

En ik geef de kartels de middelen om hun doel te bereiken – de drugs en het geld. Dat is het enige in Mexico waar men respect voor heeft.'

Inmiddels waren ze aangekomen in de noordelijke buitensteden van het Distrito Federal. Ze sloegen rechts af, en daarna nog eens, en tot slot naar links. Aan het einde van de straat reden ze een oprijlaan op die met een flauwe bocht naar een grote villa leidde, zachtroze gestuukt in de stijl van Mexicaanse haciënda's. Op het moment dat hun voertuig knarsend over het schelpenpad begon te rijden, verschenen er mannen vanuit de schaduwen van de uitwaaierende palmbomen om het huis. Ze keken grimmig en waren zichtbaar bewapend, maar maakten geen dreigende bewegingen. Ze leken op standbeelden, hier en daar neergezet op het perceel, maar Maricruz maakte zich geen enkele illusie. Bij de minste aanleiding veranderden ze in moordmachines.

Het voertuig kwam vlak voor de rustieke portiek tot stilstand. Haar mannen stapten als eersten uit, maar bleven op haar bevel vlak bij de auto staan.

'Kom,' zei Maricruz tegen Marsh terwijl ze voet op het terrein van het drugskartel zette. De voordeur was geschilderd in het blauw dat de Mexicanen *azul* noemen. Hij zwaaide open en er kwam een boom van een kerel naar buiten. Dat moet Juan Ruiz zijn, dacht ze, een van Matamoros' naaste medewerkers. De man was zo groot als een sumoworstelaar en dodelijk als een pofadder, had ze gehoord.

Ze wist dat de minste aarzeling zou worden opgevat als een teken van zwakte en stapte gedecideerd op hem af. Ze had niet overdreven toen ze Marsh vertelde over de macht en invloed die haar vader nog op deze lui had, maar misschien had ze het aangeboren nadeel onderschat dat ze als vrouw had in deze wereld van primitieve misdaad en dierlijke rauwheid. Ze moest de reputatie van haar vader hooghouden, dat had ze plechtig beloofd toen het nieuws van zijn dood haar in Beijing had bereikt.

'Juan Ruiz?' zei Maricruz.

Juan Ruiz gaf een bijna onzichtbaar knikje toen Maricruz op gelijke hoogte voor hem ging staan. Vervolgens richtte hij zijn ondoorgrondelijke blik op Wendell Marsh.

'Wie is dat?' vroeg hij. 'En wat doet hij hier?'

Ruiz was een man van weinig woorden. Taal was meer het terrein van Diego de la Luna, een andere naaste medewerker van Matamoros.

'Juan Ruiz, met genoegen stel ik Wendell Marsh aan je voor.'

'Señor Matamoros had gezegd één persoon. Niet twee.'

'Señor Marsh was jarenlang mijn vaders rechterhand, en nu is hij de mijne. Waar ik ben, is hij ook.'

De ogen van Juan Ruiz leken dicht te vallen, alsof hij op het punt stond rechtop in slaap te vallen. Maricruz kon zien dat deze reus vanonder zijn hangende oogleden Marsh aan een grondige inspectie onderwierp. Eindelijk gaf hij opnieuw een bijna onzichtbaar knikje en deed een stap opzij, ten teken dat ze naar binnen mochten.

Ze leken een soort hedendaags keizerlijk paleis te betreden. De overdaad aan kristallen kroonluchters, kastjes met bladen van jaspis, marmeren standbeelden, porseleinen potten, Azteekse jaden maskers, ivoren voorwerpen, Olmeekse stenen hoofden, voorwerpen van bewerkt walvisbeen en goudbronzen klokken was alleen al in de hal en in de gang erachter zo groot dat Maricruz al snel ophield met tellen. Een majestueuze mahoniehouten spiraaltrap liep naar de bovenverdieping, die omzoomd werd door een schitterende balustrade die in Versailles niet zou misstaan.

'Wapens,' zei Juan Ruiz in zijn telegramstijl.

Maricruz leverde haar twee pistolen in.

Met zijn monumentale kin gebaarde Juan Ruiz naar Wendell. 'En hij?'

'Hij is niet gewapend,' zei ze.

Juan Ruiz legde haar pistolen op het tafelblad van jaspis.

'Handen omhoog.'

Juan Ruiz fouilleerde hen met snelle en vakkundige hand. Hij vond geen wapens en leidde ze door een gang, salon, bibliotheek en zitkamer, de ene ruimte nog grootser en overdadiger geornamenteerd dan de andere, alsof hier de verborgen schatten uit de beste musea ter wereld waren verzameld. Aangekomen in de studeerkamer voelde Maricruz zich uitgeput door het teveel aan visuele indrukken, wat ongetwijfeld de bedoeling was. Felipe Matamoros wilde zijn macht en rijkdom zo voelbaar mogelijk voor haar maken.

De man zelf stond met zijn rug naar de deuropening en tuurde naar buiten over het uitgestrekte, hellende gazon dat grensde aan een schitterend zwembad. Aan de ene kant klaterde een waterval, aan de andere kant lag een groepje verbluffend jonge, slechts in bikini gehulde vrouwen met gebronsde, goed geoliede lichamen. Matamoros had zijn handen op zijn rug. In zijn ene hand hield hij een groot, ouderwets uitziend glas met, zo vermoedde Maricruz, gerijpte tequila.

Toen Juan Ruiz hen de studeerkamer in had geleid, stapte een slanke, bijna pezige man vanuit de schaduwzijde van de kamer naar voren. Over een Perzisch tapijt, waarschijnlijk een erfstuk, stapte hij op hen af. Ook hij hield een vintage glas met sterkedrank in zijn hand.

'Señorita Encarnación,' begon hij, 'mag ik u en uw gast een drankje aanbieden?'

'U bedoelt señora,' antwoordde ze op neutrale toon.

'Ach natuurlijk,' zei de man, 'señora Ouyang, toch?'

'Tequila,' antwoordde Maricruz met een onaangedane glimlach, 'voor ons allebei.'

'Natuurlijk.'

De pezige man liep naar een zijtafel. Al die tijd had Matamoros geen vin verroerd. Hij leek niet eens te ademen.

Terwijl de pezige man hun drankjes inschonk, zei Maricruz: 'Ik ben en blijf de dochter van mijn vader. Een echte Encarnación.'

Bij het horen van deze opmerking draaide Matamoros zich naar haar om. Hij was knap op een onbehouwen manier. Hij keek helder en intelligent uit zijn donkere ogen. Hij had een haviksneus en zijn mond leek op de bek van een jaguar. Zijn wangen waren pokdalig of bedekt met littekens, dat kon Maricruz in het schaarse licht niet goed beoordelen.

'Goed.' Zijn diepe, rollende stem klonk als de donder in een dal. 'Je bent niet geel geworden, je hebt geen spleetogen gekregen.'

'Gelukkig maar!' riep Maricruz.

Matamoros' dunne, roofdierachtige lippen veranderden in wat de schijn had van een glimlach, maar evengoed een grijns zou kunnen zijn, bedacht Maricruz, maar ze stuurde haar gedachten een andere kant op. Misschien probeerde Matamoros haar uit de tent te lokken, wilde hij haar op de proef stellen, bepalen hoe sterk ze was.

De pezige man bracht de glazen met tequila. Toen hij haar het drankje aangaf, zei Maricruz: 'Ik heb uw broer ooit ontmoet, señor De la Luna.'

De lichte trilling waarmee het glas van zijn hand naar het hare verhuisde, vertelde haar dat ze met deze opmerking had gescoord.

'Mijn broer,' begon De la Luna, terwijl hij tijd rekte om zich te herstellen van de schok.

'Elizondo de la Luna.' Ze nam een slok tequila en bleef hem over de rand van het glas aankijken. 'Dat is toch uw broer?'

De la Luna keek naar haar alsof hij een dodelijk insect in zijn bed had aangetroffen. 'Waar hebt u hem ontmoet?'

'In Manila.' Maricruz vroeg zich af wat voor stad Manila zou zijn, want ze was nog nooit op de Filipijnen geweest. Kennisvoorsprong, daar draait het om, bedacht ze. Vooral op dit moment. 'U hebt Elizondo al een tijd niet meer gezien, begrijp ik.' Ze genoot van de smaak van de gerijpte tequila op haar tong. 'En ook niet meer gesproken.'

'Señora Encarnación,' kwam Matamoros tussenbeide, glimlachend als een kat, 'ik ben helemaal uit Nuevo Laredo gekomen om je te ontmoeten. Wij hebben belangrijke zaken te bespreken.'

Maricruz knikte zonder haar blik van De la Luna af te wenden. Hij leek bleek weg te trekken onder zijn glanzende Mexicaanse huid.

'Manila,' herhaalde ze, 'waar Elizondo en zijn team van Interpol een illegale farmaceutische fabriek wilden sluiten.' Eindelijk keek ze om naar de leider van Los Zetas. 'Gelukkig reiken uw zakelijke belangen niet verder dan de Mexicaanse grenzen, señor Matamoros.'

Nu glimlachte Matamoros echt, wat geen aangename aanblik bood. 'Daar heb ik genoeg aan.' Hij knikte naar twee grote, lichtbruine leren stoelen. 'Neem plaats.'

Maricruz nam de stoel die met de rug naar de tuindeuren stond, die uitzicht boden op het zwembad. Het middaglicht viel achter haar naar binnen. Matamoros nam plaats tegenover haar. Marsh en Juan Ruiz bleven zij aan zij staan, als bewakers, terwijl De la Luna zich terugtrok.

'Jouw vader was een goed mens,' zei hij. 'Ik had respect voor hem. Mijn welgemeende condoleances. Zijn dood is een groot verlies.'

'U hebt mijn vader nooit ontmoet.'

'Ik onderhandelde met hem via een tussenpersoon.'

'Tulio Vistoso. De Azteek.'

Matamoros boog zijn hoofd. 'Dat wilde hij zo.'

'Vistoso is ook dood,' zei Maricruz. 'En nu hebt u zijn organisatie overgenomen.'

'Tja...' Matamoros spreidde zijn handen. 'Wat kon ik anders? Zonder de Azteek en de sturende hand van je vader waren die lui nergens. Giron zat op hen te azen. Ik kon ze toch niet overleveren aan de Sinaloa?' Hij dronk zijn glas leeg en zette het neer. 'Dat betekent helaas wel dat de rol van de familie Encarnación in de wereld van de kartels nu is uitgespeeld.'

Maricruz wist dat dit zou komen en zei: 'En dat betekent tevens dat u geen leveranciers meer hebt.'

'Ik heb mijn eigen leveranciers.'

'Maar niet rechtstreeks uit China. U bent afhankelijk van een reeks tussenpersonen, die ieder voor zich een deel van de winst pakken en die aanzienlijk afromen.'

'Nou, dat valt wel mee, hoor.'

Maricruz wist dat hij loog, maar ze had geen moment verwacht dat hij de waarheid zou spreken. Nog niet, tenminste.

'Ik vraag me af,' zei ze, 'hoe hoog uw kosten zijn in de methbusiness.' Ze keek Matamoros in de ogen. 'Meth heeft de toekomst, dus hoop ik dat dat segment exponentieel groeit.'

Matamoros zweeg even, zich duidelijk afvragend hoe hij op deze zet zou reageren.

Ze wachtte zijn antwoord niet af. 'Meth zou veel winstgevender kunnen zijn als de marges in deze business niet zo klein waren, denkt u niet?' Ze nipte van haar drankje. 'Ik kan rechtstreeks beschikken over de noodzakelijke grondstoffen, een vrijwel ongelimiteerde toevoer.'

'Jouw echtgenoot...'

'Is lid van het Chinese Politbureau. U begrijpt hoe gunstig dat is.'

'Dat begrijp ik maar al te goed, señora Encarnación.' Matamoros knikte.

De la Luna stapte naar voren met een 0.9mm-handwapen. Hij hield de loop gericht op Wendell Marsh.

'Maar goed dat je je *abogado* hebt meegenomen,' merkte Matamoros op. 'Goed voor mij, maar niet voor jou. Je geeft me nu alles wat ik wil hebben – alle voordelen van jouw kartel – anders is deze man er geweest.'

10

Bourne duwde het lichaam van zich af en zag nog net een gestalte uit het open raam vluchten. Onmiddellijk sprong hij op de vensterbank en klom het schuine dak af. De ronde dakpannen waren verraderlijk glad. Hij gleed uit en schoof door tot aan de rand van het dak. Beneden zich zag hij een smalle kloof tussen de huizen; het donkere steegje dat hij eerder had gezien toen hij over de balustrade van de galerij had gekeken.

Hij verzamelde zijn krachten, sprong over de kloof heen en greep de antennes op het dak van het aangrenzende pand vast om te voorkomen dat hij viel. Hij plantte zijn voeten stevig op het dak en zette de achtervolging in op de gestalte, die net over de nok van het dak was geklommen en uit zijn zicht verdwenen was.

Even later, boven op de nok, zag Bourne welke kant de vluchtende figuur op ging, en meende te zien hoe hij hem de pas kon afsnijden. Hij verliet de nok van het dak, maakte al sprintend een scherpe hoek en sprong naar het naastliggende dak, dat ongeveer parallel liep aan het pad dat de voortvluchtige gestalte gekozen had. De moordenaar wist duidelijk waar hij heen ging.

Bourne ontdekte dat hij sneller over de gladde dakpannen vooruitkwam als hij zich zo laag mogelijk hield. Toch bleef de onbekende gestalte zijn voorsprong behouden; hij kende duidelijk zijn weg over deze daken, die zo kenmerkend voor de oude wijk in Sjanghai waren.

Half rennend, half glijdend bedwong Bourne de beurtelings stijgende en dalende hellingen van de smalle daken, springend over steegjes die stonken naar afval en dierlijke uitwerpselen. Als een jachthond achtervolgde hij zijn prooi. Degene op wie hij joeg, leek onuitputtelijke energie te bezitten.

Eén keer keek de gestalte met zijn vage, smalle gezicht om, en toen hij zag dat hij nog steeds werd achtervolgd, liet hij zich over de dakpannen naar beneden glijden, waarna hij over de dakrand uit het zicht verdween. Ook Bourne sprong van het dak en kwam terecht in een drukke straatmarkt vol geïmproviseerde kraampjes met groente en fruit, of illegale dvd's van Amerikaanse films.

De gestalte rende pijlsnel tussen de kooplieden door en wrong zich als een kakkerlak door de winkelende menigte. Bourne kwam steeds dichterbij, totdat de gestalte een hoek omsloeg. Bourne rende achter hem aan, maar plotseling was de moordenaar verdwenen. Hij keek omhoog en zag de kleine gestalte als een aap langs een regenpijp omhoogklimmen.

Bourne besefte dat de pijp hen beiden niet zou houden en stormde het gebouw in. Met drie treden tegelijk nam hij de krakende trap.

Op de bovenste verdieping trapte hij, aan de kant van het gebouw waar de regenpijp liep, een deur in, rende naar het raam, sloeg het onder luid gegil van de opgeschrikte bewoners in en klom naar buiten, reikend naar de rand van het dak.

Met zwaaiende benen slingerde hij zich het dak op, waar hij zag dat de gestalte al twee daken verder was. Aan het einde van het dak maakte hij een sprong, greep zich vast aan een metalen afvoerpijp die uit het aangrenzende gebouw stak, gebruikte die als een as om zichzelf over de breedte van het dak naar het dak erachter te slingeren – hetzelfde dak waarop de vluchtende figuur stond. Opnieuw zag hij vaag het gezicht van de voortvluchtige, die hem steeds dichterbij zag komen. Plots verstijfde de gestalte en slaakte een kreet, terwijl het lichaam begon te schokken.

Met een laatste spurt haalde Bourne de gestalte net na de nok in. Hij sloeg zijn arm om de opvallend slanke taille en toen hij de figuur omdraaide, zag hij dat hij de hele tijd een jonge vrouw had achtervolgd. Ze was tenger als een tienermeisje en hooguit een jaar of twintig.

Haar gezicht was vertrokken van de pijn en toen hij naar beneden keek, zag hij dat haar rechtervoet in de meedogenloze ijzeren kaken van een berenklem was gevangen.

'Meent u dat?' vroeg Maricruz. 'Is er echt geen andere weg?'

'Heb ik een keuze?' vroeg Matamoros. 'Beproefde methoden werken altijd, señora Encarnación. Wat gisteren gold, geldt vandaag net zo goed.'

Zonder iets te zeggen stond Maricruz op en ging voor Marsh staan.

'Ze hebben het recht niet mij te bedreigen, of wel, Wendell?'

'Absoluut niet,' antwoordde Wendell.

Met een korte, neerbuigende blik op De la Luna sloeg ze Marsh met haar zware vintage glas in het gezicht. Terwijl de man verbijsterd en verward op zijn voeten wankelde, trok ze een kleine dolk uit haar decolleté en plantte die in zijn keel.

Ze deed een stap naar achteren, al vloeide er nauwelijks bloed. Marsh viel neer op het vloerkleed. In de seconden daarna was alleen maar het afschuwelijke gegorgel uit zijn keel te horen terwijl hij in zijn doodsstrijd naar adem hapte. Onaangedaan keek Maricruz op hem neer. Eens een verrader, altijd een verrader, dacht ze. Al zwoer hij nog zo oprecht het tegendeel, ze zou hem nooit kunnen vertrouwen. Nu zat zijn taak erop, had hij zijn offer gebracht.

Zijn schokken werden zwakker en uiteindelijk lag hij helemaal stil. Maricruz keek op naar Matamoros, die was opgestaan en nu met zijn schouders voorovergebogen en zijn voeten op schouderbreedte de klassieke houding van een straatvechter aannam.

'Kom maar op,' zei Maricruz, hem met gebogen vingers wenkend. 'Dat wilde u toch al sinds ik hier binnenkwam?'

'Ik heet Yue,' zei de jonge vrouw buiten adem.

'Wat doet zo'n berenklem hier op het dak?'

Bourne zag dat de vrouw veel pijn had; de tanden van de klem waren door haar huid tot aan het bot gegaan.

'Ze worden gebruikt om de Maleisische beer te vangen.' Yue haalde lange, diepe teugen adem in een poging de pijn te verzachten. 'Maar dat mag niet meer, daarom bewaren de jagers hun klemmen soms op het dak.'

Steunend op één knie trok Bourne een tegel los. Hij zette één kant ervan tegen de tandenrij van de klem aan en perste vervolgens de hak van zijn schoen tussen de kaken. Hij gebruikte zijn gebogen been als hefboom en trok tergend langzaam de bebloede kaken zo ver uit elkaar dat Yue haar been kon bevrijden. Een seconde later brak de tegel en had Bourne net op tijd zijn voet teruggetrokken om te voorkomen dat ook hij door de kaken van de klem werd gegrepen.

Yue probeerde op het been met de gewonde enkel te staan.

'Au!'

Bourne ving haar op toen ze voorover viel. Het meisje bleek vederlicht. Hij tilde haar op en liep naar de rand van het dak. In de steeg beneden lag een enorme hoop met vuilniszakken.

'Hou je vast,' zei hij, terwijl hij naar beneden sprong.

Met het meisje beschermend in zijn armen suisde Bourne omlaag en viel op de zakken, van de snelheid gebruikmakend om door te rollen en de val met zijn linkerschouder te breken.

Het pistool van het meisje gleed weg. Toen ze het wilde oprapen, wrong hij het uit haar handen. Het wapen zag er vreemd uit, en Bourne besefte meteen dat ze er het giftige pijltje in de hals van de agent mee had afgeschoten.

'Hoe kom je hieraan?'

Yue, boven op de berg vuilniszakken, kruiste haar armen voor haar platte borst en keek hem aan met een strijdlust die niet bij haar leeftijd paste.

Bourne begon over een ander onderwerp. 'Waarom heb je die agent vermoord?'

Ze wierp haar hoofd in haar nek en lachte hem uit. Het was een echte lach, die vanuit haar onderbuik kwam.

Toen ze hem vervolgens begon te vervloeken, pakte hij haar bij haar smalle pols vast en trok haar naar zich toe. 'Ik spreek je taal vloeiend,' zei hij in idiomatisch Sjanghainees. 'Mij hou je niet voor de gek.'

Ze antwoordde door haar onderlip naar voren te steken. Ze mocht dan wel klein zijn, maar ze was vliegensvlug, en Bourne vroeg zich af of ze ook zo snel kon denken.

'Wat deed je in de woning van Wei-Wei?' vroeg ze uiteindelijk.

'Hij had me gevraagd of ik hem daar wilde ontmoeten.'

'Waarom daar?'

Bourne keek haar onderzoekend aan. 'Hij wilde me iets vertellen.'

'Ik geloof je niet. Wei-Wei nam nooit mensen mee naar zijn huis.'

'Waarom niet?'

'Zijn huis was zijn heiligdom,' antwoordde Yue. 'Hij deed er nooit zaken.'

Bourne dacht aan het briefje dat hij in het restaurant had gekregen en gaf een knikje met zijn hoofd. 'Laten we deze steeg uit lopen. Ken je iemand die jou een beetje kan opknappen?'

'Van mijn moeder mag ik niet met vreemden praten,' zei Yue.

Bourne zuchtte diep, haalde het briefje met de boodschap van Wei-Wei tevoorschijn en liet het haar zien. 'Is dit het handschrift van Wei-Wei?'

Ze trok het briefje uit zijn hand en vouwde het open. 'Dit is niet door Wei-Wei geschreven,' zei ze, terwijl ze het hem teruggaf. 'Wat me niet verbaast.'

'Hoezo niet?'

'De man die ik heb vermoord, was geen agent. Hij was een huurmoordenaar met de opdracht Wei-Wei te vermoorden. Jij kwam binnen voor hij uit het appartement kon vluchten. Ik had hem tot aan de flat van Wei-Wei achtervolgd, maar hij was me te snel af. Ik kon hem niet meer tegenhouden. En toen kwam jij op de proppen.'

'Omdat ik hem afleidde, kon jij hem uitschakelen,' zei Bourne.

Ze keek van hem weg.

'Voor wie werk je?'

Opnieuw wierp ze hem die giftige blik toe. 'Je vertelde dat je een afspraak had met Wei-Wei.'

'Dat klopt. In een theehuis.' Hij gaf haar de naam en het adres.

Nu keek ze hem iets minder sceptisch aan. 'Wat wilde je vertellen tijdens die ontmoeting?'

Bourne aarzelde even, maar besloot haar de herkenningscode te geven die hij van de directeur had gekregen.

De duistere en gevaarlijke blik verdween uit haar ogen.

'Goed dan.' Ze klonk nu kordaat, zakelijk. 'We gaan naar Tak Sin. Hij woont hier om de hoek.'

'Doe dat wapen weg,' eiste Matamoros van De la Luna, terwijl hij Maricruz scherp in de gaten hield. 'Maak je eens nuttig, samen met Juan Ruiz.' Hij knikte naar het zwembad. 'Onderhoud die meiden daar maar; ze vervelen zich.' Hij snoof minachtend. 'En neem dat stuk menselijk afval mee voordat het mijn vloerkleed bevlekt.'

Toen ze alleen in de kamer waren achtergebleven, liet Matamoros zijn pose van een straatvechter los. Met een zucht liep hij langs Maricruz, schopte haar gevallen glas een hoek in en schonk bij het bijzettafeltje voor hen beiden een genereus glas tequila in.

'Je vader heeft je goed opgevoed,' zei hij toen hij zich naar haar omdraaide.

Maricruz veegde het lemmet schoon en stopte haar vuistdolk terug. 'Laat mijn vader erbuiten!'

'¡*Ay de mí*!' Hij reikte haar het drankje aan. '*Cálmate, mi princesa guerrera. Usted ha ganado la batalla.*' Rustig maar, oorlogsprinses. Deze strijd is door jou gewonnen.

Hij hield zijn fonkelende glas omhoog, waarna ze toostten. Beiden namen een flinke slok. Matamoros zuchtte. 'Eerlijk gezegd doet het me deugd dat ik je leer kennen zoals je bent – je bent even krijgszuchtig als mijn eigen mannen, maar veel slimmer.'

'Ik geloof u niet.'

Hij grinnikte, schudde zijn hoofd. '*Mujer*, ik heb nog nooit zo'n vrouw meegemaakt. Ik wil wat jij me te bieden hebt. Kan ik nog duidelijker zijn?'

'Ik maak me zorgen over de zaken van mijn vader.'

Matamoros fronste zijn voorhoofd en leek voor het eerst van zijn stuk gebracht. 'Geld speelt toch geen rol?'

'U begrijpt het niet.'

'Alsjeblieft.' Hij pakte zijn glas weer op. 'Vertel eens wat over jezelf.'

Toen ze bleef zwijgen, fronste hij zijn wenkbrauwen nog meer en daarna, alsof er een sluier was opgelicht, knikte hij. 'Ik begrijp het. Je bent bang dat jouw woorden niet aan mij besteed zijn.'

Hij liep van haar weg en ging in de stoel zitten waarin Maricruz eerder had gezeten. Het zonlicht viel over zijn schouders en vormde een vreemde krans om zijn hoofd. 'Je hebt je vergist door aan te nemen dat ik een nitwit ben.'

Ze ging tegenover hem zitten. 'Vertel eens wat over uzelf. Alstublieft.'

Hij grinnikte op zijn roofdierachtige manier, die nu, na deze confrontatie, eerder iets dwingends dan gevaarlijks had. 'Als kind werd ik op een dag ziek. In die tijd woonde mijn familie in een gehucht in de bergen, de vloer in ons huis was van zand. Mijn vader werkte twaalf uur per dag. Toen hij stierf, waren zijn longen zwart als de steenkool die hij uit de mijnen hakte.

Op die dag werd ik ziek. Ik was tien en ik gloeide van een koorts die maar niet wilde zakken. Niemand wist wat ik had, de dorpsarts niet, die me kruiden voorschreef, en ook de oude heksen niet, die me met hun toverspreuken probeerden te genezen. Niemand.

In de tweede week begon de koorts me te verteren. Mijn oudere zus, Marissa, was degene die me naar de rivier bracht; ze hield me in haar armen en waadde met me door het water. Ze ging graag naar een bepaalde plek, een bijna volmaakt ronde poel, een eindje van de hoofdstroom af. Ik dreef op de kabbelende golven, terwijl ze me baadde in het koude, heldere water.

Ze hield me urenlang in haar armen. Ik herinner me de wolken die door de lucht dreven – als fabeldieren die over me waakten. Ik hoorde vogels zingen, maar hun roep klonk van ver en verwrongen, als in een droom.

Bij zonsondergang stond ze me nog steeds zacht in haar armen te wiegen. In het donker zong ze liedjes voor me. De maan verscheen en ik keek naar haar gezicht, dat ik verwarde met de maan. Waarschijnlijk sliep ik toen; het volgende wat ik me herinner was dat het ochtendgloren zich over de hemel verspreidde en Marissa tegen me zei: "Kijk nou eens, *joven*! Je glimlacht."

Later die dag of misschien de dag daarna, dat weet ik niet meer, zat ik voor het eerst sinds twee weken met smaak te eten, en fluisterde Marissa in mijn oor: "Joven, onwetendheid is de oorzaak van de ziekte die jou bijna fataal is geworden. Onthoud dit goed, voor eens en altijd: onwetendheid is een soort dood." Dat ben ik nooit vergeten, mujer. Nooit, want weet je, mijn zus is een godin. Vanaf toen heb ik elke kans aangegrepen om kennis te vergaren.'

Matamoros dronk zijn glas leeg en zei: 'Kom. Laten we onder het genot van een overheerlijke maaltijd samen nadenken over de vraag hoe we de nalatenschap van Maceo Encarnación in ere zullen houden.'

11

Retzach arriveerde in Sjanghai en ging na de landing meteen aan de slag. Al sinds zijn zeventiende werkte hij voor de Mossad. Drie jaar nadat hij was gerekruteerd, was hij geselecteerd voor de Metsada. Retzach viel op binnen de Kidon nadat hij Muhammad had vermoord, het hoofd van Syriës nucleaire programma. Hij had hem vanaf een boot neergeschoten, terwijl het doelwit op het strand van Tartus lag te zonnebaden. Retzachs reputatie werd bevestigd toen het hem lukte in Damascus te infiltreren en Imad Mughniyah uit te schakelen, de leider uit de top van de Hezbollah die medeverantwoordelijk was geweest voor de roemruchte bomaanslag op de Amerikaanse ambassade in 1983. Retzach had C4-explosieven in de hoofdsteun van de auto van de Hezbollah-leider geplaatst en via zijn mobiele telefoon tot ontploffing gebracht.

Die aanslag op Mughniyah had voor Retzach een persoonlijk tintje, daarom was hij er zo op gebrand geweest. Zijn jongste broer had als verbindingsofficier voor de Amerikaanse ambassade in Damascus gewerkt en was een van de slachtoffers. Hij nam wraak om de familie-eer te redden, wat een van de redenen was waarom Amir Ophir, die toen net benoemd was als hoofd van de Metsada, het verzoek van Retzach had ingewilligd. De andere reden was dat hij Retzach stevig aan zich wilde binden. Retzach besefte dit, misschien niet meteen, maar zeker kort daarna, toen Ophir hem een opdracht gaf die buiten zijn boekje ging. Retzach had daar geen problemen mee – sterker nog, hij voelde zich vereerd. De Mossad was als een familie, vooral binnen de Metsada. Dat Ophir hem opnam als een zoon, was niets meer dan een grote eer.

Op weg van het vliegveld naar de stad pakte Retzach zijn mobiel en belde zijn plaatselijke contacten. In elke grote stad had hij er wel een paar zitten. Geen van hen wist dat hij uit Israël kwam, laat staan dat hij voor de Mossad werkte. Hij betaalde ze uit eigen zak; zelfs Ophir mocht niet van hun bestaan weten. Retzach gaf weinig om geld, gebruikte het alleen maar om informatie te kopen. Hij had geen behoefte aan spullen, aan de onvermijdelijke aankopen die een volwassene in zijn leven doet. Hij was ooit getrouwd geweest, en uit dat huwelijk was een vreemd kind voortgekomen, dat hij één keer per jaar zag.

Zelf was hij ook een vreemd kind geweest. Na veel zelfstudie ontdekte hij dat hij geen invoelingsvermogen had. Dat dit een reden was om hem als psychopaat te kwalificeren, deerde hem niet. Die geleerden leefden immers in een wereld die totaal anders was dan de zijne; ze kenden het leven van de straat niet, ze leefden als farao's. Wisten zij veel waar het werkelijk om draaide.

Nadat hij genoeg inlichtingen had ingewonnen, stapte hij op de Shanxi Nanweg in de wijk Huangpu uit de taxi en ging te voet verder naar restaurant Dongbei Ren, een drukke, luidruchtige uitspanning, populair bij de plaatselijke bevolking, maar ook bij toeristen. Hij begaf zich naar een van de grote ronde tafels en ontdekte een plekje tussen een zeskoppige Chinese familie en een dikke plaatselijke bewoner wiens vetkwabben over elkaar heen rolden. Het restaurant leek met zijn spuuglelijke goud- en roodtinten en geüniformeerde bediening met paardenstaart uit de tijd van Mao's revolutie te stammen.

'Wat zal ik eens bestellen?' zei Retzach terwijl hij de grote menukaart bestudeerde.

'Probeer de dronken garnaal,' stelde de dikke Sjanghainees voor.

'Ik ben allergisch voor garnalen,' antwoordde Retzach zonder op te kijken.

'Jammer,' antwoordde de dikke man. 'Ze zijn zo vers dat ze nog naspartelen in je mond.'

Retzach bestelde groene noedels, een lamsbout en een pot chrysantenthee. Hij legde de menukaart neer en zei tegen de dikke man: 'Heb je hem gezien?'

De dikke man bekeek opnieuw de foto van Bourne die Retzach hem via zijn mobiel had toegestuurd. 'Nee, niet gezien,' antwoordde hij, 'maar ik ken wel iemand die hem pas heeft gesignaleerd.' Hij boerde luid en stond op. De voedselresten dwarrelden als roosvlokken van zijn corpulente lijf. 'Nog een prettige voortzetting van de maaltijd, maar pas op: het eten hier is zo lekker, voor je het weet heb je jezelf in coma gevreten.'

Retzach lachte en goot hete saus over de noedels nadat ze geserveerd waren, pakte zijn eetstokjes en viel aan.

Tak Sin was eigenaar van een apotheek, in de Chinese betekenis van het woord. Tegen de wanden stonden van links naar rechts houten ladekasten, gevuld met talloze kruiden, gemalen rinoceroshoorn, tijgertanden, gedroogde berennagels en wat dies meer zij. De ruimte was lang en smal, en donker als een metrotunnel.

Toen Bourne binnenkwam, met Yue in zijn armen, schrok een oude vrouw vanachter haar telraam op. Vloekend in rap Sjanghainees rende ze naar achteren. Even later kwam een magere man met hangogen, een buikje en een sliertige, grijze baard op pantoffels aangesloft.

Geconcentreerd onderzocht hij door een dikke, ronde bril de wond van Yue en keek daarna afkeurend op naar Bourne. Hij trok een vies gezicht, wenkte Bourne naar zich toe en draaide zich om. De achterkant van de zaak was een doolhof van kamertjes die even antiseptisch en brandschoon waren als de voorkant stoffig en geurend was. Er brandde fel licht.

Tak Sin knikte naar een lange tafel. Bourne legde Yue daarop.

'Deze man heeft me gered, oom,' zei ze. 'Hij spreekt Sjanghainees.'

'Kan hij je nu ook redden?' vroeg Tak Sin. Hij keurde Bourne geen blik waardig terwijl hij bezig was de bebloede enkel van Yue schoon te maken en te desinfecteren. 'Wat heb je je nu weer op de hals gehaald, meisje?'

Ze lachte, maar vertrok meteen van de pijn die door haar been schoot.

Tak Sin schudde zijn hoofd. 'Ik wist dat ik je de vloeistof van de *Passiflora caerulea* niet had moeten meegeven.'

'Cyanide,' zei Bourne.

Tak Sin knikte. 'Zie je, ik heb een groot zwak voor dit kleine meisje.' Nadat hij de wond had schoongemaakt, verbond hij haar enkel met gaasverband dat in een antibioticum van kruiden was geïmpregneerd. Hij haalde zijn schouders op en glimlachte geheimzinnig. 'Daar is niks aan te doen.'

Bourne trok Yue aan haar hand overeind. 'Wie was die man die je met dat gif hebt uitgeschakeld.'

'Die vent die verkleed was als agent? Dat was een huurmoordenaar.'

'En voor wie werkte hij?'

'Voor iemand uit Beijing, die al een week in Sjanghai zit. Een zekere kolonel Sun.'

Bourne schrok even.

'Ken je Sun?'

'Ik heb het een en ander met hem meegemaakt,' antwoordde hij voorzichtig. 'Waarom wilde hij Wei-Wei vermoorden?'

'Geen idee.' Yue sprong van de tafel en zakte meteen door haar gewonde enkel. Bourne hield haar vast terwijl ze zich aan de tafelrand staande hield. Ze keek naar hem op. 'Maar ik ken iemand die misschien het antwoord op die vraag weet.'

'U hebt een probleem,' zei Maricruz terwijl ze een bord vol met garnalenresten wegschoof. 'Een heel groot probleem.'

Felipe Matamoros veegde de olie van zijn dikke lippen. 'En wat is dat dan?'

'MEL Petroservicios.'

Hij leunde achterover met een gezicht zo versteend en raadselachtig als dat van een sfinx.

Die opmerking was raak, en dat wist ze. 'Kort gezegd, de Amerikanen hebben MEL failliet laten gaan.'

'En wat gaat mij dat aan?'

'Wees niet zo naïef. U gebruikte de oliemaatschappij – of moet ik zeggen, de voormalige oliemaatschappij – om de illegale opbrengsten van Los Zetas wit te wassen. Nu zit u ermee omhoog.'

'Je bent beter geïnformeerd dan ik had verwacht, mi princesa.' Hij boog zijn hoofd. 'Maar de waarheid is, wij redden het wel. Wij zijn gewend aan dit soort shit van de gringo. Het leven in Mexico is shit. Er is hier geen respect voor het leven. Of denk je dat dit alleen maar voor de drugswereld geldt? Nee, nee, mujer. De politie, het leger, de grootindustriëlen en vooral de politiek – iedereen verkoopt praatjes voor de vaak, maar vult ondertussen zijn zakken.'

Hij spreidde zijn armen ver uit elkaar. 'Vertel me maar wat jij in de aanbieding hebt. Is dat bedrijf in cyberbeveiliging van je vader geschikt om mijn geld wit te wassen?'

'Geen sprake van. SteelTrap is een volledig legaal bedrijf en zal dat ook blijven.'

'Maar dan begrijp ik niet...'

'Kunst, señor Matamoros. De nieuwe bovenklasse van China wil daar grif voor betalen in ruil voor een beetje status.' Ze keek de kamer rond, die overdadig met zeldzame artefacten uit de rijke Mexicaanse geschiedenis was ingericht, en vestigde haar blik weer op Matamoros. 'Hoe sneu het ook klinkt, het is de huidige werkelijkheid in het Middenrijk.'

'Ik kom uit een arm milieu, mujer. Ik kijk heel anders tegen de wereld aan.'

'Dat mag dan wel zo zijn...' Ze gebaarde naar de ruimte om zich heen. 'Maar is dit alles wat een man met een beetje ambitie wil achterlaten? Is dit alles wat u wilt bereiken? Hebt u echt geen grootsere ambities?'

'Ga verder,' zei Matamoros na een stilte.

'Het voordeel voor u is dat de Chinese kunstmarkt, anders dan in de rest van de wereld, volledig ondoorzichtig is. Echte kunstwerken zijn even gemakkelijk verkrijgbaar als vervalsingen en niemand ziet het verschil. Ze gaan allemaal voor exorbitante prijzen over de toonbank en worden tegen nog hogere prijzen verkocht.'

'Dus jij koopt met geld van Los Zetas kunst in Beijing, verkoopt die door aan de nieuwe rijken in China en geeft het witgewassen geld aan ons terug, tegen commissie.'

'Vijftien procent,' zei Maricruz. 'Plus vijftig procent van de winst op elke verkoop. En geloof maar dat we op elk stuk forse winst maken.' Ze glimlachte, haar ogen glansden. 'Er kan niets misgaan. En het mooie is: de Amerikanen kunnen aan u noch aan uw geld komen.'

Matamoros stond op, beende door de kamer en streelde over zijn Azteekse en Olmeekse beelden, alsof ze tegen hem praatten, hem advies gaven. Uiteindelijk keerde hij zich naar haar om. 'Ik ben niet de enige die akkoord moet gaan, er zijn nog vijf anderen.'

'Het collectief. Dat begrijp ik volkomen.'

Plotseling keek hij ernstig uit zijn ogen. 'Wij zijn in de eerste plaats commando's, mi princesa, elitetroepen uit het Mexicaanse leger, dat een lachertje is, moet ik toegeven. Maar toch. Degenen die de kern uitmaken van Los Zetas, zijn goed getraind, omdat we ons altijd hebben gericht op de kunst van het oorlog voeren. Toen we deserteerden namen we niet alleen onze geavanceerde wapens, maar ook onze contacten met ons mee. We zijn met zijn zessen. We gaan als een kader te werk. Dat maakt ons zo sterk, zo onoverwinnelijk.'

'Laat me dan kennismaken met de rest van het kader. Ik zal de anderen overtuigen zoals ik u heb overtuigd.'

Glimlachend haalde hij een sigaar uit een fraaie humidor van bewerkt hout, bood haar er een aan, nam er zelf een nadat ze zijn aanbod had afgeslagen en stak hem omslachtig aan. Terwijl hij als een stoomtrein wolkjes blauwe rook uitblies, zei hij: 'Nu je wegens de voortijdige dood van je vader degene bent die het contact met de kartels onderhoudt, begrijp ik je standpunt. Maar tegelijkertijd begrijp ik dat het heel zwaar voor je moet zijn. Dit is per slot van rekening niet je werk – jij slijmt liever met grootindustriëlen, politici en supersterren aan de andere kant van de wereld. Elke dag die jij hier doorbrengt, loop jij een groot risico, daar hoef ik je niet aan te herinneren.'

'U kunt me niet bang maken, señor Matamoros.'

'Felipe voor jou, mujer.' Hij leunde met zijn hoofd achterover, blies de rook naar de caissonzoldering van de grote, met artefacten vol gestouwde eetkamer. 'Natuurlijk, je hebt gelijk. Het was niet mijn bedoeling om je bang te maken.' Hij maakte een gebaar. 'Maar ik waarschuw je: mijn *compadres* zijn botte, wrede kerels. Misschien vinden ze jou niet zo charmant als ik, en misschien beseffen ze niet zo goed als ik hoe intelligent je bent.'

'Nu maak je me pas bang.'

'Nu beledig je mij, mujer. Je bent hier te gast. Als we samen deze reis ondernemen, sta je onder mijn bescherming. Dan ben ik verantwoordelijk voor je welzijn.'

Hier had ze op zitten wachten. Dit was het moment om opnieuw de handschoen in de ring te gooien. 'Dat waardeer ik, Felipe. Maar als ik kennismaak met de rest van het kader, wil ik ook een afspraak maken met de leider van het Sinaloa-kartel.'

Matamoros leek te verstijven. 'Mujer, por favor!'

'Ik meen het, Felipe.'

'Hoor ik dat goed? Moeten we het met onze gezworen vijand op een akkoordje gooien? Dit is krankzinnig. Wij zijn aan de winnende hand. Uiteindelijk...'

'Uiteindelijk. Hoeveel van je mannen zullen zijn vermoord voordat het uiteindelijk zover is?' Maricruz glimlachte beleefd, maar de rillingen liepen over haar rug. Ze had geen enkele vriend in dit land en dat zou zo ook wel blijven. Toch wilde ze per se haar stempel op Mexico drukken, daar had ze alles voor over. Ze boog zich voorover. 'Luister. Denk aan de schade, aan alle slachtoffers die bij beide partijen zullen vallen. Er komt een moment dat de oorlog die je nu met moeite aan het winnen bent, aan je winst vreet.'

Ze zocht met haar ogen zijn blik om het effect van haar woorden te peilen. 'Waarom denk je dat *el presidente* bijna niets tegen Los Zetas onderneemt? Omdat jullie, zoals je zelf meent, onoverwinnelijk zijn? Misschien, maar dat geloof ik niet. El presidente zit op zijn gouden troon geduldig te wachten, want hij weet: binnen afzienbare tijd hebben Los Zetas en de Sinaloa elkaar afgemaakt. Pas als het bijna zover is, komt hij met zijn tanks, gepantserde wagens en helikopters op de proppen. Hij zal alle eer opstrijken, alsof hij zelf een einde aan de drugsoorlog heeft gemaakt.

Maar denk je eens in hoeveel macht jullie zouden hebben als jullie en de Sinaloa de krachten zouden bundelen, verenigd in één kartel. Dan hebben jullie het in heel Mexico voor het zeggen. Voor wraakacties hoeft niet meer te worden gevreesd. Ik zou willen dat je een einde aan het bloedvergieten maakt. Ik wil je deze eeuw in loodsen. Denk aan de roem die je dat zal opleveren, Felipe.'

Het bleef lang stil in de kamer. Plotseling barstte Matamoros uit in een lang en bulderend gelach, dat vanuit het diepste van zijn onderbuik leek te komen. Eindelijk veegde hij zijn tranen af. *¡Ay de mí!* Je hebt een vlotte babbel, mujer. Je zou zelfs aan schaapsherders nog wol kunnen slijten. *Es la verdad.*'

'Maar toch, aan jou de beslissing.'

'Laat me eerst een paar telefoontjes plegen.' Hij wees naar een bijzettafel. 'Schenk voor je zelf een kop koffie in, of iets anders.'

'Jij weet precies wat ik wil.'

Hij glimlachte en liep de kamer uit, een geurend spoor van Cubaanse tabak achterlatend. Maricruz overwoog Jidan te bellen, maar durfde het risico niet te nemen. Overal in deze enorme villa en daarbuiten kon ze worden afgeluisterd. Ze vermaakte zich ondertussen met bizarre erotische fantasieën.

Twintig minuten later keerde Matamoros terug. Hij zweeg, gaf alleen maar een knikje.

Maricruz voelde opluchting en ook opwinding door haar lichaam stromen. Dit was de reden van haar bezoek geweest, hiervoor was ze in de wieg gelegd: voor het smeden van nieuwe banden, nieuwe allianties die zouden leiden tot iets waarvan haar vader niet eens had durven dromen.

'We gaan de wereld veranderen, Felipe.' Ze reikte hem over het tafelblad heen haar hand en schudde zijn harde, eeltige knuist. 'De toekomst lacht ons toe.'

Yue liep voor Bourne uit door de smalle, overvolle straten van Huangpu. Ze hinkte steeds minder erg en wilde niet door hem ondersteund worden. Ze hadden al bijna een halfuur gelopen, maar ze wilde geen moment rusten.

Ze liep met hem onder een uithangbord met de tekst THE CHINA SEAS PEARL door en ging een kleine, mooie zaak binnen die meer zou passen in het chique Pudong aan de andere kant van de rivier. Dat was misschien wel het geheim, want de zaak was afgeladen met toeristen; de eersteklas parels waren hier veel goedkoper dan in de peperdure winkels aan de Bund. De winkel was ontsproten aan het brein van Sam Zhang. Toen het enorme lijf van Sam Zhang kort nadat Yue naar hem had gevraagd de winkel binnenstapte, hijgde hij nog na van zijn wandeling vanuit restaurant Dongbei Ren, waar hij kort daarvoor afscheid had genomen van Retzach en zijn dampende noedels.

Zhang leidde een ingewikkeld leven, dat soms uitputtend was. Het idee om twee partijen tegen elkaar uit te spelen had hij ooit gekregen in een duister filmtheater, waar hij had gezien hoe Clint Eastwood in *A Fistful of Dollars* twee strijdende bendes elkaar lieten uitmoorden. Hij ging er vanaf toen bijna wekelijks heen, totdat hij elke scène kende en de dialogen kon citeren.

Aan de lessen uit deze film had hij de afgelopen twintig jaar veel gehad. De meeste mensen zouden terugdeinzen voor het leven dat hij leidde. Hij balanceerde op een evenwichtsbalk die even smal als gevaarlijk was, maar Zhang gedijde bij die adrenalineroes. Tenminste tot voor kort. De laatste tijd sliep hij slecht en soms droomde hij zelfs van een rustig bestaan, ergens ver weg van het overbevolkte China.

Het door en door kapitalistische Sjanghai was zowel voor het Oosten als het Westen een centrum voor clandestiene zaken geworden. Zhang had altijd zijn voordeel gedaan met de gunstige geografische ligging en commerciële bedrijvigheid van zijn geboortestad.

Zhang begroette Yue hartelijk. Hij had oprecht een zwak voor haar, wat ongewoon was voor hem. In het dubbelspel dat hij speelde, werd een emotionele band met een cliënt je vaak fataal. Maar haar geschiedenis, zoals ze die hem ooit verteld had, had hem diep geraakt. Ook hij was een kind van de straat geweest; net als zij was hij een weeskind dat voor zijn overleving moest vertrouwen op zijn vindingrijkheid en de toevallige goedheid van vreemdelingen. Deze jaren durende beproeving had hem hard, bijdehand en onafhankelijk gemaakt – eigenschappen die hij in Yue herkende. Ze was de dochter die hij nooit had gehad – niet door verwantschap van het bloed, maar van de geest.

Hij was behoorlijk ontstemd toen hij hoorde van haar verwonding en de manier waarop het was gebeurd. En toen zag hij de man die ze had meegenomen. Zhang herkende hem natuurlijk meteen, want even daarvoor had Retzach hem de foto van Bourne laten zien. Toen Yue hem vertelde dat deze man haar leven had gered, wist hij dat hij een vergissing had gemaakt door Retzach te beloven naar Bourne op zoek te gaan. Terwijl hij zich afvroeg hoe hij, zonder argwaan bij Retzach te wekken, de man kon afbellen die op dat moment op weg was naar zijn afspraak in Dongbei Ren, ging hij hen voor naar zijn kantoor achter in de winkel.

De vaalgroene muren hingen vol met zwart-witfoto's van slanke parelvissers, die met krachtige slagen onder het water zwommen of onder een schitterende boog van waterstralen lachend hun vangst toonden terwijl ze de parels uit hun zachte, sappige bed van vlees peuterden. Achter zijn eenvoudige bureau stonden een wandkluis en een archiefkast. Zijn bureaustoel piepte toen hij erop ging zitten.

Hij knikte naar de met jute beklede stoelen en hoewel zijn hart in zijn keel klopte, vroeg hij vriendelijk: 'Wat kan ik voor je doen, klein zusje?'

'Vanmiddag is Wei-Wei vermoord. Maar dat wist je waarschijnlijk al, want jij bent op de hoogte van alles wat er in Sjanghai gebeurt.'

Zhang sprak haar niet tegen met valse bescheidenheid. Hij wist werkelijk precies wat er in de stad aan de hand was, alles wat ertoe deed. Hij zei alleen: 'Ga verder.'

'Drie dagen geleden heeft Wei-Wei me ingehuurd om hem te beschermen.'

Zhang knikte en monsterde haar zorgvuldig.

'Dat is me niet gelukt,' zei Yue mismoedig. 'Hij is door Amma vermoord. Ken je Amma?'

'Ja, die ken ik.' Het had geen zin om het te ontkennen.

'Spreek maar in de verleden tijd,' corrigeerde Bourne. 'Yue heeft hem vermoord met een pijltje dat in cyanide was gedoopt.'

Zhang wreef in zijn ogen om zijn opkomende hoofdpijn weg te masseren.

'Waarom heeft kolonel Sun Amma op Wei-Wei afgestuurd?' vroeg Bourne.

Zhang aarzelde even. 'Weet je voor wie Sun werkt?' vroeg hij aan Bourne.

'Voor Ouyang Jidan.'

Zhang knikte bewonderend. 'Dus je kent je tegenspelers.'

'Niet allemaal, denk ik.'

'Dan zal ik ze voor u beschrijven.' De dikke man ging er meer ontspannen bij zitten. 'Ouyang voert momenteel een strijd tegen zijn aartsvijand, Cho Xilan. Ze zijn beiden lid van het Politbureau, maar daar houden de overeenkomsten op. Cho is secretaris van de machtige Chongqing Partij. De conservatieve leden van die club willen de klok in China dertig jaar terugzetten. Ouyang daarentegen is vooruitstrevend.'

'En zit diep in de drugshandel met Mexico,' merkte Bourne op.

Zhang stak zijn mollige wijsvinger in de lucht. 'Dat is precies waar het om draait. Cho probeert Ouyang al jarenlang te betrappen, maar Ouyang is hem altijd te slim af. Nu het partijcongres voor de deur staat, waar nieuwe leden voor het Politbureau gekozen worden en de koers voor de komende tien jaar wordt bepaald, bereikt hun vete een kritiek punt.

Cho zal alles doen om Ouyangs geheime banden met de Mexicaanse kartels aan het daglicht te brengen en nu heeft hij mogelijk een barst gevonden in het pantser van Ouyang. Door de recente dood van Maceo Encarnación is alles veranderd. Encarnación fungeerde als Ouyangs dekmantel; door hem was Ouyang onkwetsbaar. Maar Encarnación is dood en nu ruikt Cho zijn kans om Ouyang uit te schakelen. Anderzijds is Cho zo wanhopig om Ouyang te pakken dat hij zelf de kans loopt gepakt te worden.'

Yue schudde haar hoofd. 'Wat heeft dit verhaal te maken met de moord op Wei-Wei?'

'Dat zit zo,' zei Zhang. 'Een grote afrekening begint altijd ergens in de marge, buiten het zicht van de leiders. Zo willen de leiders dat ook.'

Zhang haalde een fles whisky tevoorschijn en drie glazen, schonk die in en deelde ze uit. Hij dronk zijn glas in één teug leeg en schonk nog eens een dubbele hoeveelheid in. 'Wei-Wei werkte voor Ouyang.'

'Wacht even,' onderbrak Bourne hem. 'Hij werkte voor de Mossad.'

Zhang glimlachte. 'Welkom in Sjanghai, beste man.' Hij nam opnieuw een slok en smakte met zijn lippen. 'Je hebt de eerste manoeuvre al gezien in het eindspel van deze oorlog: Amma staat onder kapitein Lim, die verantwoording aflegt aan kolonel Sun. En je weet aan wie kolonel Sun verantwoording aflegt.'

'Aan Ouyang,' zei Bourne. 'Maar als het waar is wat u zegt, dan heeft Ouyang zijn eigen mannetje vermoord. Dat houdt dus in dat Wei-Wei een risico voor hem was geworden.'

Op dat moment kwam de vrouw die ze voor in de winkel hadden gezien, het kantoortje binnen. Ze was zo van slag dat ze niet eens op de deur had geklopt. Ze stoof op Zhang af achter zijn bureau en fluisterde iets in zijn oor.

Hij keek verschrikt op en stuurde haar weg. Toen ze was vertrokken, zette hij zijn stoel tegen de muur en wenkte hen. 'Als je het over de duvel hebt... Kapitein Lim is uit het voorgeborchte van de hel gekropen.'

'Is hij hier?'

Zhang knikte. 'Met een leger dat de hele buurt heeft afgezet.' Hij wenkte opnieuw. 'Kom, schiet op. We hebben geen tijd te verliezen.'

Hij wees naar het kleine vloerkleed waarop zijn bureaustoel had gestaan. Bourne trok het weg en zag een kunstig in de vloer verzonken luik.

'Daaronder ligt een kelder,' zei Zhang tegen Bourne, die het luik aan een koperen ring opentrok. 'Terwijl je de ladder afklimt, zie je in een nis in de muur een olielamp en een doosje lucifers. De uitgang van de kelder leidt naar een tunnel met vele vertakkingen. Je moet links aanhouden. Meteen na de vierde aftakking is een uitgang.' Hij stak een wijsvinger omhoog. 'Let goed op, de tunnels zijn oud en vervallen.'

Ze hoorden de commotie voor in de winkel – de dwingende, snauwerige toon van kapitein Lim en het gejammer van de vrouw die Zhang had gewaarschuwd.

'Snel, nu,' zei Zhang. 'Schiet op! Ik hou de kapitein wel even bezig.'

Bourne klauterde een steile houten ladder af en rekte zich uit om Yue te helpen. Terwijl ze samen langzaam afdaalden, trok Yue aan het koordje om het luik dicht te doen. Even later hoorden ze vlak boven hen een woedende, gefrustreerde kapitein Lim en tot slot de harde knal van een afgevuurd wapen.

12

Sam Zhang wist niet dat Retzach uit Israël kwam, laat staan dat hij voor de Kidon werkte. Hij kende hem als Jesse Long, en hoewel hij aannam dat dat een schuilnaam was, hoefde hij zijn echte naam niet te weten. Het was niet zijn gewoonte zich te verdiepen in het privéleven van zijn cliënten; alleen al het vermoeden dat hij zijn neus in andermans zaken stak, kon fataal zijn voor zijn business.

Daardoor wist kapitein Lim nu minder over Retzach dan Zhang. Zhang wist echter ook dat Sun, via Lim, op zoek was naar Bourne, wat de reden was dat Zhang contact met Lim had opgenomen en hem verteld had dat hij een ontmoeting voor hem had geregeld met een zekere Jesse Long in restaurant Dongbei Ren. Al op het eerste gezicht vertrouwden de mannen elkaar niet en dat wantrouwen werd groter toen Lim ontdekte dat Long achter dezelfde vent aan zat die hij moest pakken.

Long had zich op de vlakte gehouden toen Lim vroeg waarom hij achter Bourne aan zat, waardoor de kapitein ten onrechte de conclusie had getrokken dat deze spion uit het Westen voor de Amerikaanse CIA werkte.

Lim, die sinds het incident in de Huangpu-tunnel zijn mannen achter Bourne aan had gestuurd, was niet van plan om Long ook maar iets over Bourne te vertellen. Hij deed alsof hij van niets wist, maar was er niet zeker van dat Long hem geloofde. Lims scepsis bleek gegrond toen hij ontdekte dat hij door Long werd geschaduwd. Helaas voor hem ontdekte hij dit pas nadat hij zijn mannen de parelwinkel van Sam Zhang had laten omsingelen.

Lim ving een glimp van hem op in de menigte die zich verzamelde in de straat waar The China Seas Pearl was gevestigd. Even overwoog hij om Long door een van zijn mannen te laten arresteren, maar hij besefte dat het minste oponthoud genoeg zou zijn om Bourne te laten ontsnappen.

Hij struinde de winkel binnen en beval zijn mannen alle aanwezige klanten op ordentelijke wijze buiten te zetten, wat ingewikkelder bleek dan verwacht. De westerse vrouwen die parels bij Zhang kochten, waren zonder uitzondering welgesteld, getrouwd met machtige mannen uit het bedrijfsleven of de politiek. Ze waren niet gewend om door agenten – Chinese agenten nog wel – te worden samengedreven en op straat gezet, waar een menigte hen aanstaarde alsof ze apen waren.

Er klonken waarschuwingsschoten. Plotseling duwde een vrouw een agent die te dicht bij haar stond van zich af en begon hem te slaan. Vanuit de omringende menigte klonk gegil. Toen er gedrang ontstond, besefte Lim dat de situatie dreigde te escaleren. Hij stuurde zijn beste luitenant naar buiten om de boel onder controle te brengen en rende zelf door de inmiddels bijna geheel verlaten zaak naar de deur van Zhangs kantoortje, die hij met grof geweld openduwde.

Wat hij aantrof, was het volgende: Sam Zhang zat met zijn walvisachtige omvang aan zijn bureau en dronk een glas whisky. Naast de fles stond een ander glas, en toen Lim het kantoortje binnenstormde, leunde Zhang met zijn zware lijf naar voren, zijn bureaustoel krakend uit protest, om dat glas genereus in te schenken, waarna hij het over het bureau naar Lim schoof.

'Welkom, kapitein. Wat een verrassing!'

'Voor jou misschien,' antwoordde Lim sarcastisch.

Zhang glimlachte. 'Gaat u zitten. Neem een borrel. Daar bent u wel aan toe, zo te zien.'

'Waar is hij?' vroeg Lim, met zijn handen in zijn zij.

'Wie bedoelt u?'

Lim deed dreigend een stap naar voren. 'Geen gelul.' Hij zocht naar zijn pistool in zijn foedraal. 'Jason Bourne.'

'Die naam komt me niet bekend voor,' zei Zhang oprecht.

'Ze hebben hem hier naar binnen zien gaan.'

Zhang haalde zijn schouders op. 'Dan is hij weer vertrokken. Ik heb alleen maar bezoek gehad van mijn zusje, Yue.'

'Luister goed, hij...'

'Ze was gewond... Ze...'

Lim stak zijn pistool in de lucht en loste een schot in het plafond. Er daalde een regen van pleistervlokken neer op Sams bureau. Hij kon nog net zijn glas whisky redden, maar het glas dat hij voor Lim had ingeschonken, zat vol met stof.

'U hebt een goed glas whisky verpest, kapitein.' Zhang schudde zijn hoofd. 'Onvergeeflijk.'

Lim liet zijn pistool zakken. 'De volgende kogel is voor jou.'

'En wat levert dat voor u op, kapitein? Ik vertel u de waarheid. De man die u zoekt is niet hier.'

'Waar dan wel?'

'Hoe kan ik dat weten?'

Lim klakte met zijn tong tegen het dak van zijn gehemelte. 'Reken erop dat ik hem zal vinden, Zhang.'

'Kapitein, het maakt mij werkelijk niets uit wat u doet of laat,' riep hij tegen de rug van Lim nadat die zich had omgedraaid.

Nadat alle agenten waren vertrokken en de winkel weer zijn domein was, haalde Zhang een grote zakdoek uit een la en depte het zweet van zijn gezicht.

'Goeie goden!' mompelde hij. 'Ik word hier te oud voor.'

In het pikdonker pakte Bourne de olielamp en het doosje lucifers dat hij nog net gezien had voordat Yue het luik dichttrok. Nadat de lamp was aangestoken hield Yue, in Bournes armen, die hoog boven zich uit zodat de kelder zo goed mogelijk werd verlicht.

Onder aan de ladder bleken ze in een klein vertrek te staan. Het plafond was zo laag dat Bourne niet rechtop kon staan.

'Zet me maar neer,' fluisterde Yue.

Meteen nadat ze op de vloer stond, testte ze haar enkel. Ze knikte naar hem en mimede: 'Het gaat wel.'

Maar toen ze naar de opening van de tunnel liepen, zag hij haar gezicht van pijn vertrekken wanneer ze haar gewicht op haar gewonde enkel liet rusten. Ze zou niet ver kunnen lopen, en zeker niet kunnen rennen, als de situatie daarom vroeg.

De kelder leek een soort opslagmagazijn, volgestouwd met dichtgetimmerde kisten en dozen die met dik touw bij elkaar werden gehouden. Ze liepen over een smal pad tussen wanden van voorraaddozen, opgestapeld tot aan het plafond. Op een gegeven moment kon Yue niet meer verder en legde ze haar hand op een stoffige doos om zich staande te houden. Ze weigerde de hulp van Bourne.

'Ik wil je niet tot last zijn,' fluisterde ze fel.

De tunnelingang was duidelijk te zien. Ze hadden die afgesloten en later dichtgetimmerd. Ze zagen oude, rotte planken, door ijzerdraad bijeengehouden; niemand had ooit de moeite genomen ze te verwijderen. Bourne pakte twee planken en verwijderde een stuk ijzerdraad dat eromheen zat. Het was ongeveer twaalf centimeter lang en nog steeds stevig.

De ingang van de tunnel was zo klein dat zelfs Yue moest bukken om erdoor te kunnen. Het stonk er naar smerig, ijzerachtig water, naar afval en menselijke drek van eeuwen. Bourne nam de lamp van haar over en ging voorop. De tunnel liep in het begin steil omlaag, maar werd vervolgens vlak. Hij leek met de hand te zijn uitgegraven en werd hier en daar door zware houten balken gestut. Boven hen lagen de houten vloeren van de aangrenzende kelders. Midden in de modderige bodem van de tunnel liep een stroompje, wat het lopen bemoeilijkte. Af en toe hoorde hij een zacht krassend geluid en zag hij een paar rode kraaloogjes. In het lamplicht waren ratten te zien, groot en actief.

Plotseling hoorde Bourne een ander geluid achter zich. Hij draaide zich om en zag Yue opnieuw struikelen. In weerwil van haar protest nam hij haar in zijn armen en liep verder.

'Laat me los,' zei ze hijgend. 'Ik ben geen baby.'

'Maar je hebt pijn.'

'Jij weet niet wat pijn is.'

Ze kwamen bij de eerste vertakking en Bourne sloeg volgens Zhangs instructies links af.

'O nee?' Hij deed alles om haar af te leiden van haar lichamelijke pijn. 'Vertel.'

Yue bleef even stil. Daarna begon ze zacht en aarzelend haar verhaal. 'Mijn vader was een schrijver, een dissident. Hij schreef over de corruptie binnen het Politbureau – de speciale, schone boerderijen voor het eten van de leden, terwijl het volk voedsel vrat dat door zware metalen en melamine was vervuild.

Je kunt je voorstellen wat er gebeurde. Hij werd gearresteerd op grond van overtrokken beschuldigingen en veroordeeld tot twintig jaar dwangarbeid. Op de dag dat hij veroordeeld werd, kwam mijn moeder in protest. Twee weken later kwamen ze voor haar; ze werd beschuldigd van opruiing en weggevoerd. God weet waarheen.

Ik was zeven toen ze haar meenamen. Ik bewonder mijn ouders om hun moed, maar ze maalden niet om mij of mijn leven. Ik werd toevertrouwd aan de broer van mijn moeder. Die haatte mijn vader om wat hij mijn moeder had aangedaan. Hij reageerde zijn afkeer op mij af: hij sloeg me, hongerde me uit, sloot me op in het toilet. Op een dag vluchtte ik weg, om nooit meer terug te komen. Ik was elf. Vier jaar lang had ik bij hem gewoond, vier jaar in de hel!'

Bourne hoorde haar hijgen, alsof ze zojuist na een sprint was gefinisht. Bij de tweede splitsing sloeg hij opnieuw links af. Hij dacht aan zijn eigen jaren in de hel – de hel van het niet weten wie hij was, waar hij vandaan kwam, wie zijn ouders waren. Hij dacht aan de mensen van wie hij had gehouden en die nu dood waren. Vooral aan Rebeka, aan hun tijd samen, aan haar moed en vastberadenheid. Hij dacht terug aan hoe hij haar in Mexico-Stad door een rioolbuis had gesleept, zo akelig vergelijkbaar met deze situatie met Yue, en de bloedstroom uit de wonden in haar zij die hij niet kon stelpen.

Hij zag weer voor zich hoe ze op de achterbank van een taxi doodbloedde, terwijl hij hulp voor haar zocht, die te laat zou komen. Hij voelde aan haar kleine davidster die hij in zijn zak had gestoken en die hij niet had willen afstaan tijdens de herdenkingsdienst in Tel Aviv, de davidster die hij had gehouden, omdat hij haar niet kon loslaten.

Over dit soort zaken had hij nagedacht en gepiekerd in de dagen dat hij op het strand van Caesarea lag bij te komen, maar het was hem niet gelukt om tot een bevredigende conclusie te komen. Er was nog zoveel wat hij niet wist. Los van de vaardigheden die hem waren aangeleerd tijdens zijn opleiding in Treadstone, wist hij niet wie hij was of waardoor hij werd gedreven. Hij wist alleen maar dat hij een sterk gevoel voor rechtvaardigheid en een diepgewortelde angst had, een triestheid en een soort wanhoop. Soms vreesde hij dat hij leed aan een gebrek aan empathie – een duidelijke aanwijzing voor een psychose. Maar dan kwam er iemand als Rebeka of Yue in zijn leven, en voelde hij zich weer compleet. Zijn angsten werden minder heftig. Maar die persoon ging onvermijdelijk dood, en wanneer hij weer alleen was, nam hij zich opnieuw voor zijn gevoel uit te schakelen. Zijn leven leek tussen deze twee uitersten heen en weer te slingeren, waardoor hij zich nooit in balans of tevreden voelde. Hij voelde zich een overlevende op een half vergaan schip, midden op zee zonder land in zicht, drijvend in een eeuwige, mistige nacht en wetend dat elke koerswijziging zinloos was.

Een geluid achter hem deed hem weer beseffen waar hij was. Het klonk alsof iemand een kiezelsteentje had weggetrapt.

'We worden achtervolgd,' fluisterde Yue.

Hij stond bij de derde vertakking; nog één te gaan. In plaats van links af te slaan, holde hij het pad rechts in. Hij schopte de ratten weg, die verschrikt alle kanten op schoten. Voorzichtig zette hij Yue neer voor de lamp, zodat het licht door niemand achter hen kon worden gezien, en keek achterom naar de weg die ze hadden afgelegd.

Retzach had gewacht tot kapitein Lim en zijn groep politieagenten de buurt rondom The China Seas Pearl begonnen uit te kammen en de winkel aan het publiek teruggaven. Daarna glipte hij naar binnen en mengde zich onder de westerse vrouwen in hun dure outfits, die nog steeds uit waren op een koopje, al waren ze door de politie van Sjanghai als vee behandeld. Juist om die reden gingen ze massaal weer naar binnen: om hun minachting te tonen voor de burgerlijke autoriteiten.

Retzach glipte met hen mee naar binnen. Hij zag meteen dat de twee verkoopsters het zo druk hadden dat hij zonder moeite ongezien langs ze heen kon lopen.

Hij nam niet eens de moeite om aan te kloppen, maar duwde de deur open en ging naar binnen. Zhang keek op, verbaasd opnieuw iemand in zijn kantoor te zien binnenkomen. Eerst herkende hij Retzach niet, maar net op tijd verzuchtte hij: 'Wat kan ik voor u doen, meneer Long? Ik heb een zware dag achter de rug.'

'Dat begrijp ik.' Retzach liep het kantoortje verder in. 'Ik zal u niet lang ophouden.'

Toen hij om het bureau heen liep, zei Zhang: 'Wat heeft dit te betekenen?'

'Wel eens gehoord van "iemands geheugen opfrissen"?' vroeg Retzach toen hij met de zijkant van zijn stompe Beretta Px4 Storm de dikke man er genadeloos van langs gaf.

Zhang sloeg zo ver achterover in zijn stoel dat Retzach hem moest opvangen om te voorkomen dat hij eruit viel. Terwijl Zhangs bloeddoorlopen ogen helder werden, boog Retzach zich over hem heen en drukte de 9mm-loop van zijn wapen tegen zijn slaap. Hij zette het pistool op scherp. 'Bourne is hier naar binnen gegaan, maar niet meer naar buiten gekomen. Waar houdt hij zich verdomme schuil?'

Zhang keek naar hem op. 'Zoals ik kapitein Lim vertelde...'

'Ik ben kapitein Lim niet. Zal ik je hersenen tegen de muren laten spatten en daarna alles overhoopgooien?'

Zhang hapte vergeefs naar adem. 'Ik wil niet dat Yue iets overkomt.'

'Wie is Yue?'

'Ik hou van haar alsof het mijn dochter is. Ze is bij die vent.'

'Het kan me niet schelen wie ze is.'

'Ik wil dat ze ongedeerd blijft.'

'Dit is geen onderhandeling.'

'Ja, toch wel,' zei Zhang. 'Ik ben bereid voor haar te sterven.'

Retzach bestudeerde het gezicht van de dikke man en zocht in zijn ogen naar een teken van bedrog, maar vond dat niet. 'Ik zal ervoor zorgen dat Yue niets overkomt, oké?'

Op zijn beurt bestudeerde Zhang de man in wiens handen zijn leven lag. 'Hoe kan ik je vertrouwen?'

'Hoe kunnen wij elkaar vertrouwen? Soms kun je alleen maar op goed geluk afgaan.' Dat was natuurlijk een leugen. Retzach, die geen greintje empathie bezat, kon niets of niemand vertrouwen. Maar hij zou zijn best doen om het meisje erbuiten te laten.

'Geef me een duwtje,' zei Zhang, nadat hij zijn besluit had genomen.

'Wat bedoel je?'

'Geef mijn stoel een duw naar achteren. Ik kan niks doen met dat ding tegen mijn hoofd aan.'

Retzach haalde de loop van zijn Beretta weg, waarna de dikke man zijn bureaustoel wegrolde.

'Onder het vloerkleed. En hou links aan,' zei hij met een wanhopige zucht.

'Geef me een zaklamp,' zei Retzach, starend in het duister.

Zhang kon niet anders dan hem er een geven.

Bourne zat gehurkt en verroerde geen vin. Na dat eerste geluid had hij niets meer gehoord, afgezien van het monotone gedruppel van het rioolwater en het onophoudelijke gekras van vluchtende rattenpootjes. Wél nam hij een subtiele verandering in de luchtstroom door de tunnel waar, wat erop wees dat een bewegend lichaam een deel ervan afsloot. Even later zag hij de zilverachtige gloed van een zaklamp op hen afkomen. Hij hield zich ver genoeg in het gangetje aan de rechterkant verborgen om buiten het bereik van de lichtstraal te blijven die op de linkergang gericht stond.

Terwijl het licht, dat bij elke voetstap een beetje schommelde, gestaag dichterbij kwam, bereidde Bourne zich voor. Op het laatste moment zwenkte de lichtstraal naar de aftakking links, en Bourne kon nog net het silhouet van de menselijke gestalte achter de lichtstraal zien.

De persoon die hen achtervolgde, liep rustig verder door de linkergang. Bourne telde tot vijftien, stond op en liep onhoorbaar terug naar de vertakking, die hij naar links volgde. Hij ging nu af op geur, maar rook niets. Geen spoor van een menselijke geur – hij rook alleen maar het minerale gesteente, het sijpelende water, de zwarte aarde.

Dit kan niet waar zijn, dacht Bourne. Hij moet hier zijn; hij moet hier vlakbij zijn.

Op dat moment kreeg hij een klap van een metalen voorwerp op zijn hoofd en ging er een pistool af.

13

Maricruz zat met Felipe Matamoros in diens privévliegtuig. Verder aan boord waren drie van haar en drie van zijn mannen, plus de piloot. Het vliegtuig, dat vanaf een geheime privébaan anderhalve kilometer van Matamoros' villa in Malacates was opgestegen, vloog richting San Luis Potosí in het noorden.

'Op de plek waar we nu heen vliegen,' vertelde Matamoros, 'hebben de zwaarste gevechten tegen Raul Giron en het Sinaloa-kartel plaatsgevonden.'

'Dan is die plek,' zei Maricruz, 'voor het laatst een gevechtsterrein geweest en wordt hij voor het eerst de locatie van het nieuwe verbond.'

Hij staarde uit het kunststof raampje naar de schelpachtige vorm van het luchtruim en naar het golvende landschap ten noorden van het Distrito Federal. Maricruz vroeg zich af of Matamoros zich een god voelde – de Azteekse gevleugelde slang Quetzalcoatl.

'Jarenlang had het Sinaloa-kartel het in Mexico voor het zeggen,' zei hij peinzend. 'De macht van het kartel bleef groeien zonder noemenswaardige tegenwerking. Toen deed het Golfkartel ons een aanbod dat we niet konden weigeren en verlieten we de elite-eenheid van het leger. Goed idee, maar verkeerd uitgepakt.

Een tijdlang werkten we voor hen, schakelden we strijders van het Sinaloa-kartel uit en namen territorium in, totdat we een volledig beeld van de stand van zaken hadden. We scheidden ons af en vormden een eigen kartel, dat vocht tegen onze voormalige bazen. Het Golfkartel is nog maar een fractie van wat het ooit geweest is. We hebben hun territorium ingenomen en pikken steeds meer in van de Sinaloa. Maar het Sinaloa-kartel is sterker, beter georganiseerd; de leiding is slimmer, heeft connecties met de juiste politici. Ze kunnen zich tegen ons verdedigen. Langzaam maar zeker verdrijven we hen, winnen we steeds meer terrein.' Hij keek naar haar om. 'Maar je hebt gelijk. Nu jij ons een alternatief hebt gegeven, is de prijs die we betalen te hoog. Nu hebben we jou, jouw perfecte methode om geld wit te wassen, jouw rechtstreekse toegang tot een onbeperkte hoeveelheid drugs. Mijn compadres zijn het volledig met me eens.

We staan achter jou, mi princesa. We hoeven geen deals meer te sluiten met de weerzinwekkende varkens die zich politici noemen, met politiecommissarissen die beginnen te kwijlen als ik mijn afspraken met hen bevestig. Nu naaien wij hen, iets waar we jarenlang naar hebben uitgekeken.'

Het enige wat je over hebzucht moet weten, bedacht Maricruz ineens, is dat je er dom van wordt. Erger nog, je wordt er onvoorzichtig van. De glans in Matamoros' ogen gaf blijk van pure hebzucht. Opnieuw had hij zichzelf verraden zonder het te beseffen. Maricruz was er blij om, maar hield het hoofd koel. Ze verkeerde nog steeds in groot gevaar; ze had al haar verstand en scherpzinnigheid nodig om de komende uren te overleven.

Op dat moment voelde ze de luchtdruk veranderen. Het vliegtuig was begonnen aan de afdaling naar San Luis Potosí. Ze keek naar buiten en zag een contingent gewapende mannen klaarstaan bij enorme zwarte SUV's. Met opgeheven hoofden keken ze hoe het toestel de landing inzette.

Op het moment dat het landingsgestel het asfalt raakte, wendde Matamoros zich tot Maricruz. 'Mijn compadres hebben besloten dat ik namens hen onderhandel, mujer. Het is niet nodig dat je hen persoonlijk ontmoet.'

Na deze geheimzinnige opmerking maakte Matamoros zijn riem los, en terwijl het vliegtuig nog aan het taxiën was, stond hij op en liep om haar mannen en die van hem heen naar de cockpit, waar hij voorovergebogen lange tijd al fluisterend met de piloot sprak, onhoorbaar voor haar en de andere inzittenden in het vliegtuig.

Achter hem grepen Matamoros' mannen naar hun wapens. Eenmaal gewapend overhandigden ze de wapens aan de mannen van Maricruz, ten teken van solidariteit. Matamoros liep terug naar de cabine, grinnikend naar de zes gewapende mannen.

'Is dit echt nodig?' vroeg ze.

'We moeten overal op bedacht zijn,' zei hij, 'zolang de samenwerking nog niet bevestigd is.'

Het vliegtuig was aan het einde van de baan tot stilstand gekomen, maar de piloot had de motoren nog niet uitgezet, viel Maricruz op. Toch gaf een van Matamoros' mannen een slinger aan de hendel van de vliegtuigdeur en duwde die open, waarna de metalen trap werd uitgevouwen tot het asfalt. De man ging als eerste naar beneden en zette zijn zonnebril recht. Zijn twee collega's gingen achter hem de trap af, gevolgd door de mannen van Maricruz.

De avond begon te vallen. Vlammende roodtinten kleurden de lucht in het westen. De ovale zon, bevrijd van de grauwbruine sluier die over Mexico-Stad lag, was helder, krachtig en gloeiend, ook al werd het avond. Maricruz en Felipe Matamoros stonden boven aan de trap te kijken naar het tafereel voor hen: hun eigen paraat staande mannen tegenover de rokende kerels van het Sinaloa-kartel die hun wapens schuin over hun brede borstkas vasthielden. Sommigen droegen een machete. Nijdig staarden ze naar het paar dat zojuist uit het vliegtuig tevoorschijn was gekomen.

'Zie je die man daar, de tweede van links?' vroeg Matamoros zonder te wijzen of met zijn hoofd te knikken.

Maricruz zag een gedrongen man, kleiner dan ze had verwacht, met een grote hangsnor die ieder ander komisch zou staan, maar hem niet. Hij had kleine, ronde oren als die van een aap, een kromme neus en donkere ogen die glansden als knopen, diep verzonken in hun kassen. 'Ja.'

'Dat is Raul Giron,' zei Matamoros. 'Je ziet al aan die kop wat voor een vent het is.'

'Je hebt geen respect voor hem,' zei Maricruz.

'Respect is voor de dommen. Het liefst zou ik die rotkop onder mijn laarzen vertrappen als een kakkerlak.'

Opnieuw hoorde Maricruz een lichte beving in zijn stem. 'Die emotie behoort tot het verleden, Felipe. Vanaf nu moet je de toekomst voor ogen blijven houden.'

'Tijd om die eikel van een Giron aan de tand te voelen,' zei Matamoros.

'Rustig aan, en laat mij het woord doen. Meer vraag ik niet.'

'Natuurlijk, natuurlijk,' zei hij met een vriendelijke glimlach terwijl ze de trap af liepen.

Ze stonden bijna onder aan de trap toen plotseling een achterportier van een van de zwarte SUV's openging en er een man uitstapte met de glamoureuze uitstraling van een soapacteur. Hij was lang en statig, had zilvergrijs achterovergekamd haar, droeg een smetteloos maatpak en schoenen van hagedissenleer en had een fotogenieke glimlach. Hij leek rechtstreeks van de make-upafdeling van een tv-show vandaan te komen.

Maricruz voelde een lichte rilling door Matamoros heen gaan, een elektrische lading die hem deed opveren.

'Carlos Danda Carlos,' zei hij zacht. 'Hoofd van het Mexicaanse antidrugsagentschap.'

'Wat doet die hier in godsnaam?'

Matamoros gaf geen antwoord op haar vraag. 'In veel kringen noemen ze hem Tezcatlipoca, de Azteekse god van het recht, de nacht, zwendel en tovenarij.'

Eindelijk stonden ze op de grond. Alle mannen rechtten hun rug, verstijfden, raakten gespannen, alert en wachtten met de hoogste graad van ongeduld.

'Raul Giron is de baas van de Sinaloa, maar hij is niet meer dan een dummy,' zei Matamoros. Met vastberaden tred liep hij op het gezelschap af. 'Hij danst naar de pijpen van Carlos Danda Carlos, de man achter de schermen van het Sinaloa-kartel.'

Yue, die achter Bourne was aan gekropen, was tegen Retzachs been aangebotst op het moment dat hij de trekker overhaalde; de kogel eindigde doelloos in de tunnelwand. In een reflex trapte Retzach achteruit en raakte haar gewonde enkel. Ze schreeuwde het uit, rolde naar de zijwand en kromp ineen.

Bourne was nog duizelig van de klap die hij van Retzach had gekregen en begon als een wilde om zich heen te schoppen. Drie keer raakte hij Retzach tegen zijn ribben. Retzach richtte zijn wapen naar de grond, maar daar had Bourne op gerekend. Met zijn ene hand greep hij Retzach bij zijn pols en hakte er met de zijkant van zijn andere hand op los. Retzach kreunde, boog zich voorover, ramde Bournes borstkas met zijn schouder en dreef hem met zijn volle gewicht tegen de tunnelwand aan.

Op het moment dat ze tegen de wand aan vlogen, regende er gruis en puin op hen neer. Retzach sloeg Bourne opnieuw tegen de wand, waarna ze een nog zwaardere bui van rottend hout en ander puin over zich heen kregen. Het plafond begon te kraken. Retzach dreef Bourne opnieuw tegen de wand aan, en nu begonnen de planken door te buigen. De meest rotte planken braken al, alsof ze van balsahout waren.

Bourne stond te wankelen. Retzach draaide hem een halve slag om, haakte zijn arm om zijn hals en zette de muis van zijn rechterhand klem onder Bournes linkeroor. Dit was een van de dodelijke technieken die hij bij de Kidon had geleerd; met een korte beweging kon hij nu zijn nek breken.

Bourne begreep meteen wat Retzach van plan was en trapte met zijn hak zo genadeloos op de wreef van zijn tegenstander dat die brak. Terwijl de klap als een oceaangolf door Retzachs lichaam ging, liet hij een fractie van een seconde zijn greep op Bourne verslappen. Meer tijd had Bourne niet nodig. Hij greep Retzach bij zijn rechterhand, beukte die tegen de tunnelwand aan en boog de duim zo ver naar achteren dat die knapte.

Retzachs gezicht vertrok van de pijn terwijl het puin op hem neerregende, maar hij gaf geen krimp. Hij strekte de arm die hij om Bournes nek had gehouden en ving zo goed en zo kwaad als het ging de klappen op, terwijl hij zijn ontzette duim rechtzette en die in zijn hand vouwde om er een vuist mee te maken.

Terwijl Bourne op hem bleef rammen, trok Retzach een mes met een gekarteld lemmet en een vishaak bij de punt, waarmee hij enorm veel schade zou kunnen aanrichten als die haak zich vasthechtte aan pezen, spieren en zenuwen en daarna uit de steekwond zou worden getrokken.

Hij maakte een schijnbeweging met het mes en gaf een linkse tegen Bournes rechteroor. Bourne pareerde de aanval, maar intussen haalde Retzach uit met zijn mes, mikkend op een plek tussen Bournes derde en vierde rib. Bourne zag de aanval net op tijd aankomen, sprong opzij en raakte het lemmet met de zijkant van zijn hand toen hij het afweerde.

Schijnbaar zonder de pijn te voelen hamerde Retzach met zijn gewonde rechterhand in op Bourne en haalde opnieuw uit met het mes om Bournes zij open te rijten. Bourne greep Retzach bij de pols, wrikte die uit alle macht om, maar wat hij ook deed, Retzach liet het mes niet vallen. Zijn aandacht was geheel gefocust op dit wapen, hij concentreerde zich op het juiste moment om zijn tegenstander de doodsteek toe te brengen. Bourne besloot om Retzachs momentum – dat verzwakt en vertraagd was omdat hij nauwelijks op zijn verbrijzelde voet kon staan – tegen hem in te zetten. Gebruikmakend van zijn ellebogen en knieën keerde hij Retzach om en slingerde hem tegen de tunnelwand aan.

Dat was één klap te veel. De planken boven hen braken met een oorverdovend gekraak doormidden, waardoor het plafond van de tunnel en de vloer van de kelder van het erboven liggende gebouw op het drietal neerstortten en ze bedolven raakten onder balken, aangestampte aarde en vloerplanken met kratten, dozen, blikken en flessen.

14

Ouyang Jidan zat in een vergadering op de bovenste verdieping van een van de schitterende multifunctionele wolkenkrabbers aan de

Bund, toen kolonel Sun de zaal binnenkwam. Ouyang had aangegeven dat hij zich alleen maar door urgente zaken zou laten storen, en staakte dus onmiddellijk zijn onderhandelingen met de boeren en chemicaliënfabrikanten die werkten voor een bedrijf dat hem de grondstoffen leverde voor de drugsproductie in Mexico.

Hij verontschuldigde zich en liep weg van de glanzend gepolijste, hardhouten tafel, waar theepotten en kopjes op stonden, maar ook halflege whiskyflessen en grote, zware whiskyglazen.

'Wat nu weer?' zei hij geïrriteerd tegen kolonel Sun. De onderhandelingen hadden een kritiek punt bereikt en hij was allesbehalve blij dat hij op zo'n cruciaal moment werd weggeroepen.

Kolonel Sun gaf hem zwijgend een teken dat ze maar beter op de gang konden praten. Toen de zware deur van de vergaderzaal met een zucht achter hen dichtviel, zei Sun fluisterend: 'Een gezant van Cho Xilan is naar Sjanghai gekomen.'

Ouyang schrok. 'Gezant' was hun persoonlijke eufemisme voor 'huurmoordenaar'.

'Is het zijn missie deze onderhandelingen te verstoren?'

'Zijn missie is onbekend,' antwoordde kolonel Sun.

'In hoeverre is Cho Xilan van onze business op de hoogte?'

Kolonel Sun haalde zijn schouders op. 'Dat is moeilijk te zeggen, maar afgaande op de huidige stand van zaken vermoed ik dat hij weet dat Bourne in de stad is, maar of hij weet wat wij van plan zijn, is onbekend.'

'Hoe zou hij ook maar iets van onze business kunnen weten, Sun?'

De vraag bleef in stilte onbeantwoord en vulde de ruimte met onheilspellende gedachten.

Sun slaakte een zucht en blies zijn adem langzaam uit. 'Het lijkt erop dat er een verklikker onder ons is.'

'Het lijkt erop?' snauwde Ouyang. Toen hij besefte waar ze stonden, begon hij weer zacht te praten. 'Ik vlieg na deze vergadering meteen terug naar Beijing en zal koste wat kost de schuldige vinden.'

'En die gezant dan?'

'Wat weet je over hem?'

'Hij reist met een vrouw die doet alsof ze zijn echtgenote is.'

'Klinkt als de bewerkelijke dekmantel die Cho Xilan voor hem heeft bedacht.' Ouyang wierp zijn hoofd in zijn nek. 'Handel jij die gezant af. Zorg ervoor dat hij van Bourne afblijft. Dan dicht ik het lek.'

Hij draaide zich om, deed de deur open en liep terug naar de vergadertafel om zijn rijkdom voor de komende tien jaar veilig te stellen.

Maricruz zag de ogen van Carlos Danda Carlos oplichten als minizonnen terwijl hij geïnteresseerd toekeek hoe zij over het asfalt van de landingsbaan op hem afkwam. Ineens besefte ze, nog voordat hij zijn hand had uitgestoken, nog voordat hij zich vooroverboog om haar hand te kussen – alsof hij een medewerker van het vvv–kantoor van het zonnige San Luis Potosí was – dat ze allemaal iets van haar wilden: Wendell Marsh, Matamoros, Carlos Danda Carlos. Dat gold ook voor Ouyang Jidan. Hij wilde haar lichaam bezitten en dat had ze hem gegeven, vrijwillig en wellustig. In bed gaf ze hem alles wat hij wilde. In ruil daarvoor gebruikte ze hem om te bemachtigen wat zíj wilde hebben: onafhankelijkheid, uiteraard, maar ook de macht en rijkdom om haar vader te overtreffen, met wie ze een haat-liefdeverhouding had gehad.

Jidan wist beter dan wie ook hoe lucratief de aanvoerlijn dankzij haar was geworden, en nu haar vader er niet meer was, had hij haar nog harder nodig – als het schild dat haar vader had geboden en waarachter hij clandestien kon blijven opereren. Hij had geen enkel contact in de wereld van de Mexicaanse kartels; nooit gehad ook. Zijn handen moesten brandschoon blijven, dat was van essentieel belang voor zijn politieke aspiraties. Wat dat betreft lag zijn lot in haar handen. Maar eigenlijk hield ze niet van hem, ze gebruikte hem alleen maar.

'Ik ben zeer benieuwd naar de reden voor deze ontmoeting, señora Ouyang,' zei Carlos Danda Carlos nadat hij met zijn vochtige lippen haar hand had gekust.

Al deze Mexicanen hier, dacht ze, willen hun voordeel doen met de aanvoerlijn die door haar vader was aangelegd, dezelfde lijn die zij had uitgebreid en geperfectioneerd gedurende haar jaren in Beijing.

'Uw komst is een verrassing, señor,' zei Maricruz onderkoeld. 'Ik had nooit gedacht...'

'Als je door de dochter van Maceo Encarnación, die helemaal uit China komt, wordt ontboden,' kwam Raul Giron tussenbeide, 'kun je dat toch niet weigeren?'

Maricruz zag onverbloemde haat in zijn ogen, een diepe minachting voor haar. Hij koesterde vooral wrok vanwege het woordje 'ontboden'.

Carlos stond er losjes bij te glimlachen, schudde intussen de hand van Felipe Matamoros en mompelde 'aangenaam', alsof ze op een cocktailparty waren. Hij wendde zich tot Maricruz en zei, met een bestraffende blik naar Giron: 'Neem het deze soldaat niet kwalijk. Hij heeft duidelijk te lang in de rimboe gezeten en weet niet meer hoe je met een dame omgaat.' Hij keek over zijn schouder om naar Giron. 'Raul, ga naar je mannen en spreek ze toe, wil je? Laat ze inrukken. We zijn hier onder vrienden, of niet soms, señora Ouyang?'

'Jazeker,' zei ze met een knikje. 'Dat kan ik u verzekeren.'

'Zie je wel, Raul?' Carlos maakte een weids gebaar. 'We zijn hier onder nette mensen. Onthoud dat, als je de señora de volgende keer verwelkomt.'

Giron mompelde iets onhoorbaars en gaf instructies aan zijn soldaten.

'Geduld is een schone zaak in dit land, señora Ouyang,' zei Carlos op vertrouwelijke toon. 'Deze mannen zien alleen maar vijanden om zich heen. Ze gaan af op hun gevoel; dat is de overlevingstechniek die ze hebben geperfectioneerd. Neem het ze maar eens kwalijk! De vele wreedheden, het onophoudelijke bloedvergieten tussen de Sinaloa en Los Zetas – het is algemeen bekend.'

'Maar daar kan een einde aan komen, señor Carlos,' zei Maricruz. 'En daarom ben ik hier. Ik stel een permanente wapenstilstand voor. Sterker nog, ik stel voor dat de kartels in elkaar opgaan.'

'Waarom zouden we dit zelfs maar overwegen?'

'Op korte termijn,' zei Maricruz, 'zal het een einde maken aan de onnodige moordpartijen door uw mannen en die van señor Matamoros.'

Carlos schudde zijn hoofd. 'Ik denk niet dat ik Giron en zijn mannen zover kan krijgen...'

'Het gaat om macht,' onderbrak Matamoros hem. 'Los Zetas, die uw organisatie het afgelopen jaar hebben teruggedrongen, hebben veel meer bij deze fusie te verliezen dan het Sinaloa-kartel.'

'Op lange termijn,' pakte Maricruz de draad van haar betoog op – 'zal door het samengaan van de Sinaloa en Los Zetas heel Mexico in handen komen van een nieuw kartel. Dat bovendien toegang zal hebben tot de aanvoerlijn van grondstoffen die door mij en mijn man wordt beheerd en die onmisbaar is voor uw zakelijke belangen.'

Carlos leek haar voorstel in overweging te nemen. 'En wie krijgt de leiding over dat nieuwe kartel?'

'Daarom zijn we hier,' antwoordde Maricruz. 'We moeten de details nog uitwerken.'

'Op de plek waar de duivel woont,' merkte Carlos op.

'Dit is gelul!' Giron deed een stap naar voren. Hij stak strijdlustig zijn hoofd als een honkbalknuppel naar voren. 'Het is een list. Ze willen ons voor hun karretje spannen.'

'U vergist zich,' zei Maricruz. 'Maar ik begrijp uw wantrouwen. De geschiedenis van de kartels is doordrenkt met bloed.'

Girons ijzingwekkende glimlach deed haar bloed stollen. 'Deze geschiedenis is niet bloediger dan andere geschiedenissen. De mens is van nature oorlogszuchtig. Mannen houden van oorlog, wij willen over anderen de baas spelen. Territorium is van vitaal belang.'

'En vrouwen?' vroeg ze, terwijl ze langzaam de afstand tussen hen beiden verkleinde. 'En wij dan?'

'Vrouwen hebben ander bloed,' zei Giron op zelfverzekerde toon. 'Jullie brengen leven voort. Zoals het hoort. Voor vrouwen is geen plaats op het slagveld. Dat is gewoon een feit, zo zijn jullie nu eenmaal.' Hij trok zijn schouders op. 'God heeft het zo bedoeld, en om een goede reden. Wie zorgt er anders voor de gewonden, wie begraaft de gesneuvelden en rouwt om hun dood?'

Maricruz moest zich beheersen om niet zijn ogen uit zijn kop te krabben. Wat zou haar dat veel genoegdoening geven! dacht ze. Maar de realiteit liet het niet toe, en ze bewaarde haar wraakgevoelens voor een andere keer, een andere omgeving.

Alsof Carlos haar gedachten kon raden, mengde hij zich in het gesprek. 'Als we hier nog lang blijven staan, komen we om van de dorst.' De avond was gevallen en de schemering gedoofd, op de laatste gloed van de ondergaande zon na. 'Ik stel voor ons gesprek voort te zetten in...'

'Een door mij gekozen restaurant,' vulde Matamoros aan.

Zonder aarzeling antwoordde Carlos: 'Zoals u wenst, señor.' Joviaal lachend maakte hij een gedienstig handgebaar. 'Waar jullie heen gaan, gaan wij ook.'

15

Zodra Bourne zich verroerde, kreeg hij een lawine van puin over zich heen. Hij raakte eronder bedolven. Bijna stikkend wurmde hij zijn rechterarm omhoog, tastend met zijn vingertoppen, totdat hij de koelte van lucht op zijn huid voelde. Hij duwde zo veel mogelijk brokstukken van zich af voordat hij zich al wringend met zijn schouders oprichtte in het donker van de ingezakte tunnel.

Er viel een klein beetje licht door de balken van de kelder boven hen. De lucht stond vol met zuilen van dwarrelend stof dat nog moest neerdalen. Hij keek om zich heen en kon in het schaarse licht nog net de benen en voeten van zijn aanvaller zien. Verder was het pikkedonker. Bourne maakte zich vooral zorgen om Yue, die weliswaar tegen de wand aan de andere kant ineengedoken had gelegen, maar ook onder het puin moest zijn bedolven.

Bourne stapte uit het graf, dat binnen een fractie van een seconde boven hem was dichtgevallen, en strompelde verder over het puin. Met een koperen scharnier schraapte hij het puin weg dat bij de tegenovergelegen tunnelwand naar beneden was gevallen. Van Yue was geen spoor te bekennen, hoe hard hij haar ook riep.

Hij raakte in paniek en begon driftiger te graven in het puin door stukken hout, hopen aarde en losse stenen weg te schuiven. Ineens voelde hij twee balken die kruislings op elkaar waren gevallen; ze waren erg verrot. Hij moest voorzichtig zijn om te voorkomen dat de balken zouden breken wanneer hij ze probeerde te verschuiven. Terwijl hij de brokstukken opzijschoof, keek hij in het gat dat hij gemaakt had en werd beloond toen hij een stukje van Yues rechterschouder lag. Ze zat nog in dezelfde foetushouding. Hij riep opnieuw haar naam, eerst zacht, toen luider, maar ze antwoordde niet en gaf geen enkel teken van leven. Hij kon niet zien of ze nog ademde.

Haastig ging hij verder en schoof nog meer puin opzij, totdat hij voldoende ruimte had om haar vast te grijpen en op te tillen, naar de ruimte met zuurstof, die hij haar toewapperde om het stof uit haar gezicht te blazen. Hij hield twee vingers tegen haar halsslagader aan en voelde tot zijn opluchting haar hartslag, hoe zwak ook. Hij opende haar mond, duwde haar hoofd achterover om haar luchtwegen vrij te maken, boog zich voorover en gaf haar mond-op-mondbeademing.

Regelmatig stopte hij even om haar pols te controleren en te kijken of haar borst weer gelijkmatig op en neer ging. Haar pols werd iets krachtiger, maar haar borst bewoog nauwelijks. Met hernieuwde kracht begon hij haar longen ritmisch van lucht te voorzien.

Ineens vertrok haar gezicht. Ze sperde haar ogen open, duwde hem van zich af en zei met zachte, hese stem: 'Wat ben je aan het doen?'

Bourne ging op zijn hurken zitten en keek haar grijnzend aan. 'De tunnel is ingestort.'

'Dat zie ik zelf ook wel,' zei ze. Ze strekte haar hals en keek om zich heen. 'Waar is die klootzak?'

'Hieronder.' Bourne wees naar de voeten van de man. 'Dood.'

'Dat hoop ik maar.'

Bourne lachte. 'En ik hoop maar dat jij erbovenop komt.' Hij ging rechtop staan, reikte haar de hand en trok haar overeind. 'Hoe gaat het met je enkel?'

'Oké.'

'Je bedoelt: hij doet nog verrekt veel pijn.'

'Loop naar de hel.' Ze keek hem aan met een brede grijns.

'Daar ben ik al eens geweest.' Bourne grijnsde terug.

'Kunnen we dan eindelijk dit hol verlaten?' Ze keek op naar het plafond. 'De politie kan er elk moment zijn.'

'Laten we eerst eens kijken wie ons achtervolgde en waarom.'

'Denk je dat die dooie je dat kan vertellen?' zei ze, toen ze grimassend van de pijn opstond uit het puin en achter hem aan liep naar de deels bedolven man.

Bourne begon met uitgraven. 'Ik heb genoeg doden ontmoet,' vertelde hij, 'die zich uiterst welbespraakt konden uitdrukken. Beter dan toen ze nog in leven waren.'

Leunend op een hoopje ruwe stenen begon ze hem te helpen, en enkele minuten later sleepte Bourne de man onder het puin weg. Hij liet een spoor van bloed na, glinsterend als slakkenslijm.

Snel doorzocht Bourne zijn zakken. Hij vond een rolletje geldbiljetten, een rijbewijs op naam van Jesse Long – duidelijk een schuilnaam – maar geen portefeuille, geen paspoort of iets waarmee zijn identiteit kon worden vastgesteld. Bourne groef het mes en de mobiele telefoon uit, die onder het slachtoffer hadden gelegen, en keek plotseling op. In de verte hoorde hij, heel zacht, sirenes aankomen.

Hij stopte de voorwerpen in zijn zak, tilde Yue op, klom met haar in zijn armen de hoogste berg van puin op en hees zich naar de kelder van het bovenliggende gebouw.

De *cantina* die Matamoros had gekozen was een stemmig verlichte lange zaal met een laag plafond; het rook er naar agaven, tortilla's, bonensaus en verschaald bier. Aan het plafond hing een lichtsnoer van lampjes in de vorm van kleine lantaarns. Een jonge vrouw stond in haar eentje te dansen voor een jukebox waar 'Addicted to You' van Shakira uit schalde.

De lange houten tafels waren vrijwel onbezet, en het beetje clientèle dat de cantina had, hield zich op aan de bar – een treffende illustratie van het cliché 'misère zoekt gezelschap'.

De lijfwachten namen hun posities in bij de ingang, terwijl Matamoros het kleine groepje voorging naar een lege tafel achter in de zaak. Plotseling kwam de uitbater aangesneld, als door een kanon gelanceerd. Zenuwachtig deelde hij de menukaarten uit en noteerde wat het gezelschap wilde drinken.

Even later stonden de bierglazen op tafel en waren ze weer met zijn vieren. Als wolven om een karkas keken Matamoros en Giron elkaar aan.

Carlos zei: 'Señora, misschien wilt u me vergezellen naar het terras, waar we in betrekkelijke rust van onze *cerveza* kunnen genieten.'

Terwijl Carlos en Maricruz opstonden, zei Matamoros: 'Nee, hier blijven. Ik laat haar niet naar buiten gaan. Ze is een te gemakkelijke prooi voor jouw sluipschutters.'

'Señor Matamoros,' zei Carlos onaangedaan, 'we bevinden ons op uw territorium. U hebt de kaarten hier in handen. Wij zijn te gast – op verzoek van deze mooie dame. Wees zo vriendelijk...'

'Maak je geen zorgen,' zei Maricruz tegen Matamoros. Ze pakte haar bierglas op. 'Mij zal niets overkomen.'

Ze voelde zich echter allesbehalve veilig toen ze met Carlos naar het grote terras aan de achterkant van het restaurant liep. Het stond er vol met ruwhouten tafels en stoelen. Boven hen klapperde troosteloos een gestreepte luifel, gebleekt door de felle zon. De noordgrens van de stad, waar de cantina op uitkeek, was stoffig en grauw.

'U bent toch niet zo'n vrouw die sigaren rookt?'

Ze keek hem ijzig aan.

'Dat dacht ik al.' Hij stak zijn sigaar aan op de pompeuze manier van een man met status. 'Ik wil u iets vertellen.'

'Moet dat echt?'

'Gun me dat.' Hij liet de rook uit zijn open mond kringelen. 'De grootvader van Giron had ooit een zakenpartner. Dat was een gringo. Deze blanke had de grootvader van Giron allerlei beloften gedaan, die in de loop der jaren werden vervuld. De twee mannen werden rijk, totdat de blanke weldoener plotseling verdween en Girons grootvader ontdekte dat hij met niets was achtergebleven. Zijn partner was met de noorderzon en de buit vertrokken.'

Maricruz bleef met dezelfde ijzige blik voor zich uit staren. 'Er zijn geen gringo's hier.'

Carlos knikte instemmend. 'Dat klopt, helemaal, dat vinden u en ik. Maar Giron ziet dat anders. Hij vindt u nog onbetrouwbaarder dan een gringo. U bent een Mexicaanse die haar land heeft verlaten. Voor hem bent u een buitenstaander, niet een van ons, een afvallige zelfs.'

'En u ziet dat ook zo?'

'Juist niet, zoals ik al zei.' Hij zuchtte. 'Dat neemt niet weg dat ik met Giron te maken heb.'

'Dat is dan uw probleem,' reageerde Maricruz kortaf.

'Ja, maar als we gaan fuseren, is dat ook uw probleem, señora.'

Er viel een lange stilte. Vanuit de cantina schalde uit de jukebox een smartlap van een *ranchera*. In gedachten zag Maricruz de jonge zangeres ritmisch met haar heupen wiegen, haar armen om een denkbeeldige minnaar geslagen. Wat een treurig leven moest zo iemand hebben!

Maricruz maande zichzelf bij de les te blijven. 'Ik neem aan dat u met mij hier bent gaan zitten om een oplossing voor te stellen.'

Carlos staarde in de verte naar de twinkelende lichtjes van de stad, klein en onbeduidend tegen de zwarte nacht. 'Weet je, Maricruz... mag ik je tutoyeren, Maricruz?'

'Geen probleem.'

Hij knikte, zichtbaar tevreden. 'Ik word door veel mensen benijd, maar het is geen pretje om een dubbelleven te leiden.'

'Je gaat nu toch geen zielig verhaal ophangen?'

Hij glimlachte, hoewel zijn blik nog steeds gericht was op de lantaarnverlichting die een spookachtige gloed over de stad wierp. 'Je vindt het misschien grappig, maar als je niemand hebt om mee te praten, komt er een moment waarop je bij jezelf denkt: waar ben ik mee bezig, waar doe ik het voor?'

'Heb je geen gezin?'

'Mijn vrouw zit thuis met de kinderen. Denk je dat ik haar vertel wat ik jou hier toevertrouw?'

'Ik weet niet eens of je wel naar huis gaat?'

Hij keek haar lang en indringend aan. 'Ik vertel mijn minnares minder dan mijn vrouw, en dat is helemaal niets.'

'Dat lijkt me verstandig.'

Hij keek haar schuin aan.

'Dus er is niemand.'

'Helemaal niemand. De mensen met wie ik werk, zijn allemaal idioten.'

'Toch neem je mij in vertrouwen. Een volstrekte vreemdeling.'

'Niet helemaal een volstrekte vreemdeling.'

'Maar toch, een vreemdeling.'

'Soms praat je gemakkelijker met een buitenstaander.'

'Dus zo zie je mij toch?'

'Ik zie jou als iemand die knopen doorhakt. Jouw belangen zijn puur financieel.'

Maricruz voelde haar hart overslaan. 'Wil je dat ik voor je ga werken?'

'Ik probeer een oplossing te vinden voor de vete tussen Giron en Matamoros.'

'We kunnen...'

Carlos schudde al zijn hoofd. 'Er is te veel bloed gevloeid, er zijn te veel familieleden verdwenen, er is te veel haat, te veel bloeddorst. Dat valt allemaal niet zomaar weg te poetsen, wat Matamoros je ook verteld heeft.'

'Wat wil je eigenlijk zeggen?'

Carlos kwam dichter bij haar staan en begon te fluisteren. 'Giron en Matamoros hebben één ding gemeen: ze zijn verleden tijd. Ze hebben hun beste tijd gehad.' Hoewel Carlos op fluistertoon bleef praten, kregen zijn woorden steeds meer intensiteit. 'Jij, Maricruz, en ik: wij zijn de toekomst. Dit is ons moment. We hoeven het alleen maar te pakken.'

Toen kapitein Lim het bericht over de instorting in de zijdewinkel hoorde, raadpleegde hij zijn gedetailleerde plattegrond van de omgeving. Hij zag dat de zijdezaak slechts zes straten van de parelwinkel van Sam Zhang af lag en ging af op zijn intuïtie.

Via het draadloze netwerk mobiliseerde hij zijn mannen. Hij instrueerde hen naar de zijdewinkel te gaan, de zaak te omsingelen en af te sluiten.

'Iedereen die het pand in of uit wil, moet worden aangehouden,' beval hij. 'Laat niemand naar binnen gaan voordat ik er ben.'

Hij stapte in zijn auto, gaf zijn chauffeur instructies en die scheurde weg door het drukke verkeer in de straten van Sjanghai.

'Sneller,' zei hij, naar voren leunend.

Toen ze de hoek omgingen en de winkel in zicht kwam, trok hij zijn wapen.

16

Het flikkerende licht van de nog amper werkende tl-buizen wierp grillige schaduwen in de ingestorte kelder. De sirenes klonken zo hard dat Bourne ervan uitging dat de politie al was gearriveerd. Hij liep om de trap naar de winkel heen en beende naar de hoek rechts achterin, waar hij een andere, minder steile trap had gezien. Met twee treden tegelijk klom hij naar de overloop, ramde met zijn schouder tegen een deur, die openvloog, en liep naar binnen.

Yue, die moedig tegen de pijn had gevochten, was inmiddels bezweken. Bewusteloos lag ze in zijn armen. Bij elke beweging die hij maakte, schommelde haar hoofd mee. Hij liep naar de achterdeur van het gebouw, en door het matglazen ruitje zag hij druk doende menselijke gestalten en hoorde hij politiebevelen. Hij draaide zich om, rende terug naar de trap en sprong de kelder in, vlak voordat de achterdeur met geweld openbarstte en er zware laarzen over de vloerplanken te horen waren.

Hij liet zich van een hoop puin terug de tunnel in glijden. Daar legde hij Yue neer en begon te graven in de aardhoop, totdat hij aan de andere kant van de instorting was aangekomen. Nadat hij Yue had opgehaald nam hij de weg die ze gekomen waren terug, de opening die hij had gegraven en de puinhopen van de ingestorte kelder achter zich latend. In het donker, struikelend over de ongelijke bodem en de kleine hoopjes aarde en steen die zich hadden gevormd in de jaren nadat de tunnel door anonieme handen was uitgegraven, zocht hij zijn weg.

Er klonk een geluid. Met ingehouden adem stond hij stil om te luisteren. Hij hoorde het onmiskenbare geluid van voetstappen. Plotseling zag hij achter zich een kegelvormige lichtstraal van een zaklamp door de tunnel zwenken.

Kapitein Lim gaf zijn mannen de opdracht elke verdieping, elk appartement, elke kast en elke mogelijke schuilplaats te doorzoeken om Bourne te vinden, maar zelf deed hij niet aan deze zoektocht mee. In zijn eentje ging hij de trap af naar de kelder.

In het felle licht van de zoemende tl-buizen zag hij meteen hoe groot het gat was. Hij schuifelde erheen, tuurde over de rand en bekeek de enorme ravage die de instorting had aangericht. In het licht van de zaklamp zag hij het lichaam van een man, liggend op zijn buik. Uit de sporen van geronnen bloed concludeerde hij dat de man versleept was. Hij scheen met de zaklamp op het gat in het puin waaruit de man weg moest zijn gesleurd.

Was het slachtoffer Bourne? Daar kon hij maar op één manier achter komen. Met de zaklamp tussen zijn tanden kroop hij glijdend van de puinhelling af. Hij scheen om zich heen om zich te oriënteren en ontdekte dat hij in een tunnel stond. Het leek erop dat die doorliep tot aan de parelwinkel van Zhang.

Zo ben je dus aan me ontsnapt, dacht hij.

Hij liet zijn ogen vallen op de man onder hem, hurkte naast hem neer en rolde hem op zijn rug. Het was Long. Lim vloekte binnensmonds. Hoe had Long hem in godsnaam voor kunnen zijn? Daarna kwam de opluchting: het slachtoffer was gelukkig niet Bourne. Kolonel Sun had de opdracht gekregen Bourne levend gevangen te nemen. Als hij het zou presteren om terug te keren met Bournes stoffelijk overschot, zou de hel losbreken en had je de poppen aan het dansen. Hij huiverde bij de gedachte. Niemand die goed bij zijn hoofd was, zou het bij kolonel Sun willen verbruien.

Hij stond op en scheen met de zaklamp de tunnel in. Hij zag meteen de opening die Bourne in de puinhoop had gegraven. Hij kroop erdoorheen en liep verder de tunnel in over het pad dat Bourne volgens hem had genomen.

Met Yue nog steeds bewusteloos in zijn armen kwam Bourne aan bij de winkel van Sam Zhang, maar terwijl hij de ladder zocht naar het kantoortje van Zhang hoorde hij stemmen. Politie! Kapitein Lim was zo slim geweest om twee agenten de wacht te laten houden voor het geval Bourne zou terugkomen. Hij bleef onmiddellijk stilstaan en luisterde naar het gekeuvel van de twee agenten.

'Waar heb ik deze rotklus toch aan te danken? Wat heeft kapitein Lim toch tegen me?'

'Je bestaat. Dat vindt hij al erg genoeg.'

'Maar dit is waanzin. Die *gwai lo* laat zich hier echt niet meer zien. Die heeft zich allang uit de voeten gemaakt.'

'Jij weet het, en ik weet het. Helaas trekt Lim zich geen zier van ons aan.'

'Lim is een lul. Maar wat wil je: hij is van het leger. En hij komt niet eens uit Sjanghai.'

'Ach, die lui uit Beijing: allemaal politieke carrièrejagers.'

'Hij is het kruiperige slaafje van kolonel Sun.'

'Dat moet je wel zijn als je het tot kapitein wilt schoppen.'

'Klootzakken zijn het. Mij niet gezien.'

Er viel een korte stilte. Daarna: 'Hoelang moeten we nog?'

'Nog iets meer dan een uur. Dan kunnen we eindelijk naar huis en hoeven we niet meer aan die klootzak van een Lim te denken.'

Bourne hurkte neer in de kelder en zette Yue tegen de muur aan. Ze bleef rustig liggen. Hij stond op en klom muisstil de ladder op naar Zhangs kantoortje. Hij had geen tijd om nog een uur te wachten, niet eens een kwartier. Lim kon elk moment beseffen dat hij was ontsnapt, of erger nog, dat hij niet de tunnel was uit gelopen, maar terug naar de winkel van Zhang was gegaan.

Hij hees zichzelf omhoog, duwde met zijn linkerschouder het luik open en sprong naar buiten. Meteen stootte hij zijn elleboog in de maag van de ene agent en stak hij de ander neer met het mes dat hij in de tunnel had opgeraapt. De neergestoken agent viel bloedend neer, de andere man trok zijn wapen, maar met een karateslag op zijn pols zorgde Bourne ervoor dat de agent zijn pistool liet vallen. Met een stomp tegen het strottenhoofd sloeg hij hem bewusteloos. Bourne draaide zich om, schopte het mobieltje uit de bloedende hand van de andere agent, en toen ook hij zijn wapen trok, sloeg hij hem bewusteloos met een genadeloze dreun tegen zijn oor.

Pas toen Bourne opkeek, zag hij Sam Zhang. Ze hadden zijn mond gekneveld en hem vastgebonden aan de bureaustoel en die in een hoek van het kantoor gezet. Hij zag er groot en angstig uit. Zijn ogen schoten heen en weer, van Bourne naar de gevloerde agenten.

Nadat Bourne Zhangs mondknevel had losgemaakt, fluisterde de man meteen: 'Wat doe jij hier? Waar is Yue?'

Bourne sneed het touw los waarmee Zhang aan zijn stoel gebonden was en antwoordde: 'Ik ben teruggegaan. Dit leek me de laatste plek waar Lim me zou gaan zoeken.'

Zhang knikte en strekte, nog enigszins beduusd zijn arm uit, terwijl Bourne een glas whisky voor hem inschonk. Zhang pakte het glas uit zijn handen en nam een flinke slok. Hij slaakte een diepe zucht, schudde zijn hoofd als een natte hond en liet zijn glas weer bijvullen.

Terwijl Bourne inschonk, vroeg Zhang hijgend: 'Waar is Yue?'

'Ze ligt nog in de kelder, ze is bewusteloos.'

Zhang nam een slok van zijn whisky. 'Is ze ongedeerd?'

'Ik zal haar zo halen,' zei Bourne, die liever verzweeg dat zijn 'zusje' bijna was omgekomen toen de tunnel instortte.

Toen pas zag Zhang dat Bourne gehavend was en onder het stof zat. 'Wacht even. Vertel eerst wat er in die tunnel is gebeurd.'

Bourne negeerde de vraag, daalde opnieuw af de tunnel in, pakte Yue op en klom terug naar het kantoor, waar hij haar op een bureaustoel zette.

'Mijn hemel!' riep Zhang. Moeizaam stond hij op, zijn benen waren nog stijf van het vastgebonden zitten. 'Ze is er nog erger aan toe dan jij!'

'Er is niks aan de hand,' verzekerde Bourne hem. 'De tunnel is ingestort.' Voordat de dikke man kon reageren, ging hij verder. 'De vent die me achtervolgde, kreeg al het puin over zich heen en is omgekomen.'

Zhang knielde voor Yue neer, vervaarlijk wankelend, en pakte haar bij de armen. 'Zusje,' fluisterde hij. 'Lief zusje.'

'Wie was die kerel die achter ons aan zat?'

Zhang bestudeerde nauwkeurig Yues gezicht en gaf geen antwoord.

'Zhang,' drong Bourne aan, 'die vent heeft de instorting veroorzaakt.'

De dikke man schrok van die opmerking, alsof Bourne hem met een zweep geslagen had. 'Hij had beloofd dat haar niets zou overkomen.' Het kwam eruit als een jammerklacht.

Hij hield Yue bij haar kleine handen vast. 'Ik kende hem niet,' zei hij liefdevol, alsof hij met haar praatte. 'Ik had hem nog nooit gezien. Toen ik vroeg wie hij was, drukte hij de loop van zijn pistool tegen mijn slaap.' Verdrietig schudde hij het hoofd. 'Ik had niet moeten toegeven; ik had nooit mogen vertellen waar je was.'

'Je had geen keus.'

'Lafaards hebben nooit een keuze.'

Bourne legde zijn hand op Zhangs vlezige schouder. 'Bedenk hoeveel pijn je Yue hebt bespaard door in leven te blijven.'

Hij probeerde te lachen, maar er kwam niet meer uit dan gesnotter. Bourne sleurde de twee agenten naar buiten en dumpte ze in een stinkend steegje. Toen hij terugkwam, boende Zhang het bloed al van de vloer.

Toen dat gedaan was, zei Bourne: 'Kom, we gaan.' Hij tilde Yue op. 'Laten we een rustig plekje zoeken om een plan te bedenken en voor je zusje te zorgen.'

Zhang knikte. Hij sjokte het steegje in, waar hij zijn mobiel pakte en een telefoontje pleegde om zijn auto met chauffeur te laten komen.

Amir Ophir werkte aan de laatste logistieke voorbereidingen van een reddingsmissie in de Sinaï. Drie Israëli's hadden de Sinaïberg beklommen en waren door een Hamas-eenheid aangezien voor Mossad-agenten en gevangengenomen. Terwijl hij de laatste gebeurtenissen optekende in het situatierapport, werd hij gebeld op zijn privémobiel. Hij stond op achter zijn bureau en liep naar de gang, waar hij opnam.

'Een momentje.'

Hij opende de deur van de herentoiletten, controleerde of de wc-hokjes onbezet waren en ging met zijn rug naar de deur staan om te voorkomen dat er iemand binnenkwam. 'Wat is er aan de hand?'

Tijdens het gesprek begon zijn gezicht steeds meer te betrekken. 'Is Retzach vermoord? Weet je dat absoluut zeker?' Hij rolde met zijn ogen, zijn tong plakte aan zijn gehemelte zonder dat hij het besefte. De situatie was nu niet meer risicovol, maar onhoudbaar. Hoe moest hij dit uitleggen aan de directeur? Yadin stond niet bekend om zijn vergevingsgezindheid wanneer er een fout was gemaakt, en Ophir was niet van plan zichzelf op te offeren. Hij wist hoe het was afgelopen met degenen die dat wel hadden gedaan.

Hij had geen keus. Geen enkele.

Hij liep terug naar zijn werkkamer, pakte de telefoon en pleegde een telefoontje.

17

De directeur stond voor een schilderij van Alighiero Boetti waarop alleen maar brieven te zien waren, voornamelijk in het Engels, maar ook in het Arabisch. De epistels kregen in deze context een andere, meer artificiële betekenis, die er een schitterende, impressionistische dimensie aan gaf, die op schokkende en tegelijk opwindende wijze op gespannen voet stond met de gebruikelijke concreetheid van taal. Hij bleef voor zich uit staren toen Ophir naast hem kwam staan. Op dit tijdstip waren er meestal weinig of geen bezoekers in het Tel Aviv Museum of Art, gehuisvest in een streng postmodern gebouw. Hier en daar zag je de lijfwachten van de directeur nonchalant door het museum slenteren en interesse voor de schilderijen aan de wanden veinzen.

'Hebben we onze cryptografen hier wel eens heen gestuurd?' vroeg de directeur. 'Ik denk altijd dat er een geheime boodschap in dit schilderij zit verborgen.'

Ophir nam niet de moeite om te reageren; hij wist dat de directeur net zo geïnteresseerd was in het schilderij van Boetti als hijzelf, namelijk helemaal niet.

'Geef me een update,' zei de directeur met zoveel kilheid in zijn stem dat Ophir ervan huiverde.

'Bourne is ons nu definitief ontglipt,' meldde Ophir. Dat hij geen idee had waar de missie van de directeur precies om draaide, was om gek van te worden. 'Ik heb u gewaarschuwd. De Amerikanen konden Bourne niet in het gareel houden; waarom zou ons dat wél lukken?' Aangezien de directeur geen antwoord gaf, ging Ophir verder. 'Hij heeft gezien dat we een gps-tracker in zijn paspoort hadden verstopt. Nadat hij in Sjanghai was geland, heeft hij deze chip aan het chassis van een taxi bevestigd, wat tot een absurde achtervolging leidde, totdat we beseften wat er aan de hand was.'

'Slimme jongen, die Bourne.'

'Hoe kunt u dit zeggen! Dit is ontoelaatbaar gedrag.'

Directeur Yadin draaide zich eindelijk om en keek Ophir aan. '-Bourne deed precies wat ik van hem verwachtte.'

Ophir staarde hem verbijsterd aan. 'Dit... dit begrijp ik niet.'

De directeur trok zijn schouders op. 'Amir, beste vriend, het is precies wat je zegt: Bourne is een ongeleid projectiel. Hij laat zich niet aan het lijntje houden. Dit aspect van zijn karakter hebben de Amerikanen nooit begrepen. Ze probeerden hem voortdurend in het gareel te brengen, hem in de mal te proppen die ze voor hem hadden gemaakt. Maar toen hij daar eenmaal uit ontsnapt was, deed hij er alles aan om daar nooit meer naar terug te gaan.'

'Maar hoe kan hij ons dan van dienst zijn, Memune?'

De directeur begon met zijn handen op zijn rug met Ophir naast hem aan zijn wandeling. 'Bourne is dan wel niet in het gareel te houden, Amir, maar hij laat zich wel sturen. Je moet Bourne beschouwen als een kogel. Je moet zelf het wapen richten, zodat de kogel het doel raakt. Dat is precies wat ik doe: ik heb hem op het juiste pad gezet. Hoe hij zich daaruit redt, is voor mij niet van belang.' Hij knikte en zijn witte haardos schudde heen en weer. 'Vanaf hier ga ik naar de haven en dan met mijn boot weg, om te rouwen en mijn hoofd leeg te maken.'

'En ik dan?'

'Jij handelt die zaak in de Sinaï af voordat de situatie nog neteliger wordt. Zorg ervoor dat onze burgers uit de klauwen van onze vijanden worden bevrijd en voor middernacht veilig op eigen bodem staan. Is dat duidelijk?'

'Volledig duidelijk, Memune.'

'Vergeet Bourne nou maar, Amir. Je hebt je kans gehad. Laat het verder maar aan mij over.'

Ophir keek toe hoe de directeur met zijn gevolg van lijfwachten het museum verliet en liep daarna zelf naar buiten. Op het plein voor het museum zag hij drie auto's wegrijden en het verbaasde hem dat het escorte uit elkaar ging. De twee auto's met de lijfwachten gingen de ene kant op, de auto van de directeur reed de andere kant op – en dat was niet richting de haven, waar zijn bootje lag te dobberen.

Nieuwsgierig nam Ophir plaats achter het stuur van zijn auto en volgde de directeur door het drukke verkeer. Het deed hem genoegen toen Yadin hem vertelde dat hij ging zeilen. De directeur zag er bleek en slecht uit, hij leek te zijn afgevallen.

De auto van de directeur was de Weizmannstraat in gereden en kwam tot stilstand voor Medisch Centrum Sourasky.

Wat krijgen we nou? dacht Ophir toen hij Yadin over het schuin oplopende pad naar de ingang van het medisch centrum zag lopen. Ophir parkeerde zijn auto, stapte uit en liep gehaast over het pad naar de koele, stille ontvangsthal.

Aan de informatiebalie vroeg hij naar Eli Yadin, een poliklinische patiënt van het centrum. De man achter het granieten loket wees hem door naar een ander loket aan de rechterkant van de enorme glazen ontvangsthal.

De vrouw achter het loket was jong en sterk en had iets zelfverzekerds over zich dat je alleen tijdens je diensttijd bij het Israëlische leger kon hebben ontwikkeld.

'Waarmee kan ik u helpen?' zei ze met een geoefende glimlach.

‘Ik ben op zoek naar Eli Yadin,’ zei Ophir. ‘Ik geloof dat hij een poliklinische patiënt is.’

‘Van welke afdeling?’

‘Dat weet ik niet.’

De jonge vrouw trok haar sproetige neus op en keek hem bedenkelijk aan. ‘Meneer, we hebben zestien verschillende poliklinieken.’

Ophir dacht een poos na. ‘Probeer oncologie maar.’

Ze voerde de naam van de directeur in het systeem. ‘Het spijt me, meneer, maar deze naam komt niet in ons systeem voor.’

‘Met kruisverwijzingen kunt u hem vast vinden.’

Haar blik getuigde van twijfel en argwaan. ‘Dat kan wel, maar...’

Ophir klapte het hoesje van zijn identiteitspas open. Eigenlijk wilde hij zich niet identificeren, maar nu moest hij wel.

De jonge vrouw bestudeerde zijn pas en zei uiteindelijk: ‘Ik zal kijken wat ik voor u kan doen.’

Ze tikte met haar vingers op het toetsenbord, en toen ze klaar was, schudde ze beslist haar hoofd. ‘Het spijt me, meneer, maar in geen van onze poliklinieken komt deze naam voor.’

‘Maar dat moet wel,’ reageerde Ophir verbijsterd.

‘Ik heb mijn uiterste best voor u gedaan, meneer,’ zei de jonge vrouw, die zich van hem afwendde om de telefoon te beantwoorden.

Toen Ophir naar buiten liep en de uitgang aan de kant van de Weizmannstraat nam, dacht hij: als de directeur zich onder een schuilnaam had ingeschreven, zou hij hem natuurlijk nooit vinden. Toen hij echter weer achter het stuur van zijn auto zat en wegreed, was het raadsel al bijna helemaal uit zijn gedachten verdwenen. Hij werd weer volledig in beslag genomen door de laatste cruciale stappen die hij moest nemen om de veilige terugkeer van de drie gegijzelde Israëli’s in de Sinaï te garanderen.

‘Carlos doet mee,’ zei Maricruz toen ze zich met Matamoros had teruggetrokken in het kamp van Los Zetas.

Ze stonden op de lange veranda en dronken gerijpte mescal, terwijl ze stonden te kijken naar de palmboomkruinen die ruisten in de wind.

‘Je bent tamelijk lang bij hem gebleven.’

‘Jaloers?’

Matamoros snoof verontwaardigd.

Het was al voorbij middernacht. De maansikkel aan de hemel

verdween achter de voorbijdrijvende wolken die een vochtige wind meenamen, de voorbode van zware regen. Om hen heen patrouilleerden gewapende bewakers om het terrein, vlak achter de bijna drie meter hoge gestuukte schutting die het terrein omsloot. Andere bewakers beenden door de tuin en de oase van palmbomen. Afgezien van de krekels, de boomkikkers en af en toe het barse geblaf van een straathond werd deze avond gehuld in een fluweelachtige stilte, alsof ze in een resort aan de Mayaanse kust zaten. Alleen het zachte geklots van golven op het strand ontbrak.

'Het was me een genoegen om met Carlos zaken te doen,' ging ze verder. 'Hij is een zakenman. Hij begreep de voordelen van mijn voorstel zonder dat ik een ingewikkelde act moest opvoeren.'

'Was Giron erbij betrokken?'

'Die is niet eens genoemd.' Maricruz dronk haar glas mescal leeg. 'Morgen om negen uur komen we met zijn drieën bij elkaar om de alliantie af te ronden.'

Matamoros knikte. Hij leek afwezig. Ze gingen naar binnen. Hij bracht haar naar haar kamer, liep verder door de gelambriseerde gang naar zijn slaapkamer en deed de deur achter zich dicht.

De slaapkamer die voor Maricruz bestemd was, was eveneens gelambriseerd. Het was een ruime kamer met een kingsize bed en te grote meubels. Aan de muren hing een vreemde combinatie van etsen van stierengevechten en foto's van exotische dansers. De aangrenzende badkamer was overdreven luxueus – met marmer betegeld, een aparte douche, een ligbad vanwaar je uitkeek op de verlichte tuin.

Ze trok haar kleren uit en ging onder de douche staan om het stof en het zweet door de harde waterstralen van zich af te laten spoelen. Ze wierp haar hoofd in haar nek, sloot haar ogen en probeerde nergens aan te denken.

Afgedroogd en tussen de zachte lakens verwachtte ze een beetje dat Matamoros aan zou kloppen. Toen hij dat niet deed, wist ze niet of ze opgelucht of teleurgesteld moest zijn.

Die avond droomde ze dat ze in een zee van bloed zwom, een beklemmende droom die haar niet zozeer angst inboezemde, als wel energie gaf. Ze opende haar ogen, werd langzaam wakker en meende geweerschoten te horen. Maar toen ze volledig wakker was geschrokken en rechtop in bed zat, hoorde ze alleen hanengekraai en geblaf van honden die in de straten van San Luis Potosí hun ontbijt bij elkaar scharrelden.

Ze zwaaide haar benen uit bed, ging naar het toilet, kleedde zich snel aan en liep de slaapkamer uit en via de gang naar de woonkamer, die verlaten bleek. Ze keek om zich heen en liep door naar de keuken. Eveneens verlaten. Met een verhoogd gevoel van paraatheid liep ze terug naar de overloop en opende de deur van Matamoros' slaapkamer. Er was niemand, het bed was onbeslapen.

Terug in haar slaapkamer pakte ze haar Bersa Thunder .380, controleerde of die volledig was geladen en liep meteen door naar de hal, waar ze via de voordeur het binnenplein opliep. Er waren geen bewakers te zien, niet één. Het was akelig stil op het terrein, en ze dacht terug aan haar verstikkende droom.

Ze beende voorbij de groepjes palmbomen door de tuin en trok de buitenpoort open. Een paar honderd meter verderop stond een grote zwarte SUV. Het licht van de opkomende zon weerkaatste van de voorruit en maakte die ondoorzichtig.

Maricruz scande de directe omgeving en liep voorzichtig naar de zwarte terreinwagen. Ze schuifelde eromheen naar de linkerkant van het voertuig en keek voorovergebogen door de ramen, maar die waren geblindeerd.

Ze keek weer om zich heen in de hoop Matamoros of een van zijn mannen te zien, maar er was niemand. Ze weerstond de neiging om weg te rennen en ging dichter bij de SUV staan. Ze stak haar hand uit en opende het passagiersportier.

Er ontsnapte een gil aan haar halfgeopende lippen. De SUV zat volgepropt met veertien mannen. Allemaal onthoofd. Ze deinsde terug toen er iets over de treeplank rolde en op de grond viel.

Twee grijze, glazige ogen en de ontzette blik in de onthoofde kop van Raul Giron staarden haar aan.

'Je hebt een veilig onderkomen nodig,' zei Sam Zhang. 'Een plek waar niemand, niet kapitein Lim of wie dan ook, je kan vinden.' Hij tikte zijn chauffeur op zijn schouder en sprak met hem, maar Bourne en Yue konden niet opvangen wat hij zei. Daarna leunde hij weer achterover en perste hij met zijn dikke lijf de twee andere passagiers tegen elkaar aan. 'Ik weet zo'n plek. We rijden er nu heen.'

Yue zat schuin op de bank, haar hoofd en schouders rustten op Bournes borstkas.

'Door de komst van Lim is ons gesprek afgebroken,' zei Bourne tegen Zhang.

'Echt waar? Waar hadden we het dan over?'

'Over Ouyang Jidan.'
Zhang tuitte zijn dikke lippen. 'Dat kan ik me niet herinneren.'
'Ik heb gehoord dat hij nu in Sjanghai zit.'
'Vanwaar die interesse?'
'We hebben een rekening te vereffenen. Hij heeft iemand vermoord die ik goed kende.'
Zhang draaide zijn hoofd om. 'Dat klinkt vaag.' Hij haalde zijn schouders op. 'Minister Ouyang heef vele doden op zijn geweten.'
'Mij gaat het alleen om deze ene persoon,' antwoordde Bourne.
Ze reden over de brug naar Pudong, de schitterende, moderne kant van Sjanghai. De auto sloeg af naar de Bund en kwam tot stilstand voor de façade van glas en staal van een van de beste hotels van de stad.
Zhang vroeg om een rolstoel toen de deur door een van de geüniformeerde portiers werd geopend. Even later zette Bourne Yue in de rolstoel, en samen met de man die hem gebracht had en nu voor zich uit duwde, liepen ze gevieren naar binnen langs het glanzend geboende marmer en het maw sit sit – een groene steensoort die in Burma wordt gehouwen – naar de rij met liften. Zwijgend stegen ze op naar de eenentwintigste verdieping.
'Ik neem het hier wel van u over,' zei Zhang, terwijl hij de man een biljet toestopte en zijn handen op de handvatten van de rolstoel legde.
Ze lieten de medewerker achter in de lift. Bourne liep achter Zhang aan over het dikke tapijt in de gang, langs het zachte licht van de schelpvormige muurlampen naar de dubbele deur van een suite. Met een elektronische sleutelpas opende Zhang de kamerdeur en reed Yue in haar rolstoel naar binnen.
Toen Bourne over de drempel stapte, voelde hij het prikje van een naald in zijn hals. Hij wilde zich omdraaien, maar de geïnjecteerde vloeistof vertraagde zijn reflexen. Halverwege zijn draaibeweging zakte hij door zijn knieën. Hij werd van achter opgevangen. Hij verloor zijn evenwicht, zijn blik werd troebel en zijn gedachten zwommen van hem weg als een school vissen.
Het laatste wat hij zag was Yue die met een wolfachtige grijns op haar gezicht uit de rolstoel opstond. Ze kuste zijn lippen en gaf hem een harde klap in zijn gezicht, waarna hij het bewustzijn verloor.

DEEL TWEE

18

Jin zette zijn voet tussen de schuifdeuren van de lift om te voorkomen dat ze zich sloten. Toen de deuren weer uiteenweken, drukte hij op de alarmknop. Hij spitste zijn oren en hoorde het zachte getik van een rolstoel die over de vloerbedekking van de hal werd geduwd.

Hij bukte om zijn 5.8 mm QSZ-92 uit het enkelfoedraal te pakken en belde ondertussen met zijn mobiel.

'Kapitein,' fluisterde hij, met nauwelijks ingehouden opwinding, 'we hebben twee vliegen in één klap: de gezant van Cho Xilan én Jason Bourne.'

'Ga voorzichtig te werk.' De stem van kapitein Lim bromde in zijn oor. 'Er is versterking onderweg, over enkele minuten staan ze op je verdieping.'

'Stuur niet te veel mannen, dat is alleen maar lastig. Een paar mensen om de aangrenzende kamers te beveiligen, in overleg met de hotelmanager – dat is genoeg.' Jin stapte de lege gang in.

'Maar je hebt dekking nodig,' zei Lim.

'Met alle respect, kapitein, u kent me nog niet, anders had u die zorg niet.' Jin grinnikte inwendig. 'Ik werk liever alleen.'

'We kunnen ons geen fouten veroorloven,' zei Lim.

'Ik maak geen fouten, kapitein.'

'Je kent de instructies over Jason Bourne...'

'Arresteren en ongedeerd laten. Begrepen, kapitein.'

'Goed.' Het bleef even stil. 'Dan zie ik je aan de andere kant.'

Jin verbrak de verbinding en liep op zijn tenen door de gang. Hij hield zijn pistool schuin omhoog in de aanslag. Voor de dubbele deur van de suite stond hij stil. Een seconde of twintig bleef hij roerloos staan en legde toen zijn oor tegen het gepolijste hout.

'Ga naar de slaapkamer en doe de deur dicht,' riep Yue tegen de man die vanuit Beijing als haar echtgenoot met haar mee was gereisd. Hij knikte en deed wat hem was opgedragen.

Toen ze alleen met Sam Zhang was, keek ze naar het bewegingloze lichaam van Bourne aan haar voeten en zei tegen Zhang: 'Jij speelt een gevaarlijk spelletje.'

Met een zucht plofte de dikke man in een leunstoel. 'Komt deze waarschuwing van jou of van Cho Xilan?'

Haar trillende lippen leken een glimlach te vormen. 'Als je van twee walletjes eet, kan je dat je kop kosten. Denk maar aan Wei-Wei.'

'Moest je hem nou echt vermoorden?'

'Dat moest, Sam. Alles wat ik doe heeft een reden.'

'En brigadier Amma?'

'Een eerlijke smeris is een gevaarlijke smeris, dat weet je net zo goed als ik.'

Zhang schudde zijn hoofd. 'Jij hebt geen moraal. Daar krijg je problemen mee, klein zusje.'

'Ik heb wel een moraal,' wierp Yue tegen. 'Ik ken goddank alleen geen spijt.'

De dikke man wierp zijn hoofd in zijn nek en riep richting het plafond: 'Met zulke vrienden heb je geen vijanden nodig!'

'Hou jezelf niet voor de gek, Sam,' zei Yue. Ze gaf Bourne een schop om te controleren of hij nog bewusteloos was. 'Net als ik heb jij je in allerlei bochten moeten wringen om in deze verdorven stad te overleven.'

Ze blikte neer op Bourne. 'Ik mag deze vent wel. Hij heeft iets puurs in zich. Ik benijd hem daarom.' Toen ze Zhang hoorde grommen, keek ze naar hem op. 'Hij heeft wel mijn leven gered, Sam.'

'Wat hebben we daaraan? We moeten hem overdragen aan kolonel Sun, dat was de opdracht.'

'Nog even niet.' Yue hurkte naast Bourne neer en legde haar hand op zijn hoofd. 'Hij fascineert me.'

'Kom op, klein zusje, niemand fascineert jou.'

'Maar hij wel, Sam. Echt. Hij heeft niet alleen met Sun, maar ook met minister Ouyang een gedeeld verleden.' Ze glimlachte. 'Dat vind ik fascinerend.' Ze streelde Bourne over zijn hoofd. 'Ik laat hem pas gaan als ik dat verleden ken en erachter ben of ik daar iets mee kan.'

Zhang likte over zijn lippen. 'Wie speelt hier nu een gevaarlijk spelletje?'

Yue grinnikte zacht. ‘Het verschil is dat ik het aankan, Sam. Bij jou twijfel ik daarover.’

‘Het klopt dat ik ouder word,’ zei Zhang meesmuilend.

‘Dat is niet hetzelfde als oud worden,’ merkte Yue op.

Hij glimlachte naar haar. ‘Soms verbaas je me.’

‘Soms ben ik ervan overtuigd dat ik uit een ei ben gekropen.’

‘Dan heb je wel een opvallend ontwikkeld reptielenbrein.’

Yue leunde naar achteren op haar hurken en keek Zhang een moment bedachtzaam aan. ‘Jij bent de enige die me kent, Sam.’

‘Voor zover men een komodovaraan kan kennen.’

Yue gniffelde en porde Bourne in zijn ribben. Toen gaf ze hem een klap in zijn gezicht. ‘Kom, aan de slag nu.’

Zhang boog zich voorover, zijn enorme vetkwabben rolden over elkaar heen. ‘Wat ben je met hem van plan?’

‘Wat denk je?’ Yue hield het mes omhoog dat Bourne in de tunnel had gevonden.

Voor het eerst leek Zhang te schrikken. ‘Kolonel Sun was heel duidelijk: hij wil Bourne heelhuids hebben. Minister Ouyang wil hem persoonlijk verhoren.’

‘Minister Ouyang zit nu in Beijing om een dubbelagent koud te maken.’

‘Hoe weet jij dat?’

‘Ik ben een goede leerling van je, Sam. Het netwerk van mijn contacten is exponentieel gegroeid.’

Zhang zuchtte en zei: ‘Klein zusje, volgens mij wilden we dit juist niet, al dit gekonkel, deze rotzooi.’

Ze keek hem bevreemd aan. ‘Dit is juist precies wat we altijd wilden.’ Ze haalde haar schouders op. ‘En trouwens, we hebben ons leven niet in eigen hand.’

‘Dat is ons inderdaad altijd verteld. Een leugen wordt waarheid als je hem maar vaak genoeg herhaalt. Maar zeg eens eerlijk: kun jij hiermee leven?’

Yue keek hem peilend aan. ‘Je praat alsof we een keuze hebben.’

‘Dat is ook zo.’

Ze schudde haar hoofd. ‘Dat is een illusie, Sam.’

‘We kunnen nog ontsnappen.’

Met een vragende blik vroeg Yue: ‘Ontsnappen?’

‘Ja. Gewoon vertrekken. Ergens anders gaan wonen. We hebben de middelen.’

‘We hebben geld, ja, inderdaad. Maar waar in China zou je heen willen? Ze kunnen ons in elke uithoek van het land vinden. Waar ik trouwens liever mijn polsen zou doorsnijden dan er te leven.'

'Er ligt nog een wereld buiten China, klein zusje. Die is zo groot, daar kunnen we gemakkelijk onvindbaar zijn.'

'Denk je? De arm van Cho Xilan is lang, zijn invloed is groot.'

'Ja, hier in China. Maar buiten het Middenrijk ligt een wereld die hij niet kent. Wat dat betreft heeft minister Ouyang een enorme strategische voorsprong. Cho is een tacticus; hij krijgt het Politbureau precies waar hij wil. Daar ligt zijn kracht. Hij en de reactionairen van de Chongqing Partij zijn bekrompen, blind. Het Middenrijk is hun enige doel. Maar buiten China is hun invloed verwaarloosbaar.'

Yue schommelde op haar hielen. 'Meen je dit echt?'

'Ja, honderd procent.' Zhang streek over zijn brede gezicht. 'Het is niet alleen dat ik hier te oud voor word, klein zusje. Ik heb er ook genoeg van. Altijd maar voor anderen moeten opdraven, anderen rijk maken in de hoop dat er een kruimel voor je overblijft. Laatst realiseerde ik me dat ik nooit tijd voor mezelf heb gehad. Omdat die er gewoonweg niet was. Voor jou geldt dat waarschijnlijk ook.'

Hij keek naar Bourne. 'Laten we om te beginnen deze man zijn vrijheid teruggeven.'

Yue dacht na. 'Bourne heeft informatie over Sun en Ouyang... Die informatie zouden we als ruilmiddel kunnen gebruiken. Bourne is onze verzekeringspolis.'

'Dus je doet met me mee?'

Op dat moment werd met een luide knal het slot uit de suitedeur geschoten.

'Wat heb je gedaan?' schreeuwde Maricruz toen ze Felipe Matamoros op zich af zag lopen in het waterige ochtendlicht. 'Wat heeft dit in godsnaam te betekenen?'

'Ik?' Matamoros wees naar zichzelf. 'Ik heb niets gedaan. Mijn compadres daarentegen geloofden, anders dan jij, niet dat Raul Giron de onafhankelijkheid van zijn Sinaloa-kartel zou opgeven. Zíj besloten actie te ondernemen.'

Maricruz liet haar blik opnieuw gaan naar het lichaamloze hoofd aan haar voeten. 'Het besluit is achter de rug van Giron genomen, met goedkeuring van Carlos. Dat zei ik je toch.'

'Na het diner is Carlos meteen terug naar Mexico-Stad gevlogen. Je kunt ervan uitgaan dat hij jou ook een kopje kleiner wil maken.'

'Mij?'

'Je vormt nu een grotere bedreiging dan Los Zetas. Ons kan hij aan, maar jou – jij bent een verhaal apart. Jij dreigt het hele machtsevenwicht in Mexico te verstoren. Daar moet hij wel een stokje voor steken.'

Maricruz keek naar het bloedbad dat in de SUV was aangericht. 'Dit bloedbad is van een heel andere orde, Felipe.'

'Mujer, por favor. Dit is mijn gebied, dus laat me je uitleggen hoe de vork in de steel zit. Ten eerste: mijn goede vriend Giron was niet van plan voor wie dan ook te wijken, al helemaal niet voor jou. Als je in dat sprookje geloofde, ben je niet van deze wereld.'

Matamoros schopte tegen het hoofd van Giron alsof het een voetbal was. Het vloog door de lucht tegen de stam van een palmboom en rolde over de grond. De ogen waren nu zo ondoorzichtig als die van een dode vis.

'Ten tweede: Carlos komt uit een welgestelde familie; hij heeft nog nooit zijn handen vuilgemaakt, hij heeft nog nooit in de modder gestaan zoals ik en onze vriend hier. Hij kent ons en onze motieven niet. Ten derde: Carlos is een schoft, een leugenaar en een dief. Het ergst van alles: hij is een lafaard. Lafaards komen niet vooruit; ze klampen zich vast aan hun status quo. Om die veilig te stellen verbergen ze zich achter moeders rokken. In het geval van Carlos is dat de federale overheid. Dankzij el presidente heeft hij het tot deze functie geschopt, en el presidente is degene die hem in bescherming neemt. Hij is de enige die dat kan. Carlos heeft geprofiteerd van de winsten van het Sinaloa-kartel, maar als het te heet onder zijn voeten wordt, kiest hij het hazenpad.'

'Waarom heb je me dat in godsnaam gisteravond niet verteld?'

'Zou je me hebben geloofd? Je stond zo met hem te flirten buiten op het terras.' Hij bestudeerde haar gezicht. 'De situatie is dus veranderd, maar niet zoals jij je dat had voorgesteld.'

'Nu je compradres Giron en zijn naaste medewerkers hebben uitgeschakeld, zal het Los Zetas weinig moeite kosten de rest van het Sinaloa-kartel op te ruimen.'

'Dat ben ik helemaal met je eens, mi princesa.'

Toch keek Matamoros niet blij, en Maricruz wist waarom.

'Nu is Carlos het probleem, en dat is zowel goed als slecht nieuws,' zei hij. 'We strijden niet meer tegen een rivaliserend kartel, maar tegen één persoon. Maar omdat Carlos niet tegen verandering kan, zal hij alle, niet onaanzienlijke middelen van de Mexicaanse overheid inzetten: tegen jou, tegen mij en tegen Los Zetas. In het verleden hebben we de federale politie tamelijk gemakkelijk van ons kunnen afschudden, maar nu is deze oorlog voor Carlos een persoonlijke geworden. Er staan ons uiterst gevaarlijke tijden te wachten.'

'Dan kunnen we maar één ding doen,' zei Maricruz. 'Hem uitschakelen voordat hij ons uitschakelt.'

Felipe Matamoros wierp lachend zijn hoofd in zijn nek. 'Ik wist dat ik op je kon rekenen.'

Matamoros stak zijn hand op. Maricruz keek om en zag zijn compadres, de top van het Los Zetas-kader, gehuld in legerkleding op zich afkomen, met kaken zo zwaar als hun bewapening en een duistere blik, schouder aan brede schouder, als waren ze deel van de *Magnificent Seven*.

Jin trapte de deur in en stormde de hotelsuite binnen. Hij richtte zijn geweer op Zhang en Yue, zonder te kijken naar de man die tussen hen in op de vloer lag. Dat was een vergissing.

Snel en hardhandig trok Bourne het mes uit de hand van Yue en wierp dat naar Jin, die op het punt stond de trekker over te halen. Het lemmet drong tot aan het gevest in zijn borst.

Ongelovig staarde Jin naar de eerste stralen bloed en langzaam viel hij voorover. Nog voordat hij de vloer raakte, rukte Bourne het pistool uit zijn handen, rolde verder over de vloer en richtte het wapen op Yue.

'Wij moeten nodig met elkaar praten,' zei hij. 'Waar zijn kolonel Sun en minister Ouyang?'

Yue keek hem onaangedaan aan. Als ze al onder de indruk was van zijn herrijzenis, liet ze dat niet merken. 'Op dit moment zijn Sun en die afzichtelijke Lim met een groepje zwaarbewapende soldaten waarschijnlijk naar ons onderweg.' Ze toverde een raadselachtige glimlach tevoorschijn en zei: 'We moeten gaan.'

'Ik ga nergens met jullie heen,' zei Bourne.

'Als je Ouyang wilt vinden,' hield ze vol, met haar wolfachtige glimlach, 'moet je wel met ons mee.'

Ze reikte Bourne haar hand om hem overeind te helpen, maar hij sloeg die weg. 'Je hebt al genoeg ellende veroorzaakt.'

Zhang hees zijn logge lichaam uit de leunstoel. 'Vergeef het haar. Ze heeft het brein van een reptiel en het hart van een roofdier.'

Bourne schudde zijn hoofd om de laatste effecten van het gif kwijt te raken en dwong hen naar de gang, waar het onheilspellend stil was.

'Ze hebben de hele verdieping geëvacueerd,' zei Bourne.

Yue knikte. 'Ik zei toch dat ze eraan kwamen?'

Terwijl hij richting de liften liep, zei ze: 'Dat lijkt me geen goed idee. Die liften hebben ze allang onder controle.'

Bourne wierp haar een dodelijke blik toe en liep voorbij de laatste lift in de rij. Hij stond stil voor een smal deurtje in de muur, forceerde het slot en trok het open. Achter de opening lagen de vier liftschachten.

'Dat meen je niet,' zei Zhang, die door het donkere gat naar beneden staarde. Hij zweette als een otter. 'Mij krijg je hier niet in.'

'Heb je soms een beter idee?' vroeg Bourne.

'Sam,' drong Yue aan, 'alle liften zijn stilgezet, behalve deze, en die staat vol met agenten. Ze kunnen elk moment op deze verdieping zijn.'

Bourne stapte in de schacht, naar een betonnen rand aan de zijkant van de meest rechts gelegen schacht.

'Flink zijn, Sam.' Yue stond achter Zhang en duwde hem zijwaarts door de smalle opening.

Hij kermde zacht toen hij dreigde te vallen, totdat Bourne hem vastgreep en naar de betonnen rand trok. Zhang wankelde als Humpty Dumpty op de schutting. Achter hem kroop Yue de schacht in. Ze deed het deurtje achter zich dicht. Bourne trok Zhang naar zich toe om ruimte op de rand te maken voor Yue.

'Niet naar beneden kijken, Sam,' waarschuwde Yue.

Te laat. Zhangs ogen werden de schacht in getrokken, als die van voorbijgangers bij een auto-ongeluk. Hij bleef staren, onmachtig om zijn blik af te wenden, totdat Bourne hem een klap in zijn gezicht gaf.

'Zhang, kijk me aan,' zei hij. 'Als je naar mij blijft kijken, komt het goed.'

'Hoezo, waarom zou het niet goed gaan?' vroeg Zhang bevend.

'Omdat we de ladder afgaan.'

Toen Bourne zag dat hij op punt stond in huilen uit te barsten, klemde hij zijn hand om Zhangs mond.

'Hou je kop verdomme, Sam!' siste Yue. 'Tenzij je door kolonel Sun verhoord wilt worden.'

Zhang huiverde, maar leek zich een beetje te herstellen. Bourne haalde zijn hand weg.

'Welke ladder?' fluisterde Zhang. Hij was duidelijk doodsbang.

'We nemen de ladder die door het onderhoudspersoneel wordt gebruikt om van de ene naar de andere verdieping te gaan. Yue gaat als eerste. Daarna volg jij, dan ik. Maak je geen zorgen. We helpen je naar beneden. Eenmaal op de ladder blijf je voor je uit kijken en naar beneden gaan totdat ik zeg dat je moet stoppen. Dat is alles.'

Zhang liet een gesmoord gesnik horen. 'Luister,' zei hij, 'dit gaat mij niet lukken. Laat mij hier maar achter. Ik red me wel.'

'Daar komt niets van in,' zei Yue terwijl ze Zhang samen met Bourne naar de ijzeren sporten van de ladder duwde, die langs de zijkant van de schacht liep waarin ze zich bevonden. 'Hoe denk jij je hier in je eentje te redden?'

Zhang nam niet eens de moeite Yue te antwoorden. Hij keek somber toe hoe Yue de ladder begon af te dalen. Ze verstijfden alle drie toen de lift naast hen omhoogkwam en op de verdieping die ze wilden verlaten tot stilstand kwam. Ze hoorden de deuren opengaan en de gedempte stem van iemand die zijn mannen waarschijnlijk het bevel gaf zich voor de suite op te stellen.

'Ze zullen alleen die idioot vinden met wie ik ben gekomen,' fluisterde Yue. 'Die sukkel had ons bijna verraden op het vliegveld. Wat ze ook met hem gaan doen, hij verdient het.'

'We moeten verder,' zei Bourne tegen Zhang, nu de lift stilstond. Yue daalde verder de ladder af, terwijl Bourne de handen van de dikke man om de sport van de ladder klemde en hem een zet gaf. Als verlamd hing Zhang aan de ladder, totdat Bourne boven hem stond en hem dwong naar beneden te klauteren.

'Denk aan wat ik je gezegd heb,' zei Bourne. Hij had er een hekel aan met anderen samen te werken, en dit was een van de redenen waarom. Bourne functioneerde het best in zijn eentje, maar sommige crises waren niet te voorspellen of te voorkomen. Dit was er een van, helaas. Anderzijds was hij ervan overtuigd dat zowel Zhang als Yue een nuttige informatiebron voor hem kon zijn. Als hij ze in leven wist te houden.

Plotseling klonk er vanaf de verdieping die ze zojuist hadden verlaten een oorverdovend geratel. De in doodsangst verkerende Zhang verloor zijn grip en dreigde ruggelings de ruimte tussen de ladder en de liftcabine in te tuimelen.

19

Yue stak haar platte hand omhoog, tegen de rug van Zhang, waardoor hij net niet achteroverviel. Bourne greep Zhang bij zijn arm, richtte hem op en trok hem centimeter voor centimeter terug naar zijn plek op de ladder.

'Het komt goed, Sam,' zei Yue op kalmerende toon. 'Die kogels kunnen ons niet raken. Er kan je niets gebeuren.'

Zhangs ademhaling ging net zo snel als zijn op hol geslagen hart. Hij slikte luid en liet zijn voorhoofd tegen het koele staal van de ladder rusten, terwijl hij met gesloten ogen zijn ademhaling tot een normaler ritme probeerde te krijgen.

'Ik zweer het,' fluisterde hij, 'als ik dit overleef, ga ik heel anders leven.'

'Daar hou ik je aan,' zei Bourne, die langs hem heen in de ogen van Yue keek.

Yue knikte naar hem, en Bourne vermoedde dat dit haar manier van verontschuldigen was. Hij knikte terug, en de uitwisseling leek op die tussen twee soldaten uit vijandige legers, die respect tonen voor elkaars vaardigheden. Knarsetandend waren ze tot een wapenstilstand gekomen, maar het moest nog duidelijk worden of dat een permanente of tijdelijke was.

Ze gingen verder omlaag, voorbij de stilstaande cabine, en nu gaapte er een diepe leegte onder hen. Bourne hief zijn hand op en ze stopten tegelijkertijd.

'Heb je enig idee hoe we hier ooit uit moeten komen?' vroeg Yue. 'Sun heeft het hotel ongetwijfeld laten omsingelen.'

'Eerste stop, de keuken,' zei Bourne.

Zhang kreunde.

'Ik moet toegeven,' zei Yue, 'dat is nog een heel eind.'

'Hangt ervan af hoe we daar komen.' Hij wees naar boven. 'Klimmen.'

'Wat?' riep Zhang. 'Naar boven?'

'Je hoort het goed. Schiet op. We hebben geen tijd te verliezen.'

Naar boven ging sneller dan naar beneden. Toen Bourne op gelijke hoogte met het dak van de cabine was, stapte hij erop. Hij knielde en stak zijn armen uit, terwijl Yue de dikke man bij zijn heupen in evenwicht hield. Bourne hees Zhang op en zette hem op zijn hurken neer. Even later voegde Yue zich bij hen.

'Deze nieuwe liften worden via een draadloos netwerk elektronisch aangestuurd.' Bourne opende het klepje van een klein paneel op het dak, waaraan een minitoetsenbord bevestigd zat. Hij haalde zijn eigen mobiele telefoon erbij. 'Mijn telefoon heeft het netwerk al gevonden. Ik moet er alleen nog in zien te komen, om het besturingssysteem van het onderhoudsteam te kunnen gebruiken.'

Yue stak haar arm uit. 'Laat mij eens proberen,' zei ze.

Bourne gaf haar zijn mobiel en keek toe hoe haar vingers over de virtuele toetsen vlogen. Haar gezichtsuitdrukking werd steeds geconcentreerder, het puntje van haar tong verscheen tussen haar lippen.

'Alsjeblieft,' zei ze, en ze gaf de telefoon terug. 'We zitten op het netwerk.'

Bourne nam zijn mobiel aan, met bewondering voor haar handigheid. Hij toetste het gehackte wachtwoord in op het kleine toetsenbord van het paneel.

'Hou je vast.' Hij drukte de laatste toets in, waarna de lift met een klein schokje aan zijn soepele afdaling door de schacht begon.

Het hele gezelschap liep terug naar de villa toen ze plotseling het geluid van helikopters de stilte van de vroege ochtend ruw hoorden verstoren. Er verschenen vier dreigende silhouetten aan de horizon, en ze zetten het op een rennen.

Matamoros greep Maricruz bij haar elleboog en trok haar naar het gepantserde voertuig waarmee ze vanaf de landingsbaan hiernaartoe waren gereden. 'Vijfhonderd meter verder naar het noordwesten ligt een bos,' zei hij, terwijl hij naast haar ging zitten. 'Onder de bomen zijn we veilig.' Zijn mond vertrok. 'Als de helikopters al zo ver komen.'

Maricruz had geen idee waar hij het over had, maar toen het gepantserde voertuig hortend in beweging kwam en vervolgens met verbijsterend hoge snelheid van het terrein reed, zag ze door de dikke kogelvrije ruit dat de compadres van Matamoros hen niet volgden. Twee van hen hadden raketinstallaties voor de dag gehaald, die door de anderen werden geladen.

Terwijl het pantservoertuig het terrein verliet, zag ze nog net een paar vuurflitsen en twee witte rookslierten de lucht in gaan. De explosies deden het voertuig schudden, maar de chauffeur hield koers. Ze hebben al twee heli's neergehaald, dacht Maricruz.

Ze kon voor zich niets zien en had dus geen idee wat er kwam. Maar vlak nadat een derde ontploffing de hemel deed trillen, begon het voertuig te hobbelen en werd ze door elkaar geschud. Ze hadden de verharde weg verlaten en reden nu over een zandweg. Even later zag ze niets anders dan glanzend groen, dik gebladerte voor zich en slaakte ze een zucht van opluchting. Ze hadden het bos bereikt; ze waren veilig.

Op dat moment hoorden ze een luid geruis en veranderde het groen van het gebladerte in rood. Een van de heli's was aan de raketinstallaties ontsnapt. Laag over het bos vliegend staken de inzittende soldaten met vlammenwerpers de bomen in brand. Overal om hen heen vielen enorme bomen met veel gekraak en luide ploffen neer. De vlammen laaiden steeds hoger op.

Het gepantserde voertuig zat gevangen in wat een veilige haven had geleken, maar nu een grote vuurzee was.

Gehurkt op de bovenkant van de liftcabine daalden ze af naar de verdieping met het zwembad. Onderweg beschreef Yue de plattegrond van het hotel. Nadat de cabine tot stilstand was gekomen, greep Bourne de ladder, klauterde de lift af en klom een paar treden naar de smalle deur die leidde naar de verdieping van de restaurants en keukens.

Nu Zhang vlak bij de vaste grond was, kreeg hij zijn bravoure terug. Het lukte hem zelf naar de ladder te komen en achter Bourne aan te gaan. Yue volgde hen. Even later bevonden ze zich alle drie in de gangen van het hotel.

'Ik zie nog steeds niet hoe we hier ooit uit moeten komen zonder door Suns soldaten te worden neergeschoten,' zei Yue.

Bourne negeerde haar opmerking, liep door een servicegangetje dat de verschillende restaurants scheidde van de verschillende keukens, en ging een kleedruimte voor het personeel binnen, waar het drietal zich een beetje fatsoeneerde.

Ze verlieten de ruimte en liepen door de drukke, stomende keukens naar een andere gang, aan het einde waarvan een deur naar buiten leek te leiden. Een geüniformeerde hotelbewaker stond ernaast, terwijl hij afwezig met een tandenstoker tussen zijn tanden stond te peuteren.

Om de hoek stond een aantal grote karren, waarvan er twee waren volgeladen met vieze tafelkleden van de maaltijdservices. Snel propte Bourne Zhang in zo'n kar en gooide een tafelkleed over hem heen. Zhang dook zo goed als hij kon in elkaar. Terwijl Yue in een andere kar klom, klonken er voetstappen.

Een man met een schorre stem zei: 'Ik hoop maar dat dit de laatste karren zijn, anders...'

'Anders wat? Anders hou je ermee op?' zei een andere man lachend. 'Zou je wel willen, zeker.'

Bourne sprong in de kar waarin Yue zat en begroef hen beiden onder het linnen. Meteen daarna hoorden ze de wielen van de kar waarin Zhang zat piepend wegrijden, daarna voelden ze hoe hun kar door de gang en de hoek om werd geduwd. Ze gingen over een hobbel en dwars door de stinkende tafellakens heen merkte Bourne dat de lucht vochtiger en warmer werd. Waarschijnlijk stonden ze op een rooster.

Ze hoorden nog meer stemmen toen ze door een soort laadruimte werden gereden. Opnieuw voelden ze een hobbel toen de karren in een grote truck werden geduwd. De portieren werden dichtgesmeten en het beetje licht dat er nog was, verdween abrupt.

Het was pikdonker. De koppeling knarste terwijl de truck startte. De kar schudde heen en weer, terwijl ze het hotel achter zich lieten.

'Uitstappen!' schreeuwde Matamoros. 'Naar buiten, snel!'

De hitte in het gepantserde voertuig was ondraaglijk. Een van zijn mannen trapte het portier open, waarna ze met zijn allen naar buiten gingen. Het bos was een vuurzee, maar Matamoros' mannen leidden hen langs een route tussen bomen die nog niet door de vlammen waren verteerd.

Boven het luide woeden van de brand uit konden ze het gelijkmatige gehakketak van de rotorbladen horen. De heli leek zich vlak boven hen te bevinden. De stevige wind deed de vlammen oplaaien, het vuur verspreidde zich naar hun veilige corridor. De vlammen sloegen al over naar de bomen achter hen; ze voelden de hitte gretig aan hun ruggen likken, vastbesloten hen de kleren van het lijf te schroeien.

Maricruz en Matamoros renden achter de soldaten aan, naar rechts afbuigend in een poging de rand van de vuurzee te bereiken, de vlammen voor te blijven die de federale politieagenten in de heli bleven verspreiden.

'Onze aartsvijand heeft er geen gras over laten groeien,' schreeuwde Maricruz boven het oorverdovende lawaai uit terwijl ze door het droge struikgewas renden.

'En hij weet van geen ophouden.' Matamoros hield zijn wapen in de aanslag, een Heckler & Koch MP5 die hem zojuist door een van zijn mannen in zijn handen was gedrukt. Al rennend keek hij omhoog, zoekend naar een opening in het bladerdak waardoor hij een voltreffer op de laagvliegende helikopter zou kunnen afvuren.

'Zoals ik al zei,' riep Maricruz. 'We moeten hem afmaken voordat hij dat met ons doet.'

In het bladerdak van de bomen gaapte een opening waar een lichtstraal doorheen viel die blauw afstak tegen het vuurrood om hen heen. Maricruz keek op en zag metaal glinsteren, toen verscheen de romp van de helikopter, die een blauwgroene glans had als het lijf van een reuzeninsect.

Matamoros richtte zijn wapen, maar voor hij kon schieten trof het blauw van een raket de staart van de heli, die daarop in duizend stukken uiteenspatte. De helikopter steigerde door de inslag, begon wild te slingeren en viel loodrecht naar beneden, naar de kleine open plek waar Maricruz en Matamoros stonden.

20

'We willen je een voorstel doen.' Sam Zhang keek naar Yue aan de andere kant van de tafel. Ze hield haar handen om het kopje jasmijnthee geklemd, haar neergeslagen ogen starend in de heldere diepte van de warme drank.

'Dat zal wel.' Bourne wreef nadrukkelijk over het plekje in zijn hals waar hij geïnjecteerd was. 'Jullie beiden hebben je goodwill verspeeld.'

'Dat begrijp ik,' zei Zhang. 'En tot nu toe hebben we je nog niet bedankt voor het redden van ons leven.'

Bourne richtte zijn blik op Yue. 'Zullen we Yue zelf aan het woord laten?'

Bij het horen van haar naam verstijfde Yue, maar haar ogen bleven gericht op het kopje thee.

Ze zaten met zijn drieën aan een tafel in een bouwvallig theehuis aan een zanderige, oude laan in Zhujiajiao, een buitenwijk van Sjanghai. Parelrivier, zoals de wijk door zijn bewoners werd genoemd, was een waaiervormig dorp dat doorsneden werd door glinsterende waterwegen met ontelbare bruggen van hout, steen of marmer, sommige bekroond met een ineengedoken draak of woeste leeuw met een parel tussen de kaken. Buiten gloeide een paarse zonsondergang, die in het water werd weerspiegeld. De hitte van de lange middag begon te wijken, overwonnen door een frisse bries. Ze waren hier beland nadat ze van de truck met wasgoed waren gesprongen vlak voordat die een wasserette in reed. Met de mobiel van Bourne had Zhang een riksja gebeld, die hen even later kwam ophalen.

Zhang keek schuin naar Yue. 'Zusje?'

'Is er iets wat je ons wilt zeggen?' vroeg Bourne. 'Of juist niet?'

Yue bleef zwijgen. Minutenlang had ze geen vin verroerd, ze leek niet eens te ademen.

Bourne wierp Zhang een veelbetekenende blik toe, waarop die zei: 'Excuses, ik blijf gaan van al die thee.'

Toen hij weg was, pakte Bourne Yue bij haar handen en vouwde voorzichtig de vingers van haar kopje. Pas nadat hij het had weggeschoven keek ze op.

'Ooit heb ik iemand volledig vertrouwd,' zei ze eindelijk. 'Ik heb me heilig voorgenomen dat nooit meer te doen.'

'En Zhang dan?'

'Sam is een opportunist. Het is Sam voor, Sam na. Altijd.'

Bourne zweeg. De afgelopen middag leek ver weg, en daarmee leken ook de angst en commotie rond hun verschrikkelijke ontsnapping te verdwijnen. De rust en sereniteit van de omgeving maakten het bijna onmogelijk te bedenken dat de hysterische metropool hen een paar uur eerder bijna had opgeslokt.

Yue zei: 'Keer op keer vraag ik me af wat die man eigenlijk van me wil.'

'Wat denk je dat ik wil?'

'Dat is het nu juist, ik heb geen idee.'

'Maar dat heb ik je verteld: ik ben op zoek naar kolonel Sun en minister Ouyang.' Hij bleef haar aankijken. 'Ik begrijp het. Je gelooft me gewoon niet.'

Yue legde haar handen plat op tafel, alsof ze elk moment kon opstaan en vertrekken. 'Waarom zou ik?'

Op deze legitieme vraag had Bourne geen antwoord. Een klein bootje, geurend naar thee en specerijen, voer voorbij, een indigo spoor door het water trekkend. Hij bleef naar haar kijken en dacht na over wat hij zou zeggen. 'Nergens in geloven is een afschuwelijke last om te dragen,' zei hij uiteindelijk, 'vooral voor iemand zo jong als jij.'

Er lekte een traan uit haar oog voor ze zich afwendde. Bruusk, bijna boos, veegde ze hem van haar wang.

'Sun en Ouyang hebben de moord op hun geweten van iemand om wie ik heel veel gaf,' ging Bourne verder. 'Ik kan pas verder nadat ik mijn schuld aan haar heb ingelost.'

'Breng je jezelf voor haar in gevaar? Niet eens voor haar, maar voor haar nagedachtenis?'

'Mijn herinnering aan haar is het enige wat ik nog heb.'

Ze wendde haar blik af, zoals ze vaker deed wanneer ze overwoog een verborgen deel van zichzelf bloot te geven. 'Het moet veel pijn doen om zoveel om iemand te geven.'

Bourne voelde een diep medelijden met haar. 'Soms schuilt er bevrediging, zelfs genot in pijn.'

Yue keek naar de voorbijsnellende serveersters, met hun dienbladen vol geurende theekopjes en rieten mandjes met dampende dim sum, die ze als balletdanseressen in evenwicht hielden. Ze leek een poos in gedachten verzonken. Eindelijk keek ze weer op naar Bourne.

'Liefde is een vorm van geloof, toch?'

'Zo heb ik het nooit gezien, maar misschien heb je wel gelijk.'

Ze schonk verse thee in haar kopje, maar raakte het niet aan. 'Wie in China opgroeit, valt snel van zijn geloof af,' zei ze fluisterend. 'Als je het al meekrijgt bij je geboorte, perst dit land het tot de laatste druppel uit.'

'Ben jij ermee geboren?'

'Dat is zo lang geleden, dat weet ik niet meer,' zei ze kortaf.

'Dat geloof ik niet.'

Toen ze zich naar hem omdraaide, stonden haar ogen fel als die van de uit steen gehouwen leeuwen op de bruggen van dit stadsdeel. 'Ik wil het me niet meer herinneren, oké?'

'Nee,' zei hij, 'dat is niet oké.' Hij negeerde haar blik en ging verder. 'Ik beschouw het geheugen als een privilege, als iets waardevols. Ik herinner me bijna niets. Ik lijd aan geheugenverlies.'

De uitdrukking op Yues gezicht veranderde compleet. 'Weet je niet wie je ouders zijn en waar je vandaan komt?'

'Nee, inderdaad niet.'

Ze snoof. 'Dat lijkt me heerlijk!'

'Dat zou je niet zeggen als je geheugen ineens zou verdwijnen.'

Yue keek weer even van hem weg. Toen ze Bourne weer aankeek, zei ze. 'Misschien heb je gelijk, maar ik betwijfel het.'

'Eindelijk,' zei hij, 'een straaltje zon.'

Ze glimlachte. Een verlegen, meisjesachtige glimlach. Maar direct verstarde haar blik weer en trok de glimlach zich haastig terug achter haar pantser.

'Het spijt me,' mompelde ze terwijl Zhang weer binnenkwam.

Zhang keek hen om beurten aan. 'Ik voel dat de spanningen verdwenen zijn.' Hij wreef in zijn handen. 'Dan kunnen we nu verder.'

'Altijd maar deals sluiten,' merkte Yue op.

Zhang waardeerde deze opmerking. 'Ken je de film *Glengarry Glen Ross*? Mijn lievelingspersonage is Blake. Waarom? Omdat zijn motto luidt: *ABC: Always Be Closing* – probeer er altijd een slaatje uit te slaan.' Hij tikte met zijn mollige wijsvinger op zijn borst. 'Blake en ik, wij zijn, hoe zal ik het zeggen, zielsverwanten.'

Hij bestelde weer een pot jasmijnthee en nog wat schalen met dim sum, zonder te vragen of er nog iemand trek had.

'Goed.' Hij spreidde zijn handen. 'Zullen we dan nu ter zake komen? Jij wilt informatie over kolonel Sun en minister Ouyang. In ruil daarvoor willen wij weg uit China. Voor wat hoort wat.'

'Vraag eens iets wat niet onmogelijk is,' zei Bourne.

Zhang boog zich naar hem toe. 'Luister goed. Weet je wat onmogelijk is: kolonel Sun te pakken krijgen. Voor jou is Sjanghai net zo gevaarlijk als voor ons. We zitten met z'n allen in hetzelfde schuitje, want we moeten allemaal uit Sjanghai zien weg te komen. Ik heb contacten, voor mij is dat een peulenschil. Maar het land uit komen is andere koek.'

'En jij denkt dat dat voor mij gemakkelijk is?'

'Gemakkelijker dan voor ons.'

Het gesprek stokte toen de serveerster thee en eten bracht.

'Het probleem is,' zei Zhang nadat hij een *shui mai* in zijn mond had gestopt, erop had gekauwd en doorgeslikt, 'dat Ouyang niet meer in de stad is. Hij is vannacht terug naar Beijing gegaan, en zolang hij daar is, is hij onkwetsbaar. Geen enkele westerling, zelfs jij niet, kan ook maar in zijn buurt komen.'

'Wat heb ik dan aan jou, Zhang?'

'Ouyang heeft veel vijanden. Ik kan een aanhanger van Cho voor je vinden in Beijing die de klus kan klaren.'

'Ten eerste heb ik daar sterke twijfels over. Ten tweede wil ik mijn schuld persoonlijk vereffenen.'

Zhangs mond opende en sloot zich. Hij peuterde aan de laatste dim sum terwijl een ongemakkelijke stilte hen overviel.

Yue veerde op. 'Eh, er is misschien nog een manier om Ouyang te pakken.' De twee mannen keken haar aan. 'Een waarvan ik denk dat jullie die niet kennen.’ Zhang bekeek haar met grote ogen. Hij was toch degene die alles wist?

‘En welke is dat?’ vroeg Bourne.

Zhang gebaarde naar het eten. ‘Neem een shui mai. Die zijn hier werkelijk voortreffelijk.’

Bourne leunde over het tafeltje, greep Zhang bij zijn shirt en trok hem naar voren. ‘Ik heb genoeg van je, Zhang. Hou je mond en laat deze dame uitpraten.’

Bourne richtte zijn aandacht weer op Yue en bespeurde een vleugje bewondering in haar glimlach. Hij knikte naar haar.

‘Ouyang is getrouwd.’

Bourne knikte. ‘Met een vrouw uit het Westen, een zekere Maricruz, toch?’

‘Ja. Een Mexicaanse.’

‘Zusje, waar ben je mee bezig?’ onderbrak Zhang haar. ‘Je ondermijnt onze onderhandelingspositie.’

‘We zijn niet meer aan het onderhandelen,’ zei Yue. Ze richtte zich weer tot Bourne: ‘Wat niemand weet, is dat Maricruz de dochter is van Maceo Encarnación.’

Bourne verstijfde, zijn hart bonsde in zijn keel. ‘Maceo Encarnación had maar één kind, een zoon, en die is net als zijn vader vermoord.’

‘Hij had nog een kind,’ zei Yue. ‘Bij een zekere Constanza Camargo had hij een dochter, die hij verborgen hield. Die dochter is Maricruz.’

‘Yue, hou je mond!’ riep Zhang. ‘Informatie weggeven, je lijkt niet goed snik.’

Bourne had alleen maar aandacht voor Yue. ‘En zij is de westerse vrouw met wie Ouyang Jidan getrouwd is.’

‘Ja, dat klopt.’

Als dit waar was, dan begreep Bourne wat er werkelijk achter Maceo Encarnacións betrokkenheid bij Ouyang zat. ‘Wat heb ik aan deze kennis?’ vroeg hij.

‘Ouyang adoreert Maricruz; zij is zijn zwakke plek.’ Yue toonde een oprechte glimlach, opnieuw verlegen als een meisje. ‘Overigens is zij nu niet in Beijing bij haar man.’

‘Waar dan wel?’

‘In Mexico-Stad. Nu haar vader dood is, handelt ze zijn drugszaken met de kartels af.’

Zhang bewoog onrustig heen en weer, zichtbaar geagiteerd. ‘Zusje, dit is essentiële informatie, die geef je toch niet zomaar weg. Waarom?'

'Omdat ik,' antwoordde Yue, terwijl ze hem eindelijk een blik waardig keurde, 'deze man vertrouw. Soms moet je in het leven ergens in geloven.'

De twee soldaten die hen vergezelden, werden binnen luttele seconden bedolven onder de brokstukken van de neerstortende helikopter. Gelukkig voor Matamoros en Maricruz werd de richting van het vallende toestel door de bomen omgebogen naar de andere kant van de open plek. De mannen waren op slag dood toen het toestel de boomtoppen wegmaaide en uit elkaar spatte, en een groot brokstuk van de romp hen raakte.

Matamoros en Maricruz bleef dit lot bespaard omdat ze achteruitdeinsden, weg van de neervallende brokstukken. Maar toen ze zich omdraaiden om weg te rennen, werd Matamoros in zijn schouder getroffen door een hete, rondtollende metaalscherf die van een boomstam afketste. Hij viel op de grond neer.

Maricruz draaide zich om, ontweek meer rondvliegende brokstukken en kroop terug naar Matamoros. Het bloed gutste uit zijn schouderwond, hij keek glazig uit zijn ogen door de shock. Ze stroopte zijn jack af, scheurde de mouw van zijn overhemd en legde een noodverband aan.

Een nieuwe uitbarsting van vlammen dwong haar weer ineen te duiken, hem met haar lichaam bedekkend. Hij leek te ontwaken uit zijn verdoving, zag dat ze hem beschermde tegen het vuur en kromp ineen toen de pijn door hem heen schoot.

'Kom mee!' Maricruz hielp hem overeind. Hij stond onvast op zijn benen, maar met zijn wilskracht en haar ondersteuning lukte het hem door de vlammen en de stijgende rook richting de rand van het bos te lopen. Ze moesten verschillende keren stoppen om op adem te komen. De zware, prikkende rook kwam in golven over hen heen en dreigde hen te verstikken. Op een gegeven moment was de rook zo dik dat Maricruz hem dwong op handen en knieën verder te gaan. Het was een martelgang, maar kruipend kwamen ze tenminste vooruit en konden ze relatief schone lucht inademen.

Voor hen hoorden ze mannen praten, sommige schreeuwen. Ze pakte het wapen van Matamoros en schoot op de schimmen. Opeens zag ze, door struikgewas dat nog niet door het vuur was verteerd, een van Matamoros' mannen – ongetwijfeld iemand van het kader dat de vier regeringsheli's uit de lucht had gehaald. Gelukkig herkenden ze haar meteen, want normaal gesproken zouden ze bij het zien van een gewonde leider eerst schieten en daarna pas vragen stellen.

Twintig minuten later zat ze met Matamoros in een gepantserd voertuig – beschermd door een konvooi van jeeps met machinegeweren en tot de tanden gewapende soldaten.

Aanvankelijk probeerden de mannen haar van hun leider te scheiden, maar Matamoros schudde zijn hoofd.

'Laat haar met rust,' zei hij, door zijn gebarsten lippen. 'Laat haar met rust.'

Maricruz gaf hem water uit een plastic fles voordat ze zelf met grote teugen begon te drinken. Ze besefte nu pas hoe ernstig ze door de brand waren uitgedroogd. Ze reden over onverharde wegen. Ze had geen idee waar ze heen gingen, maar dat kon haar niet schelen, zolang het maar weg was van die onheilsplek.

Toen Matamoros haar wenkte, boog ze zich voorover en hield ze haar oor dicht bij zijn mond om hem boven de krachtige motoren uit te kunnen verstaan.

'Je hebt gelijk. We moeten Carlos vermoorden. Er is geen andere oplossing. Maar hoe?' Hij zweeg terwijl het voertuig een bocht maakte. Hij likte zijn lippen en ging verder. 'Geen van mijn mannen maakt nu een kans. Carlos zal op zijn hoede zijn.'

'Laat dat maar aan mij over.' Maricruz keek hem even in zijn ogen, die opengesperd waren van verbazing.

'Wat is je plan?'

'Ik ga terug naar Mexico-Stad. Mijn verhaal is dat jij ook mij hebt proberen te vermoorden, maar dat ik aan je ben ontsnapt.'

'Carlos zal je niet geloven.'

'Wees niet bang, ik zal hem overtuigen. Waarom? Omdat hij het *wíl* geloven. Ik ben zijn grootste en enige kans om Los Zetas te ontmantelen.' Ze keek hem veelbetekenend aan. 'Je zult me moeten verwonden.'

'Nee, *mujer*! Nooit!'

'Felipe, je weet dat het moet.'

Hij vertrok van de pijn. 'Ik wil het niet.'

'Dat is niet aan jou, Felipe,' zei ze zacht. Ze streelde over zijn wang. 'Zoals je al zei: er is geen andere oplossing.'

Matamoros' ogen werden donker en glanzend terwijl hij de pijn verbeet. Na een poos knikte hij. Er was een vreemde droefheid in zijn blik toen hij langs en over haar heen keek.

Maricruz keek hem diep in de ogen. Plotseling explodeerde er iets tegen haar achterhoofd. Ze viel voorover en verloor haar bewustzijn.

'Het Israëlische consulaat?' vroeg Zhang kregelig. 'Niet het Amerikaanse?'

'Verrassingen zijn er in alle soorten en maten.'

'Misschien maar goed ook,' mompelde Zhang. 'Ik heb gehoord dat kolonel Sun het Amerikaanse consulaat vierentwintig uur per dag in de gaten houdt.'

'Dan zit je goed. Tenminste...' Bourne wees naar de blocnote die hij voor de dikke man had neergelegd. 'Schrijf alles op wat jij en Yue weten over Sun en minister Ouyang. Als ik tevreden ben, neem ik jullie mee naar het Israëlische consulaat en zorg ik ervoor dat jullie China uit kunnen.'

'Kun je ons dat garanderen?'

'Zeur niet zo, Sam,' zei Yue geïrriteerd. 'Geef hem de informatie die hij hebben wil.'

Zhang trok een gek gezicht, knikte daarna en begon met tegenzin te schrijven. Terwijl hij schreef, onderwierp Bourne Yue aan een verhoor. Twee uur later, toen de avond over de glinsterende stad inmiddels gitzwart was, kwamen ze aan in de buurt van New Town Mansion, op de Lou Shan Guan-weg 55.

'Jullie wachten hier,' zei Bourne, toen hij de donkere schuilplaats waar ze stonden verliet. In de veertig minuten daarna kamde hij de omgeving uit, controleerde hij uitgangen, geparkeerde auto's en het voorbijgaande verkeer, de daken van de gebouwen met zicht op de ingang van het consulaat.

Toen hij zeker wist dat het gebied niet in de gaten werd gehouden, ging hij terug naar Yue en Zhang. Snel liep hij met hen de straat uit en de weg over naar de ingang van het consulaat.

Eenmaal binnen vroeg Bourne naar de consul-generaal, die op dat moment uit eten was. Hij gebruikte de code uit het pakketje dat directeur Yadin hem in Tel Aviv had meegegeven, en even later werd het trio door de dienstdoende medewerker naar de kamer van de consul-generaal gebracht. Kort daarna ging de telefoon op het bureau van de consul. De medewerker nam op, maar zodra hij zijn baas had geïdentificeerd, gaf hij de hoorn aan Bourne.

'Met Avi Brun.'

'Met Jason Bourne.'

'*Boker tov Eliyahu!*' zei Brun zuur. Eindelijk laat je wat van je horen! Hij deed geen enkele moeite zijn ongenoegen te verbergen over het feit dat hij tijdens het eten werd gestoord. 'We kunnen niet verdergaan zonder...'

Bourne gaf hem het tweede deel van de code.

Brun schraapte zijn keel. 'U wilt Sjanghai onmiddellijk verlaten?'

'Dat klopt.'

'Dat kan worden geregeld.'

'Maar niet alleen.'

'Pardon?' zei Brun.

'Ik neem twee Chinese burgers mee. Ik heb hun beloofd dat ze asiel krijgen en samen met mij het land kunnen verlaten.'

Er viel een lange stilte, waarin Bourne de consul-generaal als een astmapatiënt hoorde piepen.

'Dat kan ik onmogelijk autoriseren,' antwoordde Brun uiteindelijk.

'Maar directeur Yadin wel. Bel hem.'

'Ik denk niet...'

'Bel hem,' zei Bourne kortaf. 'Anders doe ik het zelf.'

'*Elize balagan!*' Wat een puinhoop!

'*Avarnu et Paro, na'avor gam et zeh*,' zei Bourne. We hebben de farao overleefd, hier komen we ook wel overheen.'

'Huh? Heb ik nu ineens met een Jood van doen?' Maar dat zijn toon milder was geworden, was voor Bourne het bewijs dat hij eindelijk tot hem doorgedrongen was.

'Vertel de directeur dat mijn gasten cruciale informatie bezitten over twee personen die hem bijzonder interesseren.'

'Hmm. Nou goed dan, ik zal Eli meteen bellen. Blijf aan de lijn, ik ben zo terug.'

Bourne vertrouwde Yue en Zhang toe aan de zorg van Bruns medewerker en verliet de kamer. Hij liep door de stille gang naar de toiletten. Achter een gesloten wc-deur haalde hij de voorwerpen tevoorschijn van de man die hen in de ondergrondse tunnel had achtervolgd. Het mes, dat Yue aan hem had teruggegeven, was van hoge kwaliteit, maar nutteloos omdat het door de NAVO werd gebruikt.

Het andere voorwerp dat hij had afgepakt, was het mobieltje van de man. Nu hij alleen was, zette hij het aan. Het adresboek was leeg. De batterij was nog net vol genoeg voor één telefoongesprek. Hij drukte op REDIAL en zag de cijfers een voor een verschijnen.

Landcode: Israël. Kengetal: Tel Aviv.

Er liep een koude rilling over Bournes rug. De Mossad, dacht hij.

Er werd opgenomen door een man. 'Retzach, waar heb je verdomme al die tijd gezeten? Ik dacht dat je...' Ineens veranderde de toon. De stem klonk argwanend en angstig. 'Met wie spreek ik?'

Bourne verbrak de verbinding. Retzach was een codenaam. Het betekende 'moord' in het Hebreeuws. Nu wist hij door wie Retzach achter hem aan was aangestuurd.

Hij zette de telefoon uit, stopte hem in zijn zak, stond op en liep naar de gang. Yue en Zhang keken hem verwachtingsvol aan toen hij terugkeerde.

'Nog nieuws?'

De medewerker schudde zijn hoofd. 'Dit soort dingen kost tijd.'

'Nee,' zei Bourne, 'dat is niet zo.' Hij gebaarde ongeduldig. 'Geef me de consul-generaal weer aan de lijn.' Bourne schudde zijn hoofd. 'Dit duurt te lang.' Hij pakte de telefoon, las het nummer van het laatste binnengekomen gesprek en draaide het.

'Ik wilde je net bellen,' zei Brun toen hij de stem van Bourne hoorde. 'Ik heb Eli gesproken.' Aan zijn stem hoorde Bourne dat Brun met moeite aan zijn verzoek had voldaan. Hij zuchtte diep. 'Ik hoop dat je gasten van Tel Aviv houden. Ze zullen er waarschijnlijk een hele tijd blijven.'

21

Amir Ophir beëindigde het telefoongesprek en smeet zijn mobiel door zijn werkkamer van zich af alsof het een giftig insect was. Het voorwerp knalde tegen de muur en viel in stukken uiteen. Een medewerker kwam meteen kijken.

'Alles goed, meneer Ophir?'

'Natuurlijk is alles goed,' loeide Ophir. 'Waarom zou het niet goed zijn?' Hij keek zo woedend naar de jongeman dat die lijkbleek wegtrok, zich omdraaide en de deur achter zich dichtdeed.

'Tering! Verrek! Klote!'

Amir Ophir dacht dat hij zou stikken. Hij stond op, beende de kamer uit zonder zijn medewerkers te vertellen wat hij ging doen. Het tochtje met de lift leek een eeuwigheid te duren. Zijn oren deden pijn, zijn keel brandde.

Pas toen hij buiten stond en met stevige pas naar de haven liep, leek hij weer helder genoeg te kunnen nadenken om de golf van paniek te stoppen.

Het was al erg genoeg dat Retzach dood was, maar door het telefoontje te beantwoorden had Ophir ook nog eens zichzelf verraden aan degene die Retzach had vermoord. Maar dan moest de persoon aan de andere kant van lijn wel zijn stem hebben herkend. Zijn telefoonnummer was een niet te achterhalen nummer uit Tel Aviv.

Opnieuw sloeg de paniek toe. Degene die Retzach had omgebracht, had kunnen zien dat het een Israëlisch nummer was, bedacht hij. Je hoefde geen genie te zijn om te concluderen dat Retzach voor de Mossad werkte. Als die kennis in verkeerde handen kwam, kon dat uitdraaien op een ramp, niet alleen voor hem, maar voor de hele Mossad. Als het mobieltje in handen was van de Chinezen en niet van Bourne... Hij huiverde bij de gedachte.

Het driftige geclaxonneer van een automobilist haalde hem uit zijn gepieker. Hij lette niet goed op en was bijna aangereden. Hij veegde zijn handen af aan zijn broek, wachtte ongeduldig tot het licht op groen sprong en stak de straat over.

De logische stap zou zijn de directeur onmiddellijk op de hoogte van dit lek in de beveiliging te brengen. Maar Eli zou onmiddellijk willen weten hoe en waarom Retzach was uitgeschakeld, en daar had Ophir geen antwoord op. Hij kon Eli niet vertellen wat hij had gedaan, voorlopig nog niet tenminste.

Had de persoon aan de andere kant van de lijn maar iets gezegd, maar hij had geen woord gesproken. Ophir sloot zijn ogen en vroeg zich af hoe hij in deze situatie was verzeild geraakt. Destijds leek het logisch om Bourne door iemand te laten opsporen – hij had het zelfs met Eli besproken, die het ermee eens was. Maar nu besefte hij hoe fout het was geweest een van zijn huurmoordenaars van de Kidon op Bourne af te sturen. Had hij maar naar Eli geluisterd en deze opdracht aan de afdeling Inlichtingen overgelaten. Maar verblind door zijn haat tegen Bourne had hij de verkeerde beslissing genomen.

Ophir was niet van plan geweest om Bourne in leven te laten. Hij had met opzet een nadrukkelijk bevel genegeerd. Hij balde zijn handen tot vuisten. Te laat voor dit soort heroverwegingen nu, en bovendien waren ze contraproductief. Hij moest een goed, waterdicht plan bedenken. Op weg naar de haven dacht hij na over deze puzzel.

Pas toen hij daar aankwam en de frisse zilte lucht inademde, besefte hij dat de oplossing voor de hand lag.

Er was maar één manier om te zorgen dat zijn plan niet zou mislukken: hij moest het gewoon zelf uitvoeren.

Maricruz werd wakker van de pijn. Al haar botten leken te rammelen in haar lijf, ze klapperde met haar tanden, tot ze met pure wilskracht haar kaken opeenklemde. Zelfs dat deed pijn. Ze opende haar plakkerige oogleden en zag het dak van een busje, dat met duizelingwekkende vaart leek te racen. Ze lag op een vuile deken op de vloer van het busje. Ze zou alle kanten op zijn gerold als een soldaat haar niet met zijn handpalm op haar borstbeen op haar plek zou houden. Ze herkende hem, het was een van de compadres uit Felipes kader, een van de leiders van Los Zetas. Hij had een volle, krullende baard en snor en de wrede ogen van een wolf.

Grinnikend op haar neerkijkend zei hij: 'Welkom terug in het land der levenden, mujer.'

'Ben ik daar echt?' Haar stem klonk ijl als het geruis van de wind door een korenveld. 'Het voelt alsof ik dood ben.'

'Dat zou je wel willen,' zei de compadre. 'Als die schoft van een Carlos er lucht van krijgt wat jij van plan bent.'

Maricruz probeerde te lachen, maar tevergeefs. Haar lippen voelden gezwollen aan; misschien waren ze dat ook. Ze zag er vast uit als een vogelverschrikker, maar dat was precies de bedoeling. Het busje reed over een hobbel en ze probeerde te kreunen, maar er kwam nauwelijks geluid uit.

'Wat?' vroeg de compadre, over haar heen gebogen.

Maricruz probeerde haar lippen te likken, maar haar tong voelde al even gezwollen aan. Alles in haar mond plakte.

'Water,' zei ze schor.

'Je krijgt straks water van je nieuwe vriend, Carlos.' Hij keek op toen hij een gedempt geroep hoorde vanuit de cabine van de bus. 'Oké,' zei hij, waarschijnlijk tegen de chauffeur. Hij liet zijn blik weer vallen op Maricruz. 'We zijn er bijna, mujer. De rest moet je zelf doen.'

Hij knipoogde vlak voordat hij de achterklep opende. 'Ontspan je lichaam.' Het racende busje minderde net genoeg vaart om haar naar buiten te kunnen schoppen. Terwijl ze over het asfalt rolde, riep hij iets naar de chauffeur, die plankgas gaf en met piepende banden een bocht maakte.

Maricruz was bedekt met stof en lag er levenloos bij. Even later streken de eerste vliegen zoemend op haar neer en kropen over haar met bloed bevlekte huid en kleren.

'Er zijn drie dingen die je moet weten,' zei generaal Hwang Liqun toen hij minister Ouyang begroette in de aankomsthal voor vips op een vliegveld in Beijing. 'Ten eerste zijn de conservatieven van de Chongqing Partij begonnen met een stevige campagne om Cho Xilan op het partijcongres te benoemen tot presidentskandidaat. Ten tweede is er onder de militaire leiders, de grote staatsbedrijven en het handjevol nazaten van de overgebleven revolutionaire families grote onenigheid ontstaan over het toekomstige pad voor China. Alle coalities liggen uit elkaar. De situatie is gevaarlijk.'

'Explosief?' vroeg Ouyang toen hij met Hwang naar zijn limousine liep.

'Er wordt gezegd dat de aanhangers van de Chongqing Partij dat zo zien.'

Een chauffeur in livrei hield het achterportier open, waarna de twee mannen in het koele, donkere interieur stapten.

'En ten derde?' vroeg Ouyang terwijl hij zich op de pluchen bank nestelde.

'Cho Xilan heeft zich niet meer laten zien. Hij is niet meer in het openbaar verschenen sinds u naar Sjanghai bent vertrokken.'

'En privé?'

De generaal bewoog onrustig naast hem terwijl de limousine de luchthaven verliet. 'Mijn mensen hebben niets vernomen.'

'Cho wordt dus door niemand van ons in de gaten gehouden.'

Hwang bleef zwijgend voor zich uit staren.

'U stelt me teleur, generaal.' Ouyang tuurde naar buiten. 'Moet ik u nu degraderen?'

Hwangs gezicht verstarde. 'Ik heb ook goed nieuws: het gerucht gaat dat Cho ziek is, misschien ernstig. Daarom zou hij niet meer publiekelijk...'

'Onzin!' zei Ouyang. 'Ik ken Cho. Hij is niet verschenen op de Landbouwuniversiteit van China om de Dag der Popularisering van de Wetenschap te openen, en op geen enkele andere tijdrovende, onzinnige manifestatie, omdat hij het te druk heeft met zijn gelobby onder de facties en met het in elkaar flansen van een coalitie die groot genoeg is om mijn opkomst te stuiten.'

Hij draaide zich om naar Hwang. 'U hebt geen idee hoe pijnlijk ik het vind om u dit te vertellen, wat even duidelijk zou moeten zijn als die verschrikte blik in uw ogen.'

Ouyang wendde zich tot zijn chauffeur en zei: 'Zet de wagen maar stil.'

'Maar, minister, we staan op de snelweg naar de stad en er is geen vluchtstrook hier.'

'Dat zie ik zelf ook wel,' schreeuwde Ouyang. 'Stilstaan verdomme!'

De chauffeur voerde het bevel uit. Het verkeer achter hen kwam langzaam tot stilstand. Er was geen bestuurder die het waagde om te claxonneren; de limousine was een duidelijk symbool van macht.

'Generaal,' zei Ouyang met een vervaarlijke blik, 'stapt u maar uit.'

Hwangs ogen vielen van verbijstering bijna uit hun kassen. 'Maar minister?!'

'Eruit, Hwang, waardeloze fluim.' Hij gaf hem een duw. 'Eruit!'

Ouyang leunde achterover en sloot zijn ogen; toen hij voelde dat Hwang zich van de achterbank verhief en hij even later het portier dicht hoorde vallen, slaakte hij een diepe zucht. Hij haalde zijn mobiel tevoorschijn en pleegde een telefoontje. Ondanks alles wat hij kolonel Sun had verteld, was het zijn voornaamste doel om greep te houden op het almachtige Staande Comité van het Politbureau. Als hij de leden van dit comité in zijn macht had, dan maakte het niet uit wat Cho in zijn schild voerde, dan kon Ouyang hem verslaan.

Cho en zijn partij beseften niet hoe gevaarlijk het spel was dat ze speelden. Wanneer het nationalisme eenmaal op de massa was losgelaten, moest je die tijger wel berijden, in de wetenschap dat je er niet meer af kon, ook al zou je dat willen.

'We zitten met een probleempje,' zei hij tegen de persoon aan de andere kant van de lijn.

'Heeft dit probleem een naam?'

'Generaal Hwang Liqun.'

'Wat jammer.'

'Integendeel,' zei Ouyang. 'Een opluchting! Ik heb het vermoeden dat de generaal al enige tijd voor Cho Xilan werkt.'

'Zuiveringen maken deel uit van onze geschiedenis. Als een klysma spoelen ze de stront weg.'

Ouyang lachte luid, voor het eerst sinds Maricruz naar Mexico was vertrokken. Wat miste hij haar! Niemand kende hem zo goed als zij. Hij leefde in een aquarium vol haaien. Ze was de enige die hij kon vertrouwen.

'Hoe gaat het met de oude Patriarch?' vroeg hij nu.

'Nog even kwiek als altijd.'

'Hij is de volgende bij wie ik langsga.' De oude Patriarch bepaalde op het partijcongres meer dan de helft van de stemmen die nodig waren om het Staande Comité van het Politbureau te hervormen. 'Ik heb zojuist Hwang afgezet. Ik geef je zo meteen de coördinaten door. Neem de witte SUV. Ik zie je bij de toren zodra je het probleem hebt opgelost.'

De persoon aan de andere kant van de lijn grinnikte. 'Ik hoor nu al de wc doorgetrokken worden.'

Maricruz was allesbehalve dood. Ze was verdoofd, maar niet verward. Ze wist precies wat ze moest doen en wanneer ze dat moest doen. Haar plan zat tot in detail in haar hoofd. Het had de exactheid van een militaire operatie.

Een paar minuten lang hoorde ze alleen maar het geruis van het verkeer, het korte staccato van kibbelende mensen. Een hond blafte, kwam op haar af en zijn luidruchtige gesnuffel joeg de vliegen in een wolk van haar lichaam weg. Daarna hoorde ze voetstappen over een marmeren trap en opgewonden mensen die de honden en de vliegen verjaagden.

Ze hoorde iemand zeggen: '*Dios mio*! Bel een ambulance!'

Een ander zei: 'Lieve god, haal haar van de straat!'

Twee sterke handen tilden haar van het asfalt, droegen haar voorzichtig over de marmeren treden, door de deuropening, voorbij de zware, bewerkte deur van eiken- en olijfhout naar het ministerie, weg uit de verzengende hitte.

Ze kwam door een achthoekige hal die schitterde door het licht dat van een enorme kristallen kroonluchter kaatste. Ze ving de geur van verse bloemen op. Vervolgens ging ze door een lange, gelambriseerde gang naar een ruimte met vloerbedekking en glas-in-loodramen. Er lag een laken over een pluchen sofa waar ze voorzichtig op gelegd werd.

Met een zucht zonk ze weg in de zachte kussens.

'Mijn god, die is toegetakeld!' zei iemand.

'Ssst,' maande een ander. 'Ze kan je horen.'

Een enorme vermoeidheid viel over heen, drukte haar diep in de heerlijk zachte kussens. Haar steeds zwaarder wordende oogleden vielen dicht, en ze liet zich meevoeren naar de diepte van een duizelingwekkende slaap waaruit ze niet wilde ontwaken.

22

Het eerste wat Maricruz zag toen ze haar ogen opende, was een verblindend witte muur. Er zat een misselijkmakende, weeë geur van ontsmettingsmiddel in haar neusgaten, die haar bijna deed kokhalzen. Ze hoorde de gelijkmatige bliep van een monitor die haar hartslag en bloeddruk mat. Toen ze naar de holte van haar elleboog keek, zag ze dat er een infuus was aangeprikt. Er hing een dun buisje aan met een heldere vloeistof die in haar ader druppelde.

'Rustig maar.' Ze herkende de mannenstem. 'Dat is alleen maar om te voorkomen dat je uitdroogt.'

Ze keek op en zag Carlos Danda Carlos, die in een keurig licht zomerpak aan haar bed zat.

'Waar...' De woorden bleven steken in haar keel en ze likte over haar droge, gebarsten lippen. Ze keek weer op. 'Waar ben ik?'

'In ziekenhuis Ángeles Pedregal,' zei Carlos. 'Je bent flink onder handen genomen.' Hij hield zijn hoofd een beetje scheef. 'Kun je het je nog herinneren?'

Er kwam een verpleegkundige binnengestormd. Carlos moest voor haar opzij.

'En hoe voelen we ons vandaag?' vroeg ze vriendelijk, terwijl ze het verband om de schouder, borst en rechterheup begon te verschonen. Ze was duidelijk niet geïnteresseerd in het antwoord. Gelukkig maar, want Maricruz was niet in de stemming om te praten.

'U mag niet te lang blijven, hoor,' zei de verpleegkundige streng tegen Carlos. 'Ze heeft rust nodig.'

'*Niñera*,' zei Carlos, 'weet je wel wie je voor je hebt?'

'Al bent u de Here God in eigen persoon,' antwoordde ze kordaat. 'Dit is mijn huis, dit is mijn patiënte en dit zijn mijn regels.'

Carlos boog het hoofd terwijl zijn mond vertrok, maar vergat haar zodra ze de deur achter zich had gesloten. Hij draaide zich om naar Maricruz, maar ging niet zitten op de stoel naast haar bed. In plaats daarvan bleef hij staan. Hij wilde duidelijk de pikorde in de ziekenkamer vaststellen.

'Heb je je geheugen weer terug?'

Door haar huidige conditie kon ze niet uitmaken of hij kwaad was of oprecht nieuwsgierig, en die onduidelijkheid maakte haar zenuwachtig. Ze wist dat ze al haar analytische vermogens nodig zou hebben om haar doel te bereiken. Zelfs als ze op haar best was, zou het moeilijk zijn om Carlos te slim af te zijn, en op dit moment was ze verre van dat.

'Ik ben moe,' zei ze, wat niet gelogen was. 'Laat me alsjeblieft slapen.'

Een angstwekkend moment lang bekeek Carlos haar met de kritische blik van een kunstverzamelaar. Zijn lippen trilden even, daarna gaf hij een knikje.

'Een mannetje van me houdt hier buiten continu de wacht. Geef hem een seintje als je zover bent om met me te praten, uitgebreid deze keer.' Voor de deur draaide hij zich naar haar om en ontblootte zijn tanden. 'Ik wens je alleen maar zoete dromen toe, señora.'

Tijdens de vlucht naar Tel Aviv droomde Bourne weg. Hij stond op een zonovergoten strand. Achter hem rezen de onregelmatige ruïnen op van een Romeins stadje. Zeemeeuwen krijsten. De zon kwam net op in het oosten, vanaf de eindeloze vlakte van de zee waaide een frisse wind.

Hij hoorde haar van achteren aankomen, hoewel ze op blote voeten over het zand liep.

'Heb je me gemist?' vroeg Rebeka.

Bourne voelde hoe zijn antwoord in zijn keel bleef steken.

Ze sloeg haar armen om hem heen en hij voelde haar lichaam tegen zich aan, even warm als het zonlicht in zijn gezicht.

'Ik heb je gemist.'

'Je bent lang weggeweest,' perste hij er met moeite uit.

'Ik heb een verre reis gemaakt.'

Hij wilde zich omdraaien, maar iets hield hem tegen.

'Hoe was het daar, waar je was?'

'Het was een land vol met schaduwen. Meer kan ik me er niet van herinneren.'

Hij voelde zijn hart ineenkrimpen. 'Je bent weer terug. Dat is het enige wat telt.'

Toen hij zich in haar armen omdraaide, zag hij dat hij omhelsd werd door Maricruz Encarnación. Ze grinnikte naar hem als een wolvin.

'Het duurt niet lang,' zei ze, 'voordat je me zult missen.'

Hij duwde haar woedend van zich af. Ze viel achterover in het zand, dat haar overspoelde en in zich opnam alsof ze nooit bestaan had. Hij keek om zich heen en besefte dat hij alleen was op een verlaten strand. De eindeloze zee kabbelde aan zijn voeten, trok het natte zand onder zijn voeten weg. Hij was ver van de bewoonde wereld.

Toen hij wakker werd, zat Yue naast hem.

'Ik kwam even kijken of alles goed ging.'

'Waarom zou het niet goed gaan?' Het stoorde hem dat ze hem juist op dit moment lastigviel, midden in de slotscène van zijn vreemde droom.

'Je praatte in je slaap,' zei ze.

'En wat zei ik?'

'Je riep haar naam.'

'Welke naam?' vroeg Bourne. Was het Rebeka?

Yue keek hem aan. 'Maricruz.'

Bourne keerde haar de rug toe en staarde naar buiten, waar hij alleen maar het gezicht van Rebeka voor zich zag.

Toen hij zich weer had omgedraaid naar Yue, zei ze: 'Bedankt dat je ons hebt gered. Ik hoop dat onze informatie je helpt.' Ze zweeg. Het was duidelijk dat ze aan iets onaangenaams terugdacht. 'Die Israëli's, we kennen ze niet. Zij zijn ons vreemd. We weten niet wat ze willen. We kunnen ze niet vertrouwen.'

'Wees duidelijk, Yue.'

'We willen alleen maar met jou praten, niet met hen.'

'Dankzij hen konden jullie China uit.'

'Ze waren een middel,' zei ze. 'Jíj hebt ons gered.'

Hij kon zien dat het geen zin had tegen haar in te gaan. Hij knikte. 'Ik zal het aan ze doorgeven.'

'Ik meen het.'

'Dat weet ik.' Hij probeerde geruststellend over te komen. 'Hoe komt het dat jij zoveel weet over de vrouw van Ouyang?'

Yue lachte haar slinkse glimlach. 'Dankzij een heel eigen ondergronds netwerk. Ook in China weten vrouwen hoe ze aan informatie over andere vrouwen moeten komen.'

Bournes lach verdreef het laatste restje van zijn nare droom. 'Dat is dus overal hetzelfde.'

'Net als het geloof,' zei ze.

Bijna acht uur later stond Carlos opnieuw over Maricruz gebogen.

Deze keer zat ze rechtop. Ze had ontbeten met zacht gekookte eieren, toast en koffie. Haar kamer was enorm, eerder een hotelsuite dan een ziekenhuiskamer. Ze vermoedde dat ze deze vipstatus aan niemand minder dan Carlos had te danken.

'De spinnenwebben zijn uit mijn hoofd verdwenen,' zei ze met haar gewone stem. En dat was waar. De nachtrust had wonderen gedaan. Haar geest was helder en werkte weer op volle snelheid.

'Goed nieuws,' zei Carlos op een toon die haar deed denken aan de begrafenisondernemer die zich over het gerepatrieerde lichaam van haar vader had ontfermd. 'Kunnen we eerlijk zijn?'

'Als altijd,' zei Maricruz, terwijl ze dacht: daar gaan we dan.

'Heel goed. Kun jij je herinneren wat er gebeurd is?'

'Alsof het net gebeurd is,' zei ze. Er ging een echte rilling door haar heen. Ze was zich volledig bewust van Carlos' achterdocht en had bepaald hoe ze daarmee om moest gaan. Ze keek hem uitdagend aan, precies het tegendeel van wat hij zou verwachten. 'Het is verdomd moeilijk om in dit land vriendschap te sluiten.'

Carlos gromde. 'Dat hoor je altijd van buitenstaanders.'

'Het is maar een observatie.'

'Je lijkt ons gesprek op het terras van de cantina te zijn vergeten.' Het lukte hem niet zijn woede uit zijn stem te filteren. 'Wat hebben ze met je gedaan?'

'Ik ben in elkaar geslagen,' zei ze. 'Dat lijkt me duidelijk.'

'Aan mijn ogen mankeert niets. De vraag is: door *wíé* ben je in elkaar geslagen, señora?'

Ze keek van hem weg. Ze kon hem niet zomaar alle informatie geven die hij wilde hebben. Hij moest ervoor werken, anders werd hij nog achterdochtiger.

'Je wilt het niet vertellen?' Hij deed een stap naar voren, zodat hij vlak naast haar stond. 'Waarom niet?' Hij kruiste zijn armen over zijn borst en tikte met zijn voet op de vloer als een ongeduldige schoolmeester. 'Kom, kom, señora. Dit is geen tijd om terughoudend te zijn. Waarom vertel je het me niet?'

'Omdat,' antwoordde ze met de juiste hoeveelheid gebrokenheid in haar stem, 'omdat ik me niet laat vernederen.'

Haar woorden, precies de woorden die hij wilde horen, brachten het gewenste effect teweeg. Hij legde zijn hand zacht op haar knie. 'In deze kamer, Maricruz, tegenover mij, kun je niet vernederd worden.'

Het feit dat hij haar bij haar voornaam noemde, was de sleutel die de eerste deur opende. Daar liep ze doorheen, rechtstreeks op zijn hart af. Ze was erin geslaagd hem deelgenoot van haar gevoelens te maken; ze had een band gesmeed die de basis zou vormen voor de volgende fase van het gesprek.

'Als je door een vriend verraden bent,' begon ze langzaam, 'kun je je alleen maar vernederd voelen.'

'Beschadigd, misschien. Ja, dat begrijp ik goed,' zei hij met een zuur lachje. 'Maar weet je, Maricruz, dat is precies hoe ik me voel door jou: beschadigd.'

'Door mij? Hoezo?'

'Een paar uur nadat ik San Luis Potosí verliet, hebben Los Zetas Raul Giron en zijn medewerkers afgeslacht en daarmee in feite de infrastructuur van de Sinaloa vernietigd.'

Maricruz veinsde verbazing. 'Maar Carlos, hadden we daar juist niet over gesproken die avond?'

'Waarover?'

Ze zag dat ze hem totaal verrast had en lachte vanbinnen. Ze had zich niet voor niets laten aframmelen.

'Je vertelde toch dat Giron en Matamoros tot het verleden behoorden? Dat jij en ik de toekomst hadden?'

'Ja, maar...'

'Nou, ik moest ergens beginnen. Giron is al dood.'

Hij keek haar met opengesperde ogen aan. 'En jij bent in elkaar geslagen...'

'Omdat Matamoros ervan overtuigd was dat ik met jou onder één hoedje speelde en die regeringshelikopters op hem en zijn mannen had afgestuurd. Hij was ervan overtuigd dat je eerder was vertrokken omdat jij en ik het op een akkoordje hadden gegooid.' De aangeslagen uitdrukking op zijn gezicht moedigde haar aan om verder te gaan. 'Daarin had hij zich niet vergist.' Ze haalde haar schouders op. 'Als lesje voor jou en voor mij, heeft hij me tot moes geslagen en voor je voordeur gedumpt.'

'Dan zullen we hem ook een lesje leren. We moeten er zeker van zijn dat hij ons niet meer kan afstraffen.' Hij legde zijn hand weer op haar knie. 'Maar eerst moet je uitrusten. We spreken elkaar snel, als je bent aangesterkt.' Hij beantwoordde haar glimlach met zijn hand op de deurknop. 'Je blijft me verrassen, Maricruz. Dat is goed.'

In Tel Aviv had Bourne een ontmoeting met directeur Yadin en Amir Ophir. Daar zat hij niet op te wachten, maar hij kwam er niet onderuit. Ophir had Retzach op hem afgestuurd om hem te vermoorden, al dan niet met toestemming van Yadin. Hoe dan ook, hij kon niemand vertrouwen. Opnieuw leek hij, zoals zo vaak in zijn leven, op drijfzand te lopen. Opnieuw kon hij alleen maar afgaan op zichzelf – op zijn eigen instincten om de verraderlijke wolven van zich te weren.

'Ik zou je er meteen uit moeten gooien,' bulderde de directeur op het moment nadat Bourne binnenkwam. 'Ik hou niet van dit soort stunts.'

'Ik kon niet anders nadat ik die gps-tracker in mijn paspoort vond,' verklaarde Bourne.

'Wij beschermen onze mensen,' zei Ophir. 'Dat is een standaardprocedure.'

'Ik ben niet een van jullie,' beet Bourne terug.

'Wat doe je hier dan? Je wilde toch dat wij je uit Sjanghai haalden, met die twee dubieuze Chinezen erbij.'

'Ze weten veel meer dan jij en ik over Ouyang en Sun. Maar ze willen niet met jullie praten, alleen maar met mij.'

'Zie je wel?' zei Ophir zonder zijn weerzin te verhullen. 'Ik heb altijd gezegd dat we niet met hem in zee moesten gaan.'

'Het is goed om te weten hoe jij erover denkt,' zei Bourne.

'Die Chinese vriendjes van jou zijn nu van ons. We kunnen met ze doen wat we willen.'

'Het zijn wel mensen, geen bezit.'

'Ze zijn wat wij zeggen dat ze zijn!'

'Zo is het genoeg.' Yadin was ziedend. 'De kamer uit, Amir!'

'Maar, directeur...'

'Geen gemaar,' kapte Yadin af. 'Ik wil alleen zijn met Bourne.'

Na een korte aarzeling droop Ophir af, maar niet nadat hij Bourne nog een giftige blik had toegeworpen. Verbeeldde Bourne het zich, of zag hij werkelijk een spoor van angst in die ogen?

Toen de deur achter hem dichtviel, slaakte de directeur een zucht. 'Vroeger,' zei hij, terwijl hij naar zijn bureau liep, 'hoefde je geen slechte manieren te verduren.' Vermoeid plofte hij neer. 'Ze kwamen niet eens voor. Men tolereerde ze niet.'

'Wat is er veranderd?'

'Alles.' De directeur gebaarde naar een stoel voor Bourne. 'De Arabieren, wij, de wereld. Niets is meer zoals het was. Eeuwenoude allianties brokkelen af, vrienden sluipen weg in de nacht, het duister om ons heen wordt steeds kwader.'

Rustend op zijn ellebogen drukte hij zijn vingertoppen tegen elkaar. Zijn ogen waren dof, zijn uitdrukking was mat. 'Je vraagt je natuurlijk af waarom ik Amir aanhoud.'

'In geheime organisaties,' antwoordde Bourne, 'is niets wat het lijkt en delft de ratio het onderspit.'

De directeur knikte met zijn warrige hoofd. 'Dat is absoluut waar. Maar goed, ik geef toch het antwoord: hij is de beste die ik heb.' Hij legde zijn handen met gespreide vingers op tafel. 'Dit is het zwaarste oordeel over wat er van ons geworden is: we glijden onverbiddelijk af naar het duistere rijk der onhoffelijkheid.'

Toen Bourne niet reageerde, gaf de directeur een knikje. 'Afijn, aan beide kanten zijn fouten gemaakt.'

'Ik kon het me niet permitteren om me in Sjanghai te laten bespioneren.'

'We hadden daar iemand zitten,' zei de directeur, bijna afwezig, 'maar die liet ik door Amir bespelen.'

Dit was het moment, dacht Bourne, om Yadin te vertellen over het verraad van Ophir. Maar nee, hij had een ander, een beter plan, en deed er het zwijgen toe.

Yadin trommelde met zijn vingers op het bureaublad. 'Over die Chinese burgers...'

'Hou ze uit de buurt van Ophir en verzorg ze als een moestuin,' zei Bourne. 'Je oogst zal rijk zijn.'

'Je mag niet met ze praten,' zei Yadin. 'Dat begrijp je.'

'Geen probleem. Morgen ben ik weg.'

De directeur keek verbaasd op. 'Waar ga je heen?'

Bourne glimlachte.

23

Deng Tsu woonde in de wolken – letterlijk en figuurlijk. Zijn paleisachtige woning besloeg de hele bovenverdieping – 240 meter boven straatniveau – van het Fortune Plaza Office Building. De kantoren van zijn vele, nauw met elkaar verbonden bedrijven waren gevestigd op de tien verdiepingen onder zijn woning, waardoor hij gemakkelijk heen en weer kon zonder zich door de bijna giftige lucht van Beijing te moeten begeven.

De bijna 87-jarige Deng Tsu was de patriarch van de invloedrijkste revolutionaire familie binnen een kring die altijd veel invloed had gehad. Hij was nog net zo vitaal als toen hij vijfenvijftig was. Dagelijks zwom hij in zijn eigen zoutwaterbad, hij deed aan tai chi en aikido met door hem geselecteerde meesters en steevast mediteerde hij elke ochtend en avond een uur lang. Hij was nooit ziek, een gelukzalige conditie die hij toeschreef aan zijn regelmatige leven, zijn greep op de kleinste details van zijn eigen bedrijven én op het bedrijfsleven van China, en aan het feit dat hij drie keer per week met een andere vrouw naar bed ging.

Natuurlijk was zijn dieet belangrijk – hij was religieus fanatiek over wat hij at – maar waar zou hij zijn zonder zijn gemalen rinoceroshoorn en gevriesdroogde tijgerpoot die hem zo potent als een tienerjongen maakten?

Deng Tsu ontving minister Ouyang in traditionele Mandarijnse kleding die hij thuis altijd droeg. Tien verdiepingen lager was hij alleen maar te zien in een strak maatpak van Huntsman en droeg hij brogues van John Lobb en een katoenen overhemd van Hilditch & Key Sea Island.

'De thee en cakejes staan klaar,' viel Deng met de deur in huis toen hij met Ouyang naar de zogeheten zonnekamer liep – een serre omzoomd met bloembedden vol prijswinnende rozen en orchideeën.

In het midden van de kamer lagen kussens aan beide kanten van een antieke, paulowniahouten salontafel, die zorgvuldig was gedekt met een theeservies van chinalak en kleine bordjes met 'cakejes', zoals Deng ze noemde, maar die in feite zeewierkoekjes waren. Deng at geen suiker.

De twee mannen namen plaats. Deng schonk thee in op de rituele manier van de oude Mandarijnen. Het eerste kopje moest zwijgend worden leeggedronken. In de zachte, vochtige lucht, doortrokken van de geur van rozen, waarvan de fluweelachtige blaadjes als verwelkomende armpjes in de lucht staken, leken de kakofonie, het zanderige gruis en de vervuilde lucht van de drukke stad mijlenver weg.

'Vertel me, jonge broeder,' zei Deng terwijl hij opnieuw inschonk, 'wat brengt u naar deze hooggelegen burcht?' In Dengs wereld was het tweede kopje thee voor de vragen, het derde voor discussie en het vierde voor de conclusies.

'U denkt zeker dat ik over Cho en zijn conservatieve aanhangers wil praten,' zei Ouyang, 'maar zij zijn maar een deel van het probleem.'

'Leg me dat eens uit.'

'Ik doel op de dood van de zoon van Ling.'

'Ach ja, een afschuwelijke tragedie. Maar die Italiaanse auto's – een Ferrari, was het toch? – zijn notoir onbetrouwbaar.'

'Vooral wanneer de chauffeur flink heeft gedronken. Vooral wanneer de chauffeur zat te flikflooien met de twee meisjes die bij hem in de auto zaten.'

'Ter zake nu, Ouyang.'

'Die meisjes verkeren in kritieke toestand.'

'Daar heb ik niets mee te maken.'

'Toch wel, Patriarch. Net als met de verschrikkelijk verknoeide cover-up van dit ongeluk.'

Deng keerde zich naar het raam en staarde naar de daken van de gebouwen. De mist was even dik als een zandstorm in de Gobiwoestijn.

Ouyang nipte van zijn thee, die zo voortreffelijk en zacht was dat die onder andere omstandigheden alleen maar zou hebben afgeleid. 'De smet van dit incident, dat een bewijs is van het roekeloze gedrag van de elite, is doorgelekt naar de president.'

Deng tuitte zijn leverkleurige lippen. 'Het is bekend dat Ling de beschermeling en politieke brandjesblusser van de president is.'

'Dit incident heeft de positie van de president behoorlijk verzwakt. Men ziet hem nu als corrupt, om niet te zeggen, ronduit dom.'

Deng draaide zich om. Hij zag er lijkbleek uit. 'U hebt het recht niet dit soort bizarre beschuldigingen te doen!'

'Ik vertel alleen maar wat ik in de kranten lees.'

'U bent niet de eerste die dit onder mijn aandacht brengt.'

'U kunt het negeren, op eigen risico, Patriarch.'

Deng staarde naar Ouyang, als een uil traag knipperend met zijn ogen. Eindelijk verzuchtte hij: 'Ik neem aan dat u een oplossing hebt voor dit probleem.'

'Uw voorvader had een overeenkomst met het volk gesloten.'

Deng boog zijn hoofd. 'Die later bekend werd als het Grote Akkoord.'

'Dat bedoel ik. Hij – en wij met hem – had beloofd de levensstandaard te verhogen, de economie te moderniseren, op voorwaarde dat wij de macht behielden, punt uit.'

'Dat was een goede deal,' zei Deng. 'Het was de juiste keuze, de enige die we konden maken.'

'Het is onmogelijk het daar niet mee eens te zijn.' Ouyang zette zijn lege kopje neer, dat door Deng onmiddellijk werd volgeschonken. 'Maar de huidige gebeurtenissen brengen mij tot de conclusie dat het Grote Akkoord zijn beste tijd heeft gehad. De oude methoden die ons decennialang hebben gediend, maken ons nu tot de vijand van het volk. De mensen zijn welvarender, beter opgeleid en zich meer bewust van wat er buiten het Middenrijk speelt. Bovendien zijn ze door toegang tot het internet politiek bewust geworden. Ze zijn in burgerrechten gaan geloven, en wij staan machteloos.'

Deng schonk zichzelf bij. 'Hoezo?'

'Als de kat eenmaal uit de zak is, kun je hem er niet meer in terug stoppen zonder hem de nek om te draaien.'

Deng staarde naar buiten en nipte bedachtzaam van zijn thee. Eindelijk richtte hij zich tot Ouyang.

'Goed dan, jonge broeder, maar wat stelt u voor?'

'Iets wat u niet zal bevallen.'

'Het bevalt me nu al niet wat er buiten mijn kleine wereld gebeurt, broeder. Ga verder, alsjeblieft.'

Tijd voor het vierde kopje.

'Het Grote Akkoord van uw voorvader was, zoals u terecht opmerkte, de juiste beslissing op het juiste moment. Maar de tijden zijn veranderd. Ik geloof niet dat het nog werkt, de combinatie van de nieuwe kapitalistische economie en het oude politieke systeem. Er is groeiende onrust onder de bevolking. Het aantal schandalen binnen de elite is onrustbarend toegenomen, waardoor de woede van het volk geëscaleerd is.'

'Dat is allemaal allang bekend,' zei Deng. 'Nogmaals, hoe denkt u dat op te lossen?'

'We moeten dit probleem krachtig aanpakken. We moeten iets doen om de volkswoede in toom te houden, voordat die groter wordt en als een tsunami over ons heen spoelt. We moeten die woede voor eens en altijd de kop indrukken. En dat kunnen we alleen maar bereiken door na het partijcongres volgende week met grondige hervormingen te komen. We moeten een regering presenteren die transparant is, die zich zichtbaar inzet voor het volk.'

'U hebt het hart op de juiste plaats, jonge broeder, maar wat u nu vraagt is ronduit onmogelijk. Het congres zal nooit instemmen met zulke ingrijpende hervormingen. Er zijn te veel leden die hun elitestatus verkiezen boven de wet. Oude gewoonten zijn moeilijk af te leren – misschien wel helemaal niet.'

'De economische hervormingen van uw voorvader hebben hun vruchten afgeworpen,' zei Ouyang. 'Nu moeten we die plukken, zowel de bittere als de zoete.'

'Verklaar u nader, broeder.'

'De invoering van het kapitalisme heeft onvoorziene gevolgen gehad. We kunnen niet meer terug; zoals we ook niet blind kunnen zijn voor wat er gebeurt met de steeds rustelozer wordende bevolking en de leden van onze eigen politieke elite, van wie er velen boven hun stand leven en zich verrijken wanneer ze maar kunnen. We kunnen deze situatie niet meer tolereren.'

'Geen hond zal ernaar luisteren. De combinatie van privileges en apathie zal u de das omdoen.'

'Dan komt het volk het zelf halen. Onthoud mijn woorden, Patriarch: of het u aanstaat of niet, het Grote Akkoord met het volk staat op losse schroeven. Als er geen nieuw akkoord wordt gesloten dat het volk aanstaat, zal men openlijk in verzet komen. Dat kan ik u garanderen.'

Deng zette zijn kopje neer. 'Wat wilt u?'

'Allereerst, dat Cho en zijn Chongqing Partij op een zijspoor worden gezet. Ten tweede wil ik benoemd worden tot voorzitter van het congres. Met uw hulp smeed ik een ijzersterke coalitie die bestand is tegen de gevolgen van de veranderingen die we moeten invoeren om te garanderen dat wij over China kunnen blijven heersen.'

Deng schudde zijn hoofd. Uit zijn blik sprak peilloze droefheid. 'Dit krijgen we nooit voor elkaar. Dit is onmogelijk. Wij zijn als een trein; we kunnen alleen op dit spoor verder.'

Ouyang stond op. 'Luister, Patriarch. In de jaren zeventig van de vorige eeuw was de Sovjet-Unie het boze imperium.' Hij stond te trillen op zijn benen. Zo had hij Deng nog nooit toegesproken. 'Als we ons beleid niet veranderen, zijn wij aan de beurt.'

'Maar ziet u dan niet, broeder, dat Cho en de Chongqing Partij daar juist op hopen? Ze willen ons isoleren van de rest van de wereld. Want die is een besmettingshaard, een steeds groter wordende vlek op het blazoen van het Middenrijk. Ze willen China zuiveren, ze willen terug naar hoe het vroeger was.'

'Niets wordt meer zoals het was, Patriarch. Dat weet u als geen ander. Kijk maar naar de locatie van het partijcongres dit jaar – de badplaats Beidaihe. Tot nu is die altijd in Beijing gehouden. Ze zeggen dat de renovatie van de zaal van het congres nog niet gereed is, maar u weet net zo goed als ik dat dit flauwekul is. We zijn allemaal bang dat de straten van de hoofdstad volstromen met demonstranten. Vijf jaar geleden bestond die angst nog niet.'

'Jidan, Jidan,' zei de oude man, 'we zijn niet meer dan blaadjes, voortgedreven door de wind.'

Ouyang staarde naar Deng, en zag voor het eerst wie hij was, niet wie hij in hem wilde zien. *Als Deng hier te oud voor wordt*, dacht Ouyang, als hij de wil niet meer heeft, moet ik die voor hem zijn. Hij zette zijn gedachten op een rijtje voor nog één stelling.

'Ons hele leven,' zei hij, 'hebben wij geschiedenis geschreven, zoals onze voorouders voor ons hebben gedaan. Dat is een uitzonderlijke, een unieke kracht. We kunnen het nog steeds, maar dit vermogen dreigt ons te ontglippen. Als we de loop nu niet veranderen, zal dat unieke vermogen om geschiedenis te schrijven ons worden ontnomen en aan het volk van China worden gegeven. Dan is het voor ons voorbij.

Dus dit is onze taak, Patriarch. Wij moeten de wind onder controle krijgen.'

Bourne trof Amir Ophir aan in zijn werkkamer, deels verscholen achter drie computerschermen. Hij keek niet op toen Bourne binnenkwam, maar Bourne zag dat zijn schouders zich spanden, alsof Ophir zich opmaakte voor een straatgevecht.

'Je hebt hem vermoord.' Er klonk geen enkele emotie in de stem van Ophir, alleen maar de bittere beschuldiging.

'Jij wilde me door hem laten vermoorden.'

'Dat is een leugen. We hebben hem, met goedkeuring van directeur Yadin, op je afgestuurd om je in de gaten te houden nadat je tegen de afspraak in van de radar was verdwenen.'

'Ik loop niet graag aan het lijntje,' zei Bourne. 'En jij kon niet weten wat ik met de directeur had afgesproken. Het punt is: het is verdacht dat iemand van de Kidon wordt ingeschakeld voor surveillancewerkzaamheden.'

'Om te beginnen is de Kidon niet alleen een afdeling voor huurmoordenaars. We doen ook aan surveillance en reddingsoperaties. Op dit moment zitten we midden in een ingewikkelde en zeer geheime reddingsoperatie van drie Israëlische burgers in de Sinaï.'

'Burgers?' vroeg Bourne. 'Of jouw agenten?'

Ophir ging er niet op in. 'Ten tweede was deze man toevallig in de buurt en bezat hij een uitgebreide kennis van China, van Sjanghai in het bijzonder.'

'Ten eerste betekende zijn schuilnaam "moord"' weerlegde Bourne. 'Ten tweede viel hij mij aan, en Yue, de jonge vrouw die bij me was. Zijn bedoeling was duidelijk.'

'Dan heeft hij zich niet aan de opdracht gehouden. En misschien had hij daar wel een reden voor,' zei Ophir zonder zijn blik van de computerschermen af te wenden.

'Inderdaad, want jij had hem de opdracht gegeven mij uit te schakelen.'

Eindelijk richtte Ophir zijn blik op Bourne. 'Dat kun je niet bewijzen...'

Bourne haalde de mobiel van Retzach tevoorschijn. 'Een paar minuten voordat Retzach de tunnel in ging om mij te vermoorden, heeft hij jou gebeld.'

'Dat is niet...'

Bourne smeet Retzachs mes op het bureau van Ophir.

'Hiermee wilde hij me afmaken.'

Ophir staarde naar het mes alsof het een slang was die plotseling tot leven was gekomen. Hij likte over zijn lippen.

Bourne pakte het mes en stak het samen met Retzachs mobiel omhoog. 'Zal ik beide aan de directeur geven, of wil je met me praten?'

Met een handgebaar en een dodelijke blik zei Ophir: 'Neem plaats.'

Bourne lachte als een boer met kiespijn en ging tegenover Ophir zitten. 'Ik heb een wapenleverancier nodig.'

Ophir leek opgelucht, alsof hij dacht: is dat alles? 'Geen probleem. We hebben een paar heel goede in onze ondergrondse laboratoria.'

'Niet hier,' zei Bourne, 'maar in Mexico-Stad.'

Er viel een korte stilte. Vanuit de naastgelegen ruimten kwam in golven het geroezemoes van assistenten en secretaressen. Ze hoorden een glas vallen op een tegelvloer. Er werd even gevloekt, daarna werd het weer rustig.

Na een lange stilte schraapte Ophir zijn keel en zei: 'Dat zal directeur Yadin niet goedkeuren.'

'Daarom vraag ik het jou.'

'Dit is geen vraag.'

Bourne staarde hem onbewogen aan.

Ophir schudde zijn hoofd zoals een hond water van zich afschudt.

'Ik neem aan dat je een handwapen wilt hebben.'

'Alles: van een handwapen tot een bazooka, plus bijbehorende munitie.'

'Ik kan niet...'

'En alles *be'shu'shu*.' Alles in het geheim.

'*Gilita et America*.' Dat spreekt vanzelf. 'Heb je nog meer nodig?' vroeg hij met een gemaakte grijns. 'Een tank? Een gevechtsvliegtuig misschien?'

'Later.'

Ophir zwaaide met zijn hand, als in overgave. 'Oké, oké. Eens even zien.' Hij staarde naar zijn computerscherm. 'Ik heb een mannetje in Mexico-Stad. Zijn codenaam is J.J. Hale. Zo ziet hij eruit. Meer hoef je niet over hem te weten.' Hij trok een kladblok naar zich toe, krabbelde er een paar regels op, scheurde het vel af en gaf het aan Bourne. 'Vanaf morgen zit hij elke avond precies om acht uur in dit café, vijf dagen achter elkaar. Op de tweede regel staat je introductietekst en zijn reactie daarop.'

Hij glimlachte. 'Kan ik verder nog wat voor je betekenen?'

'Dat laat ik je wel weten.' Bourne stond op en liep de kamer uit.

Onmiddellijk na Bournes vertrek nam Ophir contact op met Hale en gaf hem zijn instructies in een gecodeerd mailtje, waar hij aan toevoegde: verwacht een pakketje via de gebruikelijke weg.

Nadat hij het mailtje had verzonden, opende hij met een sleutel die hij om zijn hals droeg de onderste la van zijn bureau. Hij viste er een zwarte map uit en klapte die open. In de map zat het stukje tape waarop zijn medewerker Bournes vingerafdruk had overgenomen, achtergelaten op het glas in zijn hotelkamer in Caesarea.

Ophir bleef er even naar staren, een kleine glimlach speelde om zijn mond. Het was maar goed dat Bourne niet wist hoe de Mossad precies te werk ging. De twee voorwerpen die volgens Bourne zo incriminerend waren, waren dat niet. Ophir zou het Eli allemaal kunnen uitleggen, al zou dat niet gemakkelijk zijn. Hij had dus niets van Bourne te vrezen. Maar in plaats van hem dat te vertellen, had hij iets anders bedacht. Een plan dat tot Bournes ondergang zou leiden.

Hij stopte het stukje tape voorzichtig in een kleine envelop, die hij met was verzegelde. Die deed hij in een grotere envelop. Daarna schreef hij handmatig instructies aan Hale, die hij ook in de grote envelop stopte. Hij verzegelde de grote envelop met was en stopte

die in de veilige verpakking die door de Mossad werd gebruikt.
Daarna regelde hij telefonisch een overzeese koerier.

24

Toen minister Ouyang het gebouw van de Patriarch uit liep, stond zijn witte SUV met draaiende motor voor hem klaar. Het achterportier ging open toen hij eraan kwam. Hij dook de wagen in en trok de deur dicht. Meteen daarna voegde de SUV zich in de verkeersstroom.

'Alles ging volgens plan,' zei de lange, magere man naast hem. Zijn gelaatstrekken wezen erop dat hij uit Mantsjoerije kwam. Hij had de delicate lange vingers van een chirurg of pianist.

En waarom niet, dacht Ouyang. Deze man is een kunstenaar.

'En, hoe heb je het gedaan tijdens de top over het Middenrijk?' Uit ieders mond zou dit sarcastisch hebben geklonken, maar niet uit die van deze man.

'Kai,' begon Ouyang, 'de Patriarch lijkt inderdaad gevoelig te worden voor onze manier van denken, maar voorlopig zit hij nog met zijn hoofd in de wolken.'

'Jammer,' zei Kai met een zucht. 'Vroeger was hij een visionair en had hij uitzonderlijk nut.'

'Zijn tijd is waarschijnlijk nog niet voorbij,' antwoordde Ouyang, misschien net iets te scherp.

'Tijd,' zei Kai, die zich blijkbaar niet beledigd voelde, 'is ons meest schaarse goed. Over een paar dagen komt het partijcongres bijeen om een nieuw Politbureau te kiezen; het is bepalend voor wat er de komende tien jaar in China gebeurt. Als we nu niets doen, krijgen we geen tweede kans.'

Ouyang ging ongemakkelijk verzitten. Hij wist dat hij in de lastige positie werd gemanoeuvreerd die hij zo graag had willen vermijden.

'Ik hoop dat je je vergist, Kai. Maar dat we nu moeten handelen, wordt steeds duidelijker.'

Het was een druilerige ochtend toen Bourne in Mexico-Stad arriveerde, grauw van de mist en de vervuiling. De lucht stonk naar menselijke uitwerpselen die werden gebruikt als mest voor groente en fruit.

Hij kende de stad goed. Hoewel hij nu op een bepaalde manier weer dicht bij Rebeka was, bij de plaats waar ze om het leven was gekomen, bood hem dat geen troost. Hij ervoer Mexico-Stad als een dodenstad vol geesten, nachtmerries en de permanente dreiging van gevaar.

Toen zijn taxi de stad in reed, probeerde de zon – een lelijke, bruinoranje bal – zich door de mist heen te vechten, maar hij werd verslagen door de smog, die als een doorzichtig masker over de stad hing.

Bourne had de chauffeur een adres gegeven in Coyoacán, een buurt die ongeveer acht kilometer van het centrum lag. De wijk was genoemd naar de Náhuatl Coyohuacán, dat in het Azteeks 'plaats van de coyotes' betekende, waarschijnlijk omdat de oorspronkelijke bevolking, de Tecpanecas, hun Azteekse overwinnaars zo grondig haatten dat ze Hernán Cortés met open armen ontvingen en daarmee de ondergang van de Azteken en hun geschiedenis en cultuur bespoedigden.

Bourne stapte uit in Francisco Sosa, niet ver van het huis waar Frida Kahlo en Diego Rivera hadden gewoond, een met kinderkopjes bestrate doorgangsweg, de hoofdweg van de buurt. Hij liep naar Caballo Calco 23, een appartementencomplex van twee verdiepingen hoog met een witgekalkte façade, omrand met een terracotta sierlijst en voorzien van een fraai, wit gietijzeren hek.

Hij belde aan bij appartement 11, waar geen naam bij stond, en werd meteen binnengelaten. Appartement 11 lag op de tweede verdieping aan de straatkant. Schuin ertegenover stond de Iglesia de Coyoacán, een gebouw dat een vervallen indruk maakte door het onkruid, de verbrokkelde bakstenen aan de onderkant en de lelijke graffiti op de zijmuren.

Toen 808Azul opendeed, herkende Bourne haar niet meteen. Ze leek in niets meer op het verwarde en woedende meisje dat vorig jaar met zijn hulp was gevlucht uit het huis van Maceo Encarnación in Colonia Polanco.

Hij had haar geadviseerd het land te verlaten, maar ze had ervoor gekozen in Mexico te blijven, haar naam te veranderen en een van de beste computerhackers te worden, even gevreesd als gerespecteerd.

Online stond ze bekend als 808Azul, maar Bourne kende haar als Anunciata. Haar moeder was jarenlang de kokkin van Maceo Encarnación geweest, totdat hij haar had vergiftigd. Dat was gebeurd in de periode waarin Bourne Anunciata had helpen ontsnappen.

Ze was een mooie jonge vrouw geworden, met een open, vriendelijk gezicht, ver uit elkaar staande chocoladebruine ogen en lang zwart haar dat glansde in het lamplicht van haar ruime, hoge appartement. Foto's van haar moeder sierden de boekenplanken en het heiligdom van haar werkplek – een ratjetoe van de modernste laptops, smartphones en tablets. Rechts van hem onttrokken houten jaloezieën een klein balkon met uitzicht op Caballo Calco aan het oog.

'Jason, ik was zo blij toen je me belde,' zei ze enthousiast toen ze hem omhelsde. 'Ik was bang dat ik je nooit meer zou zien.'

'Jij onderhield het contact.'

Ze lachte. 'Een goede vriend is even zeldzaam als een kippentand.' Ze wees naar de keuken. 'Je hebt vast honger, dat eten in zo'n vliegtuig is niets. Ik heb enchilada's en rijst met zwarte bonen staan.'

Ze liep voor hem uit naar de grote keuken, waar een natuurhouten tafel gedekt stond.

'Dat heb je zeker van je moeder,' zei hij toen hij begon te eten. Ze had een paar koude biertjes uit de koelkast gehaald.

'Hoe gaat het, Jason?'

'Het gaat wel.'

'Je lijkt verdrietig, maar volgens mij zie je er altijd zo uit.'

Er viel een korte stilte waarin alleen hun ogen spraken.

'Ik heb je nog nooit bedankt voor het feit dat je mijn vader hebt vermoord.' Ze maakte deze zwaarbeladen opmerking op nonchalante toon.

'Dat hoeft helemaal niet.'

'O nee?'

Bourne boog zijn hoofd, hij begreep haar maar al te goed. De ouders van Anunciata hadden er alles aan gedaan om de identiteit van haar biologische vader verborgen te houden. Maar toen haar moeder ontdekte dat Anunciata door haar vader was verleid en hij met haar naar bed wilde, had ze haar werkgever bedreigd. Een dappere maar domme actie.

Anunciata legde haar mes en vork neer. 'Waarom ben je terug naar Mexico gekomen?'

'Voor een belangrijke zaak.'

'Dat kan niet anders.'

'Ik ben op zoek naar de dochter van Maceo Encarnación.'

'Zijn dochter?' Anunciata lachte zenuwachtig. 'Je zit tegenover haar.'

'Hij had er nog een. Een zekere Maricruz.'

'Was dat de dochter die hij bij Constanza Camargo had?'

Bourne knikte. 'Ken je haar?'

'We hebben elkaar nooit ontmoet,' zei Anunciata met op elkaar geklemde kaken. 'Maar ik heb genoeg over haar gehoord. Ze is een soort legende geworden.'

'Ze is hier,' zei Bourne. 'Ik moet haar vinden.'

Anunciata liet het nieuws op zich inwerken. 'Wacht even,' zei ze toen ze opstond.

Ze liep naar haar werkplek, ging zitten, zette haar headset op en begon op een laptop te tikken. Even later hoorde hij haar vragen stellen. Ze knikte bij de antwoorden die ze kreeg en tikte ondertussen door.

Toen Bourne opstond om naar haar toe te gaan, hoorde hij haar plotseling roepen: 'Shit, man! Echt?'

Ze keek naar hem op, met opgetrokken wenkbrauwen, en concentreerde zich weer op het telefoongesprek.

'Ik heb iemand nodig die van binnenuit... nee, nee, écht van binnenuit... en die te vertrouwen is... natuurlijk tegen een beloning.' Ze keek weer op naar Bourne, en hij knikte. 'Dat begrijp ik. Geld is geen issue,' ging ze verder, 'maar betrouwbaarheid is... afgezien van jouw aanbeveling... Als mijn cliënt in een hinderlaag terechtkomt, dan weet ik je te vinden en trap ik je zo hard in je kruis dat je ballen door je strot vliegen... Ga door, maar ik verzeker je: het is geen pretje om in je eigen testikels te stikken.' Ze knipoogde naar Bourne. 'Goed, staat genoteerd. Ik zie je zo.'

Nadat ze op een kladblok een notitie had neergekrabbeld, scheurde ze het vel af, stond op en gaf het aan Bourne. Daarna maakte ze een foto van hem met een van haar smartphones en stuurde die door naar haar contact.

'Je hebt geluk. Het ziet ernaar uit dat mijn halfzus zich diep in de nesten heeft gewerkt,' zei ze. 'Blijkbaar is ze teruggekomen om Maceo's zaken met de kartels voort te zetten en zit ze midden in de oorlog tussen Los Zetas en de Sinaloa. Zo dom kan ze niet zijn, dus heeft ze er vast een reden voor, hoe krankzinnig ook.'

Bourne wist dat Ouyang met Maceo Encarnación samenwerkte om de toevoer van grondstoffen voor zijn drugslijn naar Mexico te garanderen, dus vond hij het plan van Maricruz helemaal niet krankzinnig – het was eerder noodzaak.

Anunciata haalde haar schouders op. 'Ik weet niet wat er is gebeurd, maar ze moet behoorlijk zijn toegetakeld. Ze ligt in ziekenhuis Ángeles Pedregal. Ik heb het adres voor je opgeschreven. Het lijkt erop dat ze goede contacten in hoge kringen heeft. Haar kamer wordt door de federales bewaakt en haar enige bezoeker tot nog toe is Carlos Danda Carlos, het hoofd van het antidrugsagentschap.'

Ze hield haar hoofd schuin toen ze Bourne zag grinniken. 'Dit is geen grapje, hoor. Wat is hier zo leuk aan?'

Maricruz was wakker en op weg naar fysiotherapie, waar ze twee keer per dag op eigen kracht heen ging, de rolstoel die haar verpleegster achter haar aan reed negerend. Haar benen zaten onder de blauwe plekken, maar haar armen waren het ergst toegetakeld, vooral een van haar schouders, die zo ernstig gewond was geraakt dat er een kijkoperatie voor nodig was geweest.

Soms haatte ze Matamoros en wist ze zeker dat hij haar opzettelijk veel zwaarder had laten aftuigen dan noodzakelijk. Maar als Carlos weer op bezoek was, zag ze in zijn ogen oprechte spijt en schuldgevoelens vanwege zijn rol in dit afschuwelijke geweldsdelict, en besefte ze weer dat minder zware letsels zijn achterdocht niet hadden kunnen verdrijven.

Nee, concludeerde ze uiteindelijk, het was een geniale zet van Matamoros om haar door zijn mannen zodanig toe te laten takelen dat Carlos haar verhaal geloofde, maar niet zo erg dat ze er permanent letsel aan overhield. Bovendien hadden ze haar gezicht, afgezien van een paar schaafwonden en blauwe plekken, intact gelaten. Daar moest ze dankbaar voor zijn.

Eigenlijk was ze overal dankbaar voor. Matamoros bleek vele malen intelligenter dan ze had gedacht. Beter nog, hij wilde heel graag Carlos verslaan, bijna net zo graag als Carlos hem voor eens en altijd wilde uitschakelen.

Ze zat in een ideale positie – tussen hen in en door beiden in vertrouwen genomen, terwijl dat niets veranderde aan haar eigen plannen. Toen ze zichzelf daaraan herinnerde, lachte ze in zichzelf. Ze was nooit zo naïef geweest om te denken dat dit plan gemakkelijk zou zijn, maar de vormen die het had aangenomen en hoeveel ze er fysiek voor had moeten lijden, daarvan had ze geen enkel idee gehad.

Deze gedachten gingen door haar heen tijdens de even zware als pijnlijke ochtendoefeningen waar haar therapeute haar doorheen sleepte. Wel voelde ze zich daarna, hoewel gebroken, altijd beter, gaf ze toe. Enkele minuten nadat ze aan haar middagsessie was begonnen, rolde een verpleegkundige een meisje van een jaar of zeven naar binnen. Ze was in elkaar geslagen en ondervoed, maar het ergste was haar holle blik. Haar wangen waren ingevallen, haar grote ogen zwart en peilloos. Ze staarde wezenloos voor zich uit naar iets wat geen van de aanwezigen kon zien. Maricruz gluurde af en toe naar haar tijdens haar oefeningen. Soms hurkte er een therapeut bij het meisje neer, die een gesprekje met haar probeerde aan te knopen of haar bij de hand nam, maar het kind reageerde nergens op.

Toen Maricruz een uur later klaar was, had het meisje nog steeds geen vin verroerd of haar blik verplaatst. Het was naar en verontrustend om te zien. Het beeld van het meisje liet Maricruz niet los.

'Kijk nou toch,' zei Maricruz tegen haar therapeute, 'is er niemand die zich over haar ontfermt?'

'We hebben alles geprobeerd,' zei de vrouw, terwijl ze de massageolie van haar handen veegde, 'maar ze reageert nergens op. Ze is catatonisch. Ze komt van de afdeling psychiatrie, maar daar kunnen ze niets meer voor haar doen. Nu zit ze hier.'

'Wat is er met haar gebeurd?'

De therapeute slaakte een zucht. 'Haar vader was een drugssmokkelaar. Je kent ze wel – zo iemand die voor het snelle en makkelijke geld gaat en geen zin heeft in een normale baan zoals wij. Maar goed, blijkbaar is het een keer misgegaan, zoals zo vaak gebeurt. Hoe? Dat kan van alles zijn.' De therapeute vouwde de doek op en legde die weg. 'Dit meisje moest toekijken hoe haar ouders en twee oudere broers werden vermoord – onthoofd met een machete.'

De adem stokte Maricruz in de keel. 'Wie waren de daders?'

'Los Zetas, de Sinaloa, een plaatselijke drugsdealer die voor ze werkt, niemand weet het.' De therapeute wendde haar hoofd vol walging af. 'Maar wat maakt het uit?' Ze schudde haar hoofd. 'Met die lui valt niet te praten. Hun hebzucht overtreft alles – zelfs de verantwoordelijkheid voor hun eigen gezin.'

'Hoe kun je daar zo kil over praten? Wat haar vader ook op zijn geweten heeft, daar kun je een kind toch niet voor laten boeten?'

'Señora, weet u hoeveel van deze kinderen wij hier jaarlijks krijgen? Dat is gewoonweg niet bij te houden. Als ik me het lot van deze kinderen aantrek, heb ik binnen een jaar een burn-out en kan ik niets meer voor mijn eigen gezin doen.'

Maricruz bleef naar het meisje staren, alsof ze haar uit haar catatonische staat wilde wekken. 'Wat gebeurt er met ze als ze uit het ziekenhuis worden ontslagen?'

'Dan worden ze opgehaald door een oom of tante, een neef of nicht, als ze die hebben. Zo niet, dan worden ze onder voogdij geplaatst.'

'En dit meisje?'

'Ik zou het niet weten.'

Toen ze terugkwam van haar middagsessie, legde Tigger zijn krant neer, stond op en grijnsde naar haar.

'Hoe ging het, señora?'

'Wel redelijk,' antwoordde ze mat. In gedachten was ze nog bij het meisje.

Ze bleef stilstaan voor de deur terwijl hij die opendeed. Carlos had drie ploegendiensten ingeroosterd om haar te bewaken in het ziekenhuis. Tigger zat in de tweede ploeg. In werkelijkheid heette hij natuurlijk niet Tigger, maar evenals de door A.A. Milne getekende stripfiguur zag hij er op een vreemde manier uit als een knuffeldier – zowel stoer als grappig. Waar hem dat precies in zat, kon niemand zeggen, Tigger zelf ook niet.

'Nog even en je mag hier weg, nietwaar?'

'Het kan me niet snel genoeg gaan.' Toen ze de blik in zijn ogen zag, tuitte ze haar lippen tot een bijna komisch pruilmondje en streek over zijn ruwe wang. 'O, maar Tigger, ik weet zeker dat we elkaar nog zullen zien als ik uit het ziekenhuis ben. Ik zal vragen of je me mag begeleiden bij mijn ontslag. Wat vind je daarvan?'

Tiggers ogen lichtten op, en nu zag hij er pas echt uit als een opgezette tijger, levenslustig en gretig.

'*Muchas gracias*, señora.' Hij negeerde de verpleegster met haar nutteloze rolstoel en leidde haar naar binnen. 'Estefan is net gearriveerd. Kan ik nog iets voor u doen voordat mijn dienst erop zit?'

'Nee, dank je wel.' Maricruz stapte met moeite in bed en probeerde niet ineen te krimpen van de pijn in haar schouder. 'Je mag nu buiten spelen.'

Lachend liep hij de kamer uit. De verpleegkundige was druk bezig bij het bed. Ze trok de dekens recht en vulde de plastic waterkan bij uit de voorraad gebotteld water die Carlos door zijn mannen had laten brengen.

'Zo is het wel genoeg!' riep Maricruz ineens. 'Laat me in hemelsnaam met rust!'

De verpleegster verblikte of verbloosde niet en verliet zo snel en discreet mogelijk de ziekenkamer. Blijkbaar had ze veel ervaring met de driftaanvallen en frustraties van haar vippatiënten en wist ze wanneer ze moest gaan.

Maricruz leunde achterover tegen de kussens, woedend omdat ze buiten adem was, woedend omdat haar schouder nog zo'n pijn deed, woedend omdat ze in deze ziekenhuiskamer zat opgesloten. Woedend bij de gedachte aan dat kleine meisje dat haar jeugd, zo niet haar toekomst had verloren.

Een van de dingen die ze van haar echtgenoot had geleerd, was het belang van geduld. Maar toch, er stroomde nu eenmaal Latijns bloed door haar aderen; geduld kwam in haar woordenschat niet voor, laat staan dat het een van haar deugden was. Maar nu ze achterover in bed lag, dacht ze terug aan wat hij haar geleerd had, aan de vele uren zazen-meditatie waarin ze haar hoofd vrij van gedachten, gevoelens en zorgen probeerde te maken.

Pijnlijk langzaam lukte het haar om haar woede en frustraties en vooral ook haar eigen wil los te laten, en dat laatste was het belangrijkste en het moeilijkste. Haar hoofd stroomde leeg als een zandloper, ze werd overspoeld door een gevoel van een intense vredigheid en leegheid, dat haar naar een hoger plan tilde.

Juist op dat moment ging de deur open en was de rust verdwenen.

25

Bourne ontmoette Tigger op het terrein van het Ángeles Pedregal. De uitgeputte zon had zich vroegtijdig teruggetrokken, was opzij geduwd door de motregen die de trottoirtegels en het wegdek zwart deed opglanzen. In de verte rommelde het onweer, de voorbode van zware regenval.

Bourne overhandigde hem een dikke envelop, die Tigger openmaakte. Hij liet een verweerde duim over de bovenkant van de biljetten gaan en ontblootte een rij bruine tanden, als grafstenen. 'Amerikaanse dollars.'

'Stop ze maar weg,' zei Bourne.

Tigger stak zijn beloning in een zak en gaf Bourne een seintje hem te volgen. Ze liepen door de eerstehulpafdeling, waar iedereen het veel te druk had om hen op te merken of zich af te vragen waar ze heen gingen. In een opslagruimte pakte Tigger een doktersjas, die Bourne aantrok.

'Heb je de identiteitspas?'

Tigger knikte. 'Ze heeft je nog nooit gezien?'

'Zij niet,' antwoordde Bourne, 'maar Carlos wel. Wacht op me in de hal. Stuur me meteen een sms'je als je hem ziet aankomen.'

'*Bueno*.' Tigger bevestigde de ziekenhuispas aan de borstzak van Bournes jas. Voor iedereen in het ziekenhuis heette Bourne nu dr. Francisco Javier.

'Ga maar,' zei Tigger, na hem het kamernummer te hebben gegeven. 'Estefan zal niet moeilijk doen. Die is als de dood voor artsen.'

Bourne nam de lift naar de tweede verdieping, liep gedecideerd naar de verpleegsterspost en vroeg naar het dossier van Maricruz. De dienstdoende verpleegkundige wierp slechts een vluchtige blik op hem voordat ze het gevraagde dossier tevoorschijn haalde en aan hem gaf.

Terwijl hij door de gang naar de kamer van Maricruz liep, scande hij de bladzijden. Het contact van Anunciata had gelijk: wat er ook was gebeurd, Maricruz was daadwerkelijk zwaar in elkaar geslagen.

Hij keek op en zag Estefan drinken van zijn automaatkoffie en grijnzend naar zijn mobiel turen terwijl hij iemand een bericht stuurde. Hij zag Bourne naderen en nadat hij zijn pas had gecontroleerd, liet hij hem met een knikje door naar de ziekenkamer.

Maricruz leek in de war, ze keek glazig voor zich uit toen Bourne binnenkwam. Ze knipperde een paar keer met haar ogen en fronste haar wenkbrauwen toen ze hem zag.

'Verdomme, alweer een nieuwe dokter. Jou ken ik nog niet.'

'Ik ben een paar keer binnengewipt toen u nog bewusteloos was,' zei Bourne. Hij klapte haar dossiermap dicht. 'Ik assisteerde toen de pezen in uw schouder werden vastgehecht.'

'Is dat medisch jargon?'

Bourne lachte zoals hij artsen vaak had zien lachen. 'Ik spreek het liefst normale taal met mijn patiënten.'

'Verfrissend. De meeste artsen willen superieur overkomen, waarschijnlijk omdat ze beseffen hoe weinig ze eigenlijk weten.' Ze hield haar hoofd een beetje scheef. 'Wat staat er in mijn dossier?'

'Aangezien ik niet veel weet, bent u waarschijnlijk niet in mijn mening geïnteresseerd.'

'Heel grappig. Laat maar horen.'
'U herstelt goed,' zei hij op serieuzere toon. 'U herstelt zelfs behoorlijk veel sneller dan normaal. We zijn zeer blij met uw vooruitgang.'
'Wanneer mag ik hier in godsnaam weg?'
'Mag ik even bij u zitten?' Hij schoof een stoel bij en ging zitten.
'Maak het u maar gemakkelijk,' zei Maricruz. 'Daar zijn die stoelen tenslotte voor.'
'Welnu, ik probeer het mijn patiënten meestal naar de zin te maken.' Bourne sloeg zijn benen over elkaar, liet zijn ellebogen rusten op haar dossiermap en boog zich naar haar toe. 'Maricruz... mag ik...'
'Dat doe je al.' Een van haar mondhoeken krulde een beetje omhoog, haar stem klonk niet meer zo ijzig.
'Maricruz, kun je me zeggen wat er met je is gebeurd?'
Ze leek van deze vraag te schrikken. 'Is dat belangrijk?'
Hij haalde zijn schouders op. 'Ik wil mijn patiënten graag leren kennen.'
'Jeetje, je bent echt geen normale dokter.'
'Wil je me helpen?'
Haar frons verdiepte zich. 'Je vraagt me toch niet om mee te doen aan een of ander psychologisch experiment of zo?'
Hij lachte opnieuw. 'O nee, absoluut niet.'
'Ik ben van de motor gevallen.'
'En daarna ben je aangereden door een auto?'
'Pardon?'
'De aard van het letsel wijst niet op een val van een motor.'
'Ik reed door een kuil in de weg, daarna werd ik de berm in geslingerd.'
Bourne besloot haar dossier nauwkeuriger te bestuderen. 'Ik zie dat er een proces-verbaal gemaakt is. Een getuige beweert te hebben gezien dat je uit een voertuig bent gegooid dat vervolgens doorreed.' Hij keek op. 'Waren dat vrienden?'
Ze keek hem met grote ogen aan en wendde zich van hem af.
'De politie heeft geen nader onderzoek gedaan, zie ik.'
'De zaak wordt afgehandeld door Carlos Danda Carlos,' zei ze kortaf.
Bourne deed de map dicht. 'Aha. Hooggeplaatste vrienden.'
Ze glimlachte voorzichtig. 'Zoiets ja.'
'Vertel me, wat vind je van señor Carlos Danda Carlos?'

Nu lachte ze, zacht en melodieus, als klokjes die echoën over een bergpas.

'Wat bedoel je met "vinden van"?'

'Ik heb veel verhalen over hem gehoord. Ik weet niet wat ik moet geloven. Denk je, bijvoorbeeld, dat hij een goed mens is?'

Haar fronsende blik was terug. 'Ben jij echt een dokter?'

'Hoezo?'

'Ik begin te vermoeden dat je door Carlos bent gestuurd om mij te ondervragen.'

Bourne begreep onmiddellijk dat hij haar op een ander spoor moest zetten en stond op. 'Duizendmaal excuses, señora. Ik wilde niet de indruk wekken dat...'

'Werk je voor hem?'

'Ik heb hem één keer heel even ontmoet,' zei Bourne naar waarheid. 'Meer niet.'

Ze bleef nog even naar hem kijken. 'Ga maar weer zitten, dokter.'

Hij aarzelde precies lang genoeg voordat hij weer plaatsnam op zijn stoel, deze keer echter op de rand, met een strakke rug en licht afhangende schouders.

'Ontspan nou maar, ik bijt niet.'

'Helemaal niet als je me Javvy noemt, zoals mijn vrienden.'

Maricruz trok een wenkbrauw op. 'Zijn we nu vrienden? Ik dacht dat ik je patiënt was.'

'Ik had me eerder versproken. Je wás mijn patiënt toen je op de OK lag. Dokter Fernandez is jouw behandelend arts.'

'Toch kwam je naar me kijken.'

'Ik zei toch: ik voel me met al mijn patiënten verbonden.'

'Word je daar niet doodmoe van?'

'Het is beter dan ze als een nummer te behandelen. Zorg aan de lopende band, dat is pas dodelijk voor hart en ziel.'

Voor het eerst sinds zijn bezoek leek ze met andere ogen naar hem te kijken, alsof er een gordijn was weggetrokken en er iets onthuld was wat er altijd was geweest, maar ergens diep voor haar verborgen was gebleven.

Op dat moment kwam de verpleegster binnen met een maaltijd op een dienblad, die ze op de verrijdbare bedtafel zette. Ze draaide het blad naar het bed, lachte haar enigszins valse glimlach en sloop de kamer uit.

Bourne stond op. 'Dan laat ik je nu met rust.'

Maricruz keek over het dienblad heen naar Bourne. 'Mijn eten wordt bereid door de chef van Carlos. Het is altijd heerlijk, en altijd te veel.'

'Is dit een verzoek om met je te lunchen?'

'Haal je geen gekke ideeën in je hoofd.'

'Ik moet nog meer visites afleggen.' Bourne tilde het roestvrijstalen deksel van de dampende maaltijd en snoof een verrukkelijk aroma op. 'Maar ik heb nog wel een paar minuutjes tijd.'

'Het idee alleen al is krankzinnig, dat weet je net zo goed als ik,' zei Ouyang.

'Het is maar wat je krankzinnig noemt.' Kai wierp een blik naar buiten, maar leek geen moment geïnteresseerd in het voorbijglijdende stadslandschap. 'Mijn definitie van krankzinnig is: het aantal leden van het Staande Comité van het Politbureau terugbrengen van negen naar zeven.' Hij keek Ouyang streng aan. 'Dit heeft de Patriarch je zeker niet verteld.'

Ouyang voelde een spanning opkomen. 'Weet je het zeker?'

'Ja,' verzuchtte Kai. 'De oude garde treedt volgende week dan wel af, maar ze zijn vastbesloten om hun invloed te blijven gebruiken. Ze willen het aantal leden van het Staande Comité verlagen, zodat de jongere, progressievere kandidaten niet genoeg stemmen zullen krijgen.'

'Waardoor grote hervormingen worden tegengegaan.'

'Het comité zal meer naar hun zin zijn.'

Ouyang schudde zijn hoofd. 'Je hebt helemaal gelijk, Kai. Dit is pas echt wat je noemt krankzinnig.'

'Jidan, beste vriend, ik heb genoeg deprimerende gesprekken gevoerd vandaag. Laten we naar een kleine club van mij gaan en in een zwembad vol met naakte Japanse meisjes duiken. Goed idee?'

'Ga jij maar, Kai. Ik ben getrouwd.'

'Getrouwd,' zei Kai spottend. 'Je vrouw is duizenden kilometers bij je vandaan.'

'Nou, en?'

'Dat maakt nogal wat uit,' zei Kai met een veelzeggende knipoog.

'Ik hou van mijn vrouw.'

'Ik snap niet hoe jij het uithoudt met zo'n westerse vrouw, dat je zelfs van haar kunt houden. Ik bedoel, de westerse vrouwen die ik ken, hebben een afstotelijke lichaamsgeur.'

'Waar heb je het over?'

Kai leunde zuchtend achterover. 'Weet je wat jouw probleem is, Ouyang? Je bent te serieus. Je moet het wat rustiger aan doen, de boog kan niet altijd gespannen zijn, gooi alle remmen een keer los.'

'Dat kan ik niet,' zei Ouyang. 'Zo zit ik niet in elkaar.'

'Hoezo niet?'

'Voor mij is elk moment dat Maricruz niet bij me is een kwelling.' Hij sloeg zijn armen over elkaar. 'Zo te zien begrijp je niet waar ik het over heb.'

Kai haalde zijn schouders op. 'Voor mij zijn vrouwen niet meer dan wegwerpartikelen. Soms is mijn penis buitenproportioneel in ze geïnteresseerd, en dan loop ik die achterna. Maar na de daad vergeet ik ze gewoon. Dat is toch niet vreemd? Zo'n daad die deels mechanisch, deels chemisch is, is toch volstrekt oninteressant?'

'En die andere deelnemer dan?'

'De vrouwen zijn nog het minst memorabele deel van alles,' zei Kai. 'Hun lichamen zijn inwisselbaar, en hun gezichten, ik zweer het je, ik kan er niet één onthouden.'

Ouyang lachte. 'Weet je, Kai, een avondje in jouw club zal je goed doen. Misschien ontmoet je deze keer een vrouw die je niet meteen vergeet.'

'Dat betwijfel ik.' Kai leunde met zijn hoofd achterover en sloot zijn ogen. 'Ik heb te veel tijd met je doorgebracht, alle lust is me vergaan.'

'Heel goed!' Ouyang voelde zich zonder het te willen gepikeerd en gebaarde naar de chauffeur. 'We worden allebei voor het kantoor afgezet, zodat we verder kunnen werken aan de onvermijdelijke ondergang van Cho.'

Terwijl ze verder reden, onkwetsbaar voor onderbrekingen van menselijke of atmosferische aard, haalde Kai een klein zakmes tevoorschijn en maakte met de punt van het mes voorzichtig een nagel schoon.

'Wat doe je nu?!'

'Ik verwijder de laatste restjes van generaal Hwang Liqun.'

Ouyang boog zich voorover en zag dunne, sikkelvormige restjes geronnen bloed onder Kais verzorgde nagels.

'Wel in het asbakje in het portier doen,' zei Ouyang. 'Ik wil die rotzooi niet op het tapijt hebben.'

'Oké.' Kai begon aan de volgende nagel.

'Wat heb je met hem gedaan?' vroeg Ouyang verveeld.

'Dat wil je niet weten.' Kai schoot een klein, donkerrood, sikkelvormig stukje bloed in de open asbak. 'Het mocht er, vond ik, niet uitzien als een gewone afrekening, en dus werd het... nogal bloederig.'

Lachend keek hij naar Ouyang. 'Het zag er meer uit als, hoe zal ik het zeggen, het werk van een gevaarlijke gek.'

Onaangenaam verrast dacht Ouyang: Verbeeld ik het me, of is die lach meer dan een beetje gestoord?

Opnieuw werd er een schijfje bloed, gekruld als een foetus, van het puntje van Kais mes naar Ouyangs asbak getransporteerd.

26

'Je bent ver van huis,' zei Bourne aan het einde van de maaltijd.

'Ik ben ver weg mijn man. Dat is iets anders.'

Bourne dacht even na over deze woorden. Hij kende immers de man die haar echtgenoot was. 'Waarom ben je uit Mexico weggegaan?'

'Ik kon niet meer tegen dat constante vertoon van machismo.' Ze glimlachte. 'Ik ben een moderne vrouw.'

'Dat heb ik gemerkt.'

Maricruz veegde haar lippen af met een papieren servet en duwde het tafeltje met het dienblad van zich af. 'En jij, Javvy, heb jij iemand in jouw leven van wie je houdt?'

'Nee, zo iemand heb ik niet.'

'Alleen-zijn kan soms treurig zijn. Ik ben lang alleen geweest, ik weet ervan.'

'Nog treuriger is het om een dierbare te verliezen.'

Ze keek hem net iets te lang en onderzoekend aan. 'Het spijt me vreselijk. Je vrouw moet heel bijzonder zijn geweest.'

'Ze is hier in Mexico-Stad overleden.' Waarom vertelde hij dat haar? Plotseling bevond hij zich op gevaarlijk terrein dat hij zelf had aangelegd.

'Was ze ziek?'

'Ze is neergestoken.'

'Afschuwelijk.'

Bourne zag dat Maricruz oprecht geschrokken was, en dat veroorzaakte een vreemd, onderdrukt genot in hem; even leek het of

Rebeka uit de dood was opgestaan en dicht bij hem was.

'Ze riep nog om hulp, maar ze was al doodgebloed voordat ik bij haar was.'

'Was jij degene die haar vond?'

'Ja.' Hij keek naar zijn handen. 'Al mijn kennis was niet genoeg om haar te redden.'

'Maar je was er tenminste,' zei Maricruz. 'Ik bevond me aan de andere kant van de wereld toen mijn vader werd vermoord.'

Bourne richtte zijn hoofd op en keek haar aan. 'Hoe is dat gebeurd?'

'Daar ben ik nooit achter gekomen. De omstandigheden waren vaag. Het enige wat ik weet, is dat hij terechtkwam in een chaos waar hij nooit meer uit kwam.'

'Wat triest.'

'Niet echt. Mijn vader wist wat hij deed en wat zijn doel was. Hij kende zowel de risico's als de beloningen. Je zou kunnen zeggen dat hij onder zijn eigen voorwaarden is gestorven. Ik vraag me af hoeveel mensen dat aan het einde van hun leven kunnen zeggen.'

'Niet veel, denk ik,' zei Bourne.

Hij begon haar een beetje te leren kennen. Ze was heel anders dan hij zich had voorgesteld, en dat verontrustte hem. Het was gevaarlijk om je een voorstelling van iemand te maken, vooral van iemand als Maricruz. Deze vrouw had een bijzondere achtergrond: ze was de dochter van Maceo Encarnación, en nu getrouwd met Ouyang Jidan. Deze vrouw was, in elke betekenis van het woord, een kostbaar bezit, en Bourne was vastbesloten haar als zodanig te behandelen. Zolang zij niet wist wie hij was, hoefde hij niets te vrezen.

'Volgens mij,' zei ze nu, 'is rouw de eenzaamste emotie. Je raakt er volledig door in jezelf gekeerd, je wordt je eigen gevangenis waarvan de sleutel zoek is. Soms denk ik dat je de sleutel opzettelijk verborgen houdt, dat je er niet van verlost wilt worden.'

Bourne keek haar aan. 'Is dat wat je voelt?'

Een kleine glimlach was haar antwoord.

'Ik denk dat ik beter kan gaan.'

'Ach, natuurlijk.' Toen hij opstond en naar de deur liep, zei ze met een koele stem: 'Ik heb met je te doen, Javvy. Je kunt niet weglopen voor je verdriet. Je vrouw is er niet meer. Je hield van haar, maar nu is ze niet meer dan een herinnering.'

Hij stond stil, maar bleef met zijn rug naar haar staan.

'Het wordt tijd om haar los te laten.'

Voor het eerst sinds hij uit Tel Aviv was vertrokken, besefte Bourne dat hij aan het afdalen was, dat er na de dood van Rebeka nog iets fundamenteels moest worden opgelost, iets wat dieper ging dan wraak.

'Ik moet gaan. Morgen ben ik er weer.'

'Ik weet dat je het niet kunt. Mannen zijn zwak op dit punt.' Maricruz draaide zich om naar de muur.

'Vertrouw je haar?' vroeg Diego Salazar.

Felipe Matamoros stak een sigaar op en zoog eraan totdat hij goed brandde. 'Waarom zou ik?'

'Daar is een remedie voor,' zei Salazar.

De twee mannen zaten aan een tafel in El Ángel, in de wijk Venustiano Caranza, waar ze zojuist hadden geluncht. Minstens zes tafeltjes om hen heen werden bezet door soldaten van Los Zetas, op de uitkijk voor een mogelijke inval van de federales.

Matamoros zat met zijn benen over elkaar geslagen achterover en blies een wolkje uit in een lucht die rook naar bier en zwarte pepers. 'Overal is een remedie voor, Diego. Maar het hoeft niet altijd op een bloedbad uit te draaien; ík weet dat, en jij niet. Ik laat haar door iemand in de gaten houden.'

'Wij hebben allebei in het leger bij de Bijzondere Strijdkrachten gezeten, compadre. Wie stemde er al vroeg en vaak voor om te deserteren toen we door de top van het Golfkartel werden benaderd? Onze toekomst en onze rijkdom zijn door die beslissing gevormd.'

'En nu heeft Maricruz Encarnación de sleutel van onze toekomst en onze rijkdom in handen.'

'Ouyang,' verbeterde Salazar hem. Hij was mager en dodelijk als een rapier. Zijn lange ingevallen gezicht was getekend door de pokken die hij als kind had gehad, zijn donkere, indringende ogen waren oplettend als die van een kraai. 'Tegenwoordig heet ze señora Ouyang.'

'Het bloed kruipt waar het niet gaan kan,' zei Matamoros. 'Ze blijft een Encarnación. Anders zou ze nooit terug naar Mexico zijn gegaan.'

'Ze moet rekening houden met de belangen van haar echtgenoot.'

'Maar ook met de nalatenschap van haar vader.' Matamoros keek uit over de brede straat met palmbomen in de middenberm. 'Zolang de belangen van haar man stroken met die van haar vader zaliger, zal ze die dienen. Maar ik heb het gevoel dat zodra die afwijken, ze zal kiezen voor het pad van Encarnación.'

Salazar fronste zijn wenkbrauwen. 'Denk je dat ze ooit zullen afwijken?'

'Waarschijnlijk niet.' Matamoros draaide zich weer om naar zijn makker. 'Niet zonder onze tussenkomst.'

Salazar grinnikte, stak een sigaret op en vulde zijn longen met de kalmerende nicotine. 'Zo te horen heb je een plan.'

Matamoros knikte. 'Maar eerst zou ik van je willen weten waarom die helikopter van de federales werd geraakt precies op het moment dat die boven ons hing, daar in het bos.'

Salazar schudde zijn hoofd. 'Wat bedoel je, compadre? De militairen in de heli lieten vuur op jullie neerdalen. Ik moest wel het bevel geven de raket te lanceren.'

'Onze mannen zijn omgekomen toen dat ding neerstortte, en Maricruz en ik bijna.'

'Wat kon ik anders? Ik moest uit twee kwaden kiezen.'

Matamoros haalde zijn benen uit gekruiste positie en leunde voorover. Zijn dikke pens drukte tegen de tafelrand. Hij haalde de sigaar uit zijn mond en zag Salazars ogen zijn beweging volgen. Toen hij de trekker van zijn wapen met geluiddemper overhaalde, was zijn compadre zo verrast dat zijn gezicht in verbijstering verstarde vlak voordat hij vooroverviel.

'Je had er in die chaos ook voor kunnen kiezen mij níét proberen te vermoorden,' zei Matamoros, terwijl zijn soldaten van de tafels opstonden, gezamenlijk Salazar ophesen en naar buiten sleepten. Ze deden het zo opgewekt en kordaat dat geen van de restaurantbezoekers ook maar iets in de gaten had en dronkenschap of plotselinge misselijkheid vermoedde.

Octavio Luz, een van de andere compadres van Los Zetas, ging zitten op de stoel van Salazar, nadat hij het bloed van de zitting had geveegd.

'Felipe, als we zo doorgaan, doen we precies wat Carlos wil.'

'Niet als we elkaar blijven steunen.' Matamoros rookte zijn sigaar alsof er niets was gebeurd. 'Het wordt pas gevaarlijk als er iemand binnen het kader besluit alleen verder te gaan. Maar dankzij deze opmerking van jou besef ik ineens dat Carlos inderdaad verdeeldheid onder ons wil zaaien en ons zo wil overwinnen.'

'Leg eens uit.'

'Ik vrees dat hij Maricruz gebruikt als een vos in het kippenhok.

Ik hoef je niet te vertellen dat sommigen onder ons mordicus tegen haar betrokkenheid waren, al vanaf het moment dat ze zich bij ons meldde.'

'Salazar wist zeker dat ze door Carlos was gestuurd om tweedracht onder ons te zaaien.'

'Nu geloof ik niet dat de dochter van Maceo Encarnación – een buitengewoon intelligente vrouw – een stroman van Carlos zou willen zijn, maar die tweedracht heeft ze inderdaad gezaaid. Maar wie probeert mij af te maken om haar op afstand te houden, is gestoord. Ik vecht alleen maar voor de belangen van Los Zetas.'

'Ik geloof in je.' Octavio Luz schoof zijn stoel naar voren. '*Pero, dígame*, compadre, andere leden van ons kader vrezen dat dit wijf je het hoofd op hol heeft gebracht.'

Matamoros spuugde naast zich op de grond. 'Ga verder.'

'Ze denken dat je stapelgek op deze vrouw bent geworden, dat je – hoe zal ik het zeggen – door haar betoverd bent.'

'Wat? Geloven ze echt dat ze een soort *bruja* is, een heks?'

'Ik breng de boodschap alleen maar over, Felipe. Uit vriendschap.'

'Nee, nee, compadre. Jij werkt voor hen – voor die lafaards die te schijterig zijn mij direct over haar aan te spreken.'

Luz deinsde terug alsof hij was aangevallen. 'Of het allemaal waar is of niet, je ziet wat er gebeurt. Een van ons is nu uitgeschakeld. Wij vliegen elkaar naar de keel.'

'Als ons kartel uit elkaar valt, zal dat niet vanwege Maricruz zijn,' viel Matamoros emotioneel uit, 'maar vanwege een zwakke plek in onszelf – in het kader.'

Luz, die stevig gebouwd was als een professionele worstelaar en al even gespierd, gebaarde naar hem: 'Hou je dat wapen onder de tafel nu op mij gericht?'

Matamoros legde het pistool tussen de borden op tafel, waar alleen zij het konden zien. 'Ach, compadre, waar zie je me voor aan?'

'Dat is soms moeilijk te zeggen, Felipe.'

Matamoros lachte. 'Alsjeblieft.' Hij bood Luz een sigaar aan. De compadre beet het uiteinde ervan af, zette de sigaar tussen zijn lippen en stak hem voorzichtig aan door met de vlam voor het stompe uiteinde te bewegen. 'We gingen samen naar school, zaten samen achter de meisjes aan, sloegen samen etterbakken in elkaar.'

'Ja, twee handen op één buik. Toch? Je preekt voor eigen parochie, compadre. Ik verdenk je nergens van, al zijn er redenen genoeg om die vrouw te wantrouwen.'

'En evenveel om dat niet te doen. Ze heeft een overtuigend verhaal: het is goede business voor ons allemaal. Ik geloof haar als ze zegt dat ze haar vaders nalatenschap wil behouden. Als jij een zoon van Maceo Encarnación was, zou je dat ook willen.'

'Maar Felipe, ze is bij hem weggelopen, uit haar vaderland gevlucht. En nu ze terug is, geeft ze ons precies wat wij willen en nodig hebben.'

'Beste vriend, nu schat je Carlos Danda Carlos iets te hoog in. Hij heet niet Niccolò Machiavelli.'

'Dat klopt,' zei Luz. Hij draaide nerveus op zijn stoel. 'Maar wat wil die vrouw dan? Wat wil Maricruz?'

27

Maricruz leunde achterover tegen haar kussen nadat de man die ze als Javvy kende, was vertrokken. Ze morrelde aan het bedieningspaneel van haar bed, maar kon de knoppen niet vinden. Geïrriteerder dan ze door zo'n kleinigheid zou moeten zijn, drukte ze op de knop om de verpleegster te roepen, die met haar gebruikelijke professionele pas binnenkwam.

'Ik wil liggen.'

Maricruz keek toe hoe de verpleegster door de kamer liep en het matras liet zakken. Ze vond het vreselijk om deze jonge vrouw om hulp te vragen. Gelukkig was ze niet meer van haar afhankelijk om naar de wc te gaan, die tijd lag achter haar. Ze huiverde als ze eraan terugdacht; ze was zo zwak en hulpeloos als een baby geweest.

'Kan ik nog iets voor u doen, señora?'

Zag ze spot in de ogen van de verpleegster? Op een ander moment, op een andere plek, zou Maricruz uit haar vel gesprongen zijn. Nu kon het haar niets schelen.

'Nee, dank je wel.'

Ze sloot haar ogen nadat de deur zachtjes achter de verpleegster was dichtgevallen. Ze wilde nadenken over haar laatste ontmoeting met Carlos, maar haar gedachten, die ze normaal gesproken zo goed kon beheersen, dreven telkens af naar Javvy. De arts straalde een bijzondere mengeling van macht en melancholie uit, een onweerstaanbare combinatie in iedere man, maar vooral als die man ook de chirurg was die haar erbovenop had geholpen.

Toen hij naast haar zat, had ze het vreemde gevoel gehad dat ze seksueel overmeesterd werd, alsof ze zich aan hem wilde overgeven. Dat gevoel kende ze niet. Meestal bepaalde zij wat er in bed gebeurde, iets wat Jidan maar al te fijn vond, besefte ze geschrokken. Dit nieuwe gevoel was onbekend terrein voor haar, het bracht haar terug naar de moeilijke jaren van haar puberteit, waarin ze door een krachtige combinatie van woede en gierende hormonen rebels, boos en seksbelust was geworden. In die grotendeels vergeten dagen en nachten deed ze van alles om maar iets, iets echts te voelen, als het maar niet door haar vader was bedacht.

Haar verbintenis met Jidan was voor haar niet meer dan een verstandshuwelijk. Maar ze wist heel goed dat hij haar adoreerde. Daarin school voor haar een deel van de aantrekkelijkheid: dat het gedrag van de man die haar aanbad het tegendeel was van het Mexicaanse machismo, dat in haar optiek een vorm van vrouwenhaat was. China daarentegen was ooit door een vrouw bestuurd geweest, door keizerin Wu Zetian, wier sociale, religieuze en historische hervormingen nog steeds van invloed waren. Niet dat er in China geen vooroordelen over vrouwen bestonden – die bestonden openlijk of verborgen in alle door mannen gedomineerde samenlevingen – maar het land kende onmiskenbaar een geschiedenis van vrouwen die de scepter zwaaiden vanuit de slaapkamer, ook wanneer ze niet daadwerkelijk de macht hadden.

Deze gedachten brachten haar terug bij Javvy. Hij was geen Mexicaanse macho, een type dat veel vrouwen, anders dan zij, op onbegrijpelijke wijze aantrekkelijk vonden, maar was evenmin behept met Jidans perverse vorm van ambiguïteit, die soms grensde aan het androgyne.

De waarheid was dat ze zich onweerstaanbaar tot hem voelde aangetrokken toen hij naast haar zat, alsof haar innerlijke kompas haar was ontnomen, en dat liet een zekere angst in haar verrijzen als een mist die de grond onder haar voeten onzichtbaar maakte.

Ze had haar ogen gesloten en viel bijna in slaap toen de stilte op de afdeling wreed verstoord werd door een onwerkelijke schreeuw. Ze schoot rechtop. Opnieuw klonk er een schreeuw, die nagalmde door de gangen.

Ze glipte uit bed en liep naar de gang. De verpleegsterspost was verlaten. Ook de gang was leeg, op Julio na, een van haar avondbewakers. Hij stond zenuwachtig met zijn benen te wiebelen.

'Wat was dat?' vroeg ze.
Hij haalde zijn schouders op.
Een derde schreeuw, schel, uit angst voortgebracht, leek te komen uit een kamer zo'n tien meter verderop.
'Waar blijven die verpleegsters nou, verdomme?'
Opnieuw trok Julio zijn schouders op. 'Dit komt wel vaker voor 's avonds,' zei hij. 'Dat is een van de redenen waarom de baas ons hier laat surveilleren.'
Een van de redenen, dacht ze terwijl ze door de gang naar de kamer beende.
'Waar gaat u naartoe?' vroeg Julio. 'Señora, por favor! Straks word ik ontslagen!'
Maricruz negeerde hem en stond voor de kamer. De deur was dicht. Het gegil was opgehouden, maar toch hoorde ze nog een diep, hartverscheurend gekreun, dat rechtstreeks uit een bloedend hart leek te komen. Ze vermande zich en opende de deur.
In de kamer zag ze het meisje van de fysiotherapie. Ze zat rechtop in bed, de lakens om zich heen getrokken. De stank van verse uitwerpselen kwam Maricruz tegemoet. Dichter bij het meisje gekomen zag ze dat ze in haar eigen poep zat. Ze had haar hoofd in haar nek geworpen, haar hals ontbloot, en staarde naar het plafond. Toen Maricruz dichter bij het meisje kwam, liet het kind een akelig gejank horen waar een onvoorstelbare angst uit sprak.
Tussen de afschuwelijke wanhoopskreten door riep Maricruz haar bewaker. Toen hij zijn hoofd door de deuropening stak, zei ze: 'Waar blijven die verpleegsters in godsnaam?'
'Ik heb geen idee, señora, echt niet.'
'Jezus nog aan toe,' mompelde ze in zichzelf.
'Señora?'
'Kom hier, Julio, til haar eens op.'
'Wat bent u van plan, señora?' Hij hield een hand voor zijn neus en mond. 'Hoe kunt u deze stank verdragen?'
'Meen je dat? O, mijn god!'
Voorovergebogen over het bed tilde ze het meisje op, dat kil en levenloos aanvoelde als een marmeren beeld. Ze verbeet de gloeiende pijn in haar schouder terwijl ze het meisje naar de badkamer droeg. Ze kleedde haar uit en waste haar. In de tien minuten dat ze hiermee bezig was, hield ze het meisje stevig vast en sprak haar troostend toe. Het gewicht van het meisje tegen haar schouder was een kwelling, maar net als bij fysiotherapie was het een goede pijn,

die meer betekende dan alleen het feit dat ze in elkaar was geslagen. Deze pijn bracht haar tot zichzelf.

Terwijl ze bezig was, voelde ze dat het meisje zich verroerde. Het ging zo langzaam dat Maricruz, opgeslokt door haar bezigheden, het eerst nauwelijks merkte. Maar nadat ze het meisje had afgedroogd, besefte Maricruz dat ze niet meer zo doods en stijf aanvoelde, dat haar hoofd op een normale manier in de holte van haar schouder rustte. Het kind was al gestopt met huilen, maar nog niet helemaal rustig. Ze brabbelde woorden en zinnetjes, die als luchtbellen uit de mond van een drenkeling aan haar ontsnapten. Maricruz luisterde aandachtig, maar kon er niets van verstaan. Het kind klonk als een peuter die nog niet heeft leren praten.

Omdat ze geen andere nachtjapon kon vinden, wikkelde ze het kind in een badhanddoek en droeg haar de kamer uit. Plichtsgetrouw stond Julio op toen hij de twee zag aankomen. Maricruz wenste dat Tigger er was, aan hem zou ze tenminste iets hebben gehad.

Nog steeds was er verder niemand in de gang te bekennen, maar bij haar kamer zag ze eindelijk een verpleegkundige.

'Señora, waar bent u mee bezig?'

'Wat denk je?' zei Maricruz. Met haar elleboog duwde ze Julio weg van de deuropening en ging naar binnen.

De verpleegkundige liep achter haar aan. 'Is dit een patiënt? Señora, u moet hiermee ophouden! U kunt niet...'

'Dat maak ik verdomme zelf wel uit!' riep Maricruz vinniger dan ze het had bedoeld.

De verpleegkundige beende onmiddellijk naar de post en pakte de telefoon. 'Als u hier niet mee ophoudt, bel ik de bewakingsdienst om het meisje terug naar haar kamer te brengen. Dit druist in tegen het ziekenhuisbeleid.'

'Is het ziekenhuisbeleid om een hele afdeling onbemand achter te laten?' vroeg Maricruz. 'Is het ziekenhuisbeleid om een kind jankend als een wolf in haar uitwerpselen te laten zitten? Is het ziekenhuisbeleid om een beklagenswaardig, zwaar getraumatiseerd meisje 's avonds helemaal alleen te laten?' Ze keek de verpleegkundige woedend aan. 'Doe het maar, bel de bewakingsdienst. Dan laat ik Julio de heer Carlos bellen, en dan zullen we eens zien wie er wint.'

De verpleegkundige hield de telefoon net lang genoeg in haar hand om niet helemaal haar gezicht te verliezen. Meteen nadat ze de hoorn had neergelegd, eiste Maricruz dat de verpleegkundige het bed van het meisje liet verschonen. 'Of beter nog, doe het zelf maar. En daarna zorg je voor een tweede bed in mijn kamer.'

'Dat kan ik morgen pas doen,' antwoordde de verpleegkundige kortaf. 'Het magazijn in de kelder is 's avonds gesloten.'

'Zorg dan op zijn minst voor een schoon nachthemd,' zei Maricruz, terwijl ze het meisje meenam naar haar kamer en op haar eigen bed legde.

Toen de verpleegkundige terugkwam met het nachthemd en het meisje er probeerde in te hijsen, hield Maricruz haar tegen. 'Laat mij dat maar doen,' zei ze. Ze trok het nachthemd uit haar handen. 'Maak nu haar kamer maar schoon.'

Terwijl de verpleegkundige stond te aarzelen, kwam Julio de kamer binnen. 'Doe wat de señora zegt,' zei hij bars, 'zo niet, dan ben je je baan kwijt.'

De verpleegster gromde iets binnensmonds, draaide zich resoluut om en vertrok. Maricruz hoorde de zolen van haar schoenen piepend over het linoleum in de gang gaan.

Julio deed nog een stap naar binnen. 'Kan ik iets doen?'

Maricruz' blik deed hem verstijven en hij trok zich terug naar de gang op de klapstoel naast haar kamerdeur. Maricruz wendde zich tot het meisje, pelde de handdoek van haar af en trok haar het schone hemd aan. Het kind lag stil in bed naar Maricruz te staren.

'Er kan je nu niets meer gebeuren,' fluisterde Maricruz, diep over het meisje gebogen. Ze kuste het kind zacht op het koude, klamme voorhoofd. 'Hier is het warm en veilig.'

Toen Maricruz naast haar ging liggen en de lakens optrok, verstijfde het meisje en trilde als een droog blad in een storm.

'Het komt allemaal goed,' fluisterde Maricruz. 'Er kan je niets gebeuren, echt niet.'

Langzaam verdween de ondraaglijke spanning die het kleine meisje deed verkrampen, en uiteindelijk vlijde ze haar kleine lichaam tegen dat van Maricruz aan, als een huisdier. Het meisje was zo mager dat Maricruz de botten in haar ruggengraat kon voelen. Ze boog zich naar voren en kuste het meisje op haar hoofd.

Later durfde Maricruz te zweren dat ze het kind hoorde spinnen als een kat.

Hale ontving het pakketje van Amir Ophir per koerier in zijn deftig gemeubileerde appartement in de wijk Roma, op de grens van de Zona Rosa. Toen hij alleen was, opende hij de geheimzinnige verpakking. Met een glimlach herkende hij de zegelwas en dacht: dat komt van Amir.

Lange tijd staarde hij naar de tape met de vingerafdruk, vervolgens las hij Ophirs instructies twee keer door om ze goed in te prenten. Hij schoof een asbak naar zich toe, streek een lucifer af, hield de vlam bij een hoekje van het blaadje en keek toe hoe het papier door de vlammen werd verteerd. Hij stond op en spoelde de as door de wc.

Daarna ging hij aan de slag. Hij stapte naar zijn grote eikenhouten archiefkast met dertien lange, smalle laden, het soort dat kunstenaars en handelaars hebben om hun werk in te bewaren. Elke la was gelabeld met twee letters van het alfabet. Hij opende de tweede lade, gelabeld C-D, en trok de bouwtekening van het paleisachtige optrekje van Carlos Danda Carlos eruit. Hij legde de tekening op de tafel, vouwde haar uit onder een lamp met een zwanenhals en bleef er minstens een halfuur lang zeer aandachtig naar kijken. Toen hij wist wat hij ging doen, legde hij de tekeningen terug in de la. Vervolgens liep hij naar zijn atelier, verzamelde de onderdelen die hij nodig had en zette ze onder een sterke lamp en turend door een juweliersloep in elkaar.

Toen hij bijna klaar was, pakte hij de tape die Ophir naar hem gestuurd had en bracht de vingerafdruk aan op het voorwerp dat hij zojuist had vervaardigd.

Toen het voorwerp in elkaar was gezet, stopte hij het met de andere benodigdheden in de gereedschapskist van een loodgieter. De avond was een paar uur eerder al gevallen. Er hing een lage, dreigende bewolking in de lucht, waar de lichten van de stad tegen weerkaatsten en zo spookachtige patronen met vlammende kleuren vormden. Om de paar seconden donderde het, en enkele keren spleet de bliksem het luchtruim in tweeën en deed de ramen rammelen. De lucht knetterde van een woedende geladenheid.

Hale nam een bus die langs het Chapultepecpark reed. Voorbij het standbeeld van Diana stapte hij uit. De neerslag viel eerst in de vorm van dampende motregen, daarna kwam hij met bakken tegelijk naar beneden en spatte van de stoeptegels. Over de Avenida Presidente Masaryk liep hij door naar Rubén Darío. Hij sloeg een stille, met bomen omzoomde straat in en herkende onmiddellijk de beveiligingsagenten in burger, die rondom de SUV en het huis van Carlos Danda Carlos stonden gepost. Mooi, dacht Hale, Carlos is dus thuis. De villa rees als een middeleeuwse burcht op vanachter een hoge, gepleisterde muur, die werd opgesierd door purperen bougainvilles en vervaarlijk prikkeldraad.

Hij liep terug naar Rubén Darío en sloeg de naastgelegen straat in. De bomen van het park tegenover de avenue stonden er donker en dreigend bij in deze onweersstorm. De voorbijrazende auto's veroorzaakten golven van water, koplampen lichtten op en verdwenen weer.

Hale ging de straat in die parallel liep aan de straat waarin hij zojuist was. Hij bevond zich dicht bij de achterkant van Carlos' villa. In dit donkere straatje vond hij de door struiken overwoekerde elektriciteitskast, precies waar die volgens zijn plattegrond moest staan.

Volledig beschermd tegen de regen en de priemende blikken van de bewaking zette hij zijn gereedschapskist neer, trok rubberen handschoenen aan en veegde de vingerafdrukken van de kist. Nadat hij het benodigde gereedschap eruit had gevist, ging hij aan de slag. Zeven minuten later werd het donker in de villa – de elektriciteit was uitgevallen. En meteen daarna hoorde hij de bewakers naar elkaar schreeuwen. Hij liet zijn gereedschapskist geopend achter en racete terug naar waar hij vandaan kwam.

Zoals verwacht gingen de bewakers meteen naar de elektriciteitskast. Waarschijnlijk stonden ze nu gebogen over de gereedschapskist. Een van de mannen hield de wacht op de stoep voor de villa, maar ook hij keek achterom de steeg in, in een vergeefse poging om te zien wat er aan de hand was. Hij hoorde hem dringend om een update vragen, en terwijl hij aandachtig naar zijn oortje luisterde, liep Hale de straat in.

Toen hij op gelijke hoogte met de SUV van Carlos was gekomen, zag hij een vrachtwagen de straat in draaien. Alsof dat het sein was waarop hij had gewacht, hurkte hij en bevestigde het kleine voorwerp dat hij thuis had vervaardigd en waarop hij de vingerafdruk van Bourne had achtergelaten, aan de onderkant van het voertuig. Hij pakte zijn mobiel, terwijl hij vlak voor de vrachtwagen de straat overstak. De truck claxonneerde luid, de bewaker draaide zich om en kon nog net zijn rug zien in de koplampen, terwijl hij opzij sprong en de straat uit rende.

'Hé, wat moet dat,' schreeuwde de bewaker. 'Kom hier jij!'

Twee andere bewakers kwamen uit de steeg op het geroep van hun collega afgerend.

Verscholen achter de stalen romp van de vrachtwagen, drukte

Hale op een knop van zijn mobiel om de bom tot ontploffing te brengen. De auto vloog in ontelbare stukken uiteen. De bewaker die had geroepen, stond direct in lichterlaaie. Bij de bewaker die vooropliep, werden gezicht en borstkas weggerukt. De derde man werd met zoveel kracht tegen een lantaarnpaal gelanceerd dat hij zijn ruggengraat brak.

Hale was al verdwenen in de schaduwen tussen de gebouwen. Er ontstond nog meer opschudding, maar hij had zijn ontsnappingsroute al uitgestippeld en kon zich mede dankzij de zware regenval gemakkelijk schuilhouden. Nog geen tien minuten later stapte hij in de bus die hem via het standbeeld van Diana weer terug naar Colonia Roma bracht.

28

Toen Maricruz eindelijk in slaap was gevallen, droomde ze van Jidan. Het was een rusteloze droom: al rennend sloeg ze voortdurend een doodlopend pad in binnen een labyrint waar ze zich niet kon oriënteren. Bij het ontwaken herinnerde ze zich alleen maar vage flarden, die haar in de uren van de vroege ochtend op een merkwaardige manier beangstigden en haar verschillende keren uit haar slof deden schieten.

'Wat wil je van Maricruz?' vroeg Anunciata.

Bourne schudde zijn hoofd. 'Misschien is het beter dat je dat niet weet.'

De regen tikte tegen de hoge ruiten van Anunciata's appartement, de donder rolde en de kerk aan de overkant lichtte af en toe op in het felle licht van de bliksem, kil als dat van de maan.

Anunciata keek hem aan en haalde haar schouders op. 'Je vindt het hier verschrikkelijk, niet?'

'Verschrikkelijk wil ik niet zeggen.'

'Omdat ze in Mexico-Stad is omgekomen, de vrouw van wie je zoveel hield.'

Bourne ging achterover op de bank liggen. 'Moet ik voor deze sessie betalen?'

Anunciata grinnikte. 'Je hoeft niet met me te praten.'

'Ik ben hier om mijn werk te doen.'

Ze liep naar de koelkast, haalde er twee flesjes bier uit, gaf er een aan Bourne en ging tegenover hem zitten. 'Je hebt geen werk. Jij doet gewoon wat je wilt.'

'Ik doe wat ik moet doen.' Hij zette zijn biertje neer. 'Dat geldt toch ook voor jou?'

Peinzend nam ze een slokje. Daarna stond ze op, ging voor hem staan en schopte haar schoenen uit. Schrijlings ging ze op hem zitten.

'Anunciata, wat doe je nu?'

'Ik doe wat ik wil.' Ze stak haar handen in de lucht. 'Ik trek mijn shirt maar uit.'

'Dat lijkt me geen goed idee.'

Ze zette haar bierflesje neer, kruiste haar armen en trok haar shirt uit. Ze had geen beha nodig. Haar blote borsten glansden in het lamplicht, haar tepels waren hard en donker. Toen ze zich voorover-boog om hem te kussen, hield hij haar tegen door zijn handpalmen op haar zachte schouders te leggen.

'Vind je me niet aantrekkelijk?'

'Jawel, dat weet je.'

'Wat is dan het probleem?' Een schijnbaar lange poos hield haar zwoele blik die van hem gevangen. 'O, ik begrijp het. Sorry.'

'Je hoeft je niet te verontschuldigen.'

Ze trok haar T-shirt aan, maar bleef op hem zitten. 'Je bent de enige man die mij ooit geholpen heeft, die ooit goed voor me is geweest zonder daarvoor een beloning te verwachten.' Ze boog zich voorover, maar legde nu haar hoofd in de kromming van zijn schouder. Toen hij voelde dat ze begon te trillen, sloeg hij een arm om haar heen en streelde haar over haar hoofd. Haar warme tranen stroomden in zijn nek.

'Je hebt je leven goed op orde,' zei Bourne.

Ze maakte zich los uit zijn omhelzing en keek hem aan. 'Ik heb geleerd te overleven, dat is iets anders. Soms loop ik door dit huis te ijsberen en lijkt mijn kop uit elkaar te spatten. En als ik het niet meer uithoud, ga ik uit, naar een bar of een club. Soms ontmoet ik iemand, soms niet. Af en toe vind ik hem leuk en dan besef ik dat ik me heb voorgesteld als Lolita, en Lolita bestaat niet behalve in een van mijn favoriete romans. Als ik op het punt sta hem mee naar huis te nemen, denk ik: stel dat hij voor mijn vader werkt, stel dat hij naar mij op zoek is sinds de dag dat ik ben weggelopen uit de villa aan Calle Castelar, stel dat ze me de strot afsnijden in een steegje en mijn leven zo eindigt? In feite heb ik geen familie meer, geen identiteit, behalve mijn hackersnaam.'

'Lolita.'

'Die naam is een lugubere grap.'

Hij zette haar naast zich neer. 'Is het niet veel eenvoudiger nu je vader dood is?'

'Niet echt. Zijn mensen zitten nog steeds overal in de stad; zijn invloed is niet verdwenen. En het feit dat dit land Mexico is, maakt alles onmogelijk. Ik ben geen dame zoals Maricruz. Ik ben van nederige komaf, ik kom van het platteland. Ik voel me niet thuis in de kringen waarin zij zich begeeft.'

'Je zou het niet eens willen.'

'Dat zeg je alleen maar omdat jij dat wel kunt, net als zij.'

'Maar zou je het echt willen?'

'Ik weet niet wat ik wil,' zei ze met een diepe zucht. 'Ik weet alleen maar dat ik iets essentieels mis in mijn leven en dat ik daar niet tegen kan.'

Een tijdlang luisterden ze zwijgend naar het gekibbel van de mensen op straat en de blaffende honden. De regen bleef met bakken neerkomen.

Na enige overpeinzing zei Bourne: 'Het is vermoeiend om altijd hard te zijn.'

Alsof hij haar toestemming had gegeven, krulde ze tegen hem aan. 'Vertel me een verhaal,' fluisterde ze. 'Een verhaal over haar, een verhaal over geluk. Ik wil meer over Rebeka weten.'

'De man had de bom al onder uw auto geplaatst toen we hem zagen,' zei brigadier Rivera.

'Heb je gezien hoe hij eruitzag?' vroeg Carlos Danda Carlos in zijn bruine zijden kamerjas. Hij stond in de grote marmeren hal van zijn villa. Zijn mannen hadden hem naar een andere locatie willen brengen, maar hij had hun argumenten terzijde geschoven en weigerde voor welk dreigement dan ook te wijken. Hij wilde niet overkomen als een op de vlucht geslagen lafaard.

'Helaas niet,' antwoordde Rivera. 'Hij rende weg en stond maar een fractie van een seconde in het licht van de vrachtwagen. Ik wilde achter hem aan gaan, maar de bom had een enorme chaos veroorzaakt, drie van mijn collega's waren omgekomen, en uw veiligheid kwam op de eerste plaats. Bovendien was het heel slecht weer, zoals u weet. Ik zou hem nooit hebben kunnen vinden.'

'Die schoft heeft een bom onder mijn auto gelegd en drie van mijn mannen vermoord,' zei Carlos. Hij vermoedde dat de aanslag een wraakactie was voor wat er in San Luis Potosí was gebeurd.

Rivera stond er ongemakkelijk bij. 'Maar het goede nieuws is dat we een vingerafdruk hebben gevonden op een deel van de bom.'

'Hoe is dat mogelijk?'

'Er zat een beschermkapje in de bom. Volgens de forensisch deskundigen zeer geavanceerd.'

'Haal inspecteur Rios erbij,' beval Carlos.

'Nu meteen.'

De stroom werkte weer, de lampen gingen aan, maar het gevoel van dreiging, dat hem als een donderslag bij heldere hemel had verrast, liet hem niet meer los. Hij had zich meteen teruggetrokken uit het meisje dat onder hem lag, uit angst voor het ergste. Hij vreesde het ergste sinds Raul Giron en zijn naaste medewerkers door het Los Zetas-kartel waren geëxecuteerd, en sinds hij het bericht had ontvangen dat de vier legerhelikopters die hij op de daders af had gestuurd waren neergehaald, zonder overlevenden. De karteloorlog die het land verscheurde, had een andere, kwaadaardigere wending genomen. Hij twijfelde er niet aan dat Maricruz Encarnación Ouyang de katalysator was, niet alleen voor het ontketenen van de grote chaos, maar ook voor de radicaal veranderde verhoudingen.

Toen inspecteur Rios, een keurig verzorgde man met een grote snor in wie Carlos een groot vertrouwen had, arriveerde, zei Carlos: 'Over die bom: hou nauwkeurig bij wat de forensisch deskundigen erover zeggen. Die vingerafdruk moet door alle Amerikaanse systemen worden gehaald: de Amerikanen roepen altijd dat ze ons helpen in deze drugsoorlog. Doe je voordeel met die hulpvaardigheid.' Hij pakte Rios bij zijn schouder vast. 'Ik wil morgen weten van wie die afdruk is. Ik wil weten wie die bom onder mijn auto heeft geplaatst.'

'Wat krijgen we nou!' zei Bourne toen hij weer bij Maricruz op bezoek kwam, ongeveer op hetzelfde tijdstip als de dag daarvoor.

'Je durft terug te komen. Heel goed. Angél, dit is dr. Javvy,' zei Maricruz. Ze had een arm om het meisje heen geslagen.

'*Hola*,' zei Bourne met een glimlach. Tegen Maricruz zei hij in het Engels. 'Waar komt zij vandaan?'

'Blijf glimlachen.'

'Geen probleem.'

'En stel geen vragen aan haar.'

'Zoals je wilt.'
Maricruz vertelde kort de geschiedenis van het meisje.
'Gaat het goed met haar? Ik zou haar moeten onderzoeken.'
'Ze is al onderzocht, God weet hoe vaak. Ik denk niet dat ze goed zal reageren als ze weer wordt onderzocht, en ook nog door een man.'
Bourne knikte. 'Heeft ze familie?'
'Voor zover bekend heeft niemand zich bekendgemaakt.'
'En als dat ook niet gebeurt?'
'Dat zien we dan wel.'
Hij knikte opnieuw en hurkte totdat hij oog in oog zat met het meisje: 'Angél, weet je waarom je een muis niet kunt melken?'
Het meisje staarde hem even aan en schudde vervolgens langzaam haar hoofd.
Bourne grinnikte. 'Omdat er geen emmer onder past.'
Het meisje grinnikte en Bourne glimlachte. Maricruz keek hem verrast aan.
'Wil je er nog een horen? Misschien weet je het antwoord nu wel?'
Angél knikte verlegen.
'Even denken.' Bourne deed alsof hij nadacht. 'Waarom hebben koeien een bel om hun nek?'
Het meisje fronste haar wenkbrauwen. 'Ik... ik weet het niet.'
'Omdat hun hoorns niet werken.'
Het meisje lachte. Het plezier kwam van binnenuit, en Maricruz zat verwonderd naar hen te kijken.
Toen Bourne opstond smeekte het meisje om nog een raadsel.
'Goed, nog eentje dan,' zei Bourne. 'Waarom vliegen heksen op een bezem?'
Angél dacht even na en lachte breeduit. 'Deze weet ik! Omdat de stofzuiger te zwaar is!'
'Helemaal goed.' Bourne stak zijn arm uit en aaide over haar hoofd.
'Niet doen!' waarschuwde Maricruz.
Maar het kind liet het gebeuren. Ze stak zelfs haar hand uit, en Bourne pakte die aan. 'Ik vind je leuk,' zei ze zacht. 'Jij bent grappig.'
Bourne stond glimlachend op.
'Dank je wel. Je deed zo lief tegen Angél,' zei Maricruz. 'Dat doet bijna niemand.'

'Blijkbaar.' Het meisje hield nog steeds zijn hand vast. 'Je hoeft me niet uit te leggen hoe ze hier verzeild is geraakt,' zei hij tegen Maricruz in het Engels.

Als je mensen op de juiste manier vertelde dat ze iets niet hoefden te doen, dacht Bourne, deden ze vaak precies wat je wilde.

'Ik zag haar zitten in haar eigen uitwerpselen.' Maricruz streelde het meisje over haar hoofd. 'Het was midden in de nacht. Er zat niemand in de verpleegsterspost. Het was afschuwelijk.'

'Afschuwelijk,' zei Bourne. Hij voelde dat ze het nu over twee verschillende gebeurtenissen hadden.

Heel even ontmoetten hun blikken elkaar, daarna wendde Maricruz haar ogen af.

'Je had gelijk,' zei ze uiteindelijk. 'Ik heb geen motorongeluk gehad. Ik heb helemaal geen ongeluk gehad.' Ze keek hem weer aan, en deze keer was er onmiskenbaar vastberadenheid in haar ogen te zien. 'Ik was in San Luis Potosí, als gast, zo kun je het geloof ik wel noemen, van iemand met wie ik niets te maken had.'

Dat was ofwel Felipe Matamoros ofwel Raul Giron, dacht Bourne. Hij gokte op Matamoros, verreweg de machtigste kartelbaas.

'Een moeilijk mens.'

Ze keek hem verrast aan. 'Een gewelddadig mens zou een betere omschrijving zijn.'

'Heeft hij je zo toegetakeld?'

'Er was sprake van een misverstand, zou je kunnen zeggen, en dit is het gevolg ervan.'

'Wat een gevolg!'

'Wat een misverstand!'

Toen hij haar aankeek, meende hij te zien dat ze wist dat hij haar niet geloofde. Maar ze was nog niet zover om hem de waarheid te vertellen. Dat kon hij begrijpen.

Hij schonk water uit de kan op het dienblad in een plastic beker en reikte hem haar aan. Angél zat nog steeds tussen hen in, als een soort brug, terwijl de eerste scheuten van vertrouwen tussen hen opkwamen.

'Gracias, Javvy,' zei ze. Ze dronk snel en zette de lege beker naast zich neer.

Ze glimlachte – het eerste teken van oprechte warmte dat hij in haar zag. Hij zag duidelijk dat ze langzaam maar zeker haar afweermechanisme liet zakken.

'Maricruz, zit je soms in de problemen?'

Onmiddellijk nam ze weer afstand. 'Zoals ik al zei: het was een misverstand, meer niet.'

Maar de angst die even in haar ogen oplichtte, was voor Bourne het bewijs dat ze loog.

29

Zeven minuten nadat Carlos in zijn werkkamer was gearriveerd, kwam inspecteur Rios binnen met een dunne dossiermap, die hij zijn baas overhandigde.

'Volgens het forensisch onderzoek was het een geavanceerde bom, C4 – professioneel gedaan, niet iets van de kartels.'

'Ook niet Los Zetas?'

'Dit hebben we nog nooit van hen gezien.'

Carlos voelde de angst door zijn ingewanden kronkelen. 'Iemand van buiten dus,' zei hij.

'Dat is de enige logische conclusie,' bevestigde Rios met een knikje. 'Hetgeen overeenkomt met wat we weten over de vingerafdruk. In onze eigen archieven vonden we niets, maar in de Amerikaanse database hadden we een voltreffer.'

'Uitstekend!'

De straten en de daken buiten waren gewassen door de nachtelijke storm. De heldere lucht was stralend blauw. De smog bleef voorlopig even weg, totdat de zon weer zo hoog stond dat het bloedheet werd en de vuile mist vanzelf weer opkwam.

'Het was nog niet zo eenvoudig,' ging Rios verder. 'We stuitten op steeds strenger wordende veiligheidseisen.'

'Maar je kwam erdoor.'

'Uiteindelijk kregen we via onze contacten bij de CIA toegang,' zei Rios. 'Ze bleken zeer hulpvaardig toen ik ze de reden van ons onderzoek gaf.'

Carlos opende de map waarin een A4'tje uit de printer zat. Het was de afdruk van een vage foto van een hoofd, genomen met de telelens van een bewakingscamera.

'Bourne,' zei hij. 'De bom was in elkaar gezet en geplaatst door Jason Bourne.'

Nu begrijp ik waarom de bom zo geavanceerd was, dacht Carlos.

'Hij schijnt daar enorm gevreesd te zijn,' ging Rios verder. 'Ze willen hem dood.'

'Ik ook.' Carlos gaf de map terug aan de inspecteur. 'Deel deze foto aan iedereen uit – verspreid hem binnen alle onderdelen van het politiekorps en het leger. Ik wil dat al het personeel op luchthavens en trein- en busstations, bij taxicentrales en verhuurbedrijven van auto's binnen een uur in het bezit is van deze foto. Vind deze schoft, inspecteur. En als je hem te pakken hebt, schiet hem dan maar gerust neer.'

Nadat inspecteur Rios de werkkamer van zijn baas had verlaten, liep hij de gang door en riep hij brigadier Rivera. Toen die zijn hoofd boven de wanden van zijn werkplek uitstak, gaf Rios hem de foto van Bourne. 'Zorg dat iedereen deze foto krijgt – en dan bedoel ik ook echt: iedereen.' Hij verduidelijkte de opdracht zoals hij die van Carlos had gekregen. 'De baas wil dat deze foto binnen een uur in hun handen is.'

'Komt voor elkaar, inspecteur.'

Rios zag Rivera zich wegspoeden en liep via het trappenhuis naar de hal beneden. Hij stak de straat over naar een klein parkje. De enige bezoekers op dit vroege tijdstip waren een paar zwervers, die hij wegjoeg, en een zwerm duiven, die hem achternavlogen in de hoop dat hij eten voor ze had.

Hij pakte zijn prepaid mobiel – waarvan hij er drie per week kocht – drukte op de snelkeuzetoets en wachtte op de vertrouwde stem.

'Nog nieuws?'

'Groot nieuws! De vingerafdruk van Jason Bourne is aangetroffen op de bom die hij gisteravond onder Carlos' auto heeft geplaatst.'

'Dat geloof ik niet,' zei Felipe Matamoros. 'Zo onzorgvuldig gaat Bourne niet te werk.'

Rios had graag willen weten waarom het Matamoros niet verbaasde dat Bourne in Mexico-Stad was, maar hij onderdrukte zijn nieuwsgierigheid. Dat was namelijk een riskante eigenschap als je met Matamoros te maken had. 'Toch,' zei hij, 'hebben we daar bewijs voor. Mijn baas eist dat zijn foto in het hele land verspreid wordt.'

'Hoe ben je in godsnaam aan die foto gekomen?'

'Via de CIA.'

'Ach, natuurlijk. De CIA wil hem al jaren dood hebben. Nu laten ze Carlos het vuile werk voor ze opknappen.'

Rios keek steels om zich heen, altijd op zijn hoede tijdens deze korte gesprekjes met de man die hem een klein fortuin betaalde voor zijn informatie over Carlos. 'Kan ik verder nog iets voor u doen?'

'Hou me op de hoogte over Bourne.'

Maricruz beet op haar onderlip. 'Ik wil je wel vertrouwen, maar ik vrees dat ik dat niet kan.'

'Dan zit je dus echt in de problemen.'

Bourne zag aan haar dat hij gelijk had.

'Ik wil je heel graag helpen, maar dan moet er je wel om vragen.'

Ze keek hem sceptisch aan. 'Waarom? Ik ben gewoon een patiënt hier, een van de velen...'

'Maar Angél is dat niet,' zei Bourne.

Dat leek haar tot nadenken te stemmen.

'Ze heeft iemand nodig die voor haar opkomt,' ging Bourne verder. 'Ze heeft zich aan je gehecht, dat klopt. Maar jij komt uit het buitenland; jij kunt weinig voor haar doen in dit land.'

Maricruz trok het meisje naar zich toe en sloeg haar armen om haar heen. 'Ik kan en zal haar niet aan haar lot overlaten.'

'Ik begrijp hoe je je voelt.'

Ze keek hem lang en onderzoekend aan.

'Wat is er?'

'Ik probeer erachter te komen wat jouw invalshoek is.'

Hij lachte. 'Ik kom uit een heel andere wereld dan jij, Maricruz. Ik denk in termen van overleving, niet vanuit een invalshoek.'

Maricruz ging naast Angél liggen en keek haar aan. 'Wat denk jij, *guapa*?' fluisterde ze in het oor van het meisje.

Angél lachte naar Bourne. Hij lachte naar haar terug. Zwijgend spraken ze met elkaar.

Maricruz ging rechtop zitten en knikte om aan te geven dat ze mee zou werken. 'De afranseling die ik heb gekregen,' vertelde ze aarzelend, bijna moeizaam, 'was opzettelijk.'

'Maar natuurlijk was die opzettelijk. Die vent in San Luis Potosí was een professional. Die wist wat hij deed.'

Met een flauw lachje keek ze hem aan. 'Ik had de opdracht gegeven.'

Bourne was niet snel verrast, maar van deze bekentenis schrok hij. 'Hoe kun je zoiets afschuwelijks met jezelf laten gebeuren?'

'Om iemands vertrouwen te winnen – iemand die me terecht wantrouwde.'

Bourne stond op. 'Volgens mij kun je nu maar beter zwijgen voordat je iets bekent waar je spijt van krijgt.'

'Javvy, je zei toch dat ik je kon vertrouwen.'

'Maar natuurlijk, Maricruz. Ik zal geen woord van onze gesprekken prijsgeven, maar alles lijkt een wending te nemen waar ik me niet prettig bij voel...'

'Javvy, ga zitten.' Ze wees naar de stoel. 'Alsjeblieft.'

Bourne bleef staan. Ze moest nog meer geprikkeld worden om hem haar verhaal te vertellen. 'Om terug te komen op het onderwerp: misschien is het beter als je niet al te specifiek bent over de persoon die jou in elkaar geslagen heeft.'

'Je gelooft het toch niet,' zei ze.

'Vanaf nu wel.'

Toen hij zich omdraaide om te vertrekken, zei ze met klem: 'Carlos is de persoon van wie ik het vertrouwen wil winnen.'

Hij draaide zich om. 'Waarom vertel je me dit?'

'Dat weet ik niet.'

Hij nam haar kritisch op. 'Volgens mij weet je dat best. Met deze bekentenis maak je me medeplichtig.'

'Ja.'

'En dat was precies je plan.'

Ze aarzelde even. 'Daar lijkt het misschien wel op.'

'Waarom?'

Ze had dit al overwogen toen ze ontwaakte met dat nare gevoel, en die nare beelden, uit de droom die nog vers in haar geheugen lag. 'Wil je de waarheid horen?'

'Natuurlijk.'

'Omdat je zo moedig lijkt,' zei ze. 'En omdat ik, zoals ik zei, hulp nodig heb.'

'Hulp waarbij?'

'Niet waarbij,' zei Maricruz. 'Maar tegen wie.'

'Tegen Carlos?'

'Inderdaad,' bevestigde ze. 'Hulp tegen Carlos.'

'Nu je me toch al medeplichtig hebt gemaakt: waarom ben je eigenlijk naar Mexico teruggegaan?'

'Omdat ik Felipe Matamoros en Raul Giron moest spreken.'

'Drugszaken. Hoe weet jij zo zeker dat ik je niet aangeef bij de federales?'

Ze glimlachte zoet. 'Wat zou je ze kunnen vertellen?'

'Ja, wat eigenlijk?' Hij lachte, en in die lach zat de zekerheid dat hij haar voor zich gewonnen had.

Ze wint graag, dacht Bourne. Nee, ze is er verzot op. Daar leeft ze voor. En in die kracht zat tegelijk haar zwakte.

'Wat weet jij over Carlos Danda Carlos?'

Bourne haalde zijn schouders op. 'Niet meer dan wat ik in de krant over hem heb gelezen. Hij is een held, volgens el presidente.'

'El presidente is degene die Carlos heeft benoemd. Wat kan hij anders zeggen?'

'Politiek eigenbelang, dat snap ik.'

'Denk je dat daarmee de kous af is?'

'Zit er nog meer achter?'

'Carlos zegt dat hij Mexico wil bevrijden van de kartels, maar ondertussen doet hij zaken met ze,' vertelde Maricruz.

'Zijn daar bewijzen van?'

'Toen ik een paar dagen geleden Matamoros en Giron in San Luis Potosí ontmoette, was Carlos daar met Giron. Hij was zelfs degene die namens het Sinaloa-kartel het woord voerde.'

'Ik heb gelezen dat Giron en zijn luitenants ergens in San Luis Potosí zijn geëxecuteerd,' zei Bourne. 'Maar ik geloof niet alles wat ik in de krant lees.'

'Dat verhaal klopt,' zei Maricruz. 'Ik was erbij. Los Zetas waren hun dubbelspel zat.'

'Maar Carlos bleef ongedeerd.'

'Carlos was zo slim om die avond terug naar de hoofdstad te vliegen,' zei ze met spijt in haar stem.

'Om die warboel te ontvluchten.'

Maricruz knikte instemmend. 'Hij is een lafaard.'

'En daarna liet je je door de mensen van Matamoros zo toetakelen,' zei Bourne.

'Ik ben een Trojaans paard.'

'En hoe nu verder?'

'En nu,' zei Maricruz, 'ga jij mij helpen om Carlos Danda Carlos uit te schakelen.'

30

'Meen je dit serieus?' zei Bourne, nadat de verpleegkundige het dienblad had weggehaald. Ondanks aandringen van Maricruz had Angél nauwelijks gegeten, al was het een beetje meer dan de dag daarvoor. 'Ik ben arts. Je denkt toch zeker niet dat ik je help bij het doden van mensen?'

Angél fluisterde iets in Maricruz' oor.

'*Claro, sí*, guapa,' zei Maricruz terwijl ze haar op de wang kuste.

Het meisje stapte uit bed, liep al omkijkend naar Maricruz naar het toilet en ging naar binnen.

'Geloof het of niet,' zei Maricruz, 'maar dit is voor haar een grote stap vooruit.'

'Ik zie dat je hier een bed voor haar hebt laten neerzetten.'

'Ja, maar daar wil ze niet in slapen. Ik vind het geen probleem, ik hou van haar gezelschap.'

Er viel een korte stilte, die door Maricruz werd onderbroken. 'Om terug te komen op wat je net zei: Carlos Danda Carlos is niet de eerste de beste.'

'Dat klopt. Maar ik heb gezworen om levens te redden, niet te nemen.'

Maricruz keek hem peinzend aan. 'Extreme omstandigheden vragen om extreme maatregelen.'

'Oké,' zei hij, 'maar wat moet er dan gebeuren?'

'Iemand moet onthullen wie Carlos is en wat hij doet. Vind jij van niet?'

'Natuurlijk.'

'Dat is goed, maar dit is Mexico, Javvy. Jij noch ik, niemand eigenlijk, kan Carlos aan de schandpaal nagelen. En zelfs als het ons wonderlijk genoeg zou lukken voldoende bewijsmateriaal tegen hem te verzamelen, dan is dat al tot as verbrand voordat het naar buiten komt en liggen wij onder de grond.' Ze keek hem vragend aan. 'Mee eens?'

'Ja.'

'Desalniettemin vind jij toch ook dat we Carlos als zogenaamde held van het Mexicaanse volk moeten ontmaskeren. Hij vult zijn zakken met het bloedgeld van de kartels.'

'Natuurlijk. Volledig mee eens.'

'Nou dan. Dus moeten we hem vermoorden, er is geen andere optie, of wel?'

'Kom op, Maricruz. Mensen zoals jij en ik zijn geen moordenaars.'

Ze kruiste haar armen voor haar borst. 'Wat is het alternatief?'

Bourne kon niet anders dan bewondering hebben voor haar overtuigingskracht. Hij kon zich voorstellen dat een echte chirurg, de man die haar schouder had geopereerd, zich door haar zou laten ompraten. Natuurlijk stond hij klaar om tot actie over te gaan, maar om zijn dekmantel te behouden moest hij zich door haar laten overhalen. Ze stelde hem niet teleur.

'Dat weet ik niet. Maar dat betekent niet...'

'Ben je een lafaard, net als Carlos Danda Carlos?'

'Ik denk dat jij het antwoord daarop al weet.'

Ze zwaaide haar benen uit bed, stak haar hand uit, die hij aannam, al leek het er niet op dat ze hulp nodig had bij het opstaan. 'Ik wil even door deze kamer lopen. Ik heb beweging nodig.'

Angél kwam binnen en zag dat Maricruz haar arm door die van Bourne had gestoken. Ze bleef kijken, met knipperende ogen. Op dat moment stak Tigger zijn hoofd door de deuropening, waarna het meisje snel het bed in dook en de dekens over zich heen trok.

'*Perdóname*, señora. Ik heb zojuist bericht van señor Carlos ontvangen. Het spijt hem dat hij u wegens urgente zaken niet kan bezoeken vandaag.' Hij glimlachte. 'Maar morgen is er weer een dag, nietwaar?'

'Dank je wel, Tigger,' zei ze. Bourne, die de blik van de bewaker had opgevangen, besefte dat deze informatie niet alleen voor haar, maar ook voor hem bedoeld was.

Ze begonnen door de suite te schuifelen, om het tweede bed heen.

'Hoe voelen je benen?' vroeg Bourne.

'Als boomstammen.' Ze lachte zacht, en Angél stak haar hoofd boven de dekens uit. Maricruz lachte voor haar nog een keer. Het meisje reageerde met een zweem van een glimlach.

Bourne geloofde Maricruz niet. Ze liep met een stevige, zekere tred.

Maricruz wachtte tot ze zo ver mogelijk van de deur verwijderd waren. 'Weet je, Javvy, ik heb je volledig in vertrouwen genomen door je al deze dingen te vertellen.'

'Ik zal je geheimen goed bewaren, Maricruz.'

'Daar ben ik blij om, want je hebt me op mijn slechtst gezien.'

'Maar je echtgenoot heeft je toch ooit wel...'

'Niet op deze manier. Niet zo gehavend en met zoveel pijn. Niet zonder make-up en met haar dat dagen niet gewassen is.'

'Zelfs niet in de ochtend bij het opstaan?'

'Om vier uur 's ochtends staat hij op om naar zijn werk te gaan. Als hij 's avonds terugkomt, ziet hij me zoals ik er altijd voor hem uitzie. In zijn ogen ben ik perfect.'

'En wat zou hij denken als hij je zo zou zien?'

'Zwak en kwetsbaar? Dat zou gezichtsverlies voor me zijn. Hij ziet me op een bepaalde manier. Ik doe er veel voor om dat beeld intact te laten.'

'Dat lijkt me niet prettig.'

'Wie zegt dat het huwelijksleven prettig is?'

'Ik weet dat het hard werken is, maar...'

'Geloof het of niet, soms is het gewoon een baan,' zei ze.

'Laat Angél het niet horen uit jouw mond.'

'Dat zal ik onthouden,' reageerde Maricruz cynisch.

Op dat moment trilde Bournes mobiel. Tigger kon het niet zijn om hem te waarschuwen voor Carlos; hij zou zijn hoofd om de deur steken, zoals hij eerder had gedaan.

'Excuseer, ik moet dit beantwoorden.'

'Geen probleem,' zei Maricruz. Ze draaide zich om naar Angél, terwijl Bourne de kamer uit liep.

Hij ging de gang door naar de bezoekerstoiletten, waar hij zichzelf opsloot. Het was een telefoontje van Anunciata.

'We hebben een probleem,' viel ze met de deur in huis. 'Carlos' ministerie heeft een urgent opsporingsbericht doen uitgaan naar alle politiebureaus en alle medewerkers bij het openbaar vervoer, inclusief autoverhuurbedrijven.'

Bourne fronste zijn wenkbrauwen. 'Waarom?'

'Er is gisteren een bom ontploft bij de woning van Carlos; zijn auto is geëxplodeerd, drie van zijn mannen zijn omgekomen. Je was niet...'

'Nee, natuurlijk niet.'

'Goed, maar volgens het opsporingsbericht ben jij de dader. De hele stad is naar je op zoek. Je wordt gezocht wegens terreur en moord.'

Het verbaasde Bourne dat de federales wisten dat hij in het land was. 'Waarom verdenken ze mij?'

'Omdat ze je vingerafdruk hebben gevonden op een bomscherf,' zei ze. 'Het was een slimme bom, Jason, niet dat domme vuurwerk van de kartels.'

'Hij kan niet van Los Zetas zijn?'

'Zelfs de deserteurs hebben die kennis niet.' Ze slaakte een zucht.

'Je zult hulp nodig hebben, meer dan ooit.'
'Maar niet van jou.'
'Wat? Hoezo niet?'
'Ik wil niet dat je hier nog verder bij betrokken raakt. Het is levensgevaarlijk om met mij om te gaan. Ik wil je niet eens in mijn buurt hebben.'
'Maar niemand weet wie ik ben en waar ik woon.'
'Houden zo. Ik red me wel. Ik weet heel veel over deze lui.'
'Maar...'
'Genoeg!'
'Oké, oké. Hoe gaat het met Maricruz?'
'Ze is anders dan ik me had voorgesteld.'
'Ik weet dat je je niet door haar zult laten betoveren. Dat kun je jezelf onder deze omstandigheden niet permitteren.'
Bourne wist dat ze refereerde aan het moment waarop hij niet op haar seksuele avances was ingegaan. 'Ze flirt niet met me,' zei hij. 'Ze heeft het te druk met het beramen van een aanslag op Carlos.'
'Zo is ze nu eenmaal.'
'Weet ze wel dat ze een halfzus heeft?' vroeg Bourne.
'Van wie zou ze dat moeten weten? Niet van haar vader, en zeker niet van mijn moeder. Verder weet niemand het, behalve jij.'
'Er is nog iets,' zei Bourne.
'Dígame.'
Hij vertelde over Angél.
'Ik had nooit gedacht dat Maricruz zoiets zou doen,' zei Anunciata. 'Heeft dat kind echt geen familie?'
'Niemand is haar komen ophalen, en Maricruz lijkt me niet iemand om haar te adopteren.'
Er klonk een lichte aarzeling voordat Anunciata zei: 'Als het om kinderen gaat, weet je het bij vrouwen nooit. Ik heb een vriendin – een coole, stoere meid – die altijd zei dat ze geen kinderen wilde. "Ik ben niet geschikt voor het moederschap," zei ze altijd. Toen werd ze zwanger en na de bevalling smolt ze als boter in de zon.'
Bourne wist dat Anunciata het niet had over haar halfzus of haar vriendin; ze had het over zichzelf.

31

Kolonel Sun kwam aan in Mexico-Stad onder diplomatieke bescherming. Toen hij uit de aankomsthal kwam, werd hij onmiddellijk getroffen door een vieze smaak achter in zijn keel. Met de limousine van de ambassade werd hij naar de stad gereden. Veertig minuten later zette hij zijn enige kleine koffer in de moderne hotelkamer, die door een van de vele slaafse dienaren van Ouyang hoog boven de stad voor hem was gereserveerd.

Het was Suns eerste keer in Mexico, de eerste keer in Noord-Amerika zelfs. Hij was hier nog geen uur en walgde overal al van, vooral van de vreemde geuren, waar zijn maag van omdraaide en die een zure nasmaak in zijn mond achterlieten. Hij bleef maar zijn mond spoelen met het flessenwater in de minikoelkast. Hij zette de douchekraan open en wenste dat hij zich in flessenwater zou kunnen baden in plaats van in het slootwater dat uit de douchekop kwam. Hij hoopte dat dit bezoek niet zo lang zou duren dat hij zich zou moeten baden, maar daar twijfelde hij aan.

Deze reis was een privémissie voor Ouyang – volledig geheim, en buiten de boekjes. De minister had vernomen dat Maricruz in het ziekenhuis lag en volgde hun strenge regel om geen enkel contact met elkaar te hebben wanneer ze in Mexico verbleef. Hij maakte zich echter ernstige zorgen over de gezondheid van zijn vrouw. Hier ben ik dus goed voor, dacht Sun zuur, om zijn vrouw in de gaten te houden, als een privédetective. Hij had een speciaal mobieltje meegekregen met een camera van twaalf megapixels om de lichamelijke toestand van Maricruz vast te leggen. In kleine kring was al bekend hoezeer Ouyang zijn vrouw wantrouwde. Maar Sun had met zijn baas te doen. Hij kon niet eens het ziekenhuis bellen om naar haar toestand te informeren. Met het partijcongres voor de deur greep Cho Xilan elke vorm van wangedrag aan en diende Ouyang zich gedeisd te houden, iets wat hem slecht afging als het om zijn vrouw ging.

Niet dat Sun ook maar iets voor Maricruz voelde – hoe zou hij ook kunnen, ze was een vreemdeling – toch benijdde hij haar geen moment om wat ze daar moest doen. Hij huiverde. Deze lui hier waren beesten.

Dat was de reden waarom hij zich begaf naar het adres van een clandestiene wapenhandelaar in Iztapalapa, die door het ministerie van Ouyang was opgediept. De vettige eigenaar stonk naar ranzig gefrituurd eten. Hij hield zo veel mogelijk zijn adem in, kocht er een legermes en een paar handwapens met bijbehorende munitie. Sun voelde dat de eigenaar met minachting naar hem keek toen hij vertrok.

Terug bij het hotel stapte hij in de klaarstaande limousine. Meteen nadat hij het smerige hol van de illegale wapenhandelaar had verlaten, wist hij dat hij werd gevolgd. Hij trok een van de wapens die hij zojuist had gekocht en draaide zich om. Als er al iemand achter hem aan zat, viel die samen met de schaduwen van de winkelpuien.

Toch was hij blij met de diplomatieke bescherming die het voertuig van de ambassade hem bood. Ouyang had Maricruz van Mexico-Stad tot San Luis Potosí en weer terug in de gaten laten houden. Sun was net lang genoeg op de ambassade gebleven om aan het noodzakelijke protocol te voldoen, totale tijdverspilling, wat hem betreft. Anderzijds, hij had kort daarvoor een vreemd bericht gehoord. Er zou een bom ontploft zijn bij het huis van Carlos Danda Carlos, het hoofd van Mexico's antidrugsagentschap. Er waren drie van zijn mannen bij omgekomen. De stad was in opperste staat van paraatheid. Hij zag legerjeeps volgepropt met zwaarbewapende soldaten.

'Je mag dan wel officieel lid van het diplomatieke ambassadepersoneel zijn,' had de ambassadeur hem verteld, 'hou je gedeisd. Deze lui schieten bij de minste aanleiding, en vandaag is er aanleiding genoeg.'

De zwaarbewapende kolonel Sun was nu onderweg naar ziekenhuis Ángeles Pedregal, waar hij zelf ging kijken wat er met Maricruz aan de hand was en hoe ze eraan toe was. Het probleem was, bedacht Sun, dat hij zich op onbekend terrein bevond. Hij had het voordeel dat hij van de ambassade was, maar verder had hij niets om druk mee uit te oefenen. Bovendien viel hij enorm op, al hadden sommige van de indianen afstammende Mexicanen die hij had gezien, dezelfde mongolenplooi in hun oogleden als hij. Hij gaf het met tegenzin toe, maar de medewerker had gelijk: hij moest voorzichtig te werk gaan en niet te veel opvallen. In deze staat van paraatheid kon Ouyang zich geen problemen met de federales veroorloven.

De auto reed dwars door de stad en stond uiteindelijk stil voor de ingang van het drukke ziekenhuis. Sun gebood de chauffeur op hem te wachten, stapte uit en liep door de hoofdingang naar binnen.

Hij ging in de korte rij staan voor de informatiebalie. Toen hij aan de beurt was, liet hij zijn valse diplomatieke geloofsbrieven zien en vroeg de dame naar Maricruz Ouyang.

'Ik kan helaas niets vinden over deze patiënt.' Ze had zijn identiteitsbewijs nauwelijks bekeken.

'Wat bedoelt u daarmee?' antwoordde hij in zijn beste Spaans. 'U deed niet eens moeite om haar naam in het systeem op te zoeken. Ik weet dat ze hier is opgenomen.'

De vrouw haalde haar schouders op. Ze was van middelbare leeftijd, haar gezicht was klein en gerimpeld. 'Ze mag absoluut geen bezoek ontvangen. Op bevel van het antidrugsagentschap,' zei ze gedecideerd.

'Dit kan niet waar zijn.'

Ze haalde weer haar schouders op. 'U kunt een klacht indienen bij het agentschap. Ik kan u niet helpen.' Ze keek langs hem heen. 'Wie is er aan de beurt?'

Kolonel Sun trok zich terug. Hoewel hij er niet aan gewend was als een voetveeg te worden behandeld, had hij genoeg gehoord over het leven in het Westen en hield hij zijn gevoelens van woede en schaamte voor zich. Hij had al verschillende buitenlandse reizen gemaakt, maar bleef het moeilijk vinden om het ruwe, schokkende ritme te volgen van de westerse beschaving, twee woorden die, bedacht hij nu, intern tegenstrijdig waren.

Zijn laatste reis naar het Westen was meer dan een jaar geleden, toen hij naar Rome was gegaan, achter de Mossad-agent Rebeka aan, voor wie minister Ouyang een grote, mysterieuze fascinatie had opgevat. Toen hij haar aantrof, ontdekte hij Jason Bourne in haar gezelschap. Hij achtervolgde ze tot aan de catacomben aan de Via Appia, maar dat liep slecht voor hem af en hij zou de vernederende nederlaag die hij door toedoen van Bourne had geleden, nooit vergeten.

Nu leunde hij tegen een zuil in de hal van het ziekenhuis en wist niet wat te doen, totdat hij een jongeman binnen zag komen. Hij droeg geen uniform, maar dat had wel gekund. Kolonel Sun herkende het type meteen: een soldaat, net als hij, in burger. De jongen liep voorbij de twee bewakers bij de ingang en knikte ze vriendelijk toe – bijna een militaire groet, die de bewakers gelijktijdig beantwoordden.

Kolonel Sun zette zich af tegen de zuil en volgde de jongeman naar een lift, op weg naar de tweede verdieping. Hij liet de soldaat voorgaan en liep achter hem aan door de gang, deur na deur, totdat hij aan het eind een andere soldaat in burger zag, zittend op een klapstoel naast een kamerdeur. De man zat te lezen in het tijdschrift *Contralínea*, dat hij opzij legde toen hij de soldaat in burger zag aankomen. Ze groetten elkaar, waarna de bewaker zijn tijdschrift pakte en vertrok, terwijl zijn vervanger, de soldaat die door kolonel Sun was gevolgd, ging zitten en een sms'je op zijn mobiel begon in te toetsen.

Kolonel Sun wist zeker dat hij de wacht hield bij de kamer van Maricruz. Met grote passen liep hij langs de zusterspost. De soldaat bij de deur moest hem uit een ooghoek hebben gezien, want hij stopte zijn mobiel onmiddellijk weg en stond op. Hij ging breeduit in de verdedigingshouding staan om Sun de doorgang te versperren.

'Verboden toegang,' zei de soldaat in het Spaans. Voor de duidelijkheid zei hij in het Engels: '*Turn around and leave.*'

'Ik ben hier om Maricruz Ouyang te bezoeken,' zei kolonel Sun in het Engels.

De soldaat schudde zijn hoofd. 'Dan zit u hier verkeerd, señor.' Hij stak zijn hand dreigend in zijn jack. 'Dit is mijn laatste waarschuwing.'

'U begrijpt het niet,' zei kolonel Sun. 'Ik ben van de Chinese ambassade.' Hij liet de soldaat zijn identiteitsbewijs zien. 'Minister Ouyang Jidan, de echtgenoot van Maricruz, maakt zich zorgen over haar gezondheid.'

'Er is niets mis met de gezondheid van de señora.'

'Waarom ligt ze dan hier?' Kolonel Sun keek de bewaker gemaakt vriendelijk aan. 'Minister Ouyang heeft me vanuit Beijing hiernaartoe gestuurd om met haar te praten.'

De soldaat keek Sun aan alsof de kolonel een schorpioen was die zojuist onder een steen vandaan was gekropen. 'Een momentje,' zei hij. Hij pakte zijn mobiel en drukte op de snelkeuzetoets. 'Baas,' zei hij in zijn mobiel, 'iemand hier beweert dat hij door minister Ouyang vanuit Beijing hierheen is gestuurd om de señora te bezoeken.' Hij luisterde even en zei: 'Hij heeft me zijn papieren laten zien. Ze lijken in orde... Oké.' Hij keek Sun aan. 'Mijn baas belt nu de ambassade. We zullen... Ja, hallo. Oké, goed, dank u wel, ik zal het doorgeven.'

De soldaat verbrak de verbinding. 'U mag haar vijf minuten spreken.'

'Dat is niet eens genoeg om...'

'Als het klopt wat u beweert, is dat lang genoeg om minister Ouyang te verzekeren dat zijn vrouw aan de beterende hand is.'

Dan maar zo, dacht kolonel Sun. Maar wat krijg je in vijf minuten nou voor elkaar?

Toen Maricruz kolonel Sun zag binnenkomen, werd haar stemming inktzwart en leek ze een hartverzakking te krijgen.

'Wat doe jíj hier?' zei ze in het Chinees. 'Je weet toch wat Jidan en ik zijn overeengekomen. Absoluut geen contact.'

'Maar toen lag je niet in het ziekenhuis. Hij maakt zich zorgen. Wat is er toch gebeurd?' Hoewel kolonel Sun zijn woorden tot Maricruz richtte, stond hij te kijken naar Angél, die als een in brand gestoken luciferdoosje verschrompelde en in de holte van Maricruz' arm kroop. 'En wat is dat daar?'

'Ik ben in een gierput gevallen, in San Luis Potosí. Mijn schouder is gewond.'

Kolonel Sun keek argwanend. 'Zo te zien heb je meer dan alleen je schouder bezeerd. Ben je soms in elkaar geslagen?' Hij pakte zijn telefoon.

'Wat doe je nu?' riep Maricruz verschrikt.

'Een paar foto's van je maken.'

'Dat had je gedacht,' snauwde Maricruz. Ze wilde de telefoon van hem afpakken, maar Sun was haar te snel af.

'Geef hier.'

'Geen denken aan.'

'Wat is dat voor een onbeschofte toon!'

Naast haar liet Angél haar kleine tanden zien en klemde haar kaken op elkaar.

Sun bracht zijn mobiel naar zijn gezicht. 'Haal dat mormel weg. Ik wil haar niet op de foto hebben.'

Zijn woorden waren niet alleen een belediging, dacht Maricruz, maar ook een duidelijke aanwijzing dat hij, in tegenstelling tot wat hij beweerde, helemaal niet in haar lichamelijke gesteldheid was geïnteresseerd.

'Eruit,' zei ze. 'Hoe langer je blijft, hoe groter de kans dat deze missie mislukt.'

'Zo te zien heb je al genoeg laten mislukken.'

'Hoe durf je zo tegen me te praten! Eruit, zeg ik!'

Kolonel Sun grijnsde als een jakhals. Hij leek ervan te genieten. 'Luister. Je beseft niet hoe goed je het hebt in Beijing – hoe je door Ouyang wordt verwend. Maar nu ben je hier, ver weg van het Middenrijk. Ik zal je iets zeggen wat ik thuis niet zo zou snel doen: in Beijing word je veracht. De ministers doen beleefd tegen je, maar achter je rug noemen ze je een *chùsheng*, een beest. Ze noemen je een *bùyàoliăn de dōngx* – een ding zonder schaamte, zonder gezicht.

In China ben je niets zonder het keurmerk van Ouyang; je bent wat hij van je gemaakt heeft, niets meer. Maar de waarheid is dat jij een risico voor hem bent. Hij maakt zich grote zorgen over je veiligheid, terwijl hij zich omhoog zou moeten werken binnen de Partij. Maar met jou om zijn nek zal hem dat niet lukken.' Hij loerde naar het kind. 'En nu dit – een *Mexicááns* kind! Je gaat me toch niet vertellen dat je dit stinkende mormel met je mee naar het Middenrijk wilt nemen?' Hij stapte dreigend op Angél af. 'Dan maak ik het eerst af, hoor je me? Ik snijd haar de kop af.'

'Wie is er bij mijn patiënt op bezoek?' vroeg Bourne aan Tigger toen hij door de gang kwam aanlopen. 'Señor Carlos?'

'Nee, dokter.' De nerveuze Tigger was al opgestaan. 'Iemand van de Chinese ambassade. Hij beweert dat hij helemaal uit Beijing is gekomen om te informeren naar de gezondheid van de señora. Ik gaf hem vijf minuten, meer niet.'

'Blijf hier,' zei Bourne terwijl hij de deur opende.

Tigger schudde verschrikt zijn hoofd. 'Volgens mij hebben ze ruzie. Dit is mijn werk, dokter. Ik wil niet dat u iets overkomt.'

Hij liep rakelings langs Bourne heen, zijn rechterhand op de kolf van zijn pistool, klaar om te worden gebruikt mocht dat nodig zijn. Kolonel Sun draaide zich om, zag Tigger, die zijn zicht op Bourne blokkeerde. Maricruz had zichzelf tussen Sun en het meisje geplaatst.

'Ga terug naar je plek op de gang,' riep kolonel Sun. 'Dit is een diplomatieke kwestie. Ga weg of ik geef je aan bij de ambassadeur.'

'Dat denk ik niet,' zei Tigger. Zijn stem klonk rustig, bijna zacht. 'Als dit een officieel bezoek was, dan zou het vanuit de ambassade zijn georganiseerd, en daar weet ik niets van.' Hij knikte naar Maricruz. 'Mijn opdracht is deze vrouw en het meisje te beschermen.'

'Ik heb nog een en ander te bespreken met deze dame.' Ook kolonel Sun klonk poeslief, maar door zijn woorden klonk een ijzingwekkende kilte.

'Laat haar met rust,' zei Tigger, met iets meer nadruk.

'Ik ben nog niet klaar.'

'Uw tijd is om.'

'Die is om wanneer ík dat zeg, *shǎbī*.'

Tiggers ogen vernauwden zich tot spleetjes en zijn lichaam stond gespannen. 'Wat zei hij tegen mij?' Hij draaide zich naar Maricruz. 'Wat zei die *maricón* daar?'

'*Te llamó una chucha estúpida*,' antwoordde Maricruz. Hij noemde je een stomme kut.

Wat volgde, ging heel snel: Tigger trok zijn handwapen en ging dreigend voor Sun staan. In een flits liet Sun zijn linkerhand zakken, wat Tigger afleidde, terwijl de rechterhand van de kolonel naar zijn taille ging en als een veer terugsprong. Het legermes werd tot aan het gevest in Tiggers borst geplant.

Tiggers ogen stonden wijd open van de shock. Hij tuimelde voorover, zijn hoofd viel voor de voeten van de kolonel. Maricruz schermde de blik van het meisje af door beschermend voor haar te gaan zitten.

Bourne was al in beweging gekomen.

'Javvy,' riep Maricruz, 'bel de bewaking!'

Bourne negeerde haar en sloop naar voren, heel voorzichtig en dat gaf Sun tijd om een wapen te trekken. Toen de kolonel opkeek, herkende hij het gezicht van de man die op hem afsprong en bleef een fractie van een seconde verstijfd van schrik staan.

Bourne sloeg hem met zijn vuist in zijn hals en Sun wankelde achterover tegen de brede vensterbank aan. Vervolgens wrikte Bourne het wapen uit zijn handen, dat over de vloer onder het bed gleed. Sun duwde met zijn vingers hard op Bournes zenuwen vlak boven zijn rechtersleutelbeen. Zijn lichaam verslapte aan de rechterkant, de verdoving trok van zijn schouder naar zijn vingertoppen. Sun greep zijn kans en beukte uit alle macht in op Bournes ribbenkast; Bourne wankelde achterover.

'Ik zal wraak nemen,' zei Sun.

Maar Bourne sloeg terug. Met de rand van zijn linkerhand deelde hij drie snelle, pijnlijke karateklappen uit. Na een hieltrap tegen Suns kaak volgde een fontein van bloed. Bourne hoorde Angél een gedempt gilletje slaken tegen de schouder van Maricruz.

Grijnzend verhief Sun zijn vuist naar Bournes hart om hem de genadeslag te geven. Bourne hakte in op het buitenste handwortelbeentje in Suns vuist, dat hij daarmee verbrijzelde. Nu waren ze allebei eenhandig, maar net op het moment dat het gevoel in Bournes rechterhand en -arm terugkwam, liet Sun hem struikelen.

Bourne viel op de grond, Sun ging boven op hem zitten en ramde op hem in met zijn ongedeerde hand. Bourne zag uit een ooghoek iets bewegen – Maricruz die zich uit bed liet glijden, het meisje dat achter haar aan kroop, over haar heen en op handen en voeten onder het bed kroop.

Sun ramde Bournes hoofd tegen de vloer en beukte met zijn vuist op zijn keel. Bourne begon te kokhalzen. Hij greep Sun bij zijn kruis en kneep zo hard in zijn ballen dat Sun de tranen in de ogen sprongen, die vervolgens uit hun kassen leken te rollen. Bourne begon te stikken in zijn eigen bloed.

Aan de rand van zijn blikveld zag Bourne Angél weer. Ze hield Suns wapen in haar handen. Haar armen waren gestrekt terwijl ze zichzelf met haar rug schrap zette tegen de zijkant van het bed.

'Maricruz!' riep hij, 'hou haar tegen!'

Maar Maricruz kwam niet eens in beweging. Langzaam ging ze rechtop staan, bijna statig. Ook op blote voeten leek ze op een keizerin. Ze hield haar blik gericht op kolonel Sun; als haar ogen kogels konden vuren, zou ze hem neerschieten.

In Angéls gezichtsuitdrukking was van alles te lezen: ze wist dat ze geen stuk speelgoed in haar handen had; ze wist wat de gevolgen waren als ze de trekker zou overhalen; ze wist dat het besluit om te schieten niet kon worden teruggedraaid; en ongetwijfeld kende ze uit eigen ervaring de kracht van het wapen.

Op wie richtte ze het wapen, op Sun, op Bourne, op allebei? Het was niet te zeggen.

Ze kneep één oog dicht, haalde de trekker even langzaam en gelijkmatig over als Maricruz was opgestaan, zoals ze het haar vader en haar broers zo vaak had zien doen. Het wapen ging af, door de terugslag viel ze achterover.

De hel brak los.

32

'Ophir zit in het buitenland,' zei Dani Amit, hoofd Inlichtingen.

Directeur Yadin knikte. 'Dat is me bekend.'

'U weet ook alles, Memune.'

'Niet zo slijmen, Dani. Dat is zo goedkoop als diamant van glas.'

De twee mannen zaten tegenover elkaar in een café aan de haven van Tel Aviv. Ze konden de zeilboot van de directeur goed zien. Iemand sleepte voorraden naar binnen, op de trage, rustige, bedachtzame manier die zeilers hebben, of het nu amateurs of professionals zijn. De twee mannen op het terras waren in dezelfde stijl gekleed: een wit katoenen shirt met korte mouwen, een dunne lange broek, gekleurde espadrilles. Ze leken familie, konden doorgaan voor vader en zoon. En als leden van de Mossad waren ze ook familie, een hechte groep, waarin de een vertrouwde op de denkkracht en expertise van de ander.

Amit speelde met het kleine olijvenschaaltje. 'Weet u waar hij is?'

'Hij zit achter Bourne aan.'

'Maar weet u waar?'

'Dat maakt niet uit.'

'Hebt u zoveel vertrouwen in Bourne?'

De directeur nam een slokje van zijn ijsthee. 'Ik vertrouw hem blindelings.'

'Ophir maakt hem af,' zei Amit op zijn nonchalante manier.

'Dat zal hij tenminste proberen.' De directeur nam een hap van zijn broodje kip en kauwde peinzend. 'Ja, dat zal hij proberen.'

Amit keek zijn baas onderzoekend aan. 'Met andere woorden: dat zal hem niet lukken.'

Yadin leunde achterover en staarde naar de blauwe lucht, de witte wattenwolken, voortgedreven door een stevige bries.

'Een mooie dag om te zeilen. Dat zeg je natuurlijk altijd als je op het punt staat te vertrekken, maar hoe kun je het werkelijk weten? Misschien loert er achter de horizon een storm; nu nog niet te zien, maar met zo'n hoge snelheid dat je erdoor verrast wordt, hoe goed je ook oplet, hoe goed je ook kunt zeilen.'

De directeur keek weer naar zijn broodje, doopte de punt ervan in het platte schaaltje met humus dat tussen hen in stond. 'Je eet niet, Dani. Hou je niet van een broodje kip?'

'Ik hou niet van geheimen...'

'Dan moet je een ander beroep kiezen, Dani.'

'... geheimen die u voor me achterhoudt.'

'We hebben allemaal geheimen die het daglicht niet kunnen verdragen,' zei de directeur, 'laat staan dat we ze prijsgeven, ook niet aan collega's.'

Amit zweeg om zijn gedachten op een rij te zetten. Na een poos zei hij, zonder verward te willen overkomen: 'Alles werd anders na de moord op Rebeka.' Hij zweeg in de hoop op een reactie, al was het maar een lichte aansporing. Toen die niet kwam, dacht hij: ik moet het proberen, en zei: 'En alles veranderde weer na de komst van Bourne.'

'Je kunt het hem niet kwalijk nemen.' De directeur nam opnieuw een slok van zijn ijsthee. 'Hij was bij Rebeka toen ze stierf.'

'Hij lijkt me niet iemand die onder gevoelens gebukt gaat.'

'Zo is hij ook niet, voor zover ik dat kan beoordelen. Maar hij is toch een mens. Het was een menselijke reactie dat hij hiernaartoe ging, haar begrafenis bijwoonde, rouwde om haar dood.'

'En daarna, terwijl de begrafenis nog niet eens was afgelopen, bedacht u een manier om hem in te zetten.'

'Denk je dat ik echt zo kil ben?'

'Hoe zou u die gedachtegang zelf omschrijven, directeur?'

'Is dat een verwijt, Dani? Want mijn taak, zoals ik die opvat, komt op het volgende neer: de staat Israël beschermen. Die taak nemen we allemaal op ons – daarom wijden we ons, ons leven aan de Mossad. Of zie ik dat verkeerd?'

'Nee, directeur.'

'Laten we dan ook in die geest verdergaan.'

'Maar dat is nu juist het probleem,' zei Amit. 'In dit geval is er geen *wij*. Hierin staat u alleen.' Hij spreidde zijn handen. 'Ik wil u alleen maar helpen, Memune. We zijn altijd als broers met elkaar omgegaan.'

Yadin liet zijn blik afdwalen naar zijn boot, naar de breed geschouderde rug van de man die nu aandachtig het dek schoonspoelde.

'Ophir en ik zijn ook als broeders, Dani. Moet ik hem al mijn geheimen vertellen?' Hij richtte zijn blik weer op Amit en keek hem in de ogen. 'Lijkt je dat verstandig?'

'Om eerlijk te zijn, ik heb nooit goed met Ophir kunnen opschieten. Dat weet u, directeur.'

'Natuurlijk weet ik dat. Zoals je al zei: ik weet alles.' Zuchtend duwde hij zijn bord van zich af. 'Ik heb het ooit een keer gedaan. Maar de wereld verandert. Elke dag brengt nieuwe raadsels voort, maar de complicaties zijn nu zo groot dat ik me vaak alleen voel en omringd door vijanden die ieder uit zijn op hun pondje vlees.'

Amit boog zich voorover. 'Reden temeer om mijn hulp te gebruiken, Memune.'

'Ik heb de fout gemaakt om Eden in vertrouwen te nemen,' mijmerde de directeur hardop, 'en nu is hij dood.'

'Ik ben niet bang voor de dood, Memune.'

'Dat zijn wij geen van allen.' De directeur dronk zijn thee op en knikte. 'Misschien heb je toch gelijk, Dani.'

In de tien minuten daarna was de directeur fluisterend aan het woord. Hij werd niet één keer door Dani Amit onderbroken. Die kon van verbijstering geen woord uitbrengen.

Later, nadat Amit terug naar kantoor was gegaan, betaalde Eli Yadin de rekening. Daarna zette hij zijn baseballpet op en kuierde met zijn handen in zijn broekzakken naar de haven richting het dok waar zijn zeilboot lag. Het was een hete middag geworden. Ondanks de wind stond de zon brandend aan de hemel. De wolken leken er verschrikt van weg te vluchten.

De man die de boot aan het gereedmaken was, draaide zich meteen om toen Yadin aan boord ging.

'Is het gelukt?' vroeg hij.

'Het is gelukt, *abi*.'

De vader van Yadin was een beer van een vent met een matje van wit haar op zijn ronde borstkas. Hij was in de tachtig, maar had de energie van een vitale zestiger. Hij had een brede kop, grote oren en een open gezicht. Hij leek op een oude Griekse matroos. Yadin stelde hem zich vaak voor als Odysseus, die een levenslange zeiltocht maakte en elke test doorstond waar de jaloerse, wraakzuchtige en inhalige goden hem aan onderwierpen. Ook deed hij hem denken aan de naamloze visser uit Hemingways *The Old Man and the Sea*.

Hoewel zijn vader al meer dan tien jaar geleden geen directeur meer van de Mossad was, had hij zijn kennis niet laten versloffen. Hij was net zo up-to-date als Yadins personeel. Ook was hij de enige mens op aarde die Yadin in vertrouwen nam, ondanks zijn valse bekentenis aan Dani Amit.

'Weet je zeker dat je de juiste beslissing hebt genomen?' vroeg de oude man toen ze samen op het punt stonden de trossen los te gooien.

'Ik had geen andere keus.'

Yadins vader knikte, waarna de directeur de motor startte.

'Ik benijd je niet, echt niet,' zei zijn vader. 'Ik had als directeur tenminste nog vrienden binnen de Mossad.'

'Een andere tijd,' zei Yadin, 'een ander land.'

De oude man liep naar voren en legde zijn hand op de schouder van zijn zoon. 'Je krijgt ze wel, Eli. Je krijgt ze allemaal te pakken.'

'*Im Yirtzeh Hashem*,' mompelde de directeur, terwijl hij naar het open water voer. Met Gods wil.

Deskundig hees zijn vader de zeilen om de boot voor de wind uit te laten varen. 'God heeft daar niets mee te maken,' zei hij. 'Jason Bourne wel.'

Maar zijn woorden verwaaiden in de wind die was opgestoken.

DEEL DRIE

33

Het wapen ging af, de terugslag schokte door Angéls armen en schouder heen, maar het meisje was hier op voorbereid. Kolonel Sun richtte zich half op. Er spoten stralen bloed, stukjes bot en breinweefsel uit de zijkant van zijn hoofd. Hij viel achterover en staarde met dode ogen naar wat er ook maar in het hiernamaals was te zien.

Bourne stond op en stoof door de kamer. Hij schoof het bed in de richting van de gesloten deur; vanuit de gang klonk een oorverdovend lawaai. De kamerdeur vloog open en Estefan, de collega van Tigger, stormde naar binnen met zijn wapen op scherp.

In een fractie van de seconde voordat het gebeurde, riep Bourne nog iets naar Angél, maar het was al te laat. Het meisje, getraumatiseerd door de bedreigingen en executies van haar familie, richtte de loop van het wapen op de indringer en haalde de trekker over.

Het schot dat daarop volgde, scheurde Estefans lichaam open, tilde hem omhoog en lanceerde hem terug naar de gang. Bourne trapte de deur dicht en duwde het bed ertegenaan; een geïmproviseerde barricade.

Maricruz pakte het wapen van het meisje af. Angél beefde en snikte met grote uithalen. Maricruz pakte het kind op en drukte het stevig tegen zich aan.

In de badkamer vond Bourne een handdoek, bond die om zijn rechterhand en liep terug naar de kamer. Hij sloeg de ruit in en haalde razendsnel de overgebleven scherven uit het kozijn.

'Kom,' zei hij tegen Maricruz en Angél, 'we gaan.'

'O nee, ik blijf hier.'

'Er zijn drie mannen dood,' zei Bourne.

'Carlos zal me in bescherming nemen.'

'Angél heeft twee mannen neergeschoten, van wie de ene een buitenlander met diplomatieke onschendbaarheid is.'

'Ik vertel de autoriteiten wel dat jij de moordenaar was.'

'Er zijn getuigen die me in de gang hebben zien staan toen het eerste schot viel. De kans is groot dat jij de schuld van deze moorden zult krijgen. Zelfs Carlos zal je dan niet meer in bescherming kunnen nemen.' Er werd geroepen en op de deur gebonsd. 'Je hebt geen keus.' Hij knikte met zijn hoofd. 'Kom, we gaan.'

'Door dat raam?' vroeg Maricruz.

'Heb jij een beter idee om hier weg te komen?'

'Wie ben je eigenlijk?' vroeg ze toen ze naar het open raam schuifelde. 'Sun had het over wraak. Kende hij jou?'

Op de gang bij de deur stond iemand naar hen te schreeuwen.

'Jullie daar. De politie is gewaarschuwd! Ze zijn onderweg!'

Het gebons werd hervat, maar nu nog harder. Praten was niet mogelijk. Bourne pakte Angél uit de armen van Maricruz, klom op de vensterbank en sprong naar het grasperk beneden. Het kind sperde haar mond open en brulde geluidloos. De tranen stroomden over haar wangen. Ze sidderde als een malariapatiënt. Hij zette haar neer naast de plas van glasscherven, keek naar boven en zag Maricruz wankelend op de vensterbank. Hij strekte zijn armen om haar op te vangen.

'Springen!' riep hij. 'Springen, nu!'

Op het moment dat ze zich afzette, zag Bourne in een flits twee federales in volle vaart op hen afkomen. Al rennend trokken de soldaten hun wapens. Bourne raapte een lemmetvormige glasscherf op en wierp die in één vloeiende beweging naar de soldaat voorop. Het glas drong door de stof van zijn uniform en doorboorde zijn borst tot aan zijn hart. De man viel op zijn knieën neer en tuimelde voorover.

De andere soldaat loste een schot, maar rende zo hard dat hij miste. De kogel eindigde in de zijmuur van het ziekenhuis. De soldaat wilde met zijn wapen op Bourne inslaan, maar die was hem voor en dook voorover naar zijn onderbenen. Nadat de soldaat was gevallen, draaide Bourne zich om en ramde de man met zijn vuist op zijn ruggengraat. De soldaat viel languit op de grond en Bourne trapte hem nog na tegen het achterhoofd.

Nadat Bourne de soldaat van zijn wapens had beroofd, keek hij achterom om te controleren of Maricruz de sprong gewaagd had. Ze was met blote voeten in de glasscherven gesprongen en bloedde als een rund. Bourne snelde naar haar toe, tilde haar op en zette haar neer naast Angél, buiten de glinsterende plas van glasscherven.

Het meisje was na al deze gebeurtenissen weer volledig in zichzelf gekeerd. Ze zat ineengedoken als een foetus en reageerde nauwelijks toen Maricruz haar optilde. Maricruz wiegde haar in haar armen en neuriede een lied.

Na het pistoolschot was er geen mens meer te zien rondom het ziekenhuis. De inwoners van Mexico-Stad wisten maar al te goed hoe ze dekking moesten zoeken in de door misdaad geteisterde straten. Bourne zag nergens een getuige en stuitte op geen enkele weerstand toen hij met Maricruz en Angél naar de leegstaande surveillancewagen rende waarmee de twee militairen waren aangekomen. Ze hadden in hun haast om hem te pakken te krijgen de portieren open laten staan.

Bourne hielp Maricruz en Angél de auto in, ging achter het stuur zitten en startte de motor. Twee straten verder zei Maricruz, die naast hem zat, plotseling: 'Stop maar.'

Bourne negeerde haar en reed door. Hij wilde het ziekenhuis zo ver mogelijk achter zich laten.

Ze hield de loop van het pistool dat ze uit Angéls hand had gewrikt tegen zijn slaap. 'Stoppen, zei ik.'

Toen Bourne haar gehoorzaamde, zei ze: 'Jij bent niet dokter Francisco Javier. Jij bent niet eens een dokter. Vertel me verdomme wie je bent!'

'Ik ben de man die jou uit een steeds neteliger wordende situatie heeft gered.'

'En me van de regen in de drup heeft geholpen.' Maricruz tikte met de loop van het pistool tegen zijn slaap. 'Vertel op: wie ben je?'

Met een snelle beweging pakte Bourne het wapen van haar af. 'Nooit te dicht naast je tegenstander gaan zitten,' zei hij, terwijl hij het wapen opzij legde. 'Mijn naam varieert, afhankelijk van degene die ernaar vraagt. Carlos Danda Carlos kent me als Jason Bourne.'

Bij het horen van zijn naam trok Maricruz lijkbleek weg.

'Zo kende mijn vader je.'

'Ja.'

'Jij was zijn ondergang.'

'Was dat niet het leven waarvoor hij had gekozen?'

'Het is maar hoe je het bekijkt.'

'Dit is geen kwestie van hoe je het bekijkt, Maricruz. Jij weet beter.'

'Het enige wat telt, is dat hij er niet meer is.'

'En heb je om hem gerouwd? Ik heb hem beter gekend dan jij.'

Woedend begon ze op hem in te slaan, probeerde hem de ogen uit te krabben. Maar Bourne had dit zien aankomen, pakte haar bij haar polsen vast en liet haar machteloos haar woede op hem botvieren.

'Niemand kon je vader helpen, Maricruz,' zei hij. 'Jij al helemaal niet. Je probeerde je te settelen aan de andere kant van de wereld. Hoe kon je rouwen om een man voor wie je helemaal naar China was gevlucht?'

'Hij bleef mijn vader,' zei ze.

'Een man die absoluut niet voor het vaderschap geschikt was.'

'Alsof jij dat kunt weten.'

'Dat wist iedereen die hem ooit ontmoet had; daar hoefde je hem niet goed voor te kennen.'

Bourne zag dat ze haar tranen probeerde in te houden. Toch rolden er enkele over haar wangen, die ze niet kon wegvegen. Toen hij zag hoe vernederd ze zich voelde, liet hij haar polsen los.

Op de achterbank had Angél het hele verwarrende gesprek gevolgd. Tranen begreep ze maar al te goed, en ze wurmde zich vanaf de achterbank in de armen van Maricruz.

'Niet huilen,' zei ze, met haar gezicht in Maricruz' haren. 'Niet huilen.'

Maricruz veegde de tranen van haar wangen en lachte aarzelend. 'Luister naar dit kind.' Ze zakte achterover in haar stoel en sloot haar ogen. 'Ze is een godsgeschenk.'

'We gaan kleren voor jullie kopen,' zei Bourne. Hij schakelde naar een hogere versnelling.

Maricruz opende haar ogen en haar blik viel op haar blote voeten. Ze zag ze nu pas voor het eerst.

'Jezus,' riep ze uit, 'ik bloed als een rund.'

Niet Jason Bourne, maar Amir Ophir was degene die J.J. Hale ontmoette in het afgesproken café.

Hale zat op een terras aan een tafeltje onder een witte parasol. Hij nam een slok van zijn espresso en las het dagblad *La Jornada* op zijn tablet. Toen Ophir tegenover hem kwam zitten, keek hij op. Ophir zette een kleine nylon draagtas naast zich neer.

'Dat is een verrassing, om maar een understatement te gebruiken,' zei Hale.

'Heeft Bourne contact met je opgenomen?'

Hale zette zijn kopje op het schoteltje. 'Ik probeer me te herinneren wanneer je voor het laatst in Mexico-Stad was en mij vereerde met je verheffende aanwezigheid.'

'Geen flauwekul nu.' Ophir stak zijn hand omhoog en knipte met zijn vingers om de ober te roepen. 'Een driedubbele espresso,' bestelde hij bij de man, die knikte en in het donkere interieur van het café verdween.

Ophir bestudeerde de klanten aan de omringende tafels totdat zijn koffie werd geserveerd. Hij dronk het kopje in één teug leeg en schoof het met schotel en al van zich af.

'Ik ben op zoek naar Bourne,' zei hij.

'Dat dacht ik al.'

'Wat vroeg ik je nou zonet?'

Hale haalde zijn schouders op en stak uit onmacht zijn handen in de lucht. 'Hij heeft niets van zich laten horen. Mijn zitvlees is op. Wat wil je horen?'

'Iets waar ik wat aan heb.'

Hale tikte op zijn elektronische krant. 'Er is een opsporingsbevel uitgevaardigd voor Bourne vanwege die bomaanslag op Carlos.'

'Gut, wat erg.'

Hale keek hem vals grijnzend aan. 'Ja, hè. Maar dat betekent wel dat hij ondergronds is gegaan. Hij zal moeilijk te vinden zijn.'

'Juist niet. Hij zal je meer dan ooit nodig hebben.'

Hale grijnsde breeduit. 'Zei de spin tegen de vlieg.' Hij tikte op het scherm van zijn tablet. 'Ik heb nog meer goed nieuws voor je. Onze vriend Carlos Danda Carlos is uit zijn functie ontheven.'

Dat bericht verraste Ophir. En maakte hem blij. 'Aan wie hebben we dat te danken?'

'Aan de Chinezen.' Hale vertelde kort wat er gebeurd was in het ziekenhuis waar Maricruz lag te herstellen. 'El presidente zal zich de haren uit de kop trekken, want de moord op kolonel Sun heeft verstrekkende gevolgen. Minister Ouyang laat niet met zich spotten, kan ik je verzekeren. De Chinese regering heeft namens Ouyang persoonlijk een strafrechtelijk onderzoek naar Carlos laten instellen, want hij was verantwoordelijk voor de veiligheid van de echtgenote van Ouyang.'

'En waar is Maricruz Ouyang op dit moment?'

Hale haalde opnieuw zijn schouders op.

'Ach, dat mens zal me een zorg zijn,' zei Ophir. 'Laten we ons richten op Bourne.' Hij keek weer onderzoekend om zich heen, peilde de zichtlijnen. Hij wees naar een lege tafel in een donker hoekje in het café. 'Ik ga daar zitten. Zorg ervoor dat hij plaatsneemt op de stoel waar ik nu zit.' Hij leunde voorover en ritste zijn draagtas open, waar hij een Ruger .22 Charger met randontsteking en een NC-geluiddemper uit haalde. 'Ik wil niet eens bij die smeerlap in de buurt komen. Met één schot door zijn hoofd leg ik hem neer. Dat zal op deze afstand geen probleem zijn, en met deze geluiddemper klinkt het niet harder dan een hagelschot.'

Hale reageerde geïrriteerd. 'Is het tegenwoordig jouw taak om mij te vertellen wat ik moet doen?'

'Doe maar gewoon wat ik zeg en treuzel niet.' Ophir grinnikte. 'Ik zal je niet langer ophouden.'

Bourne reed richting Coyoacán. Hij lette in het bijzonder op militaire voertuigen. De zender in de gestolen politieauto bleef kraken, de blikken stemmen werden luider en slingerden het kentekennummer van de gestolen politieauto de ether in, samen met het herhaalde opsporingsbevel. Hij wist dat hij zo snel mogelijk een andere auto moest vinden.

Bij een apotheek stond hij stil. Het was een mooie, oude zaak. Boven de ingang was liefdevol een coyote geschilderd. De coyote, met zijn lange, dorstige tong uit zijn bek, was het officiële symbool van Coyoacán. Naast de apotheek lag een braakliggend terrein vol afval en oude, afgedankte meubels – als een gapende ruimte in het gebit van een grijsaard.

'Blijf zitten,' zei hij tegen Maricruz toen hij uitstapte. 'Ik ben zo terug.'

Bij de apotheek kocht hij een desinfecterende spray, een doos wattenstaafjes, een rol verbandgaas en pleisters. Toen hij terugliep naar de surveillanceauto zag hij dat het passagiersportier openstond. De benen en voeten van Maricruz staken naar buiten. Angél zat gehurkt voor haar op de stoep en peuterde voorzichtig als een verpleegster de scherven uit de voetzolen van Maricruz.

Bourne trapte het hoopje glas naar de goot en ging gehurkt naast het meisje zitten. Hij liet haar de laatste scherven uit de huid van Maricruz verwijderen, sprayde het ontsmettingsmiddel over haar voetzolen en maakte met behulp van de wattenstaafjes de vele kleine snijwonden schoon.

Op het moment dat hij haar voeten begon te verbinden met het gaas, stond Angél op en fluisterde iets naar Maricruz.

'Daar, aan de overkant,' zei Maricruz.

Toen het meisje overstak, keek Bourne op naar Maricruz.

Ze haalde haar schouders op. 'Ze moet plassen. Ik weet geen betere plek.' Ze liet Angél geen moment uit het oog toen het kind het terrein opliep.

'Maricruz, heb je nagedacht over Angél?'

'Ik heb de afgelopen vierentwintig aan niets anders gedacht.'

'Je kunt haar niet houden,' zei hij. 'Je kunt haar niet met je meenemen.'

Ze keek hem indringend aan. 'Ze heeft geen familie. Niemand is haar komen halen.'

'Dat wil niet zeggen dat jij...'

'Het wil niet zeggen dat ik niets hoef te doen.'

Nadat hij haar rechtervoet had verbonden, ging hij verder met de linkervoet. Hij begon te fluisteren. 'In één ding had Sun gelijk: als jij ooit nog terug naar China wilt, kun je haar niet meenemen. Dat zal Ouyang niet toestaan.'

'Jidan staat me alles toe.'

'Mits het zijn politieke carrière niet schaadt; je hebt al genoeg schade aangericht. Ook daarin had Sun gelijk.'

'Ik kan haar niet alleen achterlaten,' zei Maricruz. 'Dat zal ik nooit doen.'

Toen Bourne klaar was, pakte hij alle spullen bij elkaar en legde die in de politieauto. 'Dat stel ik ook niet voor.'

'Het is ondenkbaar.'

'Maricruz, wees redelijk.'

Angél kwam terug en keek Maricruz met haar grote, bruine ogen aan.

'Ik kan haar niet aan haar lot overlaten,' zei Maricruz. 'Dat is uitgesloten.'

Bourne reed naar winkelcentrum Centro de Coyoacán, waar hij de surveillancewagen van de politie achter op de parkeerplaats buiten zette. Maricruz gaf haar kledingmaten door, en samen maakten ze een schatting van de maten van Angél.

'Let op militairen,' zei hij. 'Het stikt ervan in de stad vandaag.'

Hij besteedde een minuut of twintig aan zijn aankopen in een vijftal verschillende zaken. Van top tot teen in nieuwe kleren gestoken kwam hij terug bij de parkeerplaats. Onmiddellijk zag hij de jeeps en het zestal soldaten rondom hun surveillancewagen staan. Maricruz en het meisje waren nergens te bekennen.

Hij vloekte binnensmonds en sloop om het terrein heen in de hoop hen te vinden. Plotseling werd hij bijna aangereden door een witte SUV. Het voorste passagiersportier ging open en Maricruz riep: 'Stap in! Snel!'

Ze trapte op het gaspedaal nog voordat Bourne het portier had dichtgetrokken.

'Waar denk je in hemelsnaam naartoe te gaan?' zei hij, toen ze het terrein af scheurde.

Achter hen begonnen de soldaten zich al te verspreiden en een hecht zoeknetwerk te vormen.

'Geen idee.'

'Stop dan en laat mij rijden. Ga jij maar met Angél op de achterbank zitten.'

Na dit voorstel een paar minuten lang te hebben overwogen, reed Maricruz een zijstraat in en parkeerde de auto bij de stoeprand.

Bourne stapte uit, liep om de wagen heen en hield haar staande voordat ze weer terug in de auto kon stappen.

'Begrijp je nu dat het zo niet verder kan, Maricruz. Je brengt dit kind in gevaar.'

Maricruz keek van hem weg. Onbewust beet ze op haar onderlip. 'Ik weet het niet, ik weet het niet.'

'Ach, je weet het best,' zei Bourne. 'Dat is toch het beste voor iedereen, vooral voor haar.'

Ze keek naar hem om. 'Maar wie...'

'Ik ken een vrouw, ze heet Lolita. Ze is jong, alleenstaand, eenzaam en lief. Angél zou bij haar kunnen logeren.'

De blik van Maricruz verstarde. 'Waar bemoei jij je eigenlijk mee?'

'Met Carlos,' zei Bourne, wat strikt genomen geen leugen was. Al was het evenmin de volledige waarheid. Hij kon haar echter niet vertellen dat hij ook achter haar man aan zat.

'Carlos,' echode ze. 'Shit!'

'Maricruz, je hebt mijn vraag nog niet beantwoord.'

'Die is niet te beantwoorden.'

'Natuurlijk wel. Ik heb het antwoord net gegeven.'

Stilte.

'Jullie waren bijna in de val gelopen. Wat denk je dat de federales zullen doen als ze haar te pakken krijgen?'

Maricruz draaide zich om naar Angél, die rustig op de achterbank zat. 'Ze is beschadigd, Bourne.'

'Daar kun je mee leren omgaan. Lolita kan dat. Ze heeft een groot hart.'

'Echt waar?'

'Echt waar.'

Maricruz slaakte een diepe zucht. 'En als die vrouw me helemaal niet aanstaat?'

'Ik ben ervan overtuigd dat je het goed met haar zult kunnen vinden.'

'Maar als dat niet zo is?'

'Je laat dit meisje toch niet achter bij iemand die je niet mag of vertrouwt?'

'Nee, dat zal ik zeker niet doen.'

'Dat zal ik ook niet van je eisen.'

Opnieuw stilte.

Bourne pakte zijn mobiel. 'Ik vertel Lolita dat we eraan komen en waarom.'

'Een telefoontje? Ik weet niet...'

'We kunnen haar toch niet overdonderden met Angél? Dat is niet eerlijk ten opzichte van Lolita en ook niet van Angél.'

Maricruz aarzelde, wierp opnieuw een blik naar Angél, naar haar vage contouren achter het geblindeerde glas. Ze knikte instemmend.

Bourne belde Anunciata.

34

'Wat is er nou precies gebeurd?' vroeg Felipe Matamoros, sprekend in zijn mobiele telefoon. Hij zat in zijn haciënda in San Luis Potosí. Het urgente telefoontje haalde hem uit zijn werk met de leden van zijn kader, met wie hij zich boog over de fusie van de plaatselijke Sinaloa met Los Zetas.

'Het is een grote chaos hier. Er zijn vijf mannen dood, overal lopen hier politieagenten en federales,' zei de vrouw aan de andere kant van de lijn. 'Ik... ik weet het echt niet meer.'

'Hoezo niet, wat bedoel je?' riep hij. 'Jij bent toch haar verpleegster? Jij wordt door mij betaald om me op de hoogte te houden van alles wat er met Maricruz in het ziekenhuis gebeurt.'

'Ik heb u alles verteld, señor Matamoros. Eerst kwam er een zekere kolonel Sun door de bewaking heen, die beweerde dat hij van de Chinese ambassade was.'

'Kolonel Sun? Hoor ik dat goed?'

'Ja, señor.'

Dat betekent dat minister Ouyang zijn pisgele neus in mijn zaken steekt, dacht Matamoros grimmig.

'Goed. En toen?'

'Daarna liep het volledig uit de hand,' antwoordde de verpleegkundige. 'Uw bewaker, Tigger, zo heet hij toch... Die hoorde een geschreeuw vanuit de kamer, de señora en kolonel Sun lieten harde woorden vallen. Tigger stormde dus naar binnen. Er viel een schot. Vervolgens rende een arts die de señora regelmatig bezocht, de kamer in. De andere bewaker – Tiggers collega – kwam door de gang aangerend met zijn pistool in de aanslag en ging ook naar binnen. Opnieuw werd er geschoten, daarna hoorde ik glas rinkelen. En van buiten kwamen nog meer schoten.'

'En die arts, is die met haar meegegaan?'

'Met haar en dat meisje, inderdaad.'

'Ik begrijp hier niets van.'

'Nou, het wordt nog vreemder, señor, ben ik bang.' De vrouw aarzelde even. 'Die arts, die zich Francisco Javier noemde, is bij ons onbekend.'

'Je bedoelt, hij komt van een ander ziekenhuis.'

'Nee. Ik bedoel, ja. Ik heb een arts gevonden die zo heet, maar dat is een kinderarts. En die stond in de operatiekamer toen ik hem belde. Mij werd verteld dat hij al de hele dag aan het werk was.'

'Wat?' Matamoros zou het liefst een gat in de muur hebben geslagen. 'Wat probeer je eigenlijk te zeggen?'

'Dat ik niet weet wie die arts is. Ik vrees dat hij de señora en het kind heeft ontvoerd.'

'Dat kind interesseert me geen zier,' riep Matamoros. Hij wreef over zijn slapen en voelde een zware hoofdpijn opkomen. 'De vrouw, de señora...'

'Die is dus verdwenen,' vulde de verpleegkundige aan, die de schijn van kalmte niet meer kon ophouden.

'Verdwenen,' herhaalde Matamoros, alsof het een mantra was. 'Waarheen dan?'

'Dat weet niemand, señor... Ze is gewoon weg.'

'En er zijn twee mannen van Carlos omgekomen.'

'Ja, señor.'

'Dat is me nogal wat.'

'En die Chinees van de ambassade ook. En buiten nog twee militairen...'

'Ja, nu weet ik het wel! Ik ben alleen in die vrouw geïnteresseerd. Die vrouw die onder jóúw verantwoordelijkheid viel, jóúw zorg...'

'Maar señor...'

'Wacht maar tot je bezoek krijgt.' Matamoros beëindigde het gesprek abrupt.

Hij draaide zich om naar Juan Ruiz en Diego de la Luna. 'Maak het vliegtuig gereed. We moeten zo snel mogelijk naar Mexico-Stad.'

Carlos Danda Carlos had die nacht een onbeschrijfelijk nare nachtmerrie gehad. Hij kon zich bij het ontwaken de details niet meer herinneren, waardoor de onbestemde emoties alleen maar tot grotere angsten leidden. De zwarte nasleep van zijn nachtmerrie werd meegenomen naar de wakkere wereld toen hij telefonisch te horen kreeg dat twee van zijn bewakers waren gedood, dat twee soldaten onder al even dubieuze omstandigheden waren omgekomen, en dat Maricruz vermist werd. Alsof dat allemaal nog niet genoeg was, bleek er ook nog een Chinese bezoeker – een kolonel nog wel! – te zijn neergeschoten in de ziekenhuiskamer van Maricruz.

Na een bijzonder onaangenaam telefoontje van el presidente, dat hij had beantwoord terwijl hij nog in zijn pyjama stond – een gewoonte die hij niet had kunnen afleren – nam hij een douche. Hij schoor zich, kleedde zich aan en liet zich vervolgens naar het ziekenhuis brengen.

Daar trof hij een grote chaos aan. Mannen in uniform renden verdwaasd langs elkaar heen. Er was paniek ontstaan binnen het bestuur van het ziekenhuis, en ook op de Chinese ambassade, die dreigde zich met al het personeel uit Mexico terug te trekken in een omzichtig verwoorde verklaring aan de wereldpers. Carlos besefte dat zijn zorgen over Maricruz klein waren vergeleken bij deze internationale crisis. Hij had de ambassadeur gesproken, die hem ondubbelzinnig duidelijk had gemaakt dat de moordenaar van de kolonel, een persoonlijke medewerker van minister Ouyang Jidan, zo snel mogelijk moest worden opgepakt.

Carlos huiverde bij het horen van die naam. Hij was afhankelijk van minister Ouyang en zijn vrouw als hij zijn zakken wilde blijven vullen met de winsten van de drugskartels. Hij moest ontdekken wat kolonel Sun had gedaan om Maricruz zover te krijgen hem en zijn mannen koud te maken. Ongetwijfeld had Maricruz zelf de trekker overgehaald. Wie anders? Hij zou alles op alles zetten om Maricruz en de personen die bij haar waren, op te sporen. Uit verhoren was gebleken dat ze in het gezelschap verkeerde van een zevenjarig meisje, een patiëntje uit het ziekenhuis, en een mysterieuze man die zich had voorgedaan als haar zaalarts. Had die man Sun neergeschoten?

Geen van de feiten – of beter gezegd, halve feiten, want er heerste nog steeds grote onzekerheid – verklaarde hem iets. De enige die wist wat er aan de hand was, was Maricruz. Maar waar was zij?

Een van de feiten uit het onderzoek was interessant. Het scheen dat het trio was gevlucht in een surveillancewagen van de politie, die later was gevonden bij een winkelcentrum in Coyoacán. Ongeveer een halfuur later was op dezelfde parkeerplaats een witte SUV – het nieuwste model – gestolen. De eigenaar had het kenteken aan de politie doorgegeven, nog geen twintig minuten geleden. Toen Carlos dit gegeven verder onderzocht, ontdekte hij dat er ongeveer tien politiewagens waren ingezet om het voertuig in kwestie op te sporen. Hij gaf de verantwoordelijke commandant de opdracht dit aantal te verdrievoudigen.

Toen de commandant vroeg waar hij die wagens in zo'n korte tijd vandaan moest halen, schreeuwde Carlos: 'Dat kan me niet schelen. Al haal je ze uit je reet! Zorg dat ze er komen!'

Hij veegde het zweet van zijn gezicht. Toen hij besefte dat hij al het mogelijke had gedaan, ging hij terug naar zijn klaarstaande auto, waar de emoties hem te machtig werden. Het internationale aspect, dat altijd op de achtergrond van zijn geheime zaken speelde, was nu aan het daglicht gekomen en kon een einde maken aan zijn carrière, aan zijn leven zelfs. In Mexico verging het mensen die in ongenade waren geraakt net zo slecht als criminelen.

'Zegt u het maar,' zei zijn chauffeur monter, 'waar gaan we heen?'

Ik moet mezelf beheersen, dacht Carlos. Deze situatie kan nog meer uit de hand lopen; ik moet al het mogelijke aangrijpen en dit probleem bij de wortel aanpakken.

'Naar Coyoacán.'

'Komt in orde, meneer.'

Terwijl de chauffeur de weg opreed, pleegde Carlos het eerste van vele telefoontjes om zijn mensen te coördineren bij het leggen van een kordon om Coyoacán.

Bourne zat achter het stuur van de SUV en reed door Caballo Calco, maar stopte niet voor nummer 23. In plaats daarvan reed hij een paar keer om het huizenblok heen, om te controleren of er gevaar dreigde in de directe omgeving. Pas toen parkeerde hij de auto op een terrein twee straten verderop. Hij stapte uit en wisselde het nummerbord met dat van een wagen aan het einde van de straat. Toen hij wegreed van de parkeerplaats, kwam er een politieauto de hoek om, op de langzame, bedachtzame manier van een haai op weg naar een rif waarachter zich een school vissen schuilhoudt.

'Bukken!' riep hij. Maricruz zakte weg in haar stoel en Angél maakte zich klein op de vloer. Voor een kind van zeven kon ze zich opmerkelijk goed verstoppen, een van de weinige gunstige gevolgen van haar afschuwelijke ervaringen.

'Geen zorgen,' zei hij. 'Deze agenten willen alleen maar onze nummerplaat checken. Als ze ontdekken dat ze niet naar ons op zoek zijn, gaan ze weg.'

Bournes opmerking bleek profetisch, want even later droop de surveillancewagen af en sloeg rechts af op een kruising. Maricruz ging rechtop zitten.

'Ik twijfel niet meer over je voorstel,' zei ze zacht in de hoop dat het meisje op de achterbank het niet kon horen. 'Het is onverantwoord om haar aan dit soort gevaren bloot te stellen.'

Bourne knikte.

Maricruz vroeg: 'Wil jij ons aan die vrouw voorstellen?' Ze maakte een zenuwachtige indruk. Ze leek onzeker, had behoefte aan steun, een toestand die haar zichtbaar vreemd was.

'Dat is niet nodig,' antwoordde Bourne. 'Ik moet een nieuw voertuig voor ons vinden. Deze witte bak valt te veel op.'

'Maar ik ken die vrouw helemaal niet.'

'Zij jou ook niet. Ga nou maar. Ze woont op nummer 23 van het flatgebouw. Op de tweede verdieping.'

Maricruz droeg de nieuwe kleren die Bourne voor haar gekocht had, opende het portier en stapte uit. Ze wilde Angél optillen, maar bedacht zich op het laatste moment. Ze nam haar bij de hand; het meisje droeg een lichtgeel jurkje en glanzend leren instapschoenen. Een normaal kind. Moeder en dochter, je zag er zoveel van in Coyoacán, wandelend over de stoep. Voor de flat op nummer 23 bleven ze staan.

Bourne bleef toekijken tot ze binnen waren. Daarna veegde hij het interieur van de SUV schoon en stapte uit. Hij schroefde de nummerplaat los, liet die in een afvoerputje vallen en ging wandelend op zoek naar een voertuig dat meer geschikt was voor hun doeleinden.

35

Anunciata opende de deur en zag tot haar verbijstering de gelaatstrekken van haar vader terug in het gezicht van de onbekende vrouw die voor haar stond.

'Hola,' zei de vrouw met de glimlach van haar vader. Ze stak haar hand uit. 'Ik ben Maricruz.' Toen Anunciata enigszins beduusd haar hand aannam, zei de vrouw: 'Jij bent zeker Lolita.'

'Dat klopt.' De glimlach van Anunciata flakkerde als een kaars in de wind.

Maricruz schoof het meisje naar voren en liet haar handen zacht op de schouders van het kind rusten om haar een beetje te sturen. 'En dit is Angél. Haar ouders zijn overleden – vermoord – en haar familie...'

'Ik ken het verhaal. Kom maar binnen.'

Het meisje verzette zich toen Maricruz over de drempel van de voordeur wilde stappen.

Anunciata hurkte bij haar neer zodat ze Angél in de ogen kon kijken. 'Het hoeft niet, hoor.' Ze sprak het meisje direct aan. 'Je hoeft niks te doen wat je niet wilt.' Ze begon wat vrolijker te kijken,, alsof er een schakelaar was omgezet. 'Vertel eens, kun jij een geheimpje bewaren?'

Na een korte aarzeling gaf Angél een knikje.

'Dat dacht ik al. Ik zie het aan je ogen dat jij geheimen kunt bewaren.' Ze hield haar hoofd schuin. 'Wist je dat?'

De nieuwsgierigheid van het meisje was zo geprikkeld dat haar verlegenheid van haar afviel. Ze schudde haar hoofd.

'Nou, dat is toch echt zo. En dat kun je niet van iedereen zeggen. Daarom wil ik je graag een geheimpje toevertrouwen, als jij dat tenminste goed vindt.'

Angél reageerde bedachtzaam, nog steeds bedeesd, en knikte.

'Het is een treurig verhaal, Angél, maar jij zult het als een van de weinige kinderen kunnen begrijpen. Mijn ouders zijn ook dood. Ook allebei vermoord. Ik heb geen familie meer. Wat dat betreft lijken we op elkaar als twee puppy's uit hetzelfde nest. Als je zin hebt, kunnen we samen spelen.'

Of het nou kwam door de overeenkomst of door het beeld van zichzelf als puppy, maar er schemerde een glimlach door in het gezicht van het meisje.

'Ik hou van honden, maar nog meer van coyotes,' zei ze zacht.

'Dan houden we het op coyotes,' zei Anunciata.

Toen Angél in haar handjes klapte, gaf Maricruz haar een zetje. Anunciata ging rechtop staan en stapte opzij om hen binnen te laten.

Buiten was Bourne op zoek naar een oude, versleten auto, toen er van twee kanten surveillancewagens op hem kwamen af rijden. Caballo Calco lag een straat verderop, en Bourne liep in en uit de schaduwen die de gebouwen op straat wierpen. Hij wilde niet worden gezien nu hij wist dat zijn portret aan het dashboard van elke politieauto in de stad hing.

De wagens reden verder de straat in. Bourne beende naar de ingang van een gebouw, opende de deur en stapte het donkere portaal in. Onder aan de trap speelde een jongen met een smerige, goedkope rubberen bal, die hij in een geestdodend ritme tegen de muur gooide en weer opving.

De jongen keek niet naar hem om, zo ging hij op in zijn solitaire spel.

Bourne draaide zich om en tuurde door het dikke, geslepen glas van de hoofdingang naar buiten. Hij zag de voorste bumper van een van de surveillancewagens, die naast de stoeprand was gaan rijden en nu stilstond. Even later kwamen er geüniformeerde mannen in zicht. Ze leken weinig haast te hebben. Ontspannen staken ze een sigaret op. Om beurten vertelden ze elkaar een mop. Af en toe barstten ze uit in een bulderende lach om iets wat Bourne niet kon verstaan.

Kort daarna verschenen er twee agenten in burger in zijn beperkte blikveld. Ze kwamen op de rokende agenten in uniform af. De oudste van de twee sprak een hartig woordje met de wijkagenten. De mannen in uniform schrokken op en wierpen hun sigaretten in de goot. De detectives zwaaiden met hun armen en de agenten in uniform knikten; ze liepen gehaast terug naar de straat en verdwenen zo uit Bournes blikveld.

De detectives zetten hun gesprek voort, en nadat ze duidelijk een plan van aanpak hadden gesmeed, vertrokken ze, ieder een andere kant op. Een van hen beende linea recta af op het gebouw waarin Bourne zich bevond. Bourne ging de trap op en hield zich schuil op de eerste verdieping.

Hij hoorde de binnendeur open- en dichtgaan, daarna de krakende schoenen van de detective over de versleten tegelvloer, zijn voetstappen galmden door het trappenhuis.

Hij hoorde stemmen en leunde naar voren om te horen wat de detective tegen de jongen zei.

'*Niño*, heb je hier iemand zien binnengaan die er zo uitziet?'

Er viel een stilte, waarna de jongen zei: 'Ik heb iemand hier naar binnen zien gaan die hier niet woont.'

'Wanneer was dat?'

'Even geleden.'

'Heb je gezien waar hij heen ging?'

'Naar boven,' zei de jongen.

Zonder nog een woord tegen de jonge getuige te zeggen sloop de detective naar boven. Bourne zag in een flits een pistool.

Anunciata raakte nerveus door de nabijheid van haar halfzus. Maricruz intimideerde haar, zowel door haar hoge afkomst als door haar hautaine blik, waar Anunciata ijskoud van werd. Maar de aanwezigheid van het kind maakte veel goed. Angél was als een lichtstraaltje in het appartement. Alles wat ze aanraakte, begon te schitteren, alsof het meisje de innerlijke warmte van het geboende hout, de zachte zijden stoffen en de glanzende keramiek naar buiten bracht.

'Een mooi huis,' zei Maricruz toen ze langzaam door de huiskamer liep.

'Vind je?' zei Anunciata. 'Misschien een beetje armoedig.'

'Armoedig?' Maricruz draaide zich naar haar om. 'Helemaal niet. Het voelt prettig, hier wordt geleefd. De bewoner voelt zich thuis.'

Deze opmerking verraste Anunciata, want zelf klaagde ze soms dat ze zich niet geworteld voelde, dat ze niet werkelijk een thuis had. Ze keek naar Angél. Misschien ontbrak het de voorwerpen in het appartement inderdaad niet aan gevoel, want dankzij het meisje zag ze dat Maricruz gelijk had. Dit was haar thuis.

Van een boekenplank pakte ze een houten beeldje van een coyote dat ze ooit in New Laredo had gekocht. Met zijn geheven kop jankte de prairiewolf naar de maan. Ze liep ermee naar Angél, hurkte voor haar neer en liet het beeldje aan haar zien.

'Weet je dat deze coyote al heel lang wacht op iemand die hem een naam geeft?' zei ze. 'Kun jij er een bedenken?'

Het meisje pakte het beeldje.

'Is het een jongen of een meisje?' vroeg Anunciata.

Met een ernstige blik bekeek Angél het beeldje in haar handen.

'Een jongen,' zei ze. 'En hij heet Javvy.'

Maricruz keek het meisje een seconde in de ogen, met een aarzelende glimlach om haar mond.

'Nu je hem een naam hebt gegeven,' zei Anunciata, 'wil hij vast bij jou blijven.'

Het kind koesterde de coyote aan haar borst.

'Wie is deze mooie vrouw?' vroeg Maricruz.

Anunciata keek om en zag haar halfzus met een fotolijst van zilver uit Oaxaca in haar handen.

'Is dat je moeder?'

Anunciata ging rechtop staan. Opeens voelde ze haar hart bonzen in haar keel, als een heiblok ging het tekeer. 'Ja, dat is mijn moeder.'

'Je mag blij zijn.' Maricruz zette de foto terug op de plank, bijna eerbiedig. 'Dat je je moeder nog gekend hebt.' Ze leek dit meer tegen zichzelf te zeggen dan tegen iemand in het bijzonder. 'Ze hebben haar vermoord, zei je?'

'Vergiftigd.'

'Niet te geloven. Wie zou zo'n mooie vrouw nou willen vermoorden?'

'Zal ik theezetten?' vroeg Anunciata.

'Angél houdt niet van thee.' Maricruz draaide zich om, al die tijd had ze naar de vrouw op de foto gekeken. 'Je lijkt op haar – op je moeder.'

'Dank je wel. Ze was een bijzondere vrouw...'

'Maar dat heb je waarschijnlijk al vaker gehoord.'

'... zowel vanbinnen als vanbuiten.'

Maricruz lachte nu zo'n brede glimlach dat er rimpels in haar gezicht ontstonden. 'Angél houdt van koffie. Van zwarte koffie, ja toch, guapa?'

Het meisje zat op de bank, haar benen voor zich uitgestrekt, haar handen om Javvy de prairiewolf geklemd, en knikte. 'Met suiker.'

Maricruz lachte. 'Ja, met veel suiker.'

Ze liep achter Anunciata aan naar de keuken en bleef in de deuropening naar haar kijken terwijl ze de koffie afstreek en een ketel water op het vuur zette.

'Ik zie hier veel foto's van je moeder,' zei ze. 'Maar niet een van je vader.'

Anunciata's hart klopte nu zo snel dat het pijn deed. 'Mijn ouders zijn gescheiden toen ik jong was. Mijn vader is van ons weggelopen.' Haar hand beefde zo hevig dat het kopje rammelde op het schoteltje voordat ze het neerzette.

'Heb je nog contact met hem?'

'Dat is heel lang geleden.' Anunciata schonk water in de filter. 'Wat mij betreft is hij dood.'

Maricruz hield haar blik op de rug van Anunciata gericht. 'En heb je nog broers of zussen?'

Anunciata schudde haar hoofd, had moeite zich te beheersen. Ze had het gevoel alsof ze een vijand in haar huis had toegelaten, een giftige slang die, loyaal aan haar vader, haar zou kunnen doodbijten als ze erachter kwam wie ze werkelijk was. Waarom deed Bourne haar dit aan? Ze wist het antwoord. Om het kind. Het kind dat ze zelf zo graag had willen hebben. Hij had zelf het meisje naar haar moeten brengen. Maar ze begreep waarom dit niet mogelijk was. Maricruz zou dat nooit gewild hebben, en Angél ook niet.

Toen de koffie klaar was, schonk ze in. 'Wil je de suiker er zelf in scheppen?'

'Vier theelepels.' Maricruz liep naar haar toe. 'Wen er maar vast aan.'

'Vier scheppen, dat is heel ongezond,' zei Anunciata. 'Laten we twee scheppen proberen.'

'Dat is precies de juiste houding,' zei Maricruz zacht.

Ze klonk zo dichtbij dat Anunciata zich omdraaide. Maricruz bleek vlak achter haar te staan en staarde naar haar.

'Ik weet niet zeker of ik je wel kan vertrouwen.'

'Zoiets weet je nooit zeker.'

'Of ik je alles kan vertellen, bedoel ik.'

Op dat moment klonk op straat het onmiskenbare geluid van een pistoolschot.

Bourne bleef op de overloop van de eerste verdieping zitten; hij hoorde de detective aankomen, die iets in een oortje fluisterde dat waarschijnlijk verbonden was met een draadloos netwerk waarover hij met zijn collega's communiceerde. Hij trok zich terug in het donkere hoekje naast de deuropening links van de trap.

Hij hield zijn adem in en zag de detective met zijn 9mm-wapen, dat op scherp stond, de laatste treden van de trap op komen. Aangezien de trap naar rechts boog, keek de man automatisch die kant op. Toen hij dat deed, kwam Bourne tevoorschijn en sloeg met een karateslag het wapen uit zijn hand. Het 9mm-pistool gleed over de vloertegels en ging af. Het schot klonk onwerkelijk luid in deze begrensde ruimte. De kogel ketste van de muren en de detective dook ineen. Hij viel nog net niet voorover.

Bourne gaf hem een knietje onder zijn kin, trok hem bij zijn kraag omhoog en deelde een genadeloze klap uit tegen de zijkant van zijn hals. De ogen van de detective rolden weg, bewusteloos zakte hij in elkaar. Bourne ontdeed de man van zijn lange overjas en trok die aan. Hij legde zijn eigen jack over het lichaam van de man, dat hij ongezien versleepte. Hij nam de penning, het oortje en de identiteitspas van de detective af. Precies op dat moment kwam een bewoonster van de flat haar voordeur uit. Bourne liet zijn penning zien en zei: 'Señora, de politie is hier aan het werk.' Hij stopte het elektronische apparaatje in zijn oor. 'Blijf binnen en hou de deur gesloten totdat ons onderzoek is afgelopen.' De vrouw trok de deur dicht en deed die op slot.

Op dat moment ging de hoofdingang open en liep de andere detective het gebouw in.

'Hernan?' riep hij. 'Hoorde ik een schot?'

'Hierboven,' zei Bourne in het oortje van het draadloze netwerk. 'Ik heb de voortvluchtige overmand.'

'Het bevel was: meteen doden.' Met twee treden tegelijk liep Hernans collega de trap op. 'Wat houdt je in godsnaam tegen?'

'Dit.'

Bourne vloog op de man af zodra die boven was en trapte hem de trap af. Het jongetje met de bal was er niet meer, stelde Bourne tevreden vast. Hij liep achter de man aan die van de trap rolde, stapte over hem heen en beende door de hal naar buiten. Halverwege de straat nam hij via het draadloze netwerk contact op met de twee wijkagenten om hun hulp in te schakelen; hij gaf een adres aan ze door, vijf straten verderop.

Daarna ging hij meteen naar het gebouw waar Anunciata woonde.

36

'Angél!'

Maricruz rende door de woonkamer, de badkamer, de slaapkamer en daarna weer door de woonkamer, en keek naar Anunciata. 'Waar is ze? Ze is niet hier!'

Anunciata hield Maricruz op weg naar de voordeur tegen. Ze opende de houten jaloezieën en liep het lange, smalle balkon op met zijn rijkelijk versierde gietijzeren hek.

Maricruz stond achter haar en riep: 'Angél, wat doe jij daar?'

Het meisje stond aan de rand van het balkon met haar kleine handjes om de reling geklemd op haar tenen naar de straat te kijken.

'Vlug, naar binnen!' riep Maricruz. 'Dit is veel te gevaarlijk.'

Anunciata hield haar tegen toen haar halfzus op het meisje afdook.

'Ze weet wat ze doet,' fluisterde Anunciata, 'op haar manier.'

'Wat bedoel je?'

Alsof Maricruz die vraag aan het meisje had gericht, antwoordde Angél: 'Hij komt eraan.'

'Wie?' vroeg Maricruz.

'Dokter Javvy.'

'Dat is niet eens zijn echte naam.'

'Voor mij wel,' zei Angél, zonder zich om te draaien.

'Kinderen kunnen soms verstandig uit de hoek komen.' Anunciata keek naar Maricruz. 'Hij is gewoon wie hij is.'

'Hoe hij zich ook noemt?'

'Je weet het antwoord al.'

Na de schietpartij was het akelig stil geworden in de buurt. Er reed geen voertuig meer door de straat.

'Hij komt er zo aan,' zei het meisje, nadat ze de straat had geïnspecteerd en zich eindelijk had omgedraaid. Ze rende naar binnen, tussen de twee vrouwen door.

Maricruz bleef verstijfd staan. 'Ik ga met hem mee.'

Anunciata knikte. 'Dat weet ik.'

'Angél is bijzonder op je gesteld.'

'Ik ook op haar.'

Maricruz knikte. Toen Anunciata vanaf het balkon naar binnen stapte, legde Maricruz haar hand op haar arm.

'En hoe jij werkelijk heet, vind ik ook niet belangrijk.'

Toen Anunciata haar ogen opensperde, streelde Maricruz haar over haar wang. 'Dacht je soms dat ik zijn trekken niet in jouw gezicht had herkend?' Ze lachte aarzelend, bijna verlegen, als je kon geloven dat ze dat kon zijn. 'Het verschil tussen ons is dat ik de middelen had om naar een ander land te gaan.'

'Helaas,' zei Anunciata, zo zacht dat Maricruz dichter bij haar moest gaan staan, 'is dat niet het enige verschil.'

Maricruz sloeg haar arm om het middel van Anunciata in een poging haar als een zus te omarmen. 'Wat bedoel je?'

Anunciata keek haar halfzus in de ogen en wist nog niet of ze hier wel antwoord op moest geven. Door het appartement klonk de stem van Bourne. 'Maricruz, we moeten gaan. Schiet op!'

In de spanning van het moment nam Anunciata haar beslissing. 'Ik wist pas dat hij mijn vader was toen het al was gebeurd; hij had me toen al gedwongen met hem naar bed te gaan.' Ze kromp ineen toen ze de geschokte reactie in de ogen van Maricruz zag. 'Wat kon ik doen? Hij dreigde mijn moeder te ontslaan. Hij had ontdekt dat mijn moeder mij verteld had wie hij werkelijk was en liet haar vergiftigen.'

Maricruz omarmde haar halfzus. 'O, Lolita!'

Anunciata keek haar aan met een treurige glimlach. 'Dan weet je nu waarom ik die naam heb gekozen.'

Bourne en Angél waren in het appartement zo serieus met elkaar in gesprek dat de twee vrouwen een moment verbijsterd naar ze bleven kijken. Ze waren nog beduusd van alle bekentenissen die ze hadden gedaan. Zonder er bewust van te zijn hielden ze elkaars hand vast.

Bourne, aan wie niets ontging, keek er tevreden naar, alsof hij had voorzien dat het zo zou lopen. En misschien wist hij dat ook, dacht Anunciata terwijl ze een vlaag van liefde voelde opkomen voor deze man, die haar op zoveel manieren had gered.

'We moeten afscheid nemen van elkaar,' zei Bourne nog eens. Hij zat op zijn hurken voor het meisje, maar ging nu rechtop staan.

Maricruz liet de hand van Anunciata los, ging voor Angél staan en tilde het meisje op om haar stevig tegen zich aan te drukken. Ze kuste haar op haar wangen.

'Ik zal je missen,' zei ze zacht.

'Ik vind het hier leuk,' zei het meisje.

Met een vrolijke blik zette Maricruz het meisje voorzichtig neer.

'Dat is fijn, guapa. Dat is heel fijn.' Ze glimlachte veelbetekenend naar het kind. 'Goed op Lolita passen, hè?'

'Dat beloof ik,' zei het meisje ernstig.

'We zullen goed op elkaar passen,' zei Anunciata. Ze pakte het meisje bij de hand.

Even was de sterke, maar onuitgesproken band tussen de twee vrouwen bijna tastbaar. Maricruz draaide zich om naar Bourne, met grote tranen in haar ogen.

'We moeten gaan.'

'Jij hebt dit allemaal van tevoren bedacht,' zei Maricruz. Bourne hoorde aan haar stem dat dit niet beschuldigend was bedoeld. 'Je wist dat het zo zou gaan.'

'Ik wist wat er zou kunnen gebeuren,' zei hij toen ze de straat overstaken en de wijk in liepen. 'Dat is niet hetzelfde.'

Een afgeleefde, verroeste, groene pick-up met houten latten aan de zijkant leek voor hun doeleinden geschikt. Het kostte geen moeite om het portier te openen en de motor aan de praat te krijgen. Bij het starten kuchte de truck een wolk vettige rook uit.

'Hij doet het nog!' zei hij. Hij schakelde en reed de buurt uit.

'Ik heb het over het feit dat ik met je meega.'

'Waar kun je anders heen?' zei hij. 'Terug naar Carlos? Die is verwikkeld in een ernstige internationale crisis en zakt gestaag verder af.'

'Dat lijkt me een betere straf voor hem dan dat wij hem vermoorden,' zei ze in zichzelf.

Bourne wierp zijdelings een blik op haar. 'Had Matamoros dat in gedachten?'

'Het idee kwam van mij.' Ze snoof licht verontwaardigd. 'Kijk niet zo verrast.'

Hij schudde zijn hoofd. 'Waarom ben je terug naar Mexico gegaan? Waarom heb jij jezelf in de strijd tussen de kartels en Carlos geworpen?'

'Voor mijn vader.'

'Echt waar? Ik geloof je niet.'

'Geloof maar wat je wilt. Je kent me niet eens.'

'Ik weet dat je een hekel aan je vader had.'

'Dat is niet...'

'Anders zou je nooit zo snel en zo ver weg zijn gegaan.'

'Misschien waren er meer redenen.'

'Misschien,' zei hij. Hij reed een straat in om een politiewagen te mijden. 'Maar die hebben niets met jou te maken.'

Ze staarde naar het stadslandschap, dat haar deed denken aan een film die geregisseerd was door een vage bekende van haar. 'Waar gaan we heen?'

'Naar Matamoros, waar anders?'

Ze draaide zich om en keek hem peinzend aan. 'Wat wil je van hem?'

Bourne sloeg opnieuw een straat in, om de overvolle doorgangswegen te vermijden. Ze reden voorbij oude gebouwen, voorbij groepjes mensen die zich op de stoep ophielden, voorbij achterdochtige blikken die hen negeerden. De oude bak waarin ze reden, paste goed bij deze armoedige omgeving.

'Dit is het moment,' zei hij, 'waarop er rekeningen vereffend moeten worden, waarop we aan onze verplichtingen moeten voldoen.'

'Wraak,' zei Maricruz.

Hij knikte. 'Wraak.'

Ze zweeg een poos, schijnbaar in gedachten verzonken. 'Je wilt de drugsbusiness van mijn vader opdoeken, niet?'

'Je vader en zijn handlangers hebben iemand vermoord die mij heel dierbaar was.'

Maricruz knikte. 'Je wilt echt alle rekeningen vereffenen.' Ze staarde voor zich uit. 'Dus ook afrekenen met mijn man.'

Hij gaf een ruk aan het stuur, reed met de truck naar de stoeprand en bleef daar met stationair draaiende motor staan. 'Je kunt nog uitstappen, als je wilt. Aan jou de keuze.'

'Of ik nu wegga of blijf, ik zal je overal blijven tegenkomen.'

'Niets kan me tegenhouden.'

Ze haalde het wapen dat ze bij zich droeg tevoorschijn en drukte de loop tegen Bournes slaap.

'Maricruz, zo gestoord ben je niet.'

Ze haalde de trekker over.

37

Directeur Yadin was oorspronkelijk niet van plan geweest de nacht op de boot door te brengen, maar zijn vader had de voorraden meer dan genoeg aangevuld en nu het donker werd, deed hij geen moeite meer om terug naar de kust gaan. Samen met zijn vader reefde hij de zeilen, liet het anker zakken en hielp mee met de voorbereidingen van het avondmaal. Eigenlijk was Yadins vader, Reuben, degene die het eten klaarmaakte, terwijl zijn zoon de tafel dekte, die hij tegen een tussenwand had opgeklapt.

'Glaasje wijn?' vroeg Eli.

Reuben schudde zijn hoofd. 'Ik heb weer last van mijn jicht.'

'Je wordt oud.'

'Dat ben ik al.' Reuben schepte de couscous om terwijl hij er rozijnen, fijngehakte dadels en geroosterd amandelschaafsel in liet vallen.

De directeur leunde achterover tegen de tussenwand en keek naar zijn vader. 'Je bent melancholiek geworden sinds je met pensioen bent.'

'Liet je me maar met pensioen gaan, Eli!'

'Haha, da's een goeie, *dad*.'

Reuben keek licht geschrokken op. 'Weet je, Eli, soms ben ik bang dat je een beetje te Amerikaans bent geworden.'

Eli stak zijn hand uit naar een bakje met noten en nam een handjevol. 'Wat bedoel je?'

'Zie je. Dat is precies wat ik bedoel!' zei de oude man met gespeelde afschuw.

De directeur zuchtte diep. 'Abi, ik vrees dat ik heb aangestuurd op een apocalyptische confrontatie.'

'Kun je het nog wat sterker overdrijven, Eli?'

De directeur lachte, zij het als een boer met kiespijn. 'Ophir zit achter Bourne aan.'

'Neem het hem eens kwalijk na de manier waarop hij door Bourne in Damascus is vernederd.'

'Amir had die vernedering verdiend. Zijn taak was ervoor zorgen dat generaal Wadi Khalid levend gevangen werd genomen. Khalid, die van minister Ouyang de wreedste marteltechnieken had geleerd; Khalid, die door Amir en mij in Damascus moest worden uitgeschakeld. Dat is ons niet gelukt, wegens het verraad van Amir, maar gelukkig was Bourne ook in Damascus, en hij was degene die Khalid uitgeschakelde.'

Reuben bakte een worstje. 'Dat is allemaal lang geleden.'

'Niet voor mannen met een goed geheugen en een overdreven ontwikkeld rechtvaardigheidsgevoel. Ik heb het over onze vrienden, Ouyang en Amir Ophir, de mol van Ouyang binnen onze familie.'

'Zeg je dat Bourne daar niet bij hoort?'

'Bourne herinnert zich niet veel, en wat betreft zijn rechtvaardigheidsgevoel, dat is, voor zover ik kan beoordelen, gereserveerd voor mensen van wie hij houdt en die in gevaar zijn.'

Reuben keek naar zijn zoon terwijl hij het worstje bij de couscous wilde leggen en daarbij zijn hand verbrandde. 'Verdomme!' Hij zoog op zijn vingertoppen.

'Boter,' zei de directeur.

'We hebben geen boter aan boord.'

Eli stond op en haalde ijsklontjes uit de koelkast, die hij in een doek wikkelde en aan zijn vader gaf. Hij zette de pan op tafel terwijl zijn vader zich om zijn brandwond bekommerde.

'Het sterk ontwikkelde rechtvaardigheidsgevoel van Bourne vormt de kern van jouw plan.' Reuben zat aan de tafel terwijl zijn zoon de couscous opschepte.

'Weet je, pap, ik voel me weer een jongen. Vroeger maakte je elke week couscous voor me.'

'Waar je moeder steevast licht overstuur van raakte. "Jongens!" riep ze dan. "Hoe kunnen jullie vlees eten?"'

'De eerste keer rende ze zelfs het huis uit.'

Reuben knikte. 'Ja, dat weet ik nog goed.'

De stemming van de directeur werd grimmig. 'Ophir is het huis uit gelopen, abi. Mijn goede vriend is voor de vijand gaan werken.'

'Nou, jij hebt het enige juiste gedaan door hem zo dicht mogelijk bij je te houden.'

'Nu is hij zelf achter Bourne aan gegaan.'

'En denk je niet dat dit zijn einde wordt?'

Eli staarde door het raampje in de donkere zee. Het was een ander soort duisternis; kolkend en dik, bespikkeld met sterrenlicht, als vonken koudvuur. Hij dacht aan het vertrouwen dat hij had uitgedrukt in het gesprek die middag met Dani Amit.

'Ik weet niet meer wat ik moet denken.'

De vader legde zijn kromme hand in die van zijn zoon. 'Niet terugkomen op je besluit, Eli. Het ergste wat een Directeur kan doen, is niet volledig achter het plan staan dat hij heeft goedgekeurd. Een besluiteloos man roept rampen over zich af.'

Met de zijkant van zijn vork hakte Reuben een worstje in drieën en prikte in een deel. 'Vertrouw op Bourne zoals je op jezelf vertrouwt.'

'Ik heb hem bedrogen.'

'Het is je werk om mensen te bedriegen, Eli.'

'Dit is anders.'

'O ja?' Reuben stopte het merguezworstje in zijn mond en kauwde er bedachtzaam op. 'Goed, als dat je besluit is, dan vertel je hem later, zodra dit allemaal voorbij is, wat je hebt gedaan. Dat is dan jouw aliyah.'

De directeur knikte. 'Dank je wel, abi.'

'Ik heb je niets nieuws verteld.' Hij schepte couscous op met zijn vork. 'Degene om wie jij je werkelijk zorgen maakt, is Dani Amit, vooral na alles wat je hem verteld hebt.'

'Ik verdenk hem nergens van.'

'Je verdacht Ophir ook niet totdat hij je vertrouwen beschaamde.'

'Nou, ik heb Dani op de proef gesteld.'

Reuben knikte met zijn mond vol. 'Je hebt het juiste gedaan.'

'Dat zullen we snel genoeg merken.'

'Mollen zijn als kakkerlakken: als je er één in huis hebt...'

De oude man maakte zijn zin niet af, maar de boodschap van zijn opmerking bleef de hele nacht hangen en veroorzaakte een onrustige slaap, als er al geslapen werd.

De droge klik kwam voor Maricruz als een verrassing.

'Ik ben zo vrij geweest je pistool te ontladen,' zei Bourne. 'Ik had niet de indruk dat je je lesje had geleerd.'

Vanuit de diepte van haar keel bracht Maricruz een geluid van walging voort. Ze smeet het wapen op de vloer.

'Vuile schoft.' Haar blik kruiste de zijne. 'Ik haalde de trekker over voor mijn vader.'

'Een holle geste.'

'Zoals gebleken is.'

'Dat was het toch wel, Maricruz. Je was helemaal niet van plan mij af te maken. Diep vanbinnen wist je dat het pistool niet geladen was.'

Haar ogen vonkten, ze beet op haar lippen. 'En wat dan nog?'

'Een groots gebaar, zonder betekenis.'

'Ik neem aan dat je weet wat hij met Lolita heeft gedaan.'

'Ja, dat weet ik.'

'Ik heb nu geen excuus meer.' Ze schudde haar hoofd. 'Wat een schoft, mijn vader.'

Zwijgend reed hij verder. Na een poos zei hij: 'Wat vond je van je zus?'

'Wat vind je ervan dat jij veel meer over mijn familie weet dan ikzelf?'

'Zo gaat dat soms.'

Ze keek hem indringend aan. 'Ken je mijn moeder soms ook?'

'Ik heb haar vorig jaar ontmoet toen ik hier was.'

Maricruz staarde hem verbijsterd aan. 'Ik heb haar nooit gekend. Ik ging er altijd van uit dat ze dood was. Vraag me niet waarom; misschien omdat dat alles eenvoudiger zou maken. Dan hoefde ik niet na te denken over de vraag waarom ze mij in de steek had gelaten.'

'Misschien had ze geen andere keuze.'

'Mensen hebben altijd een keuze.'

'Ook met zo'n vader?'

Ze liet een geluid ontsnappen dat het midden hield tussen een kuchje en een schorre lach. 'Een paar maanden geleden kreeg ik van Jidan een gevouwen velletje papier met haar naam en adres erop. Ik zag dat ze in Mexico-Stad woonde.'

'Maar je hebt haar nog niet opgezocht.'

Ze schudde haar hoofd. 'Ik weet het nog niet.'

'Ik heb geen idee wie mijn ouders waren, of ik nog broers of zussen heb. Mijn verleden is voor mij een onbekend terrein.'

Bourne vroeg zich af of er iemand was die hem iets over zíjn familie zou kunnen vertellen. Het was geen kunst om meer over zijn familie te weten dan hij, dacht hij verbitterd. De woede hierover raasde door zijn ziel, als een withete vlam die bevriest in plaats van verhit. Bourne zag de wereld – zijn leven – door het prisma van dat verlies, door de oneindige leegte veroorzaakt door het besef niet te weten wie hij was of waar hij vandaan kwam. Als een eeuwige nomade was hij op zoek naar het onvindbare; 's nachts voerde hij zijn grimmige oorlog, waarin alle rekeningen werden vereffend, verplichtingen nagekomen.

Vergelding.

'Dank je wel,' zei ze uiteindelijk, 'dat je me met mijn zus hebt herenigd.' Toen Bourne bleef zwijgen, zei ze: 'Hoe heet ze echt?'

'Dat moet je haar maar vragen.'

'Javvy.' Ze keek hem schuin aan. 'Dokter Javvy, zo kent Angél jou.'

'Maakt het iets uit?'

Maricruz leunde met haar hoofd tegen het portierraam. 'Niet

veel. Maar toch... ze is mijn zus.'

'We zijn er bijna,' zei Bourne.

Maricruz ging rechtop zitten. 'En waar is dat?'

'In een café. Als het goed is, ontmoet ik daar een wapenhandelaar.'

'Een wapenhandelaar? Waar heb je die in godsnaam voor nodig?'

'Mijn oorspronkelijke plan was om jou via Matamoros te pakken te krijgen. Maar na alles wat er is gebeurd, kun je ervan uitgaan dat Matamoros achter jou aan komt.'

Ze schudde haar hoofd. 'Ik begrijp het niet. Wat wil je van me?'

'Ik heb een rekening te vereffenen met je echtgenoot.'

'En jij denkt dat je hem via mij kunt pakken?'

'Jij weet volgens mij allang dat hij niet de man van je dromen is.'

'Ik heb nooit veel in hem gezien,' zei Maricruz, 'behalve dat ik hem kan gebruiken om mijn doelen te bereiken.'

'Om groter te worden dan je vader.'

'Nu Maceo dood is, beheer ik zijn zaken.'

'Ik vind het verbijsterend dat je daar zoveel energie in steekt, in die drugsbusiness.'

'Het is lucratief.'

'Dat zijn z'n legale zaken ook.' Bourne trapte het gaspedaal in om een sukkelende trailer in te halen. 'Je ging naar Beijing om zo ver mogelijk van hem weg te zijn. Nu hoeft dat niet meer. Maar Mexico is jouw land niet meer.'

'Dat heb ik nooit gezegd.'

'Toch ben je hier en stort je je in de duistere zaakjes van je vader, vorm je de schakel tussen hem en je echtgenoot.' Hij keek even naar haar om. 'Besef je hoe ironisch dit is, Maricruz? Je bent de halve wereld over gereisd om je vader te ontvluchten, om hem terug te vinden in de figuur van Ouyang Jidan.'

'Denk je echt dat het zo zit?'

'Als je zo doorgaat, zul je altijd afhankelijk van hen blijven.' Hij minderde vaart voor een verkeerslicht en stopte. 'Als ik me niet vergis, wil je eigenlijk het liefst jezelf zijn.'

Voorbij de kruising antwoordde ze: 'Hoe kan ik me hieruit redden?'

'Je kunt me helpen.'

Ze keek hem onderzoekend aan. 'En wat krijg ik ervoor terug?'

'Tevredenheid, omdat je hebt meegeholpen een jonge vrouw te wreken die vermoord is.'

‘Dit meen je niet serieus.’

‘Denk aan Angél, stel dat iemand haar op de achterbank van een taxi in Mexico-Stad laat doodbloeden.’

Ze reden zwijgend verder.

Na een poosje zei Maricruz: ‘Is je vrouw werkelijk doodgestoken, of is dat een leugen die past binnen je dekmantel?’

‘Ze was niet mijn vrouw, maar ze is wel doodgestoken. Een jaar geleden.’

‘Het spijt me.’

Bourne nam een bocht. ‘Als het allemaal achter de rug is, Maricruz, zul je vrij zijn. Je zult de middelen hebben om te doen wat je wilt, om te zijn wie je wilt zijn.’

Ze staarde naar buiten, haar haren wapperden zacht in de wind, onttrokken haar gezicht aan het oog. ‘Moet je die wapenhandelaar echt bezoeken?’

‘Ik kan niet met een lullige 9mm de confrontatie met Felipe Matamoros aangaan.’

Ze lachte schel.

Bourne minderde vaart en reed met de truck een parkeerplaats op. Hij wees naar de overkant. ‘Dat is het café waar ik heb afgesproken.’

Maricruz keek sceptisch. ‘Denk je dat het veilig is?’

Bourne staarde door de stoffige en met vogelpoep besmeurde voorruit naar de locatie. ‘Ik vertrouw degene die dit allemaal heeft bekokstoofd voor geen cent.’

‘Wat doen we hier dan?’

‘Het benodigde arsenaal halen waar deze man me aan kan helpen.’ Bourne zag Hale buiten aan een tafel zitten; hij dronk een espresso en las op zijn tablet. ‘Ik kan maar op één manier van hem krijgen wat ik wil.’

‘Hoe dan?’

‘Door hem met de dood te bedreigen.’

38

‘Dit bevalt me niet,’ zei Maricruz. ‘Het lijkt of we in een val worden gelokt.’

‘Dat gevoel heb ik ook,’ erkende Bourne.

'Laten we weggaan.'
'Wanneer ik klaar ben.'
'Hoe kun je toch zo zeker van jezelf zijn?'
'Omdat ik een plan heb.' Hij bukte om het pistool dat Maricruz op de vloer had gesmeten op te rapen en te laden. Hij reikte haar het wapen aan. 'En jij bent onderdeel van mijn plan. Ben je er klaar voor?'

Bourne sprak het codezinnetje uit en ging tegenover J.J. Hale aan zijn tafel zitten. Hale keek op van zijn tablet en sprak zijn code uit.
'Nu we deze formaliteiten achter de rug hebben' zei de wapendealer, 'kunnen we ons ontspannen. Heb je trek? Wil je wat drinken? De espresso is heerlijk.'
'Ik ben gekomen voor wapens.'
'Een man van weinig woorden.' Hale knikte. 'Dat kan ik waarderen. Volgens de instructies moet ik je alles geven waar je om vraagt.'
Bourne haalde zijn wensenlijst tevoorschijn en schoof die over de tafel naar de man. Hale nam het blaadje aan, keek ernaar en floot tussen zijn tanden.
'Ga je oorlogje spelen?'
'Wil je het echt weten?'
Hij stak zijn handen met open palmen omhoog. 'Rustig aan, man. Het was maar een grapje. Ik was vergeten dat je niet van humor hield.'
Hij probeerde ontspannen over te komen, maar omdat hij wist dat Ophir een paar meter achter hem zat met zijn pistool in de aanslag, verkrampte zijn ruggengraat, waardoor hij kaarsrecht zat als een soldaat op de paradeplaats.
Opnieuw wierp hij een blik op het lijstje en zei: 'Een groot deel van dit spul kan ik je zo meegeven, geen probleem. Zelfs die granaatwerper. Maar de vlammenwerper is militair materieel. Dat is een ander verhaal.'
'En?'
'Dat kost tijd.'
'Heb ik niet,' zei Bourne.
Hale keek op met opgetrokken wenkbrauwen. 'Weet jij soms iets wat ik niet weet?'
'Ik weet wat ik wil hebben en wanneer.'
'Geef me vierentwintig uur.'

'Ik geef je een uurtje om alles te vinden.' Bourne bleef Hale indringend aanstaren. 'En dan bedoel ik: alles.'

Hale grinnikte ongemakkelijk. 'Zo niet?'

'Dan schiet ik je kop er af.'

Het lachen was Hale vergaan.

'Kijk eens onder de tafel,' zei Bourne. 'Toe maar.'

De wapendealer slaakte een diepe zucht, en hoewel hij zijn uiterste best deed om kalm te blijven, zat hij toch te beven. Hij schoof op zijn stoel naar achteren, boog diep genoeg onder de tafel en zag dat er een 9mm-pistool op zijn kruis gericht werd.

'Dit zijn geen geintjes meer,' zei hij, toen hij weer rechtop zat.

'Ik maak geen geintjes.'

Hale knipperde met zijn ogen. 'Blijkbaar niet.'

'Over een uurtje dus.'

Hale vloekte binnensmonds. Waar bleef Ophir nou, waarom had hij deze schoft niet allang neergeschoten?

Amir Ophir was een man die verschillende meesters diende. Deze schijnbare tegenstrijdigheid was nooit een kwelling voor hem geweest. Hij was een Israëliër met eigen opvattingen die verschilden van die van de mensen in zijn omgeving. Al vroeg in het leven had hij geleerd zijn mening voor zich te houden. Als jongen had hij een aantal terroristische acties van dichtbij meegemaakt, onder andere een waarbij zijn broer door vriendschappelijk vuur was omgekomen. Mogelijk was hij door de omstandigheden waaronder zijn broer was gedood uiteindelijk voor de verleiding gezwicht.

Hoe dan ook, het geld stonk niet dat hij door minister Ouyang vanuit een bank op de Kaaimaneilanden had laten witwassen en dat stilletjes groeide op zijn Zwitserse bankrekening. Zijn verraad kwam voort uit een verdorven mengeling van wraak en hebzucht, de perfecte ingrediënten voor een overloper.

Alle deze gedachten gingen pijlsnel door hem heen toen hij Bourne tegenover Hale zag plaatsnemen, nog geen tien meter van hem vandaan. Zonder zijn ogen van Bourne af te houden, zocht hij naar zijn draagtas, haalde de geluiddemper tevoorschijn en schroefde die op zijn .22. Het pistool was van een kleiner kaliber dan hij normaliter gebruikte, maar voor een openbare gelegenheid en op deze afstand was dit wapen zeer geschikt.

Hij controleerde nogmaals of de Ruger was geladen, of de indicator van de patroonkamer groen aangaf en het pistool op scherp stond, en tilde het met een servet bedekte wapen naar het tafelblad. Hij richtte op het hoofd van Bourne, maar voelde plotseling de kille, stalen loop van een pistool tegen zijn achterhoofd.

'Hé, dat is lang geleden!'

De stem van een vrouw! Het was nauwelijks te geloven.

Hij kreeg een stevige tik op zijn schouder en een dringend verzoek, dat in zijn oor werd gefluisterd: 'Laat dat pistool zakken.'

Een hallucinerend moment lang meende hij dat Rebeka achter hem stond, opgestaan uit het graf waarin ze haar kist hadden laten zakken. Hij kon haar stem nog duidelijk horen, en met een pijnlijk bonzend hart riep hij nog net niet uit: 'Jij kunt mijn geheim niet verklappen, want jij bent dood.'

Een hand reikte over zijn schouder en pakte het in het servet gewikkelde pistool uit zijn hand.

'Wie ben je?' zei hij.

'Jij eerst.' Het bleef stil. 'Schiet op.' Ze duwde de loop van het pistool in zijn nek. 'Goed, dan vraag ik het wel aan mensen die jou kennen.'

Toen hij zich niet verroerde, greep ze hem met verrassend veel kracht bij zijn schouder en siste vinnig in zijn oor: 'Sta op!'

Ophir stond op. Maricruz herinnerde zich Bournes waarschuwing en deed een pas naar achteren, buiten het bereik van zijn geheven vuist.

'Ik ben tweehandig,' zei ze, terwijl ze Ophirs pistool naar haar linkerhand overbracht.

'Je durft me hier toch niet neer te knallen.'

'O nee?' Ze liet hem de loop van haar pistool zien.

'Een geluiddemper. Slim detail.'

Ze liep met Ophir naar het terras van het café en dwong hem tussen Bourne en de wapendealer te gaan zitten.

'Zoals beloofd,' zei ze tegen Bourne.

Bourne wierp een blik op Ophir. 'Maricruz, ik stel je voor aan Amir Ophir, hoofd Bijzondere Operaties van de Mossad.'

'Het is niet waar!' riep Hale, met een hand deels voor zijn ogen.

'Niets is wat het lijkt,' zei Bourne.

'Voor jullie ook niet,' zei Ophir. 'De federales staan klaar om jullie bij de kladden te grijpen.'

'Echt waar? Waarom heb je ze dan niet verteld dat we hier zijn?'

'Omdat ze het dan waarschijnlijk zouden verknallen.'

'Zoals jij,' zei Maricruz. Ze stond achter hem. Met haar twee pis-

tolen prikte ze door de rotan achterkant van de stoel in zijn rug.
Bourne keek de Mossad-chef peinzend aan. 'Je bent niet meer zo goed in je vak als destijds in Damascus. Misschien moet je met pensioen, Amir.'
Ophir grijnsde zijn knarsende tanden bloot. 'Droom lekker verder, vuile schoft.'
Op dat moment spitste Bourne zijn oren. Hij hoorde in de verte de eerste politiesirenes. 'Je krijgt gelijk, Amir. Ze hebben het inderdaad verknald.'
Terwijl hij Hale bij zijn keel greep, liep hij achterstevoren van de tafel en knikte naar Maricruz als sein om hem te volgen.
'Tot de volgende keer,' zei Ophir. 'Reken daar maar op.'

Ze zaten met zijn drieën dicht tegen elkaar aan op de voorste bank van de truck. Bourne zei tegen Hale: 'Breng ons naar je magazijn.' Toen de wapendealer niet reageerde, voegde hij toe: 'We kunnen het je heel moeilijk maken.'
'Ik heb niks te verliezen,' zei Hale.
In een oogwenk en zonder zichtbare inspanning greep Bourne Hale bij de keel. De man protesteerde schor, hij stribbelde tegen, snakkend naar adem.
Over de rug van de man heen keek Bourne Maricruz aan en zei: 'Soms heb je helemaal geen wapen nodig.'
Maricruz trok de wapenhandelaar bij zijn bezwete haren omhoog. 'Gaat het, señor? Geniet je een beetje van de rit?'
Hij staarde voor zich uit, er stroomden tranen over zijn wangen. Hij zwichtte en gaf Bourne een adres.
Enkele politiewagens met zwaailichten haalden de truck in en reden naar het café dat ze zojuist verlaten hadden. Bourne sloeg rechts af bij een kruising en gaf Maricruz zijn mobiel.
Ze knikte, opende Google Maps en typte het adres in dat Hale genoemd had. 'Het is twee straten verderop,' zei ze, 'en dan naar links.'
Hale zat tussen hen in nog na te hijgen. Hij wreef over zijn bezeerde adamsappel, die rood en gezwollen was.
'Jij bent niet geschikt voor dit werk, meneer,' zei Bourne. 'Je hebt de verkeerde vrienden.'

Hales magazijn was een enorme opslagloods in een buitenwijk van de stad. Ze reden langs rijen identieke, uit beton opgetrokken hallen, veilig afgesloten door roestige rolluiken. Het terrein deed Bourne denken aan een begraafplaats.

Bourne volgde de aanwijzingen van de wapenhandelaar en reed naar het achtste pad vanaf de ingang. Halverwege vertelde de man dat Bourne moest stoppen. Bourne sleurde hem de cabine van de truck uit, Muricruz liep achter ze aan. Hale viste een sleutel uit zijn broekzak, bukte om het slot te openen, trok de haak los en rolde het luik naar boven.

Binnen deed hij het licht aan en hij liep voor ze uit door de spelonkachtige loods, die vol stond met kisten in allerlei soorten en maten, opgestapeld tegen de drie wanden.

'Kijk eens,' zei Bourne tegen Maricruz, wijzend naar een stapel kratten. 'Die komen uit China. Ik vraag me af van wie je deze wapens hebt gekocht, Hale. Van minister Ouyang toevallig?'

De wapenhandelaar kuchte. 'Wat stond er ook weer op dat lijstje van je?'

'Ik heb je mijn lijst toch gegeven.'

'Het is me ontschoten.' De man zweette als een otter. 'Na alles...' Hij wreef weer over zijn gezwollen keel. 'Na al het gedoe van vandaag ben ik niet meer zo helder.'

Bourne herhaalde zijn wensen. De man knikte gelaten, liep door het magazijn om de orders met bijbehorende munitie op te pikken.

'En vergeet die vlammenwerper niet,' zei Bourne, terwijl hij de granaatwerper oppakte om te voelen hoe zwaar het ding op zijn rechterschouder woog. Toen Hale terugkwam met de vlammenwerper, zei Bourne: 'Dus hier had je me vierentwintig uur op willen laten wachten.'

Hale hielp Bourne met het inladen van de vier zware kisten met wapens. Bourne zei Maricruz om alvast in de cabine te gaan zitten. Toen ze dat deed, draaide Bourne zich om naar Hale en fluisterde: 'Ik vertrouw die vrouw niet. Ik heb een gemakkelijk te verbergen wapen nodig.'

'Zijn we dan klaar?' vroeg de wapenhandelaar.

'Dan zijn we klaar.'

Een golf van opluchting overspoelde Hales gezicht en hij liep terug naar de opslagplaats. 'Ik heb precies wat je nodig hebt.'

'Daar twijfel ik niet aan,' zei Bourne, terwijl hij het roestige rolluik naar beneden trok en zich bukte om het slot te bevestigen en op slot te doen.

Hij meende Hale vanuit de opslagplaats nog iets te horen zeggen, maar wist het niet zeker. Hij draaide zich om, nam plaats achter het stuur en startte de truck.

'Weet jij hoe we in contact met Matamoros kunnen komen?' zei hij, terwijl hij het terrein af reed.

'Natuurlijk.'

'Gebruik mijn mobiel maar. Zoek uit waar hij zit en maak een afspraak.'

Maricruz knikte. Ze koos een nummer en hield de mobiel tegen haar oor.

'Felipe. Ja, ik ben het... Het is een lang verhaal, maar alles gaat goed, wat ik over Carlos niet kan zeggen. *Sí, sí*, van hem hebben we geen last meer. Waar zit je, in San Luis Potosí? Nee? O, in Mexico-Stad. We moeten elkaar...'

Op dat moment werd de zijkant van de truck geramd door een zwarte Chevrolet met rood zwaailicht.

39

Toen Carlos Danda Carlos uit het gerechtshof werd geleid, waar de rechter hem in afwachting van zijn proces in voorlopige hechtenis had laten nemen, moest hij zijn uniform inleveren. Daarmee verdween ook zijn waardigheid, om niet te zeggen een groot deel van zijn identiteit.

De rechter die hem in de gevangenis had gezet, was iemand die ooit bij Carlos op de loonlijst had gestaan. Hij was verschillende keren bij Carlos voor een etentje op bezoek geweest, had genoten van Carlos' exquise wijnen en sigaren, en had een van zijn meisjes mogen kiezen die voor de feestelijkheden na het diner per bus werden aangevoerd. Maar nu klonk hij kil en afstandelijk, alsof hij Carlos nog nooit van zijn leven had gesproken. En wie kon hem dat kwalijk nemen? Hij stond zo zwaar onder druk van el presidente dat hij geen ander keuze had. Voor de president gold dat evengoed. De hele wereldpers was voor het gerechtshof neergestreken en keek toe hoe de voormalige directeur van het Mexicaanse antidrugsagentschap in handboeien werd afgevoerd. De rechter had Carlos voor de leeuwen gegooid, wat iedere loyale ambtenaar zou hebben gedaan.

Het was weinig verheffend om Carlos in de gevangenis te zien. Hij verloor al zijn bravoure toen hij zich waste met de agressieve zeep onder het afgunstige oog van een op hem neerkijkende bewaker.

Carlos kende de verhalen, had artikelen gelezen over gruwelijke moorden onder de gevangenisdouche, de lievelingsplek van psychopaten en degenen die wraak wilden nemen wegens echte of ingebeelde beledigingen. Hij was er altijd onverschillig onder gebleven, omdat hij ervan uitging dat die verhalen uit een andere wereld kwamen. Maar nu maakte hij zelf deel uit van die wereld. Je lot kan omslaan als een blad! dacht hij, bijna in tranen.

Terwijl hij zich afspoelde, kwamen enkele gedetineerden de betegelde ruimte binnen en gingen onder de douchekoppen links en rechts van hem staan. Hun naakte lijven waren zwaar, gespierd en dierlijk, en meer bedekt door tatoeages dan door beharing. Op Carlos maakten ze de indruk van een andere diersoort, een die, anders dan hijzelf, daadwerkelijk achter de tralies hoorde.

Ze zeepten zich in en keken naar hem met dezelfde eigenaardige blik als de bewaker. Carlos voelde zijn hart bonzen in zijn keel en zijn scrotum verschrompelen. Het rommelde in zijn buik, alsof zijn maag met kronkelende palingen was gevuld. Nadat hij zich had afgespoeld, draaide hij de kraan dicht, trok zijn dunne handdoek van een houten hanger en sloeg die om zijn onderlichaam. Zonder de tijd te nemen om zich af te drogen liep hij weg over de tegelvloer.

'Heb je haast, *pendejo*?' sneerde de bewaker. Toen Carlos hem wilde passeren, hield hij hem tegen en fluisterde in zijn oor: '*Te agarró con la mano en la masa, pendejo.*' Je bent op heterdaad betrapt, zakkenwasser.

Carlos verstarde, maar toen de bewaker daar alleen maar om moest grijnzen, dwong hij zich te ontspannen en toverde een uitdrukking van meegaandheid op zijn gezicht.

'Zo wil ik het zien,' zei de bewaker, waarna hij hem liet gaan.

Carlos haastte zich naar zijn cel, waar zijn uniform voor hem klaarlag, gewassen, gestreken en keurig opgevouwen. Even kon hij niet geloven wat hij zag. Enigszins beduusd kleedde hij zich aan. Werd hij vrijgelaten? Had 'zijn' rechter het spelletje overtuigend genoeg gespeeld en hadden de media hun spotlicht weer op het volgende schandaal gezet?

Nadat hij zijn das had rechtgetrokken, kwam er een bewaker aan. Hij haalde de deur van het slot en wenkte Carlos naar buiten.

'De gevangenisdirecteur wil u spreken, señor,' zei hij. Zijn toon en blik vormden het tegendeel van het gedrag van de bewakers bij de douches.

Bij elke stap voelde Carlos zich lichter worden. Hij kreeg allerlei ideetjes om wraak te nemen op de mensen die hem zo hadden vernederd. Hoe dichter hij bij de werkkamer van de gevangenisdirecteur kwam, hoe minder afstotelijk deze omgeving en haar bewoners voor hem werden. Carlos voelde zich steeds meer op zijn gemak, elke stap leek hem voorgoed van deze tralies, deze hel te verwijderen en dichter bij het leven te brengen dat hem toekwam.

De bewaker stond stil voor een grote mahoniehouten deur met een bas-reliëf van een arend die boven op een nopalcactus een adder verorbert – het symbool van Mexico-Stad toen de stad nog Tenochtitlán heette, de Azteekse naam.

De bewaker klopte op de deur. Toen er 'Kom binnen' werd geroepen, deed hij voor Carlos open. Hij bleef op de gang staan en deed de deur dicht nadat de goed geklede gevangene naar binnen was gegaan.

De vierkante kamer van de directeur had een hoog plafond en was deftig als de studeerkamer van een rechter. De wanden waren gevuld met boeken op mahoniehouten planken, op de vloer lagen Perzische tapijten. De gevangenisdirecteur zat aan een massief, met fijnzinnig houtsnijwerk gesierd eikenhouten bureau dat minstens honderd jaar oud was. Hij keek op naar Carlos, glimlachte en knikte naar de comfortabel ogende houten stoel voor hem.

'Ik wil u persoonlijk mijn spijt betuigen voor de wijze waarop u bent behandeld, señor.' Hij spreidde zijn handen. 'U begrijpt beter dan wie ook hoe gevoelig deze kwestie ligt. Amper een uur geleden ben ik persoonlijk door de president benaderd. Dus u begrijpt...' Zijn blik werd ernstig. 'Helaas, zelfs iemand in mijn positie kan niet veel voor u doen... zonder een beetje hulp.'

'*No se puede resistir el cañonazo*,' zei Carlos. Het is moeilijk om niet te zwichten voor de geldzak. 'Bedoelt u dat?'

'In een notendop.'

'Dat kan geregeld worden.'

De directeur knikte. 'U begrijpt dat vrijlating vooralsnog ondenkbaar is.' Hij klakte met zijn tong. 'Maar, geen zorgen. U zult hier de komende paar weken leven als een god in Frankrijk. Straks, tijdens het vervoer naar de rechtszaal, zal er een ongeluk gebeuren met het voertuig waarin u zit. Ik garandeer u persoonlijk dat u de rechtszaal nooit meer vanbinnen zult zien. Wat vindt u van mijn voorstel?'

'Wat kost het?'

De directeur krabbelde iets op een kladblok, scheurde het blaadje af, vouwde het dubbel en schoof het over het bureaublad. Carlos nam het briefje aan, maakte het open en las het bedrag.

'Dat kan geregeld worden,' zei hij.

'Kunt u me uitleggen hoe, señor? Uw tegoeden zijn bevroren.'

'Niet al mijn bankrekeningen zijn bekend. Als ik gebruik mag maken van uw laptop kan ik het bedrag onmiddellijk overmaken.'

De gevangenisdirecteur tikte met zijn wijsvinger tegen zijn lippen en nam even de tijd wat dieper over het idee na te denken. 'Ik geef u niet graag de vrije teugel op mijn computer.'

'Blijf erbij zitten terwijl ik het doe. Daar, waar u nu zit.'

'Ik zal u mijn privégegevens moeten geven.'

'Daar komt u niet onderuit.'

'Toch voelt dat niet goed.'

Carlos dacht even na. 'U kunt het onlinewachtwoord veranderen meteen nadat ik het bedrag heb overgemaakt.'

'Hmmm, oké. Ik neem aan dat mijn rekening daarmee beveiligd is.' De directeur gaf Carlos de gegevens, draaide zijn laptop om en bleef achteroverleunend Carlos in de gaten houden. 'Geen grappen nu.'

'Ik zal u precies vertellen wat ik aan het doen ben,' zei Carlos. 'Wat vindt u daarvan?'

De directeur bleef sceptisch. 'Begin nu maar.'

Carlos schoof naar voren en begon te tikken op het toetsenbord. Hij vertelde bij iedere stap wat hij aan het doen was.

'Goed, ik ben nu online... Ik heb de website van mijn bank geopend... Ik voer mijn beveiligingscode in en beantwoord drie beveiligingsvragen... Nu ben ik ingelogd op de site... Ik ga nu naar mijn bankrekening... Daar ben ik nu. Ik begin met het overmaken van het bedrag zodra ik uw bankgegevens heb.'

Terwijl Carlos al pratend met de directeur door de procedure ging, trok de directeur ongezien een bureaula open, haalde er een Colt .45 uit met een paarlemoeren greep, zijn meest gekoesterde bezit, een cadeau. Het wapen stond altijd op scherp; in een Mexicaanse gevangenis wist je nooit wie je voor je had.

'Ik sta op het punt het bedrag over te maken,' zei Carlos.

'Señor Carlos.' Carlos keek op, waarna de directeur verderging. 'Felipe Matamoros wenst u het allerbeste toe op uw laatste reis.'

Carlos had nauwelijks tijd om zich de shock te realiseren toen er al een rood gaatje in het midden van zijn voorhoofd ontstond. Hij viel achterover, waarna de directeur kwiek opstond en zijn laptop pakte voordat die uit Carlos' krachteloze handen zou glippen.

De deur van de directiekamer vloog open. Op de gang stond de bewaker die Carlos uit zijn cel naar deze kamer had gebracht, al klaar. Hij keek de directeur aan en negeerde het lijk. 'Alweer een gevangene die probeert te ontsnappen?'

'Ze leren het nooit, Juan,' zei de directeur, met zijn blik gericht op het computerscherm. 'Zet het vuilnis maar buiten.'

Terwijl Juan het lichaam uit de stoel hees en wegsleepte, voerde de directeur zijn laatste bankgegevens in. Daarna veranderde hij het over te maken bedrag in het totale bedrag dat op Carlos' rekening stond, dat hoger was dan hij had gedacht. Het was zelfs een aardige som. Dat kwam goed uit. Zijn vriend Felipe, van wie hij afgelopen kerst de Colt had gekregen, had gezegd dat hij de rest mocht houden van wat er op de rekening van Carlos stond. Inderdaad, dacht de gevangenisdirecteur toen hij op Enter drukte om het bedrag over te maken, je kon geen betere vriend hebben dan Felipe Matamoros.

Het glas rinkelde, het metaal piepte en knarste en nam al verkreukelend groteske vormen aan. Door de immense klap steigerde de truck op twee wielen, kantelde op zijn zij en kwam trillend ondersteboven tot stilstand. Nodeloos draaiden de wielen verder, de motor loeide. Er kwam rook uit de overslaande en oververhitte motor. Daarna werd het stil, alsof de wereld zijn adem inhield.

Die rust werd snel doorbroken door het geluid van naderende voetstappen. Amir Ophir beende naar het gestrande voertuig met een Beretta in zijn hand. Hij tuurde in de cabine aan de chauffeurskant en zag Bourne en de vrouw ondersteboven hangen, gevangen in het gerafelde web van de veiligheidsgordels, als vliegen in een spinnenweb.

De vrouw was duidelijk bewusteloos, maar toen hij zijn hand uitstak om Bournes pols te voelen, opende de Amerikaan zijn ogen en haalde met zijn rechterhand uit naar Ophirs gezicht. Lachend sloeg Ophir deze zwakke poging af.

'Deze keer niet, jongen.' Hij greep Bourne genadeloos bij zijn keel. 'Je bent me al te lang een doorn in mijn oog.'

Hij richtte zijn Beretta omhoog, maar kwam niet verder dan halverwege het raampje toen Bourne de trekker overhaalde van het pistool in zijn linkerhand. De kogel trof Ophir met zoveel kracht dat hij dwars door zijn hoofd ging.

Ophir rolde met zijn ogen toen hij achterover buiten Bournes blikveld viel. Bourne, nog versuft van de botsing, maakte zijn riem los en keek naar Maricruz. Er stroomde bloed over haar gezicht, maar hij constateerde dat ze alleen maar oppervlakkige, door glassplinters veroorzaakte snijwonden had opgelopen.

Terwijl hij haar uit haar harnas tilde, hoorde hij de politiesirenes naderen. Zijn portier zat klem, waardoor hij uit het raam moest klauteren. Hij pakte Maricruz onder haar armen vast en sleepte haar naar buiten. Met haar lichaam in zijn armen strompelde hij naar de Chevrolet waarmee Ophir op de truck had ingereden. Bijna bezweek hij door al deze inspanningen, al hoefde hij nog maar een meter of zes.

Hij zette Maricruz in de passagiersstoel, nam plaats achter het stuur en zag tot zijn vreugde dat de motor stationair liep, al vreesde hij dat dit niet lang meer zou duren, gelet op de ingedeukte motorkap. Hij liep terug naar de truck om de kisten te redden waarin de voorwerpen zaten die Hale hem met tegenzin geleverd had, en zette die op de achterbank van de Chevrolet.

Hij schakelde en scheurde weg, en probeerde niet te denken aan wat hij aan de rand van zijn blikveld meende te zien. De sirenes achter hem klonken nu dichtbij; de politie zat hem op de hielen.

Hij reed een straat in, zag voor zich een verkeersopstopping, reed achteruit terug en sloeg een andere straat in. Door deze bruuske manoeuvre schrok Maricruz wakker. Ze kreunde, haar ogen gingen trillend open. Alleen al het omkijken naar Bourne deed haar ineenkrimpen van de pijn. Ze wreef over de achterkant van haar nek.

'Wat is er verdomme gebeurd?'

'Ophir, de Mossad-agent in het café, heeft onze truck geramd.'

'Ik hoop maar dat hij beide benen heeft gebroken.'

'Dat zou nog een geluk zijn,' zei Bourne, terwijl hij opnieuw een straat insloeg. 'Ik heb hem een kogel gegeven.' Hij liet haar het wapen zien. 'Soms is een pistool wél handig.'

Ze grinnikte, maar hief haar handen naar haar hoofd. 'Au!'

'We moeten nog wat tijd winnen voordat we onze vriend Felipe aanpakken.'

'Waar kunnen we in godsnaam schuilen? Bij Lolita?'

'Ik wil haar niet nog meer in gevaar brengen,' zei Bourne. 'En denk ook aan Angéls veiligheid.'

'Een hotel?'

'Daar stellen ze te veel vragen, we vallen te veel op in onze gehavende toestand.'

'Waar dan wel?'

'Je hebt al kennisgemaakt met één familielid,' zei hij. 'Misschien wil je er nog een ontmoeten.'

'Denk maar niet dat je mij daar naar binnen krijgt,' zei Maricruz.

'Ik vrees dat je geen andere keus hebt,' zei Bourne. 'Constanza Camargo is de enige bij wie we kunnen schuilen.'

Bourne had de auto geparkeerd voor een prachtig huis op de hoek van Alejandro Dumas en Luis G Urbina, in het chique Colonia Polanco. De kalkstenen façade schitterde in het zonlicht, maar de trap voor de ingang lag al in de schaduw. De treden waren verbreed om ruimte te maken voor een schans in het midden, die vanaf de stoep naar de ingang liep.

Maricruz keek om zich heen en wees naar buiten. 'Daar ligt het Lincolnpark.' Ze schudde haar hoofd en kreunde. 'Aan de andere kant daarvan ligt Calle Castelar, waar de villa van mijn vader staat.'

'Je moeder heeft het grootste deel van haar volwassen leven doorgebracht op een steenworp afstand van de man die ze liefhad.'

'Liefhad!' echode Maricruz honend. 'Wat wist mijn vader van liefde? Hij was een geilaard. En als je het over mijn moeder hebt...'

'Constanza lijkt me een raadsel, ook voor zichzelf.'

'Dat betekent nog niet dat ik haar wil ontmoeten.'

'Waarom niet? Wat dat betreft lijk je wel op haar.'

'Je kunt me niet dwingen.'

'Ik ben de laatste die iemand ergens toe zal dwingen.' Hij keek naar haar om. 'Maar de situatie is als volgt: we hebben allebei een goede maaltijd en rust nodig. We kunnen niet in deze auto blijven zitten. Ik moet daar zelfs zo snel mogelijk van af zien te komen. Zo'n bak valt veel te veel op in Polanco. Met andere woorden, Maricruz: we moeten ergens schuilen.'

'Denk je echt dat ze te vertrouwen is?'

'Dat weet je nooit. Maar ik zie geen andere optie.'

'Ik kan het niet.' Maricruz schudde haar hoofd. 'Ik doe het niet.'

Bourne stapte uit, liep om de auto heen en opende het licht ingedeukte portier. Ze keken elkaar aan. 'Shit,' riep Maricruz toen ze uitstapte. Zodra ze haar voeten op het trottoir zette, zakte ze door haar knieën, en Bourne tilde haar op.

'Laat me los,' zei ze. 'Ik kan zelf lopen.' Ze praatte zacht en haar blik werd wazig.

Bourne vermoedde dat ze een hersenschudding had. 'Kijk me aan. Maricruz, kijk me aan!'

Hij haastte zich over de stoep, liep de trap op naar de ingang van het huis van Constanza Camargo, draaide zich met Maricruz in zijn armen een kwartslag om zodat hij bij de bel kon.

Hij moest twee keer aanbellen, maar uiteindelijk werd er opengedaan door een beer van een vent.

'Hola, Manny,' zei Bourne tegen de man die Constanza's chauffeur, lijfwacht en persoonlijke assistent tegelijk was.

'Jij bent wel de laatste die ik ooit nog terug dacht te zien.'

'Leuke begroeting.' Bourne stapte naar voren. 'Laat ons binnen, Manny.'

De grote man ging voor hen staan. 'Ik dacht het niet. De señora zal jou niet willen spreken.'

'Mij misschien niet,' zei Bourne, 'maar haar dochter vast wel.'

40

Manny waggelde een beetje, alsof hij een beroerte had gehad, en Bourne droeg Maricruz over de drempel heen naar binnen. Manny zag zo bleek als een vaatdoek, sloot op het laatste moment de deur achter hen en waggelde achter Bourne aan, die Maricruz op een pluchen bank in de woonkamer legde.

Maricruz zonk weg in de zachte kussens en kreunde even; haar ogen vielen dicht. Bourne kneep haar in de arm, en op het moment dat ze haar ogen opendeed, zei hij: 'Maricruz, je hebt waarschijnlijk een hersenschudding. Je mag niet in slaap vallen. Begrepen?'

Ze knikte en kromp ineen.

'Waar doet het zeer?'

'Achter mijn ogen, achter in mijn hoofd.'

Bourne legde zijn hand onder haar hoofd en voelde een bult. De zittingen in de truck hadden geen hoofdsteun. 'Je hoofd heeft een flinke klap gekregen, maar het is niet ernstig. Als je maar wakker blijft.'

Ze strekte haar armen. 'Trek me overeind.'

Langzaam en gelijkmatig hielp hij haar omhoog.

'Dat is beter,' verzuchtte ze.

'Manny, we zijn uitgehongerd en hebben dorst. En Maricruz heeft pijnstillers nodig.'

'Ik ben bang dat ik niets kan binnenhouden,' zei Maricruz.

'Probeer het toch maar.' Bourne draaide zich om. 'Manny, wat sta je daar nou!'

Manny stond naar Maricruz te staren. 'Ze lijkt als twee druppels water op de señora. Ik ben sprakeloos.'

'Ga nou wat te eten en drinken voor ons halen,' zei Bourne. 'En laat Constanza weten dat we hier zijn.'

'Ik...' Manny bleef verstijfd staan.

'Wat is er toch?' vroeg Bourne ongeduldig. Manny bleef roerloos staan. 'Als jij niet naar Constanza gaat, doe ik het.'

'Luister...' Manny voelde zich zo onbehaaglijk als een kat in de regen en likte zijn droge lippen af. 'De vrouw des huizes is ziek. Ernstig ziek. Al wekenlang komt ze haar bed niet uit. Ze zou eigenlijk in het ziekenhuis moeten worden opgenomen, maar ze weigert haar huis te verlaten. Alleen in een doodskist laat ze zich haar huis uit dragen.'

'Wat mankeert ze?'

'Dat weet niemand.' Manny haalde zijn schouders op. 'Het is misschien een virus. Maar wat het ook is, ze kwijnt langzaam weg.'

'Breng me bij haar.'

'Dat lijkt me geen goed idee, señor. Ze is heel zwak.'

'Ik wil haar zien.'

Beide mannen keken om naar Maricruz, die overeind probeerde te komen. Bourne steunde haar.

'Ik heb gehoord wat jullie zeiden,' zei Maricruz. 'Ik wil haar zien.' Ze keek Bourne aan. 'Nee, ik wil niet gedragen worden. Ik wil op eigen benen staan wanneer ik haar onder ogen kom. Ik voel me toch al zo'n klein kind.'

Manny liet zich vermurwen en knikte. Hij ging al voor hen uit de trap op toen Bourne zei: 'Gaan jullie maar, ik zie jullie straks.'

Bourne beende snel terug naar de hal en liep de voordeur uit. Hij haalde de kisten uit de auto en zette ze in de hal. Toen hij een auto hoorde aankomen, tuurde hij door de raampjes naast de voordeur. Naast de gedeukte Chevrolet werd een politiewagen geparkeerd. Er stapten twee agenten uit. Ze bestudeerden de verfomfaaide voorkant, waar ongetwijfeld stukjes lak van de truck in waren terug te vinden. De agenten in Mexico mochten dan incompetent zijn, dacht Bourne, als het erop aankwam kenden ze geen pardon.

Bourne pakte de politiepenning die hij van de detective had afgenomen, maakte de voordeur open en liep de treden af en over de stoep.

Hij stak zijn penning omhoog en vroeg op minzame en behulpzame toon: 'Heren, kan ik jullie ergens mee helpen?'

Een van de agenten, een graatmagere, donkere man met de platte, ronde neus van de Olmeken, antwoordde: 'We zoeken naar een voertuig dat betrokken was bij een botsing en schietpartij in Taxqueña.'

'Dat is een heel eind hiervandaan. Wat doen jullie hier in Polanco?'

'We moeten hier zijn.'

Dat antwoord kwam van de collega van de dunne, die als een wild everzwijn vanachter de auto tevoorschijn kwam na inspectie van de deuken in de grille. Hij was dik en had een pafferig, paars gezicht met kleine varkensogen en een ronde, bijna vrouwelijke mond. Hij was ouder dan zijn collega en duidelijk hoger in rang.

'Dat kan wel zo zijn,' zei Bourne, 'maar dit is míjn onderzoek.'

De dikke posteerde zich voor de Chevrolet en inspecteerde Bournes penning. 'Met welk onderzoek bent u hier bezig?'

'Met een moordzaak.'

De man liep over van verongelijktheid en strijdlust. 'Hoe weet u van die zaak af?' Blijkbaar was deze man eerder door collega's in burger voor de gek gehouden. Er was maar één manier om met dit soort lui om te gaan.

Bourne stapte op hem af. 'Ik weet dat het slachtoffer een buitenlander is. Omdat ze het nog zo druk hadden met de zaak van die Chinees, hebben ze deze schietpartij meteen naar het hoogste niveau doorgeschoven.'

'Naar jou dus, een ventje in burger.'

'In elk geval niet naar jou, brigadiertje. Zorg maar dat je snel weg bent met die spriet van een collega, voordat ik je rapporteer.'

'Ach man, rot op.' De dikke gaf zijn collega een seintje en beiden stapten in de surveillancewagen. 'We hebben wel andere dingen aan ons hoofd.' De brigadier nam plaats achter het stuur, zijn collega in de stoel naast hem, en vervolgens reed de surveillancewagen weg.

Toen Bourne er zeker van was dat ze daadwerkelijk waren vertrokken, ging hij opnieuw naar buiten om de Chevrolet voorgoed op te ruimen.

Manny liep voor Maricruz uit door de rijkelijk versierde gang op de tweede verdieping. De mahoniehouten vloerplanken glansden onder haar voeten, de wanden hing vol met kostbare werken van Diego Rivera, Frida Kahlo en Gabriel Orozco.

Eén keer, toen ze bijna was gestruikeld, draaide Manny zich om en stak zijn hand uit om haar te helpen. 'Weet u zeker dat u dit aankunt, señorita?'

Maricruz schoot even in de lach, hoe erg ze ook op haar benen stond te trillen. 'Manny, ik ben getrouwd.'

'*Perdóname*, señora.'

'Geeft niet, Manny. Kom, laten we verdergaan.'

Hij knikte en bracht haar naar een brede, olijfhouten deur. Het houtsnijwerk in het midden stelde vogeltjes voor die op de zacht doorbuigende takken van een boom zaten. Manny klopte aan en riep: 'Señora, er is bezoek voor u.'

Hij opende de deur, al had Maricruz geen bevestiging of een ontkenning gehoord. De slaapkamersuite was ruim, maar niet zo groot als in de fantasieën uit haar vroege kinderjaren, die ze had doorgebracht in de extravagante villa van haar vader aan de andere kant van het park. Ook viel het gebrek aan religieuze kunstobjecten op, er hingen geen portretten van Jezus. De muren met behang waren kaal, op één schilderij van Mary Cassatt na, dat tegenover het bed hing. Er stond een moeder op die glimlachend neerkeek op het engelachtige kindje in haar armen.

Door het grote raam, dat door zware, theatrale gordijnen werd omlijst, viel het zonlicht schuin naar binnen. Het baldakijn van het prominent aanwezige grote bed rustte op zware, olijfhouten pilaren, waarvan het snijwerk duidelijk afkomstig was van de ambachtsman die ook het houtsnijwerk in de deur had gedaan. Tegen de zijkant van het bed stond een rolstoel, ingeklapt als de vleugels van een vogel, rustend en afwachtend.

Dit alles bevond zich slechts in de periferie van Maricruz' blikveld, want haar aandacht was volledig gericht op de vrouw die rechtop in het midden van het bed zat. Haar uiterlijk was door haar mysterieuze ziekte een ravage geworden, maar toch had Maricruz nog nooit zo'n mooie vrouw gezien. De gelijkenis die Manny had gezien, kon Maricruz niet bevatten, maar dat was vaker het geval met dochters en moeders.

Manny liep langs Maricruz en beende naar het bed. 'Señora,' zei hij. 'Mag ik u voorstellen aan uw dochter, Maricruz Encarnación.'

Maricruz nam niet eens de moeite hem te verbeteren.

De diepliggende ogen van Constanza Camargo schitterden als diamanten toen de oude vrouw haar ogen op haar dochter richtte.

'Wat zeg je daar?' zei ze met een fluweelzachte stem. 'Manny, hoor ik dat goed?'

Manny wenkte Maricruz naar voren, pakte haar bij de hand en bracht haar naar het voeteneind van het bed. 'Uw dochter is hier, señora. Uw dochter, Maricruz, is naar u teruggekeerd.'

'Maricruz,' zei Constanza, 'ben jij het? Ben jij het echt?'

De jonge Mexicaanse vrouw kon niets uitbrengen. Ze had het gevoel alsof ze stikte, alsof ze elk moment door haar knieën kon zakken en languit op het bed zou vallen, om door haar moeder in de armen te worden genomen als het engelachtige kind op het schilderij van Mary Cassatt.

'Manny, is dit mijn dochter,' vroeg Constanza, 'of een droom?'

'Dit is geen droom, señora. Kijk maar naar haar gezicht. Ze lijkt sprekend op u. Er kan geen twijfel over bestaan.'

Een lange poos bleef het pijnlijk stil. Constanza Camargo keek met glazige ogen en een onthutste blik haar verloren dochter in de ogen.

'Dat schilderij...' fluisterde ze uiteindelijk. 'Die Cassatt heb ik gekocht om jou dicht bij me te hebben, Maricruz, waar je ook was.' De tranen in haar ogen twinkelden en stroomden over haar wangen. 'En nu heeft het je naar mij teruggebracht.'

Maricruz voelde zich duizelig worden. Ze stond onvast op haar benen, leek elk moment te kunnen flauwvallen. Ze kon niet geloven dat dit werkelijk gebeurde. Ze had zo vaak aan haar moeder gedacht, zich afgevraagd wie ze was, waarom ze haar in de steek had gelaten, waarom haar vader altijd was blijven weigeren over haar te praten; ze had zich zo vaak afgevraagd hoe ze eruitzag, hoe haar stem klonk, hoe ze rook, hoe ze liep, of ze nog leefde.

'Ik weet dat je me haat, Maricruz. Dat kan niet anders, maar daar kan ik niks tegen doen, toch? Hij heeft je bij me weggehaald.' De oude vrouw begon te snikken. 'Ik haatte hem, en ik hield van hem. God sta me bij, ik kon er niets aan doen dat ik van hem hield, en tegelijk verachtte ik mezelf erom. Hij kon even teder als wreed zijn. Hoe kan ik hem verklaren? Hoe kan ik verklaren wat er is gebeurd?'

'Dat hoeft niet, niet doen,' antwoordde Maricruz smekend. Ze wilde niet dat dit moment verpest zou worden door de opstanding van de geest van haar vader. Ze had niet langer de behoefte aan de verklaring van een feit dat ze haar hele leven onbegrijpelijk had gevonden. Ze wilde het zo diep mogelijk wegstoppen en het nooit meer voor de dag halen. 'Alsjeblieft.'

'Kom eens hier, dan.' Constanza stak haar armen naar haar dochter uit. 'Mag ik je vasthouden als een moeder, waar ik zo lang naar verlangd heb?' Ze slikte en dat deed haar duidelijk pijn. 'Wil je me "mama" noemen?'

Op dat moment brak er iets in Maricruz, als glas. Werktuigelijk ging ze op het bed zitten; ze kroop over de lakens in de armen van haar moeder, vlijde het hoofd neer op haar moeders borst en luisterde met de onschuldige verbazing van een kind naar de regelmatige hartslag van haar moeder.

Bourne ging terug naar het huis en zag Maricruz in de armen van haar moeder liggen toen hij aankwam in de slaapkamer van Constanza. Ze spraken zo zacht met elkaar, hun gesprek was niets meer dan een gemurmel.

'Is alles in orde?' vroeg Manny met een bezorgde blik in zijn ogen.

'Voorlopig wel.'

Manny liep naar de gang. 'Ik denk dat we ze beter even alleen kunnen laten.'

Bourne volgde hem door de gang en van de trap af naar de keuken, waar de kokkin uitgebreid stond te koken.

Als in de meeste Mexicaanse huizen was de keuken groot en ruim. Het hing er vol met allerlei soorten pannen en aardewerken potten en schalen. Een keukeneiland diende als aanrecht en dubbele wasbak. Bourne ging zitten aan een eenvoudige houten eettafel, terwijl Manny eten en drinken opdiende.

Beide mannen zaten te eten terwijl de kokkin, een zwaarlijvige Mexicaanse vrouw, scharrelend aan het aanrecht taco's en *tamales* met bijbehorende vulling stond te maken.

'Verwacht je bezoek?' vroeg Bourne, genietend van de gebakken bonen.

Manny grinnikte goedaardig. 'Bernarda's grote hart is een constante bron van hoop. Ze denkt dat de señora elk moment met razende honger de trap kan afkomen. Vraag het haar maar. Ze zal bevestigen dat ze naar dat moment verlangt en de Heilige Maagd drie keer per dag daarom vraagt.'

Bourne was verbaasd over dit antwoord. 'Maar jij gelooft toch niet dat Constanza beter wordt?'

Manny trok zijn schouders op. 'De dokter die hier komt, is waardeloos, maar ze vertrouwt geen ander, God weet waarom. Elke dag lijkt ze achteruit te gaan. Ze heeft geen trek, zoals ik al zei, ze ziet bleek – soms, rond de middag, ziet ze blauw-grijs – en sinds kort kan ze in de war zijn. Dan denkt ze dat Maceo nog leeft en weer verliefd op haar is.'

Op de achtergrond legde Bernarda de laatste hand aan haar taco's en tamales, die ze op een dienblad zette dat ze waarschijnlijk naar haar mevrouw en haar dochter ging brengen.

'Maar ze weet dat Maceo Encarnación dood is.'

Manny knikte.

'Hoe reageerde ze daarop?'

'Dat is moeilijk te zeggen. Ze huilde niet, ze leek er niet eens verdriet over te hebben. Ze bleef alleen maar naar de bomen in het Lincolnpark staren en zei: "Het ziet er allemaal nog steeds zo uit. Nog precies hetzelfde."'

'Hield ze van hem?'

'O ja. Diep in haar hart koesterde ze bepaalde herinneringen aan hem, als eeuwige vlammetjes.'

'Ondanks alles wat hij haar had aangedaan?'

'Ach, señor, mensen hebben vaak gemengde gevoelens over een en hetzelfde ding.' Hij trok zijn schouders op. 'Wie kan zeggen waarom?'

Bernarda liep met een vol dienblad door de keuken naar de gang richting de trap.

'Het gaat om wat we willen tegenover wat we hebben.' Bourne sloeg zijn blik neer op zijn koffie. Er zat hem iets dwars. Hij keek weer op. 'Manny, zei je nou dat Constanza's huid soms wat blauwig van kleur is.'

Manny knikte. 'Vreemd, niet?'

'Heb je dit aan de dokter verteld?'

'Dat kan ik me eerlijk gezegd niet herinneren. Het leek me zo onbeduidend.'

Onbeduidend. Bourne dacht aan Anunciata, aan de manier waarop haar moeder om het leven was gekomen.

'Manny, sinds wanneer kookt Bernarda al voor Constanza?'

'Al jaren, señor. Ze hoort inmiddels bij de familie.'

'Waar komt ze vandaan?'

'Haar nicht werkte vroeger voor señor Encarnación zelf.'

Bourne stond op en rende naar de hal.

41

'Wat was jij altijd gulzig, guapa!' Constanza kuste Maricruz op haar kruin. 'Je liet mijn borst pas los nadat je er de laatste druppel uit gezogen had. En altijd wanneer je de borst kreeg, keek je me met grote ogen aan, en ik durfde te zweren dat je met me praatte.' Constanza zuchtte zacht. Haar adem rook naar chocolade en knoflook. 'Zo gelukkig als toen ben ik nooit meer geweest.'

'Waarom nam hij me van je weg?'

Er rolde een traan over Constanza's bleke wang. 'Waarom deed hij dingen, guapa? Uit angst.'

'Angst?'

'Ja, uit angst. Het leven van Maceo Encarnación was van angst doortrokken. Hij was een nul en wist dat het nooit iets met hem zou worden. Niet in de zin van "stof zijt gij" – want dat is het lot van ieder mens, arm of rijk. Nee, hij was doodsbang dat alles wat hij had opgebouwd, alle rijkdommen die hij had vergaard, ooit van hem zou worden afgepakt. Jij was een van die dingen.'

'Was hij bang dat jij me van hem zou afpakken?'

'Misschien niet in fysieke zin. Maar hij was wel bang dat ik jou dingen zou leren die je van hem niet mocht weten.'

'Dat hij een schoft was, bijvoorbeeld.'

'Hij was zo iemand die met absolute macht wilde heersen. Hij begreep de wereld om hem heen niet meer. Hij had het contact met de mensen verloren.'

'Ook met de mensen die van hem probeerden te houden?'

'Ja, vooral met hen, guapa. Hij was bang dat ik hem zou verraden, dat ik iets dierbaars van hem zou afpakken.'

'Hij was gestoord,' fluisterde Maricruz.

'Guapa, ik ben zo trots op je. Jij maakte je van hem los. Jij bent weggelopen en kwam nooit meer terug.'

'Maar nu ben ik er weer.'

Constanza omarmde haar innig. 'En daar ben ik je maar wat dankbaar voor.'

'Dat ben je niet meer als ik je de reden van mijn komst vertel.' Maricruz vertelde haar hoe ze in Beijing was terechtgekomen, hoe ze Ouyang Jidan had leren kennen, hem had verleid en met hem was getrouwd, diens zaken met haar vader had geregeld. 'En nu,' zei ze tot slot, 'ben ik teruggekomen om Maceo's zaken met Los Zetas voort te zetten.'

Met een ernstige blik in haar ogen schudde Constanza haar hoofd. 'Ik ben blij, omdat het jou naar mij heeft teruggebracht, maar je moet onmiddellijk ophouden met die gevaarlijke business. Je moet alle banden doorsnijden die je hebt met de schaduwzijde van zijn imperium. Je lot zal je op een ander pad brengen.'

'Maar, mama...'

'Geen gemaar, Maricruz. Mijn leven lang heb ik op een of andere manier met deze criminelen moeten omgaan. Ze pakten me mijn benen af, ze pakten jou van me af. Ik wil niet dat dit jou overkomt. Als je hiermee doorgaat, brengt dat niets dan ellende.' Ze nam het hoofd van haar dochter tussen haar handen zodat ze haar recht in de ogen kon zien. 'Je bent al zo dom geweest om te trouwen met een man die te veel op je vader lijkt. Dat is al erg genoeg. Denk aan wat er gebeurt, guapa, als hij je zwanger maakt. Hij zal het kind geen moment uit het oog verliezen. En jij zult voor de rest van je leven met hem verbonden zijn.'

Maricruz dacht terug aan wat kolonel Sun over Angél had gezegd en waar ze zo van slag en boos om was geworden. Ze wist dat haar moeder gelijk had. Ze wist dat Bourne gelijk had. Ze besefte hoe dom haar besluit was om in het voetspoor van haar vader te treden. Waarom? Ze wist wat haar te doen stond, welk pad ze moest gaan. Ze had alleen nog maar de moed nodig om haar leven te veranderen. Dat had ze eerder opgebracht; ze zou het weer kunnen doen.

Ze hoorde een geritsel op de gang voor de deur, draaide zich om en zag een gezette vrouw binnenkomen met een dienblad vol met eten en drinken. Ze slikte het gevoel dat ze werd gestoord weg en probeerde vriendelijk te kijken.

Bernarda stond al in de kamer van Constanza toen Bourne naar binnen stormde. Moeder en dochter zaten rechtop in het bed, ieder met een mok warme chocolademelk, terwijl Bernarda de borden op hun schoot vol schepte en het bestek ernaast legde.

Zonder een woord te zeggen nam Bourne de mokken weg.

'Wat doe jij hier!' riep Constanza.

'Hij is de man die mij hierheen heeft gebracht,' zei Maricruz. 'Zonder hem zou ik het nooit hebben aangedurfd hiernaartoe te komen.'

Bourne rook aan de mokken.

Manny kwam erbij en ging naast hem staan. 'Señor, waar bent u mee bezig?'

Bourne hield een mok onder Manny's neus. 'Waar ruikt dit naar?'
Hij snoof de geur op. 'Naar chocolade natuurlijk, hoezo?'

'Waar gaat dit over?' wilde Constanza weten. 'Bernarda maakt twee keer per dag warme chocomelk. Ze maakt hem heerlijk romig en sterk, het is enige wat ik naar binnen krijg.'

'Ze maakt hem zo romig en sterk om een heel goede reden.' Bourne richtte zich tot Manny. 'Wat ruik je nog meer?'

Manny snoof de geur van de dampende mok nu dieper in zich op. 'Ik weet het niet...' Hij fronste zijn wenkbrauwen. 'Knoflook?'

Bourne keek om naar Bernarda. 'Warm arsenicum ruikt naar knoflook.'

'Arsenicum?!' riep Constanza uit. 'Je bent niet wijs.'

'Ik begon een vermoeden te krijgen toen Manny me vertelde dat u soms een blauwachtige teint hebt, en dat u soms in de war bent. Constanza, u moet onmiddellijk naar het ziekenhuis. U wordt langzaam vergiftigd.'

Bernarda viel op haar knieën, vouwde haar handen ineen, alsof ze voor een altaar zat te bidden.

'Ik hield van je. Ik nam je op in de familie,' zei Constanza op verschrikte toon. 'Waarom heb je mij dit aangedaan?'

Bernarda begon onbeheersbaar te huilen en te snikken, heen en weer wiegend, niet meer in staat om te antwoorden.

'Laat mij het maar uit haar persen.' Maricruz glipte uit het bed en ging voor de knielende vrouw staan. Licht vooroverbuigend greep ze Bernarda zo stevig bij haar keel dat de vrouw het uitgilde.

'Beken nu maar,' zei Maricruz. Haar genadeloze kant was weer terug. 'Óf je bekent, of ik maak ter plekke een einde aan je leugenachtige leven.'

Bourne, die zelf had willen ingrijpen om te voorkomen dat Bernarda zou ontsnappen, vond dat het leerzamer was om Maricruz aan het werk te zien. Haar zachte kant had hij al gezien; hij was benieuwd naar de koelbloedige kant van deze vrouw, die continenten had doorkruist en uit verzet tegen haar vader zichzelf had geïsoleerd.

Manny deed een stap naar voren. 'Señor, misschien moeten we de politie waarschuwen. Dit is niet goed.'

Bourne hield hem tegen. 'Je weet wel beter, Manny. De politie hoort hier niet thuis.'

'Zo ging het toen Maceo leefde,' zei Manny wat uit de hoogte.

'En zo gaat het nu nog,' zei Constanza.

De twee mannen zagen hoe Maricruz Bernarda bij haar keel vasthield. Ze dreef haar nagels zo diep in de hals van de kokkin dat het bloed naar buiten druppelde. Constanza keek verbijsterd toe; ze kroop naar het voeteneind, waar haar dochter de kokkin in een wurggreep had.

'Op verzoek van je nicht heb ik je in dit huis opgenomen,' zei Constanza. Ondanks haar onnatuurlijk bleke huid spuugden haar ogen vuur, zoals ze deden toen ze nog in de bloei van haar leven was. De aanwezigheid van haar dochter, die ze nooit meer, zelfs niet in haar dromen, had verwacht terug te zien, gaf haar kracht en neutraliseerde de funeste effecten van de kleine hoeveelheden arsenicum die Bernarda door haar warme chocolademelk had geroerd. 'Ze vertelde me dat je werd mishandeld, dat je door je stiefvader werd geslagen, dat hij je telkens weer het huis uit schopte als hij te veel gedronken had.'

'Dat is allemaal waar, señora.' De woorden van Bernarda kwamen piepend uit haar half dichtgeknepen keel. 'Ik zweer het.'

'We kunnen je nu niet meer geloven.' Constanza kroop dichterbij. 'Heb ik je ooit op een of andere manier slecht behandeld?'

'Nee, señora.'

'Heb ik je geen thuis gegeven, je een eerlijk loon betaald, je met kerst en op je verjaardag cadeaus gegeven?'

'Jawel, señora.'

'Heb ik nooit geduldig geluisterd naar je klachten en je altijd proberen te helpen?'

'Jawel, señora.'

Constanza zat nu aan het voeteneind. Ze gaf Bernarda een harde klap in haar gezicht, eerste op de ene, daarna op de andere wang, waarna de kokkin weer begon te huilen en jammeren.

'Waarom heb jij me dan verdomme vergiftigd?'

Bernarda liet haar hoofd hangen. Langzaam begon ze te praten, al kon ze hooguit een gefluister voortbrengen. 'Het hemd is nader dan de rok, señora.'

Constanza's ogen sperden zich open van afschuw en ontzetting. 'Is dat de reden? Het hemd is nader dan de rok? Is dat je verklaring?'

'Ze dwongen me. De familie van Maceo heeft nog steeds veel macht,' mompelde Bernarda. 'Mensen zijn wraakzuchtig, vooral in mijn familie, de haat en verbittering zijn ons met de paplepel ingegoten.'

Met een gekreun dat diep uit haar keel kwam, greep Maricruz de kokkin nog steviger vast en met een razendsnelle draaibeweging draaide ze haar de nek om. Ze zakte in elkaar, terwijl Bernarda languit op de vloer viel.

Gepijnigd keek Maricruz om naar haar moeder. 'Dan brengen we je nu naar het ziekenhuis, mama.'

42

'Ophir is dood,' zei Dani Amit toen hij de kamer van de directeur in liep. 'Neergeschoten in Mexico-Stad, op de plek waar een auto-ongeluk heeft plaatsgevonden.'

'Daar zit vast en zeker Bourne achter,' zei Yadin opgelucht. '*Magniv*! Fantastisch.'

'Nu hij het vuile werk voor u heeft opgeknapt, kunt u hem laten zakken als een baksteen.'

Yadin keek op naar het hoofd Inlichtingen. 'Waarom zou ik, Dani?'

'Bourne is gevaarlijk. Met Bourne valt niet te spotten. Neem nou dit geval met Ophir. Als hij erachter komt dat er met hem gesold is, kan hij ons als een moderne Hercules gaan tegenwerken.'

De directeur keerde zich op zijn bureaustoel naar het raam en staarde over de daken van Tel Aviv. 'Zijn karwei is nog niet af, en het is te belangrijk om hem nu te stoppen.' Yadin streek met zijn hand over zijn gezicht. 'En trouwens, ook al zou ik hem willen tegenhouden, dan is het nog maar de vraag of me dat zou lukken.' Hij draaide zich om naar Amit. 'Ophir heeft het geprobeerd, en met hem is het niet best afgelopen.'

'Er zijn er meer die...'

'Dani, zo is het genoeg!' De directeur klonk scherp en indringend als het lemmet van een mes. 'Dit is een bevel.'

Minister Ouyang kwam een kwartier voordat zijn vlucht zou vertrekken aan op de internationale luchthaven van Beijing, maar toen zijn chauffeur het portier van zijn witte SUV voor hem openmaakte en de minister uitstapte, stond hij plotseling voor Kai.

'Wat doe jij hier?' vroeg Ouyang. 'Deze reis is geheim.'

Kai gedroeg zich vreemd, uit zijn gespannen blik sprak angst.

In het hoofd van Ouyang ging meteen een alarmbel af. 'Wat is er aan de hand?'

'Laten we iets gaan drinken.'

'Ik heb geen tijd voor een borrel. Over enkele minuten vertrekt mijn vliegtuig.'

Ouyang wilde om Kai heen lopen, maar zijn vriend bleef tussen hem en de ingang van de vertrekhal staan.

'Er zijn wel meer vluchten,' zei Kai.

'Kai, heb je niet gehoord dat Maricruz gewond is? Ik heb kolonel Sun erheen gestuurd om poolshoogte te nemen.'

'Had je dat maar niet gedaan, Jidan. We hebben het bericht ontvangen dat Sun is overleden.'

'Waarom denk je dat ik zo graag naar Mexico-Stad wil?'

'Om de schade op te nemen? Je had je vrouw nooit mogen laten gaan.'

'Dat was een zakelijke beslissing,' reageerde Ouyang gepikeerd.

Kai ging dichter bij hem staan. 'Er gaat geen ander vliegtuig, Jidan.'

Ouyang reageerde verbijsterd. 'Sinds wanneer stel jij ultimatums?'

'Dit is geen ultimatum.' Kai keek droevig. 'Dit is een bevel.'

'Wat? Het gaat wel om mijn vrouw. Wie durft...'

'Hij zit op je te wachten.' Kai wees naar een grote gepantserde limousine. 'Daar.'

'Ik heb hier geen tijd voor, Kai.'

'Dan maak je maar tijd, Jidan.'

Ouyang draaide zich om naar zijn chauffeur, die geen aanstalten maakte om zijn bagage uit de achterbak van de SUV te halen. In plaats daarvan keek hij van de twee mannen weg en stond een sigaretje te roken alsof er geen wolkje aan de lucht was. Zit hij ook in het complot? vroeg Ouyang zich af.

Kai stak een hand uit. 'Deze kant op, excellentie.'

Kai had hem al jaren niet meer met excellentie aangesproken; ze waren te bevriend geworden voor dit soort formaliteiten.

Ouyang liep voor Kai uit naar de klaarstaande limousine, waarvan de motor snorde als een rietkat. Het achterportier ging al open en met gebogen hoofd stapte hij in.

'Dag, Jidan.'

Deng Tsu, zijn donkere ogen als altijd alert, was degene die hem begroette. Door de verduisterde ramen en het tot de laagste stand gedimde licht binnen kon Ouyang zijn gezicht amper zien. Ook de andere man die tegenover Deng en Ouyang zat, kon hij niet herkennen.

'Patriarch,' begon Ouyang, 'dit komt nogal als een verrassing.'

'Tja, dat is nu juist het probleem.' Deng ging in een andere houding zitten; hij leek last te hebben van zijn rechterheup. 'Eigenlijk had deze bijeenkomst niet mogen plaatshebben, Jidan.'

'We zouden hier helemaal niet hoeven zijn als jij je vrouw, of beter gezegd je hebzucht, in toom had kunnen houden.'

Ouyang verstarde. Hij herkende de hoge, slijmerige stem meteen, maar deed toch een lampje aan om het te controleren. Zijn maag kromp ineen bij het zien van zijn aartsvijand, Cho Xilan, die breeduit zat te grijnzen tegenover hem.

'Wat doet hij hier?' Ouyang kon de haat tegen deze man niet verdoezelen.

'We zitten hier met zijn allen,' zei Deng, 'om een situatie te redden die volledig uit de hand dreigt te lopen.'

'En die uit de hand zál lopen,' zei Cho Xilan, 'als we niet samenwerken om dit te voorkomen.'

Ouyang kon geen moment geloven dat Cho Xilan in samenwerking met hem iets voor elkaar zou willen krijgen. 'Ik hoop dat gedurende deze rit te bereiken.'

De Patriarch schudde zijn hoofd. 'Jouw aanwezigheid in Mexico-Stad zou het allemaal nog erger maken. Dat konden we niet goedkeuren.'

'Maar mijn vrouw zit daar, ergens. Ze is gewond, ze moet worden opgespoord.'

Cho Xilan boog zich naar voren. Hij had een katachtig gezicht met langwerpige ogen en kleine oortjes die plat tegen zijn schedel zaten en glansden alsof ze waren ingevet. 'Zie je, Ouyang, dat is nou precies de houding waar we deze situatie aan te danken hebben.' Hij schudde zijn hoofd. 'Onze kameraden van het Politbureau zijn terecht geschokt.'

'Zwijg, Cho,' beet de Patriarch hem toe. 'We zouden het Politbureau erbuiten laten.'

'Er zal genoeg over worden gepraat – het kan immers heel slecht voor ons uitpakken – over drie dagen op de bijeenkomst in Beidaihe, mits...'

Deng wuifde zijn woorden ongeduldig weg. 'Cho, zorg dat ik er geen spijt van krijg dat ik jou hierbij betrokken heb. Jij en Ouyang zijn passagiers; ik zit achter het stuur.'

De Patriarch leunde achterover en keek de twee mannen tegenover hem een voor een aan. 'Jullie moeten jullie vijandschap naast jullie neerleggen, alleen dan bereiken we ons gezamenlijke doel. Dat zal onze eigen grote sprong voorwaarts zijn.

Jidan, er is te veel tweedracht onder de elite. Het ziet ernaar uit dat het aanstaande partijcongres het meest ruzieachtige congres in tijden wordt. Jouw beruchte strijd tegen Cho ligt daaraan ten grondslag. Ik wil het niet hebben. Dit land staat op een tweesprong – jullie hebben zelf de moeite genomen het congres te wijzen op de gevaren die kleven aan het onwetend houden van de bevolking.

Als wij, wij allen, onze geprivilegieerde status binnen het Middenrijk willen behouden, moeten we daar offers voor brengen.' Opnieuw keek hij ze beiden een voor een in de ogen. 'Is dat duidelijk?'

Na enige aarzeling gaven beide mannen dat schoorvoetend toe.

'Jullie... Heus, jullie gedragen je als schooljongens die de baas willen spelen op het schoolplein.' Deng schudde zijn hoofd. 'Ten eerste: Cho, jij moet iets doen aan de onwrikbare opstelling van je partij.'

'De Chongqing Partij is onvermurwbaar. Niemand is bereid water bij de wijn te doen.'

'Dan moet er een andere leider komen.' De Patriarch pakte zijn mobiel. 'Zal ik alvast wat rondbellen, Cho. Ik heb al een shortlist.'

'Dat is niet nodig, Patriarch. Ik zorg dat de partijoudsten zich achter deze lijn scharen.'

'Uitstekend. Want we moeten hervormen ter behoud van ons bestaan en onze welvaart. Op dat gebied heeft Jidan goede ideeën. Heren, de hele wereld kijkt naar ons. We kunnen niet meer zo heimelijk te werk gaan als we zouden willen. Dit partijcongres wordt door elk beschaafd land op de voet gevolgd. Wanneer wij willen meegaan in de vaart der volkeren, mogen we geen steekjes laten vallen.'

Hij richtte zich tot Ouyang. 'Ten tweede: omdat we als natie nu op eieren moeten lopen, zou je met jouw bezoek aan Mexico-Stad het verkeerde signaal afgeven.'

'Vooral vanwege je betrokkenheid bij de drugshandel,' merkte Cho cynisch op.

'Cho!' waarschuwde Deng.

'Je hebzucht wordt ons nog eens fataal,' ging Cho desondanks verder.

'Het feit dat jij,' wierp Ouyang tegen, 'je kop in het zand van de

Gobiwoestijn steekt en op eeuwenoude voet wilt doorgaan, zal ons veel waarschijnlijker uit de gratie doen vallen en ons einde bespoedigen.'

'Laat daar het Westen maar over oordelen,' kaatste Cho snerend terug. 'Ze hebben onze grondstoffen nodig, ze zullen op hangende pootjes terugkomen om te kopen wat ze nodig hebben.'

'Die manier van denken is achterhaald,' wierp Ouyang tegen. 'Alles staat met alles in verband. We kunnen niet terugkeren naar het complete isolement zoals in het verleden. Vandaar dat ik die energiebedrijven en -velden heb gekocht in Australië, Canada en Afrika. Want daar ligt onze toekomst.'

'Nu moeten jullie eens goed luisteren.' Deng klakte met zijn tong als een leraar die twee ruziënde leerlingen uit elkaar haalt. 'We begraven hier en nu de strijdbijl. Vanaf nu gaan jullie samenwerken.' Hij stak zijn wijsvinger omhoog. 'Maar eerst moet ik duidelijk maken waar de hervormingen precies over gaan. De staat zal bezwijken als de Partij de corruptie niet bestrijdt, maar de staat bezwijkt ook als die bestrijding te agressief is of te ver gaat.'

De twee mannen bleven een tijdje nukkig stilzitten; geen van beiden leek zin te hebben in het compromis waar Deng op aanstuurde.

'En die vrouw dan?' zei Cho uiteindelijk.

'Inderdaad, Cho. Dat probleem smeekt om een oplossing.' De Patriarch richtte zich tot Ouyang. 'Die vrouw van jou, Ouyang, was een vergissing, een grote vergissing. Alleen al door haar bestaan heeft ze je in gevaar gebracht. Zolang zij nog jouw vrouw is, kun je niet rekenen op promotie.'

'Patriarch...'

Deng stak een hand op. 'Hier is geen discussie over mogelijk, Ouyang. Over niets wat hier besproken wordt. Ik ben de wet en dit is de wet. Je zegt dat ze onvindbaar is in Mexico. Goeie genade! Ze kan het best in Mexico blijven. Als ze terug naar China wil, zal ze bij de grens worden tegengehouden. Je snijdt alle banden met haar door. Al haar gegevens zullen worden vernietigd. Alsof ze nooit bestaan heeft. Dit geldt ook voor jouw zaken met de kartels. Daar moet onmiddellijk een eind aan komen. Dit is allemaal noodzakelijk als jij en Cho Xilan tot een overeenstemming willen komen over de inhoud en de vergaandheid van jullie hervormingen.'

Deng keek streng en scherp uit zijn ogen. 'Dat is jullie compromis, jullie offer. Er is geen uitweg mogelijk. Dit moet gebeuren, Ouyang. En het zal ook gebeuren.'

'Het goede nieuws is, de Chinezen zijn het niet.'

'Aan wie had Amit om hulp gevraagd?' vroeg de directeur aan zijn vader.

'Aan de Amerikanen.'

De directeur had met zijn vader afgesproken in een afgelegen restaurant waar ze Reuben al jaren kenden. De eigenaars hadden hem vrolijk verwelkomd; sinds hij niet meer voor de Mossad werkte, kreeg hij de behandeling van een stille vennoot van het restaurant.

'En er is nog meer goed nieuws,' zei directeur Yadin. 'De Amerikanen zullen zichzelf in de Sinaï uitputten, ver van waar het werkelijk gebeurt.'

'Maar toch,' zei Reuben Yadin, 'we hebben opnieuw een mol gevonden, even hoog in de gelederen als Ophir.'

Eli prikte een stuk kaas aan zijn vork en kauwde er bedachtzaam op. 'Ophir is dood. Van hem hebben we niets meer te vrezen.'

'Je bleek gelijk te hebben over Bourne.'

De directeur knikte.

'En over Amit?'

'Een ontmaskerde mol is een nuttige mol.'

'Die Amerikanen toch,' zei zijn vader.

'Ze hebben onze mol binnen de CIA nog niet ontmaskerd, dus waarom moeten we hun vertellen dat we die van hen ontdekt hebben?' De directeur zocht in zijn salade naar een ander stukje kaas. 'Ik zal Amit naar de Sinaï sturen, zodat de Amerikanen bij de les blijven.'

'Daar zal hij Bourne niet vinden.'

'Maar hij zal tijd verspillen aan de poging, en tijd is precies wat ik nodig heb.'

Er viel een stilte tussen vader en zoon. Eli keek naar de lichten van Tel Aviv, flikkerend door de motregen die de zonsondergang aan het oog onttrok. Hij probeerde zijn gedachten de vrije loop te laten in de hoop tot een beslissing te komen. Na een lange poos draaide hij zich om.

'Nu we het erover hebben, je zou eens met me mee naar het ziekenhuis moeten gaan.'

Reuben leek enigszins overdonderd. 'Nu al?'

'Ik denk dat het nodig is.'

Reuben staarde naar zijn gerecht met kip, waar hij plotseling geen trek meer in had. De gedachte aan een ziekenhuisbezoek met zijn zoon vervulde hem met angst.

‘De tijd gaat snel.’

‘Voor jou, voor niemand anders.’

‘Misschien nog maar even niet dan,’ zei Reuben zacht.

‘Natuurlijk wel.’ Eli keek zijn vader nieuwsgierig aan. ‘*Dad*, wat is er toch?’

‘Hou toch op met dat “dad”,’ zei Reuben, duidelijk in een slecht humeur.

‘Zoals je wilt.’

Zijn vader mopperde binnensmonds.

‘Ja, vast. Sinds de dag dat je geboren werd, gebeurt niets zoals ik wil.’

‘Sorry, ik zal eraan denken.’

Reuben veegde de verontschuldiging van zijn zoon van tafel. ‘Ach, vergeet het maar. Ik ben gewoon...’ Hij keek Eli somber aan vanaf de andere kant van het tafeltje. ‘Toen ik nog directeur was, namen we zulke grote risico’s niet.’

‘We moeten met de tijd meegaan, abi.’

‘Maar het risico is wel erg groot. Als dit mislukt...’

De directeur keek achterom over zijn schouder, maar het had geen zin om de rekening te vragen. Zijn vader hoefde in deze zaak nooit te betalen, ook niet toen hij nog geen stille vennoot was. ‘Goed, dus wat is uw antwoord? Het betekent veel voor me.’

Er bleef iets onuitgesproken tussen vader en zoon.

Eli boog zich over de tafel. ‘Abi, ik weet dat u zich zorgen over mij maakt.’

‘Neem me dat maar eens kwalijk.’

Hij pakte zijn vader bij de hand. ‘Het komt allemaal goed.’

De sombere blik in de ogen van Reuben had hem geen moment verlaten. ‘Kon je me dat verdomme maar echt beloven.’

43

‘Dimercaprol.’ Dokter Hernandez, een slanke, goed verzorgde en vroegtijdig grijzend man, had het voorkomen van een landheer. ‘Het is een paardenmiddel, maar je moeder reageert heel gunstig op de behandeling.’

‘Goddank,’ zei Maricruz.

‘Maar ze is er nog lang niet bovenop, zeg ik u, en we moeten blijven letten op tekenen van abnormale cardiovasculaire activiteiten voor de duur van haar behandeling.'

'Wanneer mag ik bij haar?'

'Op dit moment ligt ze te slapen en wil ik niet dat ze gestoord wordt. Ik zal een zuster zeggen dat ze u moet komen halen zodra uw moeder wakker is.'

'Dank u wel, dokter. Ik ben u oneindig dankbaar.'

'U hebt geluk; u was net op tijd. Als u een week langer had gewacht, was het te laat geweest.'

Nadat hij was vertrokken plofte Maricruz neer op een stoel in de wachtkamer. 'Javvy,' zei ze, de fictie voortzettend waar Angél de voorkeur aan gaf, 'ik heb het gevoel alsof ik mezelf uit een graf heb gegraven.'

'Dat ligt niet zo heel ver bezijden de waarheid.' Bourne ging naast haar zitten. 'Je hebt nu een familie, een gevoel dat je ergens bij hoort. Je moet verder met je nieuwe leven.'

'En alles achterlaten in Beijing?'

'Hoe moeilijk is dat?'

Ze schudde haar hoofd. 'Eerlijk gezegd weet ik het niet.'

'Als je het niet probeert, weet je het nooit.'

Ze keek hem beteuterd aan. 'Dat is typisch jij; ik begin je te leren kennen – jij gaat vooruit, als een haai, altijd vooruit.'

'Een man zonder verleden heeft geen keuze.'

'Ik denk dat geen van ons een keuze heeft in dit leven.'

'Maar we hebben nog één probleem, Maricruz.'

Ze moest er bijna om lachen. 'Natuurlijk.'

'Matamoros zal achter je aan komen. Dat jij van gedachten bent veranderd, zal voor hem geen belemmering zijn. Hij is afhankelijk van Ouyangs toevoerlijn, en daarin ben jij een onmisbare schakel.'

Hij gaf haar zijn mobiel. 'Maak maar een afspraak.'

Ze schudde haar hoofd. 'Nee, nu nog niet. Ik ben nog niet... Ik wil eerst mijn moeder zien. Ik wil eerst weten hoe het met haar gaat.'

'Begrijpelijk.'

Bourne ging koffie voor hen halen. Ze hadden net hun lege bekertjes weggegooid, toen er een verpleegster kwam.'

'Uw moeder is weer wakker,' zei ze. 'Ze vraagt naar u.'

Maricruz liep achter de verpleegster aan, en toen Bourne in de wachtkamer bleef zitten, zei ze: 'Ik wil dat je met me meegaat.'

Hij knikte en liep met de twee vrouwen door de gang naar een ziekenkamer die deels privé was. Met een dichtgetrokken katoenen gordijn was er een scheiding aangebracht in de kamer, die in niets leek op de ruime, luxe vertrekken die Carlos had geregeld voor Maricruz in ziekenhuis Ángeles Pedregal. Het zonlicht door de luxaflex bescheen de patiënt in het andere bed als door een doorzichtig theaterscherm.

Constanza lag aan een infuus en zag er al beter uit. De blauwe, metaalachtige glans op haar huid was veranderd in een gezonde kleur die hopelijk de overhand zou krijgen naarmate meer arsenicum in haar lichaam door de medicijnen onschadelijk werd gemaakt en afgevoerd.

Gebogen over het bed pakte Maricruz de hand van haar moeder vast. 'Hoe gaat het?'

'Beter,' antwoordde Constanza. 'Veel beter.' Vervolgens viel de blik van de oude vrouw op Bourne. 'Jij hebt toch Maceo vermoord?' Ze probeerde rechtop te zitten, maar liet zich weer zakken in de kussens. 'Je hoeft me niet te antwoorden. Ik wist het meteen toen ik je voor het eerst zag, op het vliegveld. Ik rook het aan je, zag het aan je gezicht.'

'U kon het niet weten,' zei Bourne.

'O, maar ik wist het. Ik probeerde je tegen te houden, op mijn manier, maar dat liep helemaal mis. Door mijn tussenkomst is Maria-Elena omgekomen, net als de vrouw die bij jou was. Ik heb het mezelf nooit vergeven.'

'Mama.'

'Nee, Maricruz, ik moet dit vertellen. Anders is vergiffenis niet mogelijk. Ik ben vroom katholiek; ik geloof in de biecht.' Ze wenkte hen. 'Kom eens hier. Goed zo. Telkens wanneer ik Maceo Encarnación wilde helpen, eindigde dat in tranen. En toch ging ik ermee door. Het is een vorm van krankzinnigheid, neem ik aan. Maar dat riep hij in me op, een krankzinnigheid die het gevoel en de realiteit oversteeg. Dat was zijn gave – een duistere gave. Het is voor iedereen beter dat hij dood is, dat kan niemand ontkennen.' Ze keek Bourne indringend aan. 'En toch, God sta me bij, heeft hij een leegte in me achtergelaten. Dat is het grote raadsel van de menselijke geest – dat je blijft houden van iemand die niet goed voor je is.'

'Als een drugsverslaving,' zei Maricruz.

Haar moeder knikte. 'Precies, als een drugsverslaving.'

'Gun het wat meer tijd,' zei Bourne.

'Die tijd heb ik nu,' zei Constanza, 'dankzij jou.' Ze glimlachte er niet bij, haar ogen stonden droevig.

Maricruz keek naar Bourne. 'Wil je me even met haar alleen laten?'

Bourne knikte, liep naar de gang en stond met zijn rug naar de muur de omgeving in zich op te nemen. Tegen de wanden van de hal stonden brancards, sommige met slapende of half bewusteloze patiënten. Er klopte iets niet, maar hij wist niet wat. Hij had iets gezien of geroken wat vreemd was.

Een zorgelijk kijkende arts kwam uit een ziekenkamer en liep naar de verpleegsterspost om daar een patiëntendossier op te bergen. Terwijl hij dat deed, ving Bourne het geflikker op van de tl-buizen aan het plafond, dat weerkaatste tegen de metaalachtige rand van de dossiermap.

Plotseling draaide hij zich om en stormde de kamer van Constanza binnen, waar de twee vrouwen verbijsterd naar hem omkeken. Achter hen kwam het silhouet van de andere patiënt in de kamer in beweging. Het tl-licht flikkerde weer, gedempt door het gordijn, zoals Bourne het eerder in deze kamer had gezien.

Bourne dook naar voren, sprong over het bed en greep naar het gordijn. Iemand sloeg hem met een handwapen op zijn pols. Hij draaide zich om en wikkelde het gordijn om zichzelf en de persoon in het bed heen. Deze persoon was geen patiënt, maar iemand die geduldig had gewacht totdat Constanza deze kamer kreeg toegewezen, waar hij zou wachten tot ze naar binnen werd gereden.

De man raakte Bourne vlak boven zijn hart, en Bourne voelde een elektrische schok door zijn lijf heen gaan. Onmiddellijk stortte de man zich op Bourne en probeerde diens armen vast te pinnen, maar Bourne drukte zijn duim in de zenuwbundel aan de zijkant van zijn hals, gaf hem een knietje in zijn kruis, nam zijn tegenstander zijn SIG Sauer af en gaf de man daarmee een flinke dreun. Kreunend rolde de man het bed uit.

Intussen stond Maricruz al naast Bourne in de ruimte tussen het andere bed en het raam. 'Ik dacht eerst: dit is een huurmoordenaar die het karwei van Bernarda komt afmaken.' Ze keek naar de bewusteloze man. 'Maar ik herken hem.' Ze keek Bourne aan. 'Dit is een mannetje van Matamoros.' Ze haalde een hand door haar haren. 'Je hebt gelijk. Felipe zal niet rusten voordat hij mij te pakken heeft.'

'We moeten hem verstoppen,' zei Bourne.

'Hoe gaan we dat in godshemelsnaam doen?'

'We verstoppen hem waar iedereen hem kan zien.'

Hij liep de kamer uit en kwam terug met een onbezette brancard uit de gang. Samen met Maricruz legde Bourne de man op de brancard. Bourne bond hem vast en trok een deken over de man heen. Hij duwde de brancard helemaal naar het einde van de gang en liet hem daar staan.

'Die man,' zei Constanza, toen Bourne terug was, 'wanneer houdt het op?'

'Het einde is in zicht, mama.' Maricruz pakte haar hand. 'Ik beloof je dat er een einde aan komt.'

Bourne nam haar terzijde. 'We moeten Matamoros zo snel mogelijk te pakken zien te krijgen. Zowel jij als je moeder loopt gevaar. In een ander land zou ik bescherming voor jullie kunnen regelen. Maar hier is niemand te vertrouwen.'

'Laat me hem bellen en...'

'Doe maar niet. Het heeft te lang geduurd, hij is te achterdochtig geworden. We moeten iets anders bedenken. Zit er een zwakke schakel tussen zijn medewerkers? Iemand die we zover krijgen om Matamoros te verraden?'

Maricruz dacht even na. 'Ja, ik weet wel iemand,' zei ze. 'Geef me je mobiel maar.'

Diego de la Luna, de rechterhand van Felipe Matamoros, voelde zich niet meer op zijn gemak sinds Maricruz Encarnación hem had verteld dat ze zijn oudere broer Elizondo in Manila had ontmoet. Nu zat hij met Juan Ruiz in een hotelkamer in Mexico-Stad, waar Matamoros zenuwachtig door de ruimte beende, als een gekooid dier dat elk moment zijn eigen poot dreigde af te bijten. Hij kreeg het er benauwd van.

Na dat eerste telefoontje van Maricruz hadden ze niets meer van haar gehoord. Natuurlijk had Felipe hem de opdracht gegeven om na te gaan vanwaar er was gebeld, maar het mobieltje dat ze gebruikte blokkeerde niet alleen het nummer, maar weigerde ook gps-coördinaten te verzenden.

Daar zaten ze dan: doof, stom en blind – een toestand die Felipe niet lang kon volhouden. Hij was, besefte De la Luna behoorlijk angstig, aan het eind van zijn Latijn.

'Ik vertrouw haar niet,' zei Matamoros.

'Over wie hebt u het, *jefe*?' vroeg hij op zijn kruiperigste toon.

'Over Maricruz,' snauwde Matamoros. 'Ik had Martine erop uitgestuurd om haar terug te brengen, maar we hebben niets meer van hem gehoord en hij neemt zijn mobiel niet meer op. De exclusieve deal met Ouyang, die ons geld zou witwassen via de verkoop van Chinese kunst... Het was te mooi om waar te zijn, ik wist het.' Hij vloekte. 'Dat klotewijf speelt een spelletje met ons.'

'Maar stel dat...'

'Ik weet het niet!' bulderde Matamoros. 'Dat is nou juist het probleem, verdomme.'

Aan de andere kant van de kamer zat Juan Ruiz bedachtzaam zijn nagels te 'knippen' met een zakmes.

Matamoros haalde zijn hand door zijn haar. 'Maar wat ze ook doet, ze blijft een gevaar voor ons. Ze moet worden geëlimineerd. Hoe eerder hoe beter.'

Op een bepaald moment gaf de mobiel van De la Luna een blikachtig geluidje.

'Schiet op, neem je mobiel op,' zei Matamoros met een woedende blik. 'En verander die ringtone nou een keer. Deze werkt op mijn zenuwen.'

'Zal ik doen, jefe.' De la Luna nam op. Bij het horen van de stem van Maricruz gingen zijn haren rechtovereind staan.

'Dag Diego,' zei ze. 'Dat is lang geleden.'

De la Luna was sprakeloos. Hij hoorde haar grinniken aan de andere kant van de lijn.

'Verbaast het je dat ze me nog steeds niet bij je hebben afgeleverd, Diego?'

Hij kuchte, kon geen woord uitbrengen.

'Kun je wel praten waar je nu bent?'

'Niet echt,' bracht hij met moeite uit. Hij had het gevoel alsof hij een emmer zand had ingeslikt.

'Loop dan even weg,' zei ze, met een stem die kil als staal klonk. 'Nu!'

Diego keek naar Matamoros, die nog liep te ijsberen. 'Ruiz!' brulde Matamoros.

Juan Ruiz staakte zijn bezigheden en toen hij de getergdheid zag in het gezicht van zijn baas, borg hij zijn mes meteen op. 'Ja, baas.'

'Jullie moeten die hoer vinden. Zet alles op alles. Keer deze hele vervloekte stad maar binnenstebuiten, het kan me niet schelen. Als je haar maar vindt.'

Juan Ruiz stond op. Hij leek een derde van de kamer te vullen. 'En dan?'

'Dan pak je dat mes van je,' zei Matamoros, 'en snij je haar kop eraf.'

'Oké,' zei De la Luna. 'Ik sta nu buiten op het terras. Maar ik begrijp er niets van. Waarom bel je nu? Waarom kom je niet gewoon?'

'Waarom denk je?' De stem van Maricruz klonk als een ratel in zijn oor.

'Heeft Matamoros dan toch gelijk? Heb je ons al die tijd voor de gek gehouden?'

'Tijden veranderen, Diego. Nu ben jij degene met wie ik wil praten.'

'O, nee,' zei Diego. 'Daar komt niets van in. Ik ga je niet helpen.'

'Dan laat ik me helpen door je broer.'

'Hoezo? Waar heb je het over?'

'Je broer wil al jaren de drugshandel van Los Zetas saboteren. Dat is hem nooit gelukt, omdat de invloed van het kartel zich uitstrekt tot in politie-, leger- en regeringskringen. Maar via mij kan het hem lukken, Diego. Ik kan hem alles geven wat hij nodig heeft om Los Zetas ten val te brengen. Zijn nummer staat in mijn contactenlijst. Wil je dat ik hem nu bel?'

De la Luna slikte luid. 'Nee, natuurlijk niet.'

'Dan maken we een afspraak.'

De la Luna keek achterom over zijn schouder. Juan Ruiz was weg. Misschien had hij mazzel en vond Juan haar voordat...

'Wanneer?'

'Nu.'

'Nu? Ik kan niet...'

'Nu, of anders niet.' Haar woorden klonken rauw als afgebeten vissenkoppen.

De la Luna haalde een hand over zijn gezicht. Hij zweette als een otter, ontdekte hij onthutst. Zo kon hij niet teruggaan naar de hotelkamer. Matamoros had de intuïtie van een roofdier en zou zijn angstzweet meteen ruiken.

Met gesloten ogen liet Diego zich vermurwen. 'Waar?'

'Bij de Piramide van de Zon.'

Teotihuacán lag ongeveer vijftig kilometer ten noordwesten van de stad, schatte De la Luna. 'Goed,' zei hij. 'Ik ben er over een uurtje.'

'Over drie kwartier,' zei Maricruz. 'En geen minuut later.'

Meteen nadat de verbinding was verbroken drukte De la Luna op een sneltoets. Toen Juan Ruiz opnam, vroeg hij meteen: 'Heb je haar al gevonden?'

'Rustig aan,' antwoordde Juan Ruiz zoals gebruikelijk kortaf.

'Nou, juist niet,' zei De la Luna. Zijn huid tintelde van het zweet dat erop droogde. 'Ik weet waar ze is.'

44

Teotihuacán betekende letterlijk 'de plek waar de mens de goden ontmoet'. Het is een reusachtige archeologische vindplaats met bouwwerken uit de Meso-Amerikaanse tijd, niet alleen de Piramide van de Zon – het grootste bouwwerk uit precolumbiaans Amerika – maar ook huizen, de brede Avenue der Doden en de Piramide van de Maan. De stad werd rond 100 voor Christus gebouwd. De snel groeiende bevolking breidde zich gestaag uit, totdat de stad in 250 na Christus met een bevolking van 125.000 inwoners een van de grootste ter wereld was.

Deze geschiedenis was bijna tastbaar toen Bourne en Maricruz door de Avenue der Doden naar de enorme Piramide van de Zon liepen. Alles in Teotihuacán was op reuzenschaal gebouwd, ook de appartementencomplexen die uit de grond werden gestampt om de groeiende bevolking te kunnen huisvesten.

'Denk je dat hij komt?' vroeg Maricruz.

'Ik denk het wel.' Automatisch scande Bourne het gezicht van iedere toerist en reisleider die voorbijkwam. Het was druk met groepjes mensen die zich om hun gids schaarden of in zwermen over het terrein van het ene naar het ander bouwwerk slenterden. 'Maar niet alleen.'

'Hij kan het risico niet nemen om er meer mensen bij te betrekken.'

'Dat hoeft ook niet,' zei Bourne. 'Hij hoeft alleen maar te vertellen dat hij weet waar jij bent.'

Maricruz keek verschrikt op. 'Waarom heb je me dan deze afspraak laten maken?'

'Matamoros kan hier niet komen met zijn ploeg – te veel buitenlandse toeristen. Hij kan zich al die ongewenste aandacht niet veroorloven. Nee, hij zal niet komen met een ploeg, maar hij komt zelf ook niet. Hij zal iemand sturen die hij vertrouwt, iemand uit zijn persoonlijke kring.'

'Juan Ruiz,' zei Maricruz. 'Zijn persoonlijke lijfwacht.'

'Des te beter,' zei Bourne terwijl ze naar de Piramide van de Zon liepen.

'Het is een beer van een vent.' Ze beschreef gedetailleerd hoe Ruiz eruitzag. 'Je kunt hem niet missen.'

Bourne bleef met Maricruz stilstaan midden in een groepje snaterende toeristen, waar ze in alle bescherming die Teotihuacán te bieden had, konden praten.

'Vanaf nu zul je het alleen moeten doen,' zei Bourne. 'Je begrijpt wat je moet doen?'

Ze knikte.

'Goed dan.'

Hij zag hoe ze zich door de menigte wurmde naar de periferie waar hier en daar een toerist foto's stond te maken. Ze liep alsof er niets aan de hand was; niemand kon zien wat ze onder haar lange jas verborg.

Hij bleef midden in de groep toeristen, die op weg waren naar de Piramide van de Zon. Hij bleef Maricruz nauwgezet volgen, maar bleef ook alert op Juan Ruiz, terwijl hij over de Avenue der Doden liep.

Hij zag Maricruz in de verte bij de hoek staan van de stenen muur die om het bouwwerk liep. Aan haar linkerzijde begonnen de treden naar de top van de piramide, bevolkt door met ontzag vervulde toeristen die naar boven en beneden klauterden.

Even later kwam er een slanke, ietwat verwijfde man op Maricruz af. Diego de la Luna. Maricruz hield haar handen in de zakken van haar jas, keerde zich naar hem om en begon met hem te praten. De la Luna maakte een extreem nerveuze indruk. Hij likte voortdurend over zijn bleke lippen, als een serpent.

Bourne liep verder, en toen hij de kerel zag die Maricruz had beschreven, stapte hij uit de beschermende kring van Italiaanse toeristen. Hij wandelde verder totdat hij achter Juan Ruiz stond. De inzet van een huurmoordenaar bewees voor Bourne afdoende dat Matamoros geen vertrouwen meer in Maricruz en haar beloften had.

Ondanks zijn omvang sloop Juan Ruiz als een kat achter Maricruz aan. Hij had kleine voeten, en als een balletdanser leek hij boven de eeuwenoude kasseien van de avenue te zweven, alsof hij de dood in eigen persoon was.

Hij was heel goed in zijn werk. Hoewel hij zijn ogen gericht hield op zijn prooi, was hij zich scherp bewust van zijn omgeving en de mensen die in zijn nabijheid kwamen. Bourne besefte dat hij uiterst voorzichtig te werk moest gaan. Als Juan Ruiz hem zou ontdekken, zou het plan in duigen vallen.

Bourne bleef om hem heen cirkelen, maar zorgde ervoor dat hij buiten het blikveld van de stevige huurmoordenaar bleef. Juan Ruiz stond nu vlak bij De la Luna, die met Maricruz in een discussie was verwikkeld, vermoedelijk om haar aandacht af te leiden, dacht Bourne.

Bourne kon niet anders dan bewondering voor Juan Ruiz hebben, ook al besloop hij hem achter zijn brede rug. Hij stond nu zo dichtbij dat Maricruz hem opmerkte. Ze schudde haar hoofd en wilde zich omdraaien, maar was te laat. Juan Ruiz had zijn zakmes al opengeklapt.

Terwijl Maricruz verbijsterd haar mond liet openvallen, plantte hij zijn mes in het weke vlees vlak onder haar borstbeen.

45

Wanneer minister Ouyang woedend was of een moeilijke beslissing moest nemen, trok hij zich onvermijdelijk terug in de trainingsaccommodatie van de Kunlun Mountain Fist-vereniging in Beijing. In de auto erheen kon hij zich niet herinneren wanneer hij voor het laatst zo kwaad was geweest.

Het feit dat hij gedwongen werd tot samenwerking met zijn aartsvijand was al erg genoeg, maar dat dit bevel uit de mond van Deng Tsu kwam – zijn mentor en, in het jargon van het Westen, zijn rabbijn – voelde als een onverdraaglijke vernedering.

Hij moest weer helder kunnen nadenken, en dat lukte alleen nadat hij had gevochten.

De accommodatie keek uit op de Chinese Muur. Voor die plek was bewust gekozen, legden de oudere meesters hun novices graag uit. Volgens hen stond de Chinese Muur symbool voor de muren die we in onszelf optrekken, en die ons belemmeren de waarheid onder ogen te zien – de waarheid die door beoefening van wushu uiteindelijk zou worden geopenbaard.

Ouyang werd verwelkomd in het complex als de eersteklas meester die hij was. Uiterst behoedzaam hees hij zich in het ruimvallende uniform dat wushu-beoefenaars dragen. Hij koos voor de jian – het ranke, dubbelzijdige herenzwaard waarmee hij laatst nog in de wushu-accommodatie in Sjanghai zo efficiënt had gevochten.

Nadat hem een tegenstander was toegewezen, ging hij op de mat staan. Als altijd begon hij met de figuur van de Heilige Steen; bewegingloos en stabiel bleef hij staan om zich door zijn tegenstander te laten aanvallen, die de figuur van de Witte Slang inzette, een techniek voor gevorderden die Ouyang zelf ook vaak toepaste.

Aanvankelijk sloeg hij de manoeuvres die hij zo goed kende met plezier af. Het duurde echter niet lang voordat het zwaard van zijn tegenstander door zijn verdediging begon te prikken. Hij was telkens een halve tel sneller dan Ouyang en na het vierminutensein sloeg hij met zijn wapen Ouyang hard tegen zijn borst.

Ouyang deed wankelend een pas naar achteren en werd door blinde woede bevangen. Verdwenen was de geest van zen, het gevoel van serene rust en orde in deze wereld vol strijd. Een woeste wervelwind van emoties had er korte metten mee gemaakt. Zonder erbij na te denken paste hij de weinig gebruikte figuur van de Vuurgeest toe en gaf met zijn steekwapen een vinnige stoot precies op het moment dat zijn tegenstander zijn zwaard terugtrok.

De jian van Ouyang glipte door de verdediging van zijn verraste tegenstander. De punt van het zwaard prikte in de borst van de man. In plaats van het wapen terug te trekken, maakte Ouyang de stootbeweging af en reeg zijn tegenstander aan de kling van zijn steekwapen.

De man schreeuwde het uit, zijn hemd werd rood als een veld bloeiende klaprozen, en er kwamen stille voetstappen aan.

Juan Ruiz begon net te beseffen dat er iets vreemds aan de hand was toen Bourne al op zijn rug zat. De lijfwacht reageerde door zijn bloedeloze zakmes om te keren en achteruit te steken. Bijna had hij Bourne geraakt – het lemmet drong door zijn jack, maar niet door zijn huid. Bourne gaf Juan Ruiz een rake stomp in zijn onderbuik. Ieder ander zou erdoor geveld zijn, maar Juan Ruiz gaf geen krimp. Hij haalde opnieuw achterwaarts uit met zijn mes.

Daar was Bourne op voorbereid. Op het hoogtepunt van deze manoeuvre, toen Ruiz zijn hand hoog boven zich uitstak, greep Bourne zijn tegenstander bij een wijsvinger, die hij omboog tot die brak. De vinger daarnaast begaf het ook.

Juan Ruiz negeerde de pijn, draaide zich om en gaf Bourne een dreun op zijn schouder, waardoor hij bijna zijn evenwicht verloor. Juan Ruiz, een straatvechter van nature, grijnsde toen hij Bourne een stomp in zijn zij gaf. Bourne viel bijna om, de lucht was uit zijn lijf geslagen. Toen hij Juan Ruiz een stoot tegen zijn ribben gaf, leek het of hij zijn hand had gebroken. Hij voelde een pijnscheut door zijn pols gaan, die tot aan zijn schouder doorliep.

Juan Ruiz klemde zijn hand, die zo groot was als een vleeshaak, om Bournes kloppende schouder en kneep zo hard dat zijn vingerbotjes ervan kraakten. Het werd zwart aan de randen van Bournes blikveld en het midden daarvan lichtte op door een regen van sterretjes, die gepaard ging met een golf van uiterst pijnlijke stroomstootjes.

Juan Ruiz leek vastbesloten om Bournes schouder tot moes te knijpen en kreeg het gevoel dat hij het gevecht had gewonnen. Hij schrok dus niet toen Bourne zich omdraaide, omdat hij dacht dat zijn tegenstander kronkelde van de pijn. De klap die hem de das zou omdoen, zag hij niet aankomen: een karateslag in de nek op de plek van de halsslagader.

Bourne ving hem in zijn armen op. Diego de la Luna wendde zijn blik van Bourne naar Maricruz, zijn mond half open van verbijstering.

'Hoe,' stamelde hij, 'hoe...?'

'Laat maar zien,' zei Bourne.

Maricruz deed haar jas open en toonde het kogelwerend vest dat Bourne bij zijn leverancier had gekocht.

'Je hebt me te grazen genomen, Diego.' Ze stapte op hem af. 'En dat zet ik je nu betaald.'

Ze haalde haar rechterhand uit haar jaszak. Een klein lemmet in de vorm van een beukenblad glansde tussen haar wijs- en middelvinger – ook dit wapen had Bourne bij zijn dealer besteld.

De la Luna hield zijn blik gericht op het lemmet, dat in de richting van zijn kruis wees, en slikte hoorbaar.

'Er is maar één straf voor een verrader,' zei Maricruz met een schorre stem.

'Wacht even. Denk aan al die mensen om je heen,' zei Bourne, die nog steeds het logge lijf van Juan Ruiz vasthield.

'Kan me niets schelen.' Maricruz greep De la Luna in zijn kruis. 'Deze klootzak verdient het om flink te worden aangepakt.'

'Daar zit iets in, Diego.'

'Ze is niet goed wijs. Doe iets,' smeekte De la Luna.

'Het spijt me,' zei Bourne, nog steeds de vriendelijkheid zelve. 'Ik heb op dit moment mijn handen vol.'

'Kan ik iets voor jullie...'

'Je kunt ons naar Matamoros brengen.'
De la Luna zweette peentjes. 'Wat?'
'Als jij ons naar Matamoros brengt, breng ik Maricruz op andere gedachten.'
'Dat had je gedacht.' Maricruz prikte met de punt van de dolk in de broek van De la Luna.
'O, jezus, help,' hijgde hij. 'Ik doe alles wat jullie van me verlangen.'
'Ja, ja, dat zal wel,' zei Maricruz.
De la Luna leek misselijk te worden.
'Maricruz,' zei Bourne op zalvende toon. 'Denk aan de hoofdprijs. We zijn gekomen voor Matamoros.'
'Deze matennaaier heeft al eens eerder tegen ons gelogen, wie zegt dat hij nu de waarheid spreekt?'
'Daar zit iets in, Diego. Ik ben bang dat ik niets meer voor je kan doen. Ze zal je verlossen van een bepaald lichaamsdeel.'
'Stop!' De la Luna sidderde als een pasgeboren lammetje. 'Ik geef jullie alles wat jullie willen, ik zweer het.'
'Hij zweert het, Maricruz,' zei Bourne. 'Ben je nu overtuigd?'
Maricruz wrikte de punt van haar dolk door de stof van de broek. 'Hij is een vuile leugenaar.'
'Alsjeblieft!' De la Luna zou uit zijn huid gesprongen zijn als dat zou kunnen. 'Zeg maar wat ik moet doen.'
Bourne wachtte even. 'Laat hem toch rustig een telefoontje plegen, Maricruz.'
'Wat? Meen je dat?'
Hij knikte. 'Maar hou die dolk wel op zijn kruis gericht.'
De la Luna deed zijn ogen dicht, likte over zijn droge lippen. Bevend haalde hij zijn telefoon tevoorschijn.
'Dan ga jij nu Matamoros voor ons bellen,' zei Bourne. 'En je vertelt hem dat jullie Maricruz te pakken hebben.'
'En dan?'
'En dan?' zei Bourne. 'Dan zal hij Mexico-Stad meteen verlaten, dat weet je net zo goed als ik. Spreek met hem af op de landingsbaan waar zijn toestel staat.'
De la Luna knikte. 'En verder?'
'En verder hou jij je bek,' zei Maricruz. 'Zo niet, dan praat je voor de rest van je leven een octaaf hoger.'

Vlak voordat zijn mobiel ging, overwoog Felipe Matamoros zijn hotelkamer volledig overhoop te gooien. Hij kon niet meer stil blijven zitten; gek werd hij van het wachten. Hij was gaan drinken – de fles mescal die hij door de roomservice had laten brengen was bijna leeg. Hij ging echter zo op in zijn ellende dat hij de effecten van de alcohol nauwelijks voelde.

Toen zijn mobiel zoemde, zag hij dat het De la Luna was en nam op.

'Ik hoop maar dat je goed nieuws hebt.'

'Dat heb ik, jefe. Juan Ruiz en ik hebben dat wijf van Encarnación gevonden.'

'Jullie hebben haar meegenomen?'

'Jazeker, jefe. En ingepakt als een kerstcadeautje.'

Er ging zo'n grote golf van opluchting door Matamoros heen dat hij bijna omviel. 'Uitstekend werk, Diego. Breng haar naar de landingsbaan. Ik wil zo snel mogelijk weg uit deze gedoemde stad.'

Voordat Matamoros vertrok, pakte hij de fles mescal, trok zijn gulp open en urineerde in de hals. Hij had veel gedronken, dus hield de stroom maar niet op en walmde als de straal van een racepaard. Toen hij was uitgeplast, trok hij zijn gulp dicht, schroefde de dop op de fles en zette hem terug in de bar.

Zonder om te kijken beende hij de kamer uit.

46

De politie werd erbij gehaald, maar dankzij de hoge positie van minister Ouyang kwam er snel een einde aan het verhoor, tot grote woede van de oude meesters van het trainingscentrum. Politieke corruptie drong gewoonlijk niet tot hun wereld door; ze wisten dat Ouyang een hoge positie in het Middenrijk bekleedde, maar hadden er nooit bij stilgestaan dat dit impact op hen zou kunnen hebben.

Nu dat wel zo was, waren ze geheel van slag. Dat er uit woede voortgekomen bloed in het klooster van hun vechtsport was gevloeid, was ongehoord. Even werd zelfs overwogen het hele complex in brand te steken en het centrum te verhuizen. Gelukkig won de ratio het, maar het feit dat ze het kwaad uit de echte wereld niet konden weren, had hun visie op hun vechtkunst en op de kandidaten die naar hun kennis zochten, voorgoed veranderd.

Shen, de hoogste wushu-meester, voerde namens het complex het woord bij het afscheid van de moordenaar voordat die het terrein verliet waar de misdaad was begaan.

'Ouyang,' zei hij op opzettelijk vernederende toon tot de minister, 'hou je *gi* maar aan. Jij bent verantwoordelijk voor die bloedvlekken. Draag ze met je mee het complex uit.'

'Dat begrijp ik, meester Shen.'

'Ik geloof je niet. Wat hier vanmiddag is gebeurd, is onvergeeflijk.'

'Het was een tragische vergissing. Het gebeurde in een vlaag van verstandsverbijstering.'

'Tragisch was het zeker, Ouyang, maar "vergissing" is niet het juiste woord. Iemand van het leven beroven is nooit een vergissing.'

'Maar dat is toch precies waarvoor we trainen?'

Shen keek Ouyang aan alsof hij hem voor het eerst zag. 'Onze training vormt het pad naar een ander bestaansniveau, een hoger plan, waar...'

'Dat is toch allemaal onzin.' Ouyang had genoeg van deze lui. 'Jullie pretenderen het bestaan op een hoger plan te tillen, terwijl je hier gewoon leert vechten. Ik heb het van jullie geleerd, meester Shen. En jullie hebben uitstekend werk verricht, mijn dank daarvoor. Maar nu moet ik dit afgelegen broeinest verlaten om in het echte leven toe te passen wat ik hier heb geleerd.'

Felipe Matamoros maakte gebruikt van verschillende particuliere landingsbanen rondom Mexico-Stad om het Distrito Federal in en uit te vliegen. Zijn toestel werd volgetankt en stond klaar in een buitenwijk ten noordwesten van de stad, waar weinig en alleen maar lage bebouwing was.

Hij arriveerde met zes van zijn door de wol geverfde gewapende mannen en stond stijf van de spanning. De mescal begon eindelijk zijn werk te doen en maakte de wereld vrolijker en een beetje surrealistisch, een soort sprookjesland.

De grofgebouwde mannen hielden de wacht met hun wapens in de aanslag, terwijl Matamoros het toestel in ging. Hij sprak met de piloot over de bestemming en de route die het minst waarschijnlijk op de radar zou verschijnen. De piloot zou hoe dan ook zo laag mogelijk vliegen om onder de normale hoogten te blijven die door de politie regelmatig werden gecontroleerd.

Hij keek naar buiten toen hij schoten uit een machinegeweer hoorde, maar zag niet waar zijn mannen op schoten. Hij pakte een wapen van het wapenrek in de cockpit en stapte de cabine in. Met gebogen schouders begaf hij zich naar de uitgang toen plotseling het staartgedeelte van het vliegtuig ontplofte en in een helse vuurbal veranderde.

Matamoros werd achterover op zijn rug geblazen en had het geluk dat hij in het gangpad terechtkwam, waar de brokstukken van de romp en de staart overheen vlogen. Zodra hij kon, krabbelde hij overeind. De vliegtuigdeur en de trap waren verbazingwekkend genoeg ongeschonden. Hij sleepte zich naar buiten en klauterde de trap af.

Vier van zijn zes mannen waren in de vuurzee omgekomen. De andere twee gingen, toen ze hem zagen, beschermend voor hem staan. Hij zag Jason Bourne een gepleisterd gebouw uit lopen en mompelde een vloek. Ter hoogte van zijn middel had hij een groot voorwerp in zijn handen.

Matamoros en zijn mannen namen hem onder vuur. Als antwoord vloog er plotseling een enorme, helse vuurstraal op hen af. Zijn mannen schreeuwden het uit toen hun kleren in brand vlogen. De stank van verbrand mensenvlees was onverdraaglijk, maar Matamoros sloeg er geen acht op.

Hij ging tussen zijn twee kronkelende, schreeuwende mannen staan, richtte zijn wapen op de gehate figuur aan het einde van de horizontale vuurzuil en haalde de trekker over om een angstaanjagende hoeveelheid kogels op hem af te vuren. 'Ik maak je af!' riep hij. 'Ik maak je helemaal af!' De dikke vuurtong kwam onvermijdelijk zijn kant op en Matamoros sprong iets te laat opzij.

De vlammen bereikten hem, sloegen om hem heen en begonnen hem met onnatuurlijke gretigheid te verslinden. Matamoros probeerde het uit te schreeuwen, maar de vlammen sloegen in zijn keel. Hij stond in een paarse gloed. Er knapte iets in zijn hoofd, en even later bestond hij alleen nog maar uit vlammen, rook en verkoold vlees.

DEEL VIER

47

'Je ziet bleek, Eli. Ik zie dat dit veel van je eist.'
De directeur schudde zijn hoofd. 'Het is uitputtend.'
Reuben Yadin knikte. 'Het enige geheim waarvan ik wenste dat het niet bestond.'
'Ik weet het, abi. Het is een zware beproeving. Maar ik mag niet aan mezelf denken.'
Reuben keek zijn zoon onderzoekend aan toen ze het medisch centrum uit liepen. Zelfs op dit tijdstip was het nog druk met verkeer en voetgangers in de Weizmannstraat.
Hij keek om zich heen. 'Weet je zeker dat we niet worden gevolgd.'
'Ik heb de gebruikelijke voorzorgsmaatregelen genomen. Maar als er iemand is die ons volgt, kan die onmogelijk iets vermoeden.'
Ze zigzagden door de menigte van mensen die na een lange dag naar huis gingen. Hier en daar stond strategisch iemand van het leger, die alles en niets in de gaten hield.
Eli's handen staken diep in de zakken van zijn jas. 'Laten we het over iets anders hebben.'
'Over het plan?'
'Daar valt niets meer over te zeggen. Alles is in gang gezet.'
'Maar het plan is zo kwetsbaar als een glazen ruit.'
'Niemand kan ons tenminste door dat glas zien.'
'Dit is niet het moment voor grapjes, Eli,' zei zijn vader streng.
'Dat ben ik niet met je eens. Dit is juist het moment om een grapje te maken, abi. Een beetje luchtigheid schept afstand, je kijkt naar het plan vanuit een ander perspectief, of ziet een foutje, hoe klein ook.'
'En wat heb je ontdekt?'
'Dat als er een foutje in ons plan zit, ik dat niet zie,' zei de direc-

teur. 'En zelfs als er een fout in zit, kan ik er niets meer aan doen.'

'Je kunt Bourne terugroepen.'

'Probeer Bourne maar eens terug te roepen,' zei Eli. 'Die berg komt niet naar je toe; die berg weet niet eens dat je bestaat. Maar ziet je, abi, door zijn koppigheid en zijn absolute wil om zijn doel te bereiken, stijgt hij ver boven zijn vakgenoten uit.'

'Eli, soms vrees ik dat je te veel vertrouwen stelt in deze man – een man die zich keert tegen inlichtingenorganisaties en de regels van het vak aan zijn laars lapt.'

'Toch werkt hij volgens beroepsregels.'

'Het probleem is dat hij ze zelf bedenkt. En te vaak verandert.'

'Maar abi, juist op dit vlak wordt Bourne niet begrepen. Zijn vorige bazen vreesden dat ze hem niet in het gareel konden houden, maar ik wéét dat ik hem niet in het gareel kan houden. Ik wil hem alleen maar sturen.'

'Hij is beschadigd, Eli.'

'Dat is ongetwijfeld waar. Maar de algemeen geaccepteerde wijsheid – als je het zo wilt noemen – is dat hij door de beschadiging die hij heeft opgelopen gevaarlijk en onbetrouwbaar is geworden. Ik zie dat anders: hij is er harder, sneller en wijzer van geworden.' De directeur staarde naar de overkant van de straat en zag een donkere etalage vol met paspoppen, die glad, slank en anoniem op nieuwe kleren wachtten. 'Hij heeft ook verdriet, abi. Veel verdriet.'

'Geldt dat niet voor ons allemaal?' Reuben trok aan zijn oor. 'Ik weet niet hoe het met jou zit, maar ik lust wel een borrel. Misschien wel twee.'

'En je jicht dan?'

'Ach, die kan me geen donder schelen,' zei de oude man terwijl ze schuin overstaken naar een restaurant. 'Niets kan me verdomme nog een donder schelen.'

Toen ze aan een tafeltje zaten met een goed uitzicht op de etalages, vroeg Reuben: 'En, hoe gaat het met Dani Amit?'

'Die zit in de Sinaï,' antwoordde Eli. 'Waar hij ijverig nutteloze informatie inwint voor onze Amerikaanse vrienden.'

'Mooi, dan hebben we vrij spel om die twee Chinezen te verhoren die Bourne heeft meegenomen.'

Reuben nam de slivovitsj aan van de ober, sloeg de borrel voor de helft achterover en zette het kleine glaasje neer. Hij keek toe hoe zijn zoon nipte van zijn Yarden, een wijn uit de Golanhoogten en het Naphtaligebergte, waar de druiven dankzij het weer in de winter volledig kunnen rijpen.

'Sinds wanneer drink jij wijn?' vroeg de oude man mopperig.

'Toen je even niet oplette. Ik ben een man van deze tijd, *dad*.'

'Ik had je toch gezegd dat ik geen "dad" genoemd wilde worden.' Toen zijn zoon niet reageerde, wierp hij zijn hoofd in zijn nek om de rest van de slivovitsj in zijn keel te gieten en bestelde er nog een. Nadat de ober zijn glas had bijgevuld, zei hij: 'Denk je dat je nuttige informatie uit die Chinezen kunt krijgen?'

'Volgens Bourne ging het erom hóé we de gegevens uit hen konden krijgen, niet óf.'

Reuben trok een vies gezicht. 'Door ze te behandelen als verdwaalde kinderen, bedoel je.'

'Er is een tijd voor intimidatie, een tijd om bloed te laten vloeien en een tijd voor medelijden.'

Reuben boog zich voorover en zette zijn ellebogen op het tafeltje. 'Deze lui zijn onze vijanden, Eli.'

'Omdat het Chinezen zijn?'

'Precies.' De oude man knikte. 'Of hou jij er geen rekening mee dat zij ook mollen kunnen zijn?'

'Daarover en over vele andere scenario's heb ik nagedacht,' zei directeur Yadin. 'Ik heb ze allemaal verworpen. Het meisje heeft bekend dat ze voor Cho Xilan werkte; de man heeft voor beide partijen gewerkt. Ze hebben er genoeg van, abi. Ze willen eruit en zijn bereid te zingen voor vertrek.'

'Dat moet ik nog zien.'

'Waarom ben je er niet bij,' vroeg de directeur, terwijl hij enkele biljetten op de tafel legde, 'als ik ze verhoor?'

Yue en Sam Zhang speelden een spelletje mahjong toen de directeur en zijn vader hun schuilplaats betraden, gevestigd in een achterstraat van een arbeiderswijk in Tel Aviv.

'Wat het ook is,' zei Zhang toen hij opkeek van de stenen, 'het ruikt goed.'

Eli zette de twee tassen met afhaalmaaltijden die hij onderweg had gekocht neer, liep naar de tafel en ging tussen hen in zitten.

'Wie is dat?' vroeg Zhang, met zijn duim naar Reuben.

'Ik wil jullie een paar vragen stellen,' zei de directeur.

Zhang tuitte zijn lippen. 'Ik wil ze wel beantwoorden. Maar alleen aan Jason Bourne, niet aan jullie.'

'Bourne is er niet.' Eli legde zijn handen plat op de tafel. 'Je zult het met mij moeten doen.'

Zhang leunde achterover en sloeg zijn armen defensief over elkaar.

De directeur wendde zich tot Yue. 'Met zo'n houding komt niemand ver – vooral jullie niet.'

Yue wierp een tersluikse blik op hem. 'Wie is die ouwe?'

'Dat is mijn vader.'

Zhang bulderde van het lachen. 'Moet je vader je handje vasthouden?'

'Hij is mijn voorganger als directeur van de Mossad. Van hem heb ik het vak geleerd.'

Zhang draaide zich om, maar Yue leek na te denken. 'Begin maar met je eerste vraag,' zei ze.

'Zusje!' Zhang leek gechoqueerd.

Ze stak haar hand omhoog om zijn bezwaren te verwerpen. 'Ik ben gewoon nieuwsgierig, Sam.'

De directeur opende de dikke map die voor hem lag en zocht met zijn wijsvinger over de eerste pagina. 'Wie heeft Wei-Wei vermoord?'

'Iemand die zich voordeed als een politieagent,' antwoordde Yue zonder aarzeling. 'Hij wist dat Wei-Wei op zeker tijdstip en in zeker theehuis met Bourne een afspraak had. Eerst heeft hij Wei-Wei vermoord, daarna liet hij een jongen aan Bourne een boodschap afgeven om hem naar het appartement van Wei-Wei te lokken.'

'En wat gebeurde er toen?'

'Toen heb ik die nepagent neergeschoten. Bourne was daar getuige van en ging achter me aan. Hij kreeg me te pakken en toen, ja... De rest is bekend.'

Eli fronste geconcentreerd zijn wenkbrauwen en bladerde door de map. 'Voor wie werkte de moordenaar van Wei-Wei?' Hij keek Zhang aan.

Zhang keek naar Yue, die subtiel naar hem knikte.

'Dezelfde man voor wie Wei-Wei werkte,' zei Zhang. 'Ouyang Jidan.'

'Jullie beweren dus dat Wei-Wei zowel voor Ouyang als voor ons werkte.'

'Ja, precies.'

'Waarom liet Ouyang een van zijn eigen mensen ombrengen?'

'Omdat Wei-Wei een risico voor hem werd,' zei Zhang met een zucht. 'Cho had spionnen in Sjanghai uitgezet. De kans bestond dat hij het contact dat Wei-Wei met de Mossad had, tegen Ouyang zou gebruiken.'

'Met een beetje geluk,' zei de directeur, 'zullen Ouyang en Cho elkaar levend villen.'

'Die kans is niet zo groot.

Dat antwoord kwam van Yue. Ook als Bourne met geen woord over haar had gesproken, zou de directeur al snel in de gaten hebben gekregen dat deze jonge vrouw bijzonder intelligent was. Door de combinatie van haar gezond verstand en haar overduidelijke talent voor het vak zou ze een van zijn beste spionnen kunnen worden, als ze daarvoor zou kiezen. Ze had echter al laten blijken dat die stap niet voor de hand lag. Maar in deze tak van sport lag niets voor de hand – vooral niet de drijfveren van mensen, die vaak even veranderlijk waren als het weer.

'Leg eens uit,' zei hij.

'Er zijn te veel partijen bij betrokken, te veel mensen met macht – nog machtiger dan Ouyang en Cho – om dat te laten gebeuren. Hoewel die twee elkaar haten en beweren dat ze elkaar zullen afmaken, zal dat niet gebeuren. Daarvoor zijn de belangen te groot. En die houden elkaar in evenwicht. Bovendien zal het Politbureau, met het partijcongres voor de boeg, geen tweedracht accepteren – dat zou tegenwoordig onmiddellijk door de social media worden opgepikt en door de pers verspreid, zelfs tegen de wil van het Politbureau in. De Partij zou dergelijk gezichtsverlies nauwelijks te boven komen.'

Eli dacht hier over na. 'Vertel eens, Yue, hoe zou jij het partijcongres verstoren.'

'We hebben nogal trek.'

Ze trommelde met haar vingertoppen op de tafel, het teken voor Eli om de twee bewakers de boodschappentassen op tafel te laten zetten en uit te pakken: groenten, couscous, gebraden kip en verse thee.

Ze keken zwijgend toe terwijl het eten werd verdeeld en Yue en Zhang aanvielen. Na een poos zei Eli: 'Zou je antwoord kunnen geven op mijn vraag?'

'Dat weet ik niet.' Yue legde de eetstokjes die bij het eten zaten naast zich neer. Ze spoelde haar mond met een slok thee. 'Wat ik bedoel is dat ik niet weet of het mogelijk is. Ik bedoel, ten eerste zou je iemand moeten hebben die door alle beveiliging rondom het terrein heen komt. Vervolgens zou diegene moeten doordringen tot de congreszaal.' Ze schudde haar hoofd. 'Dat is gewoon niet te doen.'

'Zie je wel,' fluisterde Reuben zacht tegen zijn zoon. 'Wat had ik je gezegd.'

'Jezus christus,' mompelde Maricruz toen ze het slagveld overzag. 'Nu begrijp ik waarom je die wapenleverancier nodig had.'

Ze liep over het terrein dat was bezaaid met verkoolde lijken, verwrongen stukken metaal en klonters gesmolten plastic, en stond uiteindelijk stil voor het broze lijk van Felipe Matamoros, verkrampt in zijn laatste, groteske pose, zijn kromme handen voor zich uitgestoken alsof hij zijn onvermijdelijke lot had willen afwenden; zijn kleren en huid waren door de vlammen verteerd; zijn botten staken grof uit het geblakerde spierweefsel. Het vet was als eerste weggebrand, wat een misselijkmakende stank had achtergelaten, alsof er een gigantische barbecue had plaatsgevonden. Zijn neus en oogbollen waren weggebrand en hadden plaatsgemaakt voor diepe holten als bij een zombie uit een horrorfilm. Desondanks was deze figuur duidelijk Matamoros, duidelijk de man die koning wilde worden, maar tot nasmeulende sintels was gereduceerd.

Bourne nam haar bij haar elleboog en leidde haar behoedzaam weg van de slachtpartij. 'Dit hoofdstuk van je leven is nu afgesloten, Maricruz,' zei hij. 'Concentreer je vanaf nu maar op je toekomst.'

'Jidan is er ook nog. Ik zal hem bellen.'

Bourne gaf Maricruz zijn mobiel. 'Wat ga je hem vertellen?'

'Ik heb nog geen idee.' Ze toetste het nummer in. 'Eén ding is zeker, hij wil dat ik onmiddellijk naar huis ga.'

'Lijkt je dat verstandig?'

Ze schudde haar hoofd. 'Ik weet het niet. Ik heb hier nu een leven. Dat kan ik niet zomaar overboord gooien.' Ze wachtte tot Jidan opnam en fronste even later haar wenkbrauwen. 'Zijn nummer is niet bereikbaar. Misschien heb ik het verkeerde nummer gebeld.' Weer kreeg ze geen gehoor nadat ze het opnieuw had ingetoetst. Ze besloot de Chinese ambassade in Mexico-Stad te bellen.

'Kunt u me doorverbinden met ambassadeur Liu, alstublieft? Haal hem maar uit zijn bespreking, vertel hem dat hij Maricruz Ouyang aan de lijn heeft. Ja, ik blijf aan de lijn.' Ze sloot haar ogen een moment. 'Ja, ik ben er nog... Wat? Heb je hem verteld dat...? De vrouw van minister Ouyang... Wat? Ja, goed, ik...'

Ze beëindigde het gesprek met een verbijsterde blik in haar ogen.

'Is er wat?' vroeg Bourne.

'Ik hoor net dat ik in China een persona non grata ben geworden,' zei ze met een gebroken stem. 'Ik ben verbannen.'

Ze draaide zich naar hem om. 'Jidan hield zielsveel van me; hij zou me dit nooit aandoen. Hij zou het niet kunnen.'

Bourne zweeg. Ze moest dit nieuws zelf verwerken.

Ze keek naar Bourne, maar die bleef neutraal voor zich uit kijken.

'Je gelooft me zeker niet.' Ze tuurde naar de donker geworden hemel. 'Jezus, wat een schoft. Hij had niet eens het lef om het me zelf te vertellen.'

'Hij had andere dingen aan zijn hoofd.'

Ze stond te trillen op haar benen. 'Het partijcongres. Dat is het enige waar hij nu mee bezig is.'

'Dat is zijn toekomst, zijn alles. Als hij geen lid meer is van het Politbureau, is hij niets meer in China, een nul. Zijn naam zal uit elk document dat hij getekend heeft, uit elke wet die hij heeft aangenomen, worden geschrapt. Zijn macht zal verdampen alsof hij nooit heeft bestaan.

Verdwenen,' zei ze. 'Zoals ik nu. Met een vingerknip veranderd van zichtbaar in onzichtbaar.'

'Je hebt hem niet meer nodig, Maricruz.'

'Maar hij hield van me!' riep ze naar de sterren in de hemel.

Bourne liep voor haar uit het terrein af naar het bos, waar ze voorlopig veilig zouden zijn.

Ze liet haar hoofd hangen. 'Nu begrijp ik waarom niemand van mij kon houden.'

'Nu doe je de mensen hier tekort, Maricruz. Angél, Lolita, Constanza. Hun liefde is oprecht; niet te koop, en dat is wat je altijd hebt geprobeerd sinds je naar China bent weggelopen. Je hebt nu een familie – een familie die van je houdt, mensen die niets van je willen, alleen maar dat je van ze houdt.'

Ze draaide zich naar hem om. 'En jij dan?'

'Ik wil iets van jou. Ik tel niet mee.'

'Dat is precies jouw probleem. Je laat jezelf niet zien zodat je door alle emoties heen kunt laveren. Geweldige truc, maar wat hou je eraan over? Niets. Wat is dat voor een leven?'

'Het enige leven dat ik ken.'

'Daar kun je verandering in brengen.' Ze boog zich naar hem toe, kuste zijn lippen. Bedremmeld trok ze zich terug. 'Zie je wel? Je kunt jezelf niet aan een ander geven.'

'Die fout heb ik al een keer gemaakt,' zei Bourne.

'Ach.' Maricruz knikte. 'Die fout laat tenminste zien wie je eigenlijk bent. Nou, als je ooit iemand tegenkomt – en dat zal echt gebeuren – iemand zonder wie je niet kunt leven, dan kun je het verleden misschien laten rusten.'

'Ik heb geen verleden.'

'Dat heb je wel degelijk, Jason. En het weegt loodzwaar op je. Tien, vijftien jaar die zich uitspreidden tot een zee van herinneringen die een ander wel heeft... Dat is te veel, te veel voor een mens, zelfs voor zo'n vechter zoals jij.'

'Laten we het over iets anders hebben.'

'Over Ouyang zeker.' Ze noemde hem niet meer bij zijn voornaam. 'Je mag hem hebben.'

'Vertel eens wat meer.'

'Politiek opportunisme.' De verbittering klonk onmiskenbaar in haar stem door. 'Het partijcongres komt over drie dagen bijeen. Het wordt buiten Beijing gehouden omdat het Politbureau vreest voor demonstraties en rellen. Er staat een nieuwe culturele revolutie voor de deur, maar deze keer komt die vanuit het volk, niet vanuit de top.'

'Weet je waar dat congres gehouden wordt?'

'In Beidaihe, een kleine stad aan de zee in Hebei.' Ze keek naar hem op. 'Jidan zal erbij zijn.'

'Dan ben ik er ook.'

'Ik ga met je mee.'

'Nee, Maricruz. Jouw toekomst ligt daar niet. Je moet nu aan je familie denken, en alleen de toekomst kan jullie de vrijheid bieden.'

'Maar ik wil je helpen.'

'Dat doe je ook. Door me op weg naar de stad alles over Ouyang Jidan te vertellen – over zijn sympathieën en antipathieën, zijn voorkeuren, zijn angsten, zijn vaardigheden, zijn vrienden, vijanden en bondgenoten.'

Ze knikte toen ze terug naar de auto liepen die Bourne had gestolen. 'Dat zal me verdomme een waar genoegen zijn.' Ze rommelde in haar handtas en haalde er een gekleurd kartonnen pasje uit, dat ze aan Bourne gaf. 'Dit is alvast een begin.'

Bourne nam het aan en vroeg: 'Wat is dit?'

'De diplomatieke geloofsbrief van kolonel Sun. Vlak voordat ik uit het ziekenhuisraam sprong, nam ik die nog mee. Ik denk dat iemand met jouw kwaliteiten daar wel raad mee weet.' Ze lachte. 'Al hebben we er niets aan zolang je nog geen ander gezicht hebt.'

48

'Alles is gepakt en klaar voor vertrek, meneer,' zei de assistent.

Ambassadeur Liu knikte afwezig. Hij was de laatste spullen bij elkaar aan het pakken die hij nodig had voor de vlucht naar Beijing en vandaar naar Beidaihe. Hij liep zijn werkkamer uit, door de gelambriseerde gangen van de ambassade en voelde zijn borst opzwellen van trots. Ja, hij was een volle neef van Deng Tsu, de Patriarch; ja, Deng Tsu had ervoor gezorgd dat hij deze luizenbaan gekregen had in Mexico-Stad; ja, hij fungeerde als Deng Tsu's ogen en oren in de drugshandel en schreef gedetailleerde rapporten over de aanvoerlijn die Ouyang Jidan in samenwerking met wijlen Maceo Encarnación had aangelegd; en ja, hij was degene die Deng Tsu had ingelicht over de komst van Maricruz Ouyang, over haar betrokkenheid bij de karteloorlog tussen de Sinaloa en Los Zetas; maar de persoonlijke uitnodiging voor het partijcongres van de Patriarch zelve was een beloning waar hij niet van had durven dromen. Het betekende duidelijk dat hij in rang gestegen was binnen de Chinese elite, waar alle beslissingen werden genomen, het centrum van de macht.

Hij stond al bij de voordeur. Een van de twee gewapende mannen die ernaast stonden, stond op het punt open te doen. Na een knikje van goedkeuring deed Liu een stap naar voren, de brede, gietijzeren deur ging open en hij liep over de marmeren trap naar de stoep die langs de rijkversierde ingang van de ambassade liep.

Zijn medewerker kwam achter hem aangerend. 'Meneer,' zei hij, 'de plannen zijn gewijzigd. U zult vóór Beijing nog een stop maken.'

'Wat?' Het bericht deed Liu stilstaan. 'Ik haat dit soort veranderingen op het laatste moment, dat weet je.'

'Een bevel van minister Ouyang, meneer.'

'Min...'

'Het is zijn vliegtuig, meneer.'

De ambassadeur zuchtte. 'Goed dan, als we maar niet te laat in Beidaihe aankomen.'

'Maakt u zich geen zorgen,' zei de medewerker. 'U hebt nog tijd genoeg.'

'Waar is de tussenlanding?' vroeg Liu.

'In Moskou, meneer. Daar stapt nog iemand in.'

'Die moet zeker naar Beijing?'

'Naar Beidaihe, meneer. Hoewel hij formeel aan boord blijf nadat het toestel is geland.'

'Waarom?' vroeg de ambassadeur. 'Wat is dit?'

'Ik heb geen idee.'

'Fraai.' Liu maakte een afwerend handgebaar. 'Ik doe altijd wat mij wordt opgedragen.' Hij monsterde zijn assistent en vroeg met duidelijk sarcasme in zijn stem: 'Nog meer wijzigingen op het laatste moment?'

'Nee, meneer.' De medewerker boog zijn hoofd. 'Goede reis, meneer.'

'Ik zal minister Ouyang de groeten van je doen.' Deze opmerking kwam er nog sarcastischer uit.

'Dat zou buitengewoon gewaardeerd worden,' zei de medewerker met een lichte grijns.

Liu was zo afwezig dat hij bijna zijn voorhoofd stootte tegen de glanzende zijkant van de klaarstaande SUV. Hij werd gered door de hand van de chauffeur op zijn hoofd, maar was te druk met zichzelf bezig om de man te bedanken of hem ook maar even aan te kijken.

Op weg naar het vliegveld keek hij niet één keer op van het verslag dat hij voor Deng Tsu had meegebracht – zijn eindrapport over de handel en wandel van Maricruz, met wie ze was omgegaan, en hoe er een reeks moorden in haar kielzog had plaatsgevonden, waaronder die op kolonel Sun.

Toen Liu eindelijk opkeek, besefte hij dat hij de chauffeur niet herkende. 'Waar is Wen?' vroeg hij.

'Chauffeur Wen is gisteravond ziek geworden,' antwoordde de chauffeur. 'Ik vervang hem.'

'Maar je bent niet eens Chinees,' zei Liu gedachteloos.

'Half Chinees, in feite,' zei de chauffeur. 'Mijn vader.' Hij laveerde de wagen kundig door het verkeer. 'Is mijn Chinees onvoldoende, ambassadeur?'

'Nee, nee, helemaal niet.' Gegeneerd sloeg Liu zijn ogen weer neer op zijn rapport. 'Rij maar verder.'

Veertig minuten later stond de limousine stil op de vipplaats voor het vliegveld. De chauffeur stapte uit, opende het portier voor de ambassadeur en haalde de bagage uit de openstaande achterbak van de SUV.

Ambassadeur Liu werd aan boord van het diplomatenvliegtuig welkom geheten door een steward, die de bagage van de chauffeur wilde aannemen. De chauffeur weigerde dat, en de steward haalde zijn schouders op – hij was gewend aan ongewone verzoeken van diplomaten. Bovendien was het minder werk voor hem. Hij maakte nog één ronde om er zeker van te zijn dat er niet nog iemand zou komen, ging daarna de trap op en duwde de voedselkarren die op het laatste moment waren ingeladen naar hun plek.

'Ik blijf aan boord als lijfwacht,' zei de chauffeur.

Liu keek verbaasd op van zijn rapport. 'Heb ik een lijfwacht nodig in het toestel van minister Ouyang?'

'Straks wel,' zei de chauffeur. 'In Beidaihe.'

De ambassadeur keek sceptisch. 'Wat verwacht Ouyang eigenlijk?'

'Dat ik zijn bevelen opvolg,' zei de chauffeur.

'Nou, goed dan.' Liu wuifde met zijn hand. 'Neem plaats. Ga er dan maar lekker bij zitten. Het wordt een lange vlucht.'

Toen de steward door het gangpad liep, zag hij de ambassadeur, het rapport dat voor hem lag opengeslagen, en zijn chauffeur tegenover hem zitten. Hij liep naar de deur en trok aan het koord, waarna de trap werd opgetrokken en vastgezet. Daarna ging hij naar de cockpit om de crew te zeggen dat alles klaar was voor vertrek.

Nadat hij een glas sherry voor de ambassadeur had gehaald, ging hij op zijn stoel zitten, deed de gordel om en bladerde door een tijdschrift over winkelen in Beijing. Vijf minuten later taxiede het toestel richting de startbaan, keerde en racete, met steeds harder gierende motoren, over het midden van de baan tussen de kleine, flikkerende lampen. Precies op tijd stegen ze op uit de dikke, bruine industriële smog van Mexico-Stad, op weg naar dezelfde dikke, bruine industriële smog bijna dertienduizend kilometer verderop aan de andere kant van de wereld.

Bourne leunde met halfgesloten ogen achterover in de pluchen stoel van het vliegtuig en hield als een havik iedere beweging van ambassadeur Liu in de gaten. Maricruz had een geweldige klus geklaard met speciale, voor grime geschikte latex, make-up en lijm die hij had gekocht in een speciaalzaak voor acteursbenodigdheden die Anunciata had aanbevolen. Er kon natuurlijk geen Aziaat van hem worden gemaakt, wel iemand uit een gemengd huwelijk. Het enige wat ervoor nodig was, waren een kundige hand en hier en daar een raciaal toefje, vooral rondom de ogen en de neus. Zelf kon hij zich uitstekend vermommen, maar Maricruz bleek een genie. Toen ze ermee bezig waren, zag hij hoeveel plezier ze had in de metamorfose van zijn uiterlijk, waarmee hij door de concentrische ringen van de bewaking rondom Beidaihe kon dringen.

Ondertussen had ze hem alles verteld over Ouyang, Cho Xilan en Deng Tsu, ook wel bekend als de Patriarch, de leider van de oude families, die nog steeds veel invloed had in het moderne China.

'Over één man zou ik je meer moeten vertellen,' had ze gezegd. 'Maar het probleem is dat ik bijna niets over hem weet. Hij heet Kai.'

'Is dat zijn voor- of achternaam?'

'Dat weet ik niet. Ik heb Jidan alleen die naam horen zeggen.'

'Heb je hem ooit gezien?'

'Eén keer, heel even. Hij kwam naar het appartement. Het was midden in de nacht. Alle lichten waren gedoofd. Ik lag te slapen; Jidan ook, dacht ik, maar toen ik me omdraaide was hij weg. Ik hoorde stemmen, gedempt en zacht, rolde uit bed en sloop, zonder ochtendjas, de slaapkamer uit.

'Eén lampje brandde in het halletje. Ik stond in de donkere huiskamer, deed mijn best in een meubelstuk te veranderen. Bij het lamplicht zag ik de contouren van Jidans gezicht en profil. Hij stond te praten met een lange, slanke man. Ik kon zijn gezicht niet goed zien, maar wel dat hij Mantsjoerijse trekken had. Hij gebruikte zijn handen veel wanneer hij sprak, iets wat de meeste Chinezen niet doen. Maar goed, die handen waren bijzonder – ongelofelijk smalle palmen, lange, delicate vingers als spinnenpoten.'

'Waar hadden ze het over?'

'Over een man. Ik kon zijn naam niet verstaan. Misschien noemden ze die ook niet. Kai zei: "Het is gedaan, als altijd keurig en netjes." Dat was de enige zin die ik duidelijk heb kunnen verstaan.'

'Verder niets?'

'Niet iets zinnigs.'

'Wat dacht je?'

'Dat Kai iemand had vermoord, in opdracht van Jidan.'

Tijdens de lange vlucht kreeg Bourne een droom. Hij droomde dat hij in de zee bij Caesarea zwom. Het water was warm als bloed en had bijna dezelfde kleur. Terwijl hij verder en verder van de kust zwom, veranderde het water. Het werd lichter, kreeg de kleur van aquamarijn en werd tot slot zo transparant als glas.

Er kropen zandkrabben over de bodem van de oceaan; om zijn blote enkels zwommen kleine visjes die in zijn huid hapten. Zeepaardjes hingen aan een stuk koraal, knabbelden eraan en knipoogden traag naar hem. Langzaam ontdekte hij dat het geknipoog vol-

gens een patroon verliep. Er werd in morse geseind.
Ga maar verder, knipoogden de zeepaardjes in koor. Ga verder.
Wat wilden ze daarmee zeggen?
Met krachtige slagen zwom hij verder, hij volgde de stroom van het getijde. Onder hem dreef een inktlint, als een pijl, kronkelend door de golven.
Hij zwom verder.
Uiteindelijk zag hij haar. Ze lag op de bodem van de zee, met gespreide armen en benen, als een zeester. Haar ogen waren gesloten, haar lange haren dansten langs haar lichaam met de golven mee. Haar lippen en nagels waren blauw.
Ga verder.
Hij had gedaan wat ze hadden gezegd en hij had haar gevonden, niet levend zoals hij had gehoopt, maar dood, zoals het moest zijn. Hij dook naar beneden, maakte de halsketting met de davidster los die hij om had en deed die voorzichtig om haar hals. De gouden, zespuntige ster glansde en schitterde als een echte ster aan de nachtelijke hemel.
Een hemel die hem volledig opslokte.

Bourne schrok wakker met een bonzend hart. Hij proefde de zoete smaak van Rebeka's adem nog op zijn tong, op zijn lippen. Hij probeerde haar in te ademen, maar zoog alleen maar de benauwde, gerecyclede lucht van het vliegtuig in. Morsdood. Net als Rebeka. Hij draaide zich om en staarde naar buiten in het onmetelijke luchtruim.
Hij stond op, liep door het gangpad naar de wc. Zijn woede was zo sterk, zo geconcentreerd, dat hij het gevoel had dat hij in een paar minuten de nek zou kunnen breken van iedereen in het vliegtuig en dat hem dat geen bevrediging zou geven.
Het liefst had hij een plens koud water in zijn gezicht willen gooien, om de laatste flarden van zijn droom van zich af te spoelen, maar hij mocht zijn masker niet verpesten. Hij staarde naar zijn vreemde gezicht en vroeg zich af wie hij was, waar hij heen ging en waarom.

49

Beidaihe is een bekend en pittoresk vakantieoord ten zuidwesten van de stad Qinhuangdao, een paar uur met de trein vanaf het jachtige, overbevolkte Beijing. Die fraaie kustplaats vormde een welkome afwisseling op de hectiek van de hoofdstad. Bij de stad lagen zowel stranden als getijdebossen, die de habitat vormden van een verbijsterend aantal vogelsoorten. Sinds het uitroepen van de Republiek door Mao in 1949 was Beidaihe zeer geliefd onder partijleiders. Mao zelf had er een zomervilla laten bouwen. Het uitzicht op de zee was schitterend, men kon zich ontspannen op de uitgestrekte stranden, de vele kleine grotten waren perfecte broedplaatsen voor de talloze strandvogels.

Ouyang Jidan reisde in een privétrein naar Beidaihe. Hij zat in een luxe coupé met Cho Xilan, Deng Tsu en Kai. Natuurlijk was er ook veel beveiliging. De rode zijden zittingen, de twinkelende miniatuurkroonluchter, de twee zilveren boeddhaleeuwtjes – het diende allemaal om het interieur de uitstraling te geven van een luxueuze vergaderruimte of chique hotellobby.

Dat Ouyang nu juist met deze drie mannen naar het partijcongres zou reizen, was wel het laatste wat hij zich had voorgesteld. De reis van bijna driehonderd kilometer was, na de confrontatie in de limousine van Deng Tsu, zenuwslopend: hij niet wist wat hij kon verwachten of wie hij kon vertrouwen. Niet dat hij geen wraak op Cho en Deng zou nemen voor het feit dat ze hem hadden gedwongen Maricruz te verlaten. De man die deze wraak zou uitvoeren, was nu vanuit Moskou onderweg.

Hoe ziedend hij vanbinnen ook was, hij liet niets van zijn bittere haat blijken aan zijn medepassagiers in deze treincoupé. Hij was nog bezig te verwerken dat hij zijn vrouw nooit meer zou zien. Het kwam hem voor als een absurde onmogelijkheid, een onvoorstelbaar verlies dat zijn leven voorgoed had veranderd. Ze zouden er flink voor boeten, daar zou hij wel voor zorgen.

'Nu we hier zo knus samen zijn, als mestkevertjes in een tapijt,' begon Deng Tsu, 'wil ik graag de situatie aangaande Israël bespreken.' Hij sloeg zijn benen over elkaar zoals mannen uit het Westen dat doen. 'Jidan, u bent meen ik het meest geschikt om het spits af te bijten.'

Hier komt het dus op neer, dacht Ouyang. Hier draait het dus allemaal om: Israël.

'Wat wilt u van me horen, Patriarch?'

'Waarom begin je niet gewoon bij het begin?' zei Deng Tsu ontspannen.

'Ken je brigadegeneraal Wadi Khalid nog, Jidan?' kwam Cho Xilan tussenbeide.

'Khalid was mijn contact binnen de Syrische regering.'

'O, ik dacht dat hij veel meer voor je was,' zei Cho, van elk woord genietend. 'Jij was de architect van de zogeheten Martelarchipel; jij had Khalid ingewijd in de kunst van het martelen. En daar was je goed in, Jidan, heel erg goed.'

'Bedankt voor het compliment, Cho, maar dit zijn ouwe koeien.'

'Het verklaart je persoonlijke vete tegen Israël, in het bijzonder tegen de Mossad.'

Die laatste opmerking kwam van Deng Tsu, waardoor Ouyang niet alleen zorgvuldig luisterde naar de inhoud, maar ook naar de toon.

'Dat is waar,' zei Ouyang met een knik. 'Maar de Israëli's waren ons daarvoor al een doorn in het oog. Reuben Yadin, destijds directeur van de Mossad, leidde de elektronische spionage van door ons beheerde eenheden in Afrika en Zuidoost-Azië, daarna bedacht hij de eerste virusaanvallen op onze militaire computernetwerken. Zijn zoon Eli bouwde alleen maar verder op de fundamenten van zijn vader.'

Deng Tsu ging ongemakkelijk verzitten. Er waren momenten dat zijn oude botten hem hinderden.

'De Mossad maakt gebruik van een zeer geavanceerde vorm van de Stuxnet-worm om periodiek de Iranese nucleaire projectgeneratoren plat te leggen,' zei Ouyang tot slot.

'En daar kun je niks tegen doen,' zei Cho Xilan zelfvoldaan.

'Integendeel, niet alleen hebben we daar een einde aan gemaakt, we hebben Israël in deze cyberoorlog zelf aangevallen. Momenteel zitten we in een impasse, maar als de geschiedenis een leidraad vormt, zal die niet lang meer duren. We hebben meer programmeurs nodig, wat precies de reden is,' zei Ouyang met klem, 'waarom ik in Sjanghai was.' Hij schudde zijn hoofd. 'Wat ik niet begrijp is waarom Cho Xilan mijn aanstelling zo graag wilde verhinderen. Wil je voorkomen dat wij slagen in de strijd tegen de Israëli's?'

Er viel een ongemakkelijke stilte terwijl de trein doordenderde, het gehobbel over de rails was gelijkmatig als het getik van een klok, de coupé schommelde licht. Ouyang zag Kais blik van hem naar

Cho schieten. Probeerde hij te bepalen wie dit gevecht had gewonnen, of had hij al partij voor Deng Tsu gekozen? Het was onmogelijk te zeggen.

'Dat is een laffe suggestie,' riep Cho Xilan. 'Voor zover ik kan beoordelen, streven we allemaal hetzelfde doel na.'

'Waarom heb je mij dan in Sjanghai laten bespioneren?'

'Is dat waar?' zei Deng Tsu.

'Ach, natuurlijk niet, Patriarch,' antwoordde Cho Xilan.

'Hij liegt!'

Iedereen draaide zich om naar Kai, die deze woorden had gezegd.

'Cho Xilan heeft een zekere Yue naar Sjanghai gestuurd, samen met een man die zich voordeed als haar echtgenoot.'

Cho Xilan klakte met zijn tong. 'Dat ging om een inspectiereis, meer niet.'

'Hoe verklaar je dan,' zei Kai, 'de dood van die man en de verdwijning van Yue?'

Cho Xilan bleef roerloos en geluidloos zitten alsof hij deel was van de stoel waarop hij zich bevond.

'Dit geval,' zei Deng Tsu, 'laat zien dat er alleen maar tijd en energie aan deze rivaliteit verspild worden.' Plotseling schoof hij naar voren. 'Ik heb er genoeg van. Dringt dat tot jullie door? Geen van jullie heeft ter harte genomen wat ik gezegd heb voordat we uit Beijing vertrokken. Dat vind ik uitermate verontrustend.'

Wordt het dan toch een soort wedstrijd? dacht Ouyang. Zal een van ons een van de twee leden van het Staande Comité van het Politbureau zijn die er op het partijcongres zullen worden uitgezet om het aantal comitéleden tot zeven terug te brengen?

De Patriarch boog zich voorover, maakte een koffer open en haalde er een dunne dossiermap uit. In de rechterbovenhoek van de vuurrode kaft stonden drie schuine zwarte strepen. Strikt geheim, hoogste prioriteit. Er zat één A4'tje in, dat Deng Tsu grondig doorlas voordat hij begon te spreken.

'Wat mij stoort, Cho, is dat jij je mening geeft terwijl je eigenlijk je mond had moeten houden.'

Ouyang kon een glimlach, hoe bescheiden ook, niet onderdrukken toen hij het effect van dit directe verwijt zag in het gezicht van zijn rivaal. Als dit inderdaad een wedstrijd was, zou hij zeker gaan winnen. Deze vreugde duurde echter niet lang, want nu richtte Deng Tsu met een indringende blik zijn pijlen op hem.

'Cho Xilan vergiste zich toen hij zei dat deze kwestie is begonnen bij brigadegeneraal Wadi Khalid, of niet, Ouyang Jidan?'

Ouyangs hart leek stil te staan. Het was een heel slecht teken wanneer de Patriarch hem bij zijn volledige naam noemde. Hij keek naar de zilveren boeddhaleeuwen, die onnozel naar hem grijnsden, en daarna weer naar de blik die hem tot zijn ziel leek te doorboren.

'Nou,' zei Deng Tsu ongeduldig, 'geef je nog antwoord?' Hoewel hij zijn woorden niet meer hoefde te benadrukken, haalde hij het A4'tje weer uit de map en hield het in de lucht.

'Patriarch, nee.' Ouyang moest stoppen om zijn keel te schrapen, die door zijn emoties verstopt leek. 'Het is allemaal begonnen met Sara Yadin.' Hij keek om zich heen naar iedereen in de coupé. 'De Mossad-agente die bekendstond als Rebeka.'

50

De man die op vliegveld Sheremetyevo in Moskou aan boord ging, had de vorm van een kogel, sprak met niemand en droeg een kleine koffer van gewapend staal aan een ketting om zijn linkerpols. Onmiskenbaar een agent van de FSB, de Russische Federale Veiligheidsdienst. Ambassadeur Liu loerde naar hem met nauwverholen schrik. Bourne observeerde hem slechts. Hij had veel van dit soort mannen ontmoet; hij kende er zelfs een paar.

De FSB-agent keek zijn medepassagiers niet aan en staarde alleen maar voor zich uit. Vlak voor het opstijgen maakte de steward de fout hem te vragen of hij iets wilde drinken. De agent keek hem aan met een blik waar de steward van terugdeinsde, alsof hij een emmer kokend water over zich heen had gekregen. Bourne bleef observeren.

De agent droeg een grijs, kamgaren pak dat hem goed zat maar van inferieure kwaliteit was. Een wit streepje op de plek waar de linkermouw aan het lijf van het jasje was gezet, gaf blijk van een slecht ingenaaide vulling.

Toen het vliegtuig een halfuur na het opstijgen kruishoogte had bereikt, maakte Bourne zijn riem los en liep door het gangpad naar de keuken, waar de steward een beker koffie voor hem inschonk. Daarna plofte hij neer in de stoel naast de Russische agent. De man rook naar mottenballen en goedkope tabak. Zijn stoppelige wangen hadden een blauwe gloed, maar zijn hoofd was glanzend en glad als een biljartbal.

'Wat voor weer is het nu in Moskou?' vroeg Bourne in het Russisch.

Het bleef stil.

'Ach, warm of koud, het stinkt er toch. Maar de meiden maken veel goed voor mannen zoals wij, of niet, kameraad?'

Geen antwoord.

'Hoe gaat het met mijn goede vriend Boris?'

De agent staarde naar hem met dezelfde doodse blik waar de steward zo van was geschrokken.

'Generaal Karpov,' ging Bourne verder. 'Boris Illyich Karpov. Die kleine dikzak met dat feilloze politieke instinct. Die moet je kennen.'

Ergens in zijn lege blik begon er iets te twinkelen. Heel even glimlachte hij zelfs, waarbij hij dierlijke snijtanden ontblootte. 'Hou toch op.'

'Maar Boris is toch jouw baas?'

De agent staarde opnieuw voor zich uit.

'Als hij dat niet is, dan kun je je carrière wel vergeten.'

'Hoe kun jij dat weten, man?'

'Dat zei ik je toch.'

De agent mompelde. 'Mannen zoals jij hebben geen vrienden.'

'Volgens mij heb je het over jezelf,' zei Bourne.

De agent keek hem nu recht in de ogen. 'Donder op, kameraad.'

'Boris en ik hebben samen in Damascus gewerkt. We zaten achter dezelfde terrorist aan, Semid Abdul-Qahhar, het hoofd in München van...'

'Ik weet wie Semid Abdul-Qahhar is.'

'Wás. Want Boris en ik hebben hem uitgeschakeld.'

Ineens leek de agent Bourne in een heel nieuw licht te stellen. 'Als dat waar is...'

'Het is waar.' Bourne begon uitgebreid te beschrijven wat er was gebeurd en liet alleen de rol van Rebeka achterwege. Aan het einde van zijn verhaal zei hij: 'Wat doe jij op deze vlucht? Moet je voor iemand iets afleveren in Beijing?'

'Ik vlieg door naar Beidaihe. En jij?'

'Ik begeleid meneer de ambassadeur hier,' antwoordde Bourne. 'In opdracht van minister Ouyang. Hoe komt het dat een Rus wordt toegelaten in dat grote heiligdom aan zee, als ik vragen mag?'

Zijn gele tanden ontblotend wierp de agent Bourne een vuile grijns toe. 'Kameraad, misschien kun je beter maar even je mond houden.'

'De dochter van Eli Yadin, de kleindochter van Reuben Yadin.' De Patriarch zwaaide met het vel papier alsof het een vlag was op een slagveld. 'Bij deze lui gaat het om familie, altijd om de familie. Of niet, Ouyang Jidan?'

'Dat is mijn ervaring met de Mossad, Patriarch.'

'En toch is het je gelukt om je in die familie te dringen. Vertel eens wat over de omstandigheden van je dwaling.' Hij zwaaide nog bozer met het A4'tje. 'En vergeet ook niet de reden ervan te vertellen.'

Ouyang staarde een moment naar boven, alsof hij zijn gedachten van het gewelfde plafond kon aflezen. Hij begon zijn verhaal op een toon die deed denken aan hoe hij vroeger had geklonken. Zijn stem was lichter, minder aangetast door cynisme, minder gehard door de tijd. 'Rebeka kwam bijna toevallig onder mijn aandacht. Terwijl ik de dagelijkse inlichtingen over Syrië, Iran en Oman zat te lezen, werd mijn interesse gewekt door een kort, onduidelijk bericht. Een van onze agenten rapporteerde het gerucht dat er militaire geheimen uit Syrië waren gestolen. Wie zat daarachter? Was het echt gebeurd of was het maar een gerucht? Een van de vele die dagelijks doordrongen tot onze inlichtingenrapporten.

Hoe dan ook, mijn interesse was gewekt. Als er Syrische militaire geheimen waren gestolen, wilde ik die hebben. Ik gaf de agent de opdracht dit nader te onderzoeken. Binnen een week meldde hij dat hij het bewijs had gevonden dat het gerucht klopte. Ik gaf hem de opdracht mij het bewijs te leveren, maar heb nooit meer iets van hem gehoord. Of hij is vermoord, ontvoerd of in een Syrische gevangenis is terechtgekomen, is nog steeds een onopgelost mysterie.

Ik zette een andere agent op deze zaak. Twee weken later wist die te melden dat de geheimen van Syrië naar Oman werden gesmokkeld. Waar gingen ze heen vanuit Oman? vroeg ik. Hij wist het antwoord niet, maar was vastbesloten het te vinden. Opnieuw, niets. Geen onderzoek, geen bericht, geen lijk. Niets. Hij was net als zijn collega in het niets verdwenen.'

'Dat zegt weinig goeds over je agenten, Ouyang,' zei Cho.

'Zal ik...' zei Deng Tsu, met zijn toornige blik naar hem gewend.

Cho kroop in zijn schulp, wilde het liefst onzichtbaar zijn.

'Ga verder, Jidan,' zei de Patriarch op een heel andere toon.

Ouyang knikte eerbiedig naar de oude man. Hij keurde Cho Xilan geen blik waardig.

'De verdwijning van één agent was voor ons al ongewoon. Twee verdwijningen waren ongekend. Ik besloot daarom de zaak in eigen hand te nemen. Ik vloog als diplomaat naar Oman, met een verhaal dat door een van mijn mensen was verzonnen.

Het enige wat ik had was een naam: Fisal. Fisal was een bedoeïen, een reizende koopman die van land naar land trok, allerlei goederen inkocht en verkocht, legaal en illegaal. Hij kende iedereen in elke stad waar hij zakendeed.

Fisal was degene met wie de tweede agent in Masqat contact had gehad. Fisal was er nog steeds toen ik in de hoofdstad arriveerde. In goud en diamanten wilde hij worden betaald. Daar had ik genoeg van bij me, gewaarschuwd als ik was. Via Fisal hoorde ik van Rebeka. Ze was stewardess bij een lokale luchtvaartmaatschappij en vloog tussen Damascus en Masqat. Volgens Fisal was zij de koerier.

Maar voor wie werkt ze dan, vroeg ik hem? Via zijn contacten binnen de luchtvaartmaatschappij had hij ontdekt dat ze de Saudische nationaliteit had. Waarschijnlijk werkte ze dus voor hen, al kon ze evengoed in Amerikaanse dienst zijn. "Zand verschuift," hoor ik hem nog zeggen. "Vooral in deze streken."

Ik vroeg of hij dat voor me wilde uitzoeken. Hij was niet enthousiast, gezien het lot van mijn twee agenten. Ik liet hem nog meer diamanten zien en we kwamen tot een overeenkomst.'

Een tijdlang bleef het stil, totdat Deng Tsu Ouyang aanspoorde. 'En toen?'

Bij wijze van antwoord stond Ouyang op. Hij deed zijn colbertje uit en legde dat zorgvuldig gevouwen op zijn stoel. Daarna nam hij zijn das af.

Toen hij zijn overhemd losknoopte, reageerde Cho Xilan geschrokken: 'Wat heeft dit te betekenen?'

Ouyang antwoordde niet. Hij ging door met het losknopen van zijn overhemd. Toen hij het kledingstuk uitdeed, liet hij hun zijn linkerzij zien. Tussen zijn tweede en derde rib zat een litteken van bijna acht centimeter. Het zag er lelijk uit: bleek, touwachtig, een gebergte op zijn huid, alsof de wond haastig en onvoldoende was behandeld.

'Hier,' zei Ouyang, 'heeft de Mossad-agente Rebeka me neergestoken toen we elkaar voor de derde keer ontmoetten.'

51

'Ik heb daar een meisje gehad,' zei Bourne op vertrouwelijke toon. 'Ze heette Olga, een blonde met blauwe ogen, uit de Kaukasus, aan de Kaspische Zee.' Hij grijnsde veelbetekenend naar de FSB-agent, die kort daarvoor eindelijk verteld had dat hij Leonid heette. 'Een stevige meid, als je begrijpt wat ik bedoel.' Hij schudde zijn hoofd. 'Boris en ik hebben een paar gedenkwaardige nachten met Olga en haar vriendinnen beleefd. Misschien ken je haar.'

'Die meiden lijken allemaal op elkaar,' zei Leonid. 'Ze zijn inwisselbaar als pasmunt en al even waardevol. Hun enorme behoeftigheid maakt ze lelijk. Ze zijn allemaal straatarm en dom, en ze zien jou als hun redding. Voor hen ben je hooguit een sport op de ladder uit hun diepe ellende.'

Zoveel woorden had Leonid nog niet gesproken sinds het vliegtuig vanaf Sheremetyevo was opgestegen. Voor Bourne was dit een kleine overwinning.

'Dus dat is het probleem,' zei hij. 'Te veel mooie vrouwen.'

Leonid knikte grimmig. 'Die allemaal hetzelfde willen.'

Bourne keek naar de beker in zijn hand. 'Deze koffie is niet te drinken. Thee zal me beter smaken.'

'Een kop thee zou ik wel lusten,' zei Leonid

'Zeker met een flinke scheut goede wodka erbij. Komt voor elkaar.' Zonder Leonids antwoord af te wachten stond Bourne op en liep door het gangpad opnieuw naar de keuken om zijn bestelling te plaatsen.

De steward haalde een groot dienblad vol met kleine flesjes tevoorschijn en zette twee theekopjes op de smalle bar. 'Als u alvast een wodka uitkiest,' zei hij, 'dan pak ik de thee.'

Toen hij eerder in deze keuken was, had Bourne het medicijnkastje al gezien dat altijd in dit soort vliegtuigen voor hoogwaardigheidsbekleders aanwezig is. Terwijl de steward door zijn knieën ging om de thee te pakken uit een lage lade, opende Bourne snel het kastje en pakte een slaapmiddel in poedervorm. Hij deed het in een van de kopjes, goot de inhoud van een wodkaflesje erbij en roerde met zijn wijsvinger tot het poeder was opgelost.

'Engelse ontbijtthee of Chinese thee?' vroeg de steward.

'Heb je geen Russische thee?'

'Het spijt me, nee.'

'Engelse ontbijtthee dan,' zei Bourne.

Even later liep hij met de kopjes thee terug naar Leonid, maar toen hij een kop aangaf, zei Leonid met een dierlijke grijns: 'Geef me die andere maar.'

Bourne gaf hem het kopje dat hij aanwees, ging zitten en nam een slokje van zijn thee. Leonid hield Bourne in de gaten, zette zijn lippen tegen de rand van het kopje en proefde de thee. Hij haalde zijn neus op. 'Engelse ontbijtthee.'

'Ze hadden geen Russische,' zei Bourne, 'maar hij is tenminste sterk.'

De twee mannen zaten een tijdlang zwijgend naast elkaar, totdat Bourne zijn kopje opzijschoof. Hij drukte op het knopje om de rugleuning te laten zakken, kruiste zijn armen en sloot zijn ogen. Zijn ademhaling werd langzamer.

Naast hem begonnen de oogleden van Leonid dicht te vallen, het werd wazig voor zijn ogen. Hij zette zijn kop en schotel voor zich neer en liet in navolging van Bourne zijn stoelleuning achteroverzakken. Zijn ogen vielen knipperend dicht en weg was hij.

Bourne telde tot honderd om er zeker van te zijn dat Leonid sliep en bestudeerde vervolgens het slot van de koffer om zijn pols. Het was een type slot dat alleen kon worden geopend door een niet te dupliceren sleutel. Hij fouilleerde Leonid op de sleutel.

Het duurde even, maar eindelijk had hij het sleuteltje gevonden in een dunne lederen etui om Leonids linkerenkel. Op het moment dat hij het wilde pakken, verroerde Leonid zich. Bourne wachtte geduldig, totdat hij zeker wist dat Leonid in een diepe slaap was.

Hij pakte de sleutel, deed die in het slot en draaide hem naar rechts om. Het geluid klonk vreemd, niet als de tik van een normale slottuimelaar, maar als een wapen dat op scherp werd gesteld. Bourne verstijfde. Dit type slot had hij eerder gezien. Waarschijnlijk was het beveiligd met een mechanisme dat een bom in de koffer tot ontploffing kon brengen – een failsafesysteem om de inhoud te vernietigen voordat die in handen van de vijand zou vallen.

Voor zover hij wist waren er twee manieren om een dergelijk mechanisme onschadelijk te maken. Ofwel door de sleutel uit het slot te halen en er weer in te steken, ofwel door de sleutel linksom te draaien. Haalde je bij laatstgenoemd systeem de sleutel eruit, dan zette je het ontstekingsmechanisme in werking. Bourne ging gehurkt voor het slot zitten. Dit systeem kende hij goed – Boris had het hem ooit uitgebreid laten zien. Het werd binnen de FSB veel gebruikt.

Hij moest het goed doen; hij kreeg geen tweede kans. Met ingehouden adem draaide hij de sleutel om naar links. Hij hoorde de tuimelaar op zijn plek vallen, waardoor het failsafemechanisme werd uitgeschakeld en het slot geopend. Voorzichtig maakte Bourne de koffer open.

De binnenkant bestond uit een dikke beschermlaag van geperst grijs piepschuim, vastgeklemd onder een dof metalen rooster. Precies in het midden zat een uitsnede van ongeveer tien bij vijf centimeter. Er zat een klein rechthoekig voorwerp in. De metalen bovenkant lichtte dof op in het vliegtuiglicht.

Het voorwerp was van massief lood, wat maar één ding kon betekenen: het was het beschermende omhulsel van een radioactieve stof. Voor een kernkop was het veel te klein, en zo'n minieme hoeveelheid uranium, ook als het voor wapens verrijkt zou zijn, was nutteloos. Wat zat er dan wel in?

Bourne dacht terug aan het slot dat Boris hem ooit had laten zien dat een soortgelijke koffer afsloot waarin een loden huls zat met een kleine flacon polonium-210, 'ons nieuwe geruisloze wapen voor huurmoordenaars,' had Boris verteld. Bourne herinnerde zich de dood van de voormalige FSB-agent Alexandr Litvinenko, die in Londen was overleden aan poloniumvergiftiging nadat hij geheimen naar MI6 had gelekt. De radioactieve stof was in zijn thee gedaan.

Was dit de stof die Leonid meenam naar het partijcongres? Waarom dan? In opdracht van wie? Met dezelfde omzichtigheid waarmee hij de koffer geopend had, deed Bourne hem weer op slot en stopte de sleutel terug in de 'etui'. Hij leunde achterover in zijn stoel en deed zijn ogen dicht.

Met gesloten ogen ging hij alle mogelijkheden af. Dit vliegtuig was van minister Ouyang, dus was het zeer waarschijnlijk dat hij degene was die het radioactieve gif besteld had. Maar voor wie? Het meest voor de hand lag Cho Xilan, zijn aartsvijand, maar Bourne besefte dat het voor de hand liggende niet altijd het geval was.

Met ijzeren discipline verdreef hij de vragen uit zijn hoofd waar hij geen antwoord op had. Hij gooide ze los van de trossen van zijn bewustzijn en viel even later in slaap.

'De eerste keer dat ik Rebeka ontmoette, was ze zowel nieuwsgierig als voorkomend,' zei Ouyang toen hij zijn overhemd aantrok en begon dicht te knopen. 'De tweede keer gingen we uit eten en ik kon me geen charmanter gezelschap voorstellen.' Hij deed zijn das om zijn nek en schoof die onder zijn kraag. 'De derde keer vermoordde ze me bijna.'

Nadat hij de das keurig had gestrikt, trok hij zijn colbert aan en ging zitten. 'Dat ze daar niet in is geslaagd, is een kwestie van geluk.'

'Van dom geluk,' merkte Cho cynisch op.

'Als je het zo wilt zeggen.' Ouyang leunde achterover, trok zijn manchetten recht en ging weer zitten. 'Het is niet gemakkelijk om deze vrouw te beschrijven. Haar persoonlijkheid is zeer complex. En verbijsterend.'

'Ze heeft je overrompeld.'

'Het gebeurde voordat ik wist wie ze was.'

'Je hebt haar nooit kunnen doorgronden.'

'Niemand kon dat. Ze was ongrijpbaar.' Ouyang plukte een pluisje van zijn mouw. 'Ik moet zeggen dat ik bevooroordeeld was over haar als vrouwelijke koerier. Ik had haar niet hoog zitten. Ik behandelde haar met minachting.'

'Voor die arrogantie heeft ze je laten boeten.' Deng Tsu stopte het vel terug in de map en borg die op in zijn koffer. 'Je kon haar niet met rust laten. Je moest wraak nemen. Je hebt haar laten vermoorden in Mexico-Stad, waar ze met Jason Bourne verbleef. Door messteken in haar zij, zoals ze jou had neergestoken.' Deng Tsu schudde zijn hoofd. 'En zo begon jouw persoonlijke vete met de Mossad. Dat allemaal voor een koerierster, Jidan.' Hij zuchtte. 'Je hebt ons in een gevaarlijke situatie gebracht.'

'Met alle respect, Patriarch, maar dat heb ik juist niet gedaan,' sputterde Ouyang tegen. 'Doordat Eli Yadin steeds wanhopiger werd om mij te pakken, heeft hij een fout gemaakt. Hij heeft Jason Bourne aangenomen om zijn wraak te nemen.'

'Hoe heeft hij dat voor elkaar gekregen?' vroeg de Patriarch. '-Bourne wilde, na door de Amerikaanse Central Intelligence Agency te zijn gemanipuleerd, nooit meer voor een geheime dienst werken.'

'Eli Yadin is slimmer dan de CIA. Hij zou Bourne nooit hebben kunnen overtuigen om voor hem te werken als Rebeka niet vermoord zou zijn. Eli is slim genoeg om te weten dat Bourne alleen maar in actie komt als het gaat om een persoonlijk verlies. U kunt er zeker van zijn dat Bourne degene is die achter me aan komt.'

Cho Xilan schudde zijn hoofd. 'Maar dit kan toch geen goed nieuws zijn?'

'Wel degelijk.' Ouyang kruiste zijn benen. 'Ik hoef niet bang te zijn dat de hele Kidon van de Mossad achter me aan zit. Ik kan me concentreren op Bourne. Beter nog, ik hoef niet eens achter hem aan, want hij weet me te vinden.'

'Wat? In Beidaihe?' Cho lachte als een boer met kiespijn. 'Dat meen je niet.'

'Hij meent het,' zei Deng Tsu.

'Maar Bourne is een westerling,' wierp Cho tegen. 'Geen westerling wordt binnen een straal van vijfenzeventig kilometer rondom Beidaihe toegelaten.'

'Het is duidelijk dat Jidan Bourne beter kent dan jij, Cho Xilan. Blijf opletten.'

'Bourne is een meester in infiltratie en sluipmoord.' Ouyang vouwde zijn handen ineen, alsof hij als een priester een gebed begon. 'Maar ik ben gewaarschuwd, en goed voorbereid.'

52

Het lampje om de gordels vast te maken begon te branden toen het vliegtuig richting de oude militaire luchthaven van Beidaihe vloog. Het nieuwe, ultramoderne vliegveld zou pas over een jaar klaar zijn. Bourne kon het geraamte ervan zien toen ze er tijdens de afdaling overheen vlogen.

Leonid werd wakker toen de steward hem op zijn schouder tikte en hem erop wees dat hij zijn gordel om moest doen en zijn stoel moest rechtzetten. Eerder had hij hun kopjes en schotels al opgehaald.

Het eerste wat Leonid deed, nog voordat hij zijn gordel omdeed, was zijn koffer inspecteren. Toen hij zag dat er niets mee was gebeurd, gespte hij zijn riem om en keek naar buiten.

'Al eens eerder in China geweest?' vroeg Bourne.

'Wat heb ik hier te zoeken?' antwoordde Leonid. 'De vrouwen...' Hij huiverde ervan.

'Ga met me mee. Ik weet waar je moet zijn.'

'Mij krijg je het vliegtuig niet uit, dank je wel. Ik ontmoet iemand hier aan boord. Zodra de bemanning is uitgerust en het vliegtuig bijgetankt, ga ik terug naar Moskou.'

De schimmige contouren van het binnenland achter Beidaihe werden duidelijker toen het vliegtuig de landing inzette. Leonids blik leek gericht op het uitzicht, maar Bourne wist zeker dat hij naar iets anders keek.

Uiteindelijk zei Leonid. 'Er komt een tijd dat je zo ver bent afgedwaald vanwaar je bent begonnen, dat je vervreemd raakt van jezelf. Dan reis je nog verder, en verdwijnt je begin volledig uit je geheugen, en ineens sta je daar, gestrand op een nog verder weg gelegen kust.'

'Ik verwacht dat de meeste passagiers in dit vliegtuig op een ver weg gelegen kust zijn.'

Leonid draaide zich om naar Bourne en keek hem onderzoekend aan. 'Als de omstandigheden veranderen en je wilt met me mee in dit toestel terug...' Hij stak hem een blaadje toe waarop een nummer stond. 'Dan zal ik op je wachten.' Hij glimlachte – het eerste fysieke teken van een normale menselijke emotie.

Toen Ouyang in Beidaihe arriveerde, werd hij met zijn reisgenoten onmiddellijk per limousine naar de residentie gebracht die Mao had laten aanleggen voor zijn zomervakanties. De Patriarch en de president installeerden zich in de tegenover elkaar liggende vleugels van de enorme hoofdvilla. Er stonden zes villa's op het terrein, zij vormden het binnenste heiligdom van het complex, die allemaal naar het voorbeeld van de Russische datsja waren gebouwd.

Ouyang en Cho Xilan hadden elk een eigen villa. Kai trok in bij de Patriarch, alsof ze goede vrienden waren, wat Ouyang nog achterdochtiger maakte. Een paar dagen daarvoor had Kai nog gevraagd hoe het met de Patriarch ging, alsof hij al een tijdje geen contact meer met hem had gehad. Nu Ouyang zag wat er werkelijk aan de hand was, proefde hij de bittere gal van verraad. Kai was een geboren leugenaar, maar waarom had Kai tegen hem gelogen, tegen de man voor wie hij werkte, voor wie hij vuile klusjes opknapte? Deze overwegingen brachten hem bij de hamvraag: wat deed Kai daar?

Helaas had Ouyang niet de tijd om na te denken over Dengs snode plannen. Hij had van tevoren geregeld dat er buiten zijn villa een auto voor hem zou klaarstaan; hij wilde geen gebruikmaken van de ter beschikking gestelde legerjeeps. De chauffeur zat al op hem te wachten toen hij aankwam, en nadat hij zijn bagage in het halletje had neergezet voor zijn personeel, liep hij weer naar buiten, ging de treden af en dook de auto in.

Die vertrok zodra hij op de achterbank zat. Rijdend over het terrein zag Ouyang hoe goed het kleine leger architecten en aannemers de Grote Hal van het Volk in Beijing, waar normaal gesproken het congres gehouden werd, hadden nagebouwd. Niemand zou het spijten dat het congres in Beijing dit jaar niet doorging, vooral niet nu er protesten dreigden.

De afgelopen vijftien maanden had hij, net als de andere leden van het Politbureau en hun personeel, Weibo nauwgezet in de gaten gehouden, de bekende Chinese website voor microbloggers. De berichten, waarin herhaaldelijk werd opgeroepen om te demonstreren voor de Grote Hal van het Volk en op de grote wegen ernaartoe, waren zo talrijk dat de elite alarm had geslagen.

Het besluit om het congres in Beidaihe te laten plaatsvinden was niet moeilijk geweest. Het vond plaats in november, ver voorbij het hoogseizoen voor het resort. Bovendien kon het terrein relatief eenvoudig worden beveiligd, terwijl in Beijing een compleet leger nodig zou zijn voor de beveiliging. Met alle ogen van de wereld op hen gericht, zou dat tot grote imagoschade leiden voor de Partij.

Binnen vijftien minuten arriveerde Ouyang bij de militaire luchthaven, die op zijn zachtst gezegd licht vervallen was. Alle inspanningen in de omgeving waren gericht op de nieuwe burgerluchthaven, waardoor het oude langzaam verkwijnde in de schaduw van zijn verleden.

De auto minderde vaart en stopte naast zijn vliegtuig. Hij stapte uit en beende gehaast over het asfalt naar de vouwtrap om naar binnen te gaan.

Hij zag Leonid geconcentreerd bezig aan zijn maaltijd. Zonder zich voor te stellen ging Ouyang tegenover hem zitten.

'Je maakt er een feestje van, zie ik.'

'Waarom ook niet,' antwoordde de koerier. 'Er valt hier weinig te beleven.' Hij keek om zich heen. 'De bemanning ligt de komende uren nog te pitten, de brandstof van het toestel wordt aangevuld, en ik zit te wachten op minister Ouyang.'

'Dat ben ik.'

'Bewijs dat maar.'

De toon was zo hooghartig en respectloos dat Ouyang verstijfde. Niet vergeten, zei hij in zichzelf, dat hij Russisch is. En bovendien een FSB-agent, waar goede manieren worden bestraft.

Toen Ouyang niet reageerde keek Leonid op van zijn vliegensvlug leeg wordende bord en rammelde met de ketting om zijn pols. 'Wat hier in zit geef ik niet zomaar weg aan de eerste de beste die zich

voordoet als minister Ouyang.'
'Hebben ze je geen codewoord meegegeven?'
'Nee.'
'Maar ze hebben je toch wel een foto van me laten zien?'
De koerier grijnsde meesmuilend. 'Jawel. En je lijkt erop, maar...'
Ouyang maakte een geluid achter in zijn keel, haalde zijn partijpas tevoorschijn en reikte hem die aan.
Leonid keek er onderzoekend naar alsof het een abstract schilderij was dat hij probeerde te doorgronden. Eindelijk keek hij Ouyang weer aan. Maar in plaats van hem de pas terug te geven, stak hij hem omhoog en wapperde er razendsnel mee. 'Minister Ouyang,' zei hij, 'wat bent u zonder deze pas?'
Ouyang keek naar hem, hield zich met moeite in bedwang om niet op hem af te vliegen.
Leonid trok zijn schouders op. 'Het is maar een vraag.' Hij reikte hem de pas aan.
Ouyang greep ernaar, maar vlak voordat hij hem had, liet de koerier hem los. De pas viel op de vloer van het vliegtuig.
'Raap op,' zei Ouyang.
'Is er iets?'
'Jij hebt hem laten vallen. Raap op.'
Leonid leek iets te gaan zeggen, maar bedacht zich blijkbaar. Hij glimlachte flauwtjes, boog zich voorover en raapte de pas op. Toen hij hem naar voren stak, nam Ouyang de pas langzaam en doelbewust aan.
'En nu het voorwerp,' zei hij.
Leonid hield zijn ogen op Ouyang gericht toen hij de armband om zijn pols van het slot deed. Hij schoof de koffer over de vloer naar een plek tussen de knieën van de minister.
Ouyang verroerde geen vin. 'Maak open.'
Leonid gaf hem de sleutel. 'Dat staat niet in mijn functieomschrijving.'
'Doe me een lol.'
Aan de korte impasse kwam een einde door het schouderophalen van Leonid. Hij legde de koffer plat op zijn schoot. Terwijl hij de sleutel in het slot stak, zei hij: 'Let op.'
Hij draaide de sleutel eerst naar rechts, daarna naar links. Het slot sprong open en Ouyang keek naar de inhoud van de koffer.
'Dat is het?'
'Dat is het,' bevestigde Leonid.

'Het is maar een klein ding.'
'Je wilt er ook niet meer van hebben, geloof me.'
Ouyang knikte. 'Daar zijn we het dan tenminste over eens.'

'Wacht even.'
Kai draaide zich vlak voor de deur van de riante villa om naar Deng Tsu.
'Doe de deur dicht,' zei de Patriarch.
Kai deed wat hem was opgedragen en liep voorzichtig over het Perzische tapijt naar de Patriarch.
Deng Tsu maakte een gebaar, waarna beide mannen tegenover elkaar plaatsnamen op de houten, glanzend gelakte, antieke Chinese stoelen. Kai was zich scherp bewust dat er niet een van de alomtegenwoordige lijfwachten van de Patriarch in deze ruimte aanwezig was. Ook viel hem op dat er geen thee geschonken werd. Het licht weerkaatste van Deng Tsu's zwartgeverfde haar, dat van acryl leek.
'Weet u wat minister Ouyang met Jason Bourne van plan is?'
Kai schrok van deze vraag. 'Gelooft u dat Bourne probeert dit terrein te infiltreren, wat Ouyang beweert?'
'Geef alstublieft antwoord op mijn vraag.'
'Ik heb geen idee.'
Deng Tsu kneep zijn ogen tot spleetjes. 'Dat is moeilijk te geloven, gezien uw band met hem.'
'Ik denk dat die band vandaag verbroken is.'
'Dat hoop ik oprecht.' De Patriarch keek Kai onderzoekend aan. 'Als minister Ouyang ooit vanuit het Staande Comité wil promoveren naar een werkelijk leidinggevende positie, is elk contact met u uitgesloten. Dan kan hij geen gebruik meer maken van uw diensten zoals vroeger – dat is voor iedereen te riskant, ook voor u.' Hij reeg zijn vingers in elkaar. 'Begrijpt u dat?'
Kai voelde het zware bonzen van zijn hart, helemaal tot in zijn keel, alsof hij een fladderend vogeltje had ingeslikt. 'Volledig.'
'Mooi. Wat betreft de plannen van minister Ouyang...'
'Daar ben ik niet van op de hoogte.'
'Dat is vervelend. U was mijn enige venster.'
Kai slaakte een zucht en vroeg zich af wat Deng precies van hem wilde. 'Ik zou voor u een oogje in het zeil kunnen houden.'
'Mooi,' zei Deng Tsu, 'dat zou me veel rust geven.'
Kai glimlachte.

Toen hij alleen was, zette Deng zijn koffer op zijn schoot en maakte hem open. Hij opende een afgesloten compartiment daarin door zijn duim op een scanner voor vingerafdrukken te leggen. Het compartiment bestond uit zes vakjes, elk met een telefoon – drie mobieltjes, drie satelliettelefoons. Deng nam er een uit – een satelliettelefoon – en zette hem aan. In het geheugen van elke telefoon was slechts één nummer opgeslagen.

Toen het apparaat was ingeschakeld, typte hij de code in om de telefoon te ontgrendelen, waarna hij het cijfer 5 koos. Hij hield het toestel tegen zijn oor aan, luisterde naar de doffe, elektronische signaaltonen – die bijna als een deuntje klonken – terwijl de cryptofoon werd ingeschakeld. Even later kreeg hij verbinding, die van heel ver weg kwam, als van de bodem van de zee.

'Pasha,' zei hij, 'is het pakketje afgeleverd?'

Pavel Mikhailevich Shukov, kolonel bij de FSB, antwoordde: 'Mijn goede vriend, ik heb mijn beste man gestuurd. Leonid heeft me nog nooit in de steek gelaten.'

'Dat zal wel,' zei Deng wantrouwig. 'Maar heb je al iets van hem gehoord?'

'Jazeker. Minister Ouyang heeft de koffer met inhoud ontvangen.'

'En dat is de inhoud waar we het over hadden?'

'Ja. Een bijzondere isotoop van polonium, een die snel werkt. Al na een paar uur zal het slachtoffer de verwoestende effecten merken; als hij niet de volgende ochtend dood is, ligt hij te creperen.'

'U bedoelt, hij zal niet in staat zijn het congres bij te wonen.'

'Mits de inhoud vakkundig is afgeleverd.' Er viel een korte stilte. 'U klinkt bezorgd.'

Deng Tsu keek uit het raam van de villa naar de brede rug van een van zijn lijfwachten. 'Minister Ouyang mag nooit te weten komen dat ik hierachter zit.'

'Dat was van meet af aan duidelijk,' zei Pasha. 'U knijpt hem echt.'

'De komende dagen zijn beslissend voor het aanstaande decennium van ons land,' snauwde Deng. 'Elke zet die we nu doen, is spannend, hoe onbeduidend die ook lijkt.'

'Deze zet is allesbehalve onbeduidend.'

Deng wierp zijn hoofd in zijn nek, alsof hij de sterren in de fluweelachtige, nachtelijke hemel kon zien, en sloot zijn ogen. 'Deze zet zal mijn nalatenschap veiligstellen voor de komende tien jaar.'

'Het zal uw rusteloze volk in de tang houden; uw volk is decadent en ongehoorzaam geworden door het gebruik van sociale media, die plaag uit het Westen.'

'Een week na de benoeming van de algemeen secretaris zal hij hervormingen aankondigen waarvan het volk zal opkijken – er komen restricties op vergaderingen, de lengte van bijeenkomsten, feestdagen; restricties op bloemdecoraties, dure auto's en huizen, frivole of opzichtige uitgaven – maar ons zal het niet raken. Voor ons verandert er niets.'

'Behalve dat de band tussen China en elementen in Rusland wordt verstevigd, een band die in de afgelopen decennia is verwaterd,' zei Pasha.

Even dacht Deng Tsu aan Jason Bourne, maar hij wist dat, zelfs wanneer Ouyangs angst voor Bourne op feiten gebaseerd was, zelfs wanneer deze op hol geslagen Amerikaanse agent het terrein zou weten binnen te dringen, Kai voor eens en altijd een einde aan hem zou maken.

53

Beschermd door de vele lagen van het diplomatieke protocol liep Bourne met ambassadeur Liu onder de immense poorten van het terrein van de Partij door naar het verplaatsbare heiligdom van het hedendaagse Middenrijk. De aanblik van de luxe villa's op de kliffen die uitkeken op de stranden van Beidaihe en de Zee van Bohai was schitterend; het leek een plaatje uit een land dat vrij van politieke onderdrukking was.

In de straten tussen de villa's gonsde het van de militairen, zowel te voet als in jeeps, sommige met honden, andere met machinepistolen. Ondanks de grote troepeninzet en het wapenarsenaal waren er geen spanningen; die waren blijkbaar in Beijing gebleven.

Ambassadeur Liu had een relatief bescheiden villa toegewezen gekregen, op een steenworp afstand – zo had hij met nauw verholen trots aan Bourne verteld – van de veel grotere villa voor minister Ouyang en zijn staf.

Bourne droeg de bagage van de ambassadeur de trappen op naar de villa.

'Je kunt gaan nu,' zei Liu op de hem kenmerkende hooghartige toon.

'Maar ik moet u beschermen, meneer de ambassadeur.'

'Ik heb hier mijn eigen beveiligingsdienst. Ga maar naar het vliegtuig, voor je terugreis. Zelf moet ik na afloop van het congres naar Beijing om kennis te maken met de nieuwe leiders en de veranderingen in het buitenlands beleid in kaart te brengen. Pas daarna vlieg ik terug naar Mexico-Stad.'

Bourne was nu vrij van verplichtingen voor de ambassadeur en verliet onmiddellijk de villa om te werken aan zijn eigen plan, dat helemaal gericht was op Ouyang Jidan.

'Ga zitten,' zei minister Ouyang. 'Maak het je gemakkelijk, dan zet ik ondertussen thee. Ik heb heerlijke Long Jing meegenomen.'

Cho Xilan stond in de woonkamer van de villa van Ouyang en keek naar de rug van Ouyang, die aan een dressoir thee stond te zetten. Er stonden zes zware pilaren van glanzend gepolijst cederhout her en der in de kamer, elk met een reliëf van twee dieren uit de Chinese dierenriem. De lage divans, tafels en stoelen stonden op hun plek, precies waar de feng-shuimeester die verantwoordelijk was geweest voor de locatie van de villa's en de inrichting ervan, ze wilde hebben.

'Een kopje Long Jing-thee zou lekker zijn,' zei Cho met een onzekere stem.

Ouyang hoorde die onzekerheid en draaide zich met een vriendelijke glimlach naar hem toe. 'We hoeven niet zo stijf te doen, Xilan.'

'Ik zou niet weten hoe ik me anders moet gedragen.'

Ouyang knikte schuldbewust. 'Dat krijg je ervan als je elkaar zo lang naar de strot gevlogen bent.'

'Het komt doordat we andere wegen voor de toekomst van China willen inslaan.'

Opnieuw maakte Cho's toon, nu ijzig, Ouyang bedachtzaam. 'De Patriarch heeft ons een opdracht gegeven. Geen van onze visies op de toekomst van China is nog relevant. We moeten een derde weg zien te vinden, een compromis sluiten, en dit moet ons voor morgen, voor de opening van het congres, gelukt zijn.'

Cho Xilan tuitte zijn lippen. Zelfs nu, in zijn westerse outfit, leek hij gekleed te gaan in een traditioneel Chinees gewaad. 'Lijkt je dat realistisch?'

'Alles is mogelijk tussen ons,' zei Ouyang.

'Laat me open kaart met je spelen, minister Ouyang: ik heb mijn twijfels.'

'Als we het niet eens proberen, Xilan, lukt het zeker niet.'

Ouyang draaide zich om en uiterst voorzichtig, alsof hij met kwikzilver werkte, goot hij het polonium in een van de twee kopjes die hij op het dressoir had gezet. Een paar druppels, had de koerier gezegd, maar Ouyang dacht daar anders over. Hij leek er een borrel van in te schenken.

'Als we het niet proberen, Xilan, wat zeggen we dan vanavond bij het banket tegen de Patriarch?'

Het water kookte bijna, wat de juiste temperatuur was. Ouyang schonk het in de theepot waarin hij de blaadjes van de Long Jingthee had geschept. Nu moest de thee nog drie minuten trekken, niet meer en niet minder. Maricruz zette vroeger thee voor hem. Het bleef hem verbazen hoe een westerling had kunnen leren zoveel verschillen soorten thee te zetten. Het leek een aangeboren talent. En dat, met nog vele andere talenten die ze had, miste hij zo intens dat de pijn zich in zijn geestesoog brandde. Haar nooit meer in zijn armen te hebben, nooit meer haar lippen op zijn lichaam te voelen, zoekend naar de geheime plekjes waarvan ze wist dat die gevoelig waren. Nooit meer haar zwoele gefluister horen in zijn oor terwijl ze haar jurk over haar slanke, sterke dijbenen optrok om op hem te gaan zitten. Nooit meer in haar geheime grot duiken, nooit meer de verrukkelijke extase voelen waarin alleen zij hem kon brengen. Alsof ze een eigen wil hadden balden zijn handen zich tot vuisten. Hij verachtte iedereen om hem heen, vooral dat stuk vreten dat daar de lucht die hij inademde zat te vervuilen!

'Ik zal de Patriarch vertellen dat we het geprobeerd hebben en er niet in zijn geslaagd.'

'Je stelt voor om tegen Deng Tsu te liegen?'

Cho bulderde een onaangename lach. 'Alsof jij dat nog nooit gedaan hebt.'

Ouyang draaide zich naar hem om. 'Je maakt dit onnodig moeilijk.'

'Minister, ik maak het zo moeilijk als het is.' Hij spreidde zijn handen. 'Als het gaat om de toekomst van China, weiger ik compromissen te sluiten.'

Ouyang fronste zijn wenkbrauwen. 'Ben je wel doordrongen van de ernst van je positie, van de ernst van de scheuren in het systeem? Wil je worden weggevaagd?'

'Door wie? Door de massa? Dat is absurd.'

'Zij hebben nu de macht.'

'Die zogenaamde macht is een illusie.'
'Aha.' Ouyang leefde op. 'Dan gaat het dus allemaal om zelfbelang.'
'En daarmee zijn we weer op jouw terrein, voelt dat beter, minister?'
Ouyang probeerde de schijn van beheersing te wekken, maar Maricruz was weg – weg van hem aan de andere kant van de wereld. Hij voelde zich als een meegesleurde os die zich plotseling bewust wordt van zijn gevangenschap. Zijn leven was onverdraaglijk.
'Tijd voor thee,' zei hij zo neutraal mogelijk.
Hij schonk de groene thee in de kopjes, voorzichtig om geen druppel te morsen, en liep ermee naar Cho Xilan. Hij reikte hem het kopje met het polonium aan, dat zijn onverzoenlijke vijand aannam.
Ouyang tilde zijn kopje op. 'Op het eigenbelang.'
'Op de stabiliteit van het Middenrijk.'
Over de rand van zijn kopje heen zag hij Cho een slok van de vergiftigde thee nemen. Er daalde een bijna serene rust over de maalstroom van zijn emoties bij de gedachte aan de verschrikkelijke dood die zijn aartsvijand te wachten stond.
'Kunnen we dan tenminste gaan zitten en normaal met elkaar praten,' zei hij.
'Ik blijf liever staan,' zei Cho Xilan om zijn onverzettelijkheid te benadrukken. 'Maar ga gerust zitten als je moe bent.'
Even stelde Ouyang zich voor hoe hij op Cho af zou duiken en zijn duimen in zijn ogen zou zetten om ze tot moes te drukken. Hoe bevredigend zou dat zijn! Hoe uitermate zoet! Toen deze vlaag van woede over was, wist hij zeker dat vasthouden aan zijn plan het beste was wat hij kon doen.
'Het enige waar ik moe van word, Xilan, is jouw onbuigzaamheid.'
'Onbuigzaamheid is de enige manier om je idealen te realiseren. Wat het volk ook in zijn kielzog achterlaat, het zwaard moet worden geheven.'
'En dat zwaard van jou zal worden geheven...'
'Morgen bij de start van het congres.'
'Waarom vertel je me dit allemaal.'
'Omdat het mij genoegen doet. Omdat zij die China door middel van hervormingen willen destabiliseren, niet alleen verslagen, maar ook vernietigd zullen worden. Dat valt niet meer tegen te houden,'

zei Cho. 'De trein is al vertrokken.'

Door deze onheilspellende toon gingen de haren in Ouyangs nek rechtop staan, maar daar liet hij niets van merken. 'Op de ambitie dan maar.' Hij tilde zijn kopje op. 'Dan gaan we na de thee ieder onze eigen weg.'

Cho knikte, dronk zijn kopje leeg en zette het neer. 'Bij onze volgende ontmoeting zal mijn overwinning compleet zijn.'

Toen Bourne Cho Xilan de villa van Ouyang uit zag lopen, droeg hij het uniform van de patrouillerende bewaker die hij had overmeesterd. Hij had hem van achteren beslopen, had zijn rechterarm om zijn keel geslagen, zodanig dat de man geen geluid meer kon uitbrengen. Even later was de bewaker bewusteloos. Bourne had zijn lichaam verborgen onder een paar struiken en niet alleen zijn uniform, maar ook zijn wapens en identiteitspas van hem afgenomen.

Daarna stak hij de straat over naar Ouyangs villa. Buiten stonden twee bewakers met machinegeweren aan hun schouders. Bourne liep de traptreden op en toen ze voor hem gingen staan, haalde hij een vel papier tevoorschijn.

'Een bericht van Deng Tsu,' zei hij in perfect Chinees. 'Voor minister Ouyang.'

'Ik zal het doorgeven,' zei de bewaker links terwijl hij zijn hand uitstak.

Bourne schudde zijn hoofd. 'Ik moest het persoonlijk bij minister Ouyang afleveren.'

'Heb je de minister al ontmoet?' zei de bewaker links. 'Weet je wel hoe hij eruitziet?'

'Jazeker.'

'We zouden niet willen dat je het bericht aan de verkeerde gaf.'

'Ik zei toch dat...'

Een speldenprikje in de zijkant van zijn nek deed Bourne omdraaien. Dat deed hij in slow motion, en met heel veel moeite. Hij staarde naar een onbekend gezicht. Hij opende zijn mond, maar zijn bloed leek tot ijs gestold. Hij probeerde te bewegen, maar verloor zijn evenwicht. Hij stortte neer in een peilloze diepte.

54

Een groene draak, bleekgroen, doorzichtig als een ondiepe vijver, staarde hem aan met een dreigend oog dat tegelijkertijd nieuwsgierig leek. De draak sprak tegen hem, maar zijn woorden leken amper door de mist heen te dringen die hem omhulde. Deze mist uit zijn droom was hem vanuit zijn staat van bewusteloosheid blijven volgen naar deze plek, waar pratende draken waren en mingvazen stonden met blauwe chrysanten en nog meer draken, etherisch drijvend tussen wolken die op kleffe broodjes leken. Hij rook wierook, maar die geur kon de stank van alcohol en medicijnen niet verdrijven. Zijn kin rustte op zijn borst, hij hoestte en braakte tegelijk.

'Hij is bijgekomen, minister,' hoorde hij iemand zeggen.

'Laat ons alleen.' Zelfs door de mist heen herkende hij de stem van Ouyang Jidan.

'Maar minister...'

'Laat ons alleen, zeg ik!'

Het gekraak van militaire laarzen over de vloer, het open- en dichtgaan van een deur.

Buiten zongen vogels, verder was het stil.

Plotseling voelde hij een hand onder zijn kin en keek hij in de ogen van Ouyang Jidan.

Een bittere grijns doorkliefde Ouyangs gezicht. 'Ik kijk al uit naar deze ontmoeting sinds de dood van Rebeka op de achterbank van die taxi waarmee je zo wanhopig door Mexico-Stad scheurde.' Hij grijnsde nu breeduit. 'Ze lag dood te bloeden, Bourne, en jij moest hulpeloos als een baby toekijken. Het enige wat ik daaraan jammer vind, is dat ik er niet bij was.'

Even werd het weer wazig voor Bournes ogen. Ouyang gaf hem een harde klap in zijn gezicht.

'Die vrouw heeft me eindeloos veel verdriet bezorgd. Ze was me altijd een stap voor. Hoe kreeg ze dat toch voor elkaar? Vertel eens.'

Bourne keek zijn tegenstander aan. Ouyang leek achter een kaarsvlam te staan, in en uit focus. Wat hebben ze bij me ingespoten? vroeg hij zich af. Hij voelde zijn zwakke pols, het trage, gedachteloze kloppen van zijn hart, en concentreerde zich op het herstel van zijn lichaam. Er was adrenaline en veel water nodig om het gif uit zijn systeem te spoelen. Hij likte over zijn droge lippen.

'Ach, wat ben ik toch een slechte gastheer.' Ouyang liep van hem weg naar een dressoir. 'Ik heb precies wat jij nodig hebt om je erbovenop te helpen. De allerbeste Long Jing-thee. Je mag blij zijn dat ik zojuist een pot gezet heb.'

Hij wendde zich tot Bourne, die nu besefte dat hij aan een stoel zat vastgebonden met zijn handen op zijn rug. Vlak voor hem stond een laag laktafeltje waar Ouyang de twee doorschijnende porseleinen kopjes thee op zette. Ouyang ging links van Bourne zitten en vouwde zijn handen in elkaar als een priester.

'Wij hebben een lange geschiedenis, jij en ik. Wat ons met elkaar verbindt, is de agente die bekendstaat onder de naam Rebeka. Een van jullie is al dood, de ander zal dat binnenkort zijn.' Hij hield zijn hoofd scheef. 'Er is maar één reden waarom jij nog niet dood bent: ik wil iets van jou.'

Bourne keek naar de thee in het kopje. Hij herinnerde zich het polonium. Vanbinnen trok zijn lichaam zich langzaam los uit de klauwen van het geïnjecteerde middel.

'Ik wil dat jij me vertelt over Rebeka. Ik wil weten wat ik heb gemist. Ik wil weten wat haar zo gevaarlijk maakte.'

Bournes uitgedroogde lippen vormden een flauw lachje.

Ouyang fronste zijn wenkbrauwen. 'Er valt weinig te lachen in jouw situatie.'

'Ik denk dat ik dingen weet die jij niet weet,' zei Bourne. 'Vooral over Rebeka.'

Ouyang boog zich naar voren. 'Nog zoiets: waarom noem je haar nog steeds alleen maar bij haar veldnaam? Ze heeft je haar echte naam vast wel verteld.'

Bourne zei niets.

'Blijkbaar weten we allebei iets over Rebeka wat bij de ander onbekend is. Zullen we die informatie dan maar uitwisselen?'

'Waarom zou ik? Ik ga er toch aan.'

'Maar dan ga je wel het graf in zonder te weten wie Rebeka werkelijk was. Ik weet dat jij daar een probleem mee hebt, Bourne. Zelfs een man als jij.'

'Hoezo, een man als ik?'

'Een man zonder contact met anderen, een man die de dagelijkse beslommeringen is overstegen, een man die zich thuis voelt in de schaduwen van de marges van het leven.' Hij drukte zijn vingertoppen tegen elkaar. 'Zoals ik.'

Hij pakte een theekopje op en hield het voor Bournes mond. 'Neem eerst maar een slokje, daarna begint de uitwisseling.' De rand van het kopje raakte al bijna Bournes onderlip. 'Wat zeg je ervan?'

'Je wilt niets weten over Rebeka, alleen maar over Maricruz – wat er met haar is gebeurd, hoe erg ze eraan toe is.'

Hoezeer Ouyang zich ook probeerde in te houden, toch ging er een huivering door hem heen en heel even vielen zijn ogen trillend dicht. Hij vermande zich. 'Maricruz bestaat niet meer voor mij.'

'Dat is maar goed ook,' zei Bourne. 'Want ze is zo dood als een pier. Omgekomen bij een vuurgevecht tussen Los Zetas en de Sinaloa.'

Ouyang zette het kopje neer. 'Je liegt.'

'Wat kan het je schelen? Ze bestaat toch niet meer voor je?'

De twee mannen staarden elkaar aan zonder iets te zeggen.

Ineens schoot er een duivelse glinstering door Ouyangs ogen. 'Goed, dan hebben we nog meer met elkaar gemeen: de vrouwen van wie we hielden zijn dood.' Zijn mondhoeken krulden op, maar er vormde zich slechts een geperverteerd lachje om zijn mond. 'Ja, ik weet dat jij van Rebeka hield. Dat motiveerde mij nog meer om haar te vermoorden.' Hij boog zich voorover. 'Jammer dat ik haar niet eerst kon martelen voordat ze doodging.'

Bourne, die zodra hij weer helder kon denken de noodzakelijke berekeningen had gemaakt, deed zijn ogen dicht en haalde zich de afmetingen van de ruimte, de bijzettafel en de hoek daarvan met de stoel waar Ouyang op zat voor de geest.

In de oogwenk daarna gebeurden er drie dingen tegelijk: Bourne wierp zijn hoofd achterover in zijn nek, zijn ogen sprongen open en zijn linkerbeen trapte het tafeltje omhoog zodat minister Ouyang de pot, de thee en het tafeltje over zich heen kreeg.

De rand van de tafel raakte Ouyang tegen het puntje van zijn kin. Hij viel achterover op zijn rug en bleef stil liggen. Terwijl hij zijn armen losmaakte van de rugleuning, schoof Bourne zittend op de stoel naar de keuken. Daar pakte hij een mes uit een houten blok, draaide het om in zijn rechterhand en begon de touwen door te snijden waarmee zijn voeten aan elkaar gebonden waren. Meteen nadat het touw was doorgesneden, rende hij terug naar de woonkamer. Alles stond er nog zoals daarvoor, maar van Ouyang was geen spoor te bekennen.

Cho Xilan stond op de veranda van zijn villa naar de zee te staren. Aan beide kanten van de veranda stond een gewapende soldaat. Hun aanwezigheid maakte hem misselijk tot diep in zijn maag. Deze soldaten stonden onder bevel van Deng Tsu, die beloofd had zowel hem als minister Ouyang persoonlijk beschermen. Cho, die verlangde naar zijn visie op het oude China, het ware Middenrijk, huiverde bij de onstuitbare opmars van de tijd. Hij had het idee dat Deng Tsu dat ongemakkelijke gevoel bij hem opwekte om hem eraan te herinneren wie die touwtjes in handen had. Maar Cho had een onverslaanbare coalitie van gelijkgestemden binnen het Politbureau om zich heen verzameld, die – daar was hij van overtuigd – zelfs niet door de Patriarch en zijn coalitie van oude en jonge leden kon worden verslaan.

Toch was er een kilte in zijn lichaam gekropen toen hij uit die bijzondere trein was gestapt en zich naar het kamp in Beidaihe had laten brengen. Die kilte was tot op het bot doorgedrongen en kreeg hij er niet meer uit, wat hij ook deed. Hij dacht aan Wan, zijn zoon van zeven. Wan was een enthousiaste vogelaar. Samen met Xilan trok hij er om de twee weken op zondag op uit om vogels te observeren. Voor zonsopgang wandelden ze met lichte bepakking door bossen, langs riviertjes, over heuvels en door geulen begroeid met lage waterplanten.

Wan was door het dolle heen toen hij hoorde dat zijn vader naar Beidaihe ging en had hem gesmeekt hem mee te nemen. Beidaihe was een paradijs voor vogelaars, ook in deze grauwe tijd van het jaar. Het stikte er van de waadvogels, sternen en meeuwen. Meer landinwaarts zou hij misschien de roodkeelnachtegaal, de blauwe nachtegaal of andere vogels zien. Maar het liefst zou Cho foto's willen maken van de witvleugeldikbek en de grote sperwerkoekoek, foto's die Wan enorm op prijs zou stellen.

Daarom had hij een goede digitale camera meegenomen; hij had zijn zoon beloofd tijd vrij te maken om zo veel mogelijk vogels te fotograferen. Ondanks zijn vermoeidheid en het feit dat het laat in de middag was, besloot hij zich aan zijn belofte te houden. Voor hem was zijn belofte aan Wan net zo belangrijk als de belofte aan zichzelf om de hoeder te zijn van de nieuwe toekomst van het Middenrijk. Als er niemand voor het Chinese volk wilde opkomen, nam hij die taak op zich. Hij schroomde niet tijdens het congres op te staan om zich uit te spreken. Hij had genoeg stemmen, hij werd gesteund. Hij had zichzelf onkwetsbaar gemaakt tegen de walgelijk cynische machinaties van Deng Tsu, die onvermijdelijk tot de ondergang van het Middenrijk zouden leiden. Hij wilde een stabiele toekomst voor Wan en voor Wans kinderen.

Hij strikte zijn wandelschoenen en trok een windjack aan, pakte

Wans camera en ging de houten trap af naar het strand. De wind woelde door zijn haar, bevrijdde zijn gezicht van zijn zorgen over de beschaving. Een vogel vloog op van de plek waar de golven het strand raakten en doorkruiste zijn blikveld. Plotseling begreep hij waarom zijn zoontje zo immens veel van vogels hield. Vogels hadden alle vrijheid! Als meesters van de zee, de lucht en het land konden ze overal heen, wanneer ze maar wilden.

Het licht viel schuin achter hem en hij hield de camera voor zijn gezicht. Hij staarde naar de werkelijkheid op het scherm. In het daaropvolgende uur nam hij foto's van talloze vogels, waar Wan, dat wist hij zeker, intens blij van zou worden. Ondertussen ging de zon onder en werden de schaduwen op het strand langer.

Toen Cho zich omdraaide om terug te gaan, voelde hij een druk op zijn borst en kreeg hij moeite met ademhalen. Hij vertraagde zijn tred steeds meer tot hij bij aankomst onder aan de houten trap van zijn villa, alleen nog maar schuifelde.

Hij greep de leuning vast en trok zichzelf omhoog. Maar op een derde van de trap miste hij een tree en gleed hij naar achteren. Zwaaiend met zijn armen viel hij in het zand.

Geschrokken en een beetje bang bleef hij liggen, starend naar de snel donker wordende hemel. Hij hoorde de golven op hem afkomen om zich vervolgens, alsof ze bang waren hem te raken, gehaast terug te trekken, wegzinkend in het zwarte zand, een dunne kraag van smerig wit schuim, besprenkeld met minuscuul zeeleven, achterlatend. Er kroop een krab over het natte zand, die zich te goed deed aan het schuim. Toen het dier was uitgegeten kroop het verder richting Cho.

Een been lag nog op de onderste trede, verdraaid maar niet gebroken. Cho voelde geen pijn in zijn benen, maar zijn borst leek te worden omklemd door een gigantische vuist. Plotseling kwam zijn maag in opstand. Hij draaide zijn hoofd en gaf over.

Hij probeerde op te staan, maar het ontbrak hem aan kracht. In het laatste beetje licht zag hij Wans camera half uit het zand steken. Hij draaide zich op zijn zij en probeerde ernaar te grijpen. Op dat moment voelde hij een steek in zijn darmen en een golf van diarree stroomde uit hem, hem onderdompelend in een penetrante stank.

De tranen sprongen in zijn ogen. Ze voelden zwaar aan, en hij wist het niet zeker, maar ze leken dezelfde consistentie te hebben als kwik.

Ouyang had de zilte, ijzerachtige smaak van zijn eigen bloed in zijn mond. Hij veegde het bloed met afschuw van zijn lippen, alsof het een klodder spuug was. Het duizelde hem en het kostte hem moeite helder na te denken. Bourne was ontsnapt. Het enige wat Ouyang nu hoefde te doen, was zijn bewakers waarschuwen. Ze zouden hem vinden, hem omsingelen en doodschieten. Maar misschien ook niet. Hoe dan ook, dat was niet wat hij wilde. De bijna mystieke overwinningen die Bourne op zijn naam had staan, stonden Ouyang nog helder voor de geest, vooral de moord op brigadegeneraal Wadi Khalid. Khalid was voor Ouyang de perfecte tussenpersoon geweest: hij was hebzuchtig en corrupt, maar kreeg niet genoeg van minderjarige jongens, waar in zijn kringen moeilijk aan te komen was, in tegenstelling tot in die van Ouyang. Zijn relatie met Khalid had hem uitermate veel opgeleverd, totdat Bourne er op het hoogtepunt een eind aan maakte. Zijn positie in het Staande Comité van het Politbureau was in grote mate te danken aan de militaire geheimen die Ouyang dankzij Khalid had verkregen.

Daarna was er die toestand in Rome, waar Bourne niet alleen Rebeka had weten te bevrijden, maar ook drie van zijn mannen had vermoord. Dat gezichtsverlies was moeilijker te verkroppen. Kolonel Sun, die destijds aan het hoofd van die missie stond, was er ook niet meer, opnieuw door toedoen van Bourne.

Hij pakte zijn glanzend stalen jian en maakte zijn hoofd vrij van zijn dagelijkse beslommeringen. Steeds dieper zonk hij weg in de gemoedstoestand die hij door de beoefening van zijn vechtsport had geperfectioneerd; langzaam maar zeker riep hij de magie van wushu op, die hem omhulde met kracht en overwinning, tot hij zich onkwetsbaar voelde.

Sluipend en op blote voeten ging hij op jacht naar Bourne.

Bourne was zich ervan bewust dat de bewakers de klap van de tafel hadden gehoord en ging terug naar de keuken. Onder het aanrecht vond hij flessen met ammoniak en bleekmiddel. Hij goot de twee flessen een voor een in een glazen pot en schroefde daar snel de deksel op. Het giftige gas borrelde op in de bovenste helft van de afgesloten pot.

Achter hem hoorde hij de laarzen op hem afkomen. Stemmen riepen naar hem. Hij hoorde er drie, maar wachtte tot alle bewakers in de keuken stonden voordat hij zich omdraaide. Hun automatische wapens waren op hem gericht. Ze riepen iets naar hem, maar twee van hen schreeuwden door elkaar heen, en hun bevelen waren niet verstaanbaar.

Bourne bewoog langzaam zijn rechterhand boven zijn hoofd om hun aandacht te trekken en slingerde met ingehouden adem de pot vanachter zijn rug naar de vloer. Het glas barstte open, de dikke walm kwam vrij en steeg op naar de gezichten van de soldaten. Ze deinsden terug, maar te laat. Ze hadden de giftige dampen al ingeademd.

Bourne rende om hen heen naar de woonkamer en door een korte gang die naar de slaapvertrekken leidde. De soldaten achter hem waren al dood of vielen stervend neer. Hij zou graag een van hun automatische wapens hebben afgepakt, maar hij wist dat chloraminegas zich aan metalen oppervlakten hechtte, vooral wanneer die waren ingevet.

Aan het einde van het gangetje was een T-splitsing, die zowel naar links als naar rechts leidde naar een slaapkamer met aangrenzende badkamer. Bourne ging naar rechts en liep zachtjes verder. De slaapkamerdeur stond open, en hij kon de kamer in kijken zonder naar binnen te gaan. Hij duwde de deur verder open totdat de deurknop aan de binnenkant de muur raakte en ging naar binnen. Er was niemand in de slaapkamer en ook niet in de badkamer. Wél zag hij een kleine, zwartgelakte standaard, die leeg was. Hij wist dat daar een bepaald soort zwaard in hoorde, een jian. Maricruz had hem verteld dat Ouyang een wushu-meester van hoog niveau was. In de badkamer zag hij een langwerpig scheermes liggen, dat hij in zijn broekzak stopte.

Hij liep terug door de gang, voorbij de T-splitsing, naar de andere slaapkamer. Twee deuren aan de linkerkant en een deur aan de rechterkant waren smaller dan de kamerdeuren en verborgen waarschijnlijk kasten. Hij testte zijn vermoeden en ontdekte dat hij gelijk had. In een van de kasten lagen handdoeken en beddengoed. Hij pakte een kleine handdoek en bond die om zijn linkeronderarm.

Net als in de vorige slaapkamer duwde hij de deur volledig open om zeker te zijn dat Ouyang er niet achter stond. De slaapkamer zag er exact hetzelfde uit als de andere en was leeg, net als de kast. Hij hoefde alleen nog maar de badkamer te controleren.

Daar aangekomen zag hij een manshoog, ondoorzichtig raam, een douche achter een glazen wand, een westers toilet naast een wasbak en een stapel grote badhanddoeken op een metalen tafel met een glasplaat. Dat was alles. Ook hier geen Ouyang te vinden.

Bourne wachtte een moment om te kijken of er beweging achter het ondoorzichtige glas te zien was, maar er was niet eens de schaduw van een voorbijvliegende vogel te zien. De douche bevond zich in een badkuip, verborgen achter een vinyl gordijn aan een metalen stang.

Bourne stapte naar voren en trok het gordijn weg. Ouyang, die tegen de zijmuur van de douche gedrukt stond, sprong op Bourne af, de jian voor zich houdend in de greep van de Vuurberg.

55

Bourne strekte zijn verbonden linkeronderarm, maar de aanval met de jian bleek een afleidingsmanoeuvre. Ouyang gaf Bourne met de zijkant van zijn hand een dreun op zijn schouder. Bourne wankelde achteruit, verwachtte dat Ouyang achter hem aan zou gaan en door zijn verdediging heen zou breken, maar in plaats daarvan bleef Ouyang achteroverhangend staan, zijn voeten stevig op de vloer. De figuur van de Heilige Steen.

Enkele tellen lang stonden de twee mannen tegenover elkaar; roerloos en zwijgend namen ze elkaar de maat.

Plotseling, alsof hij lucht was, deed Ouyang zo vliegensvlug een uitval dat hij in een oogwenk binnen Bournes bereik was. De jian zwaaide door de lucht en sneed door de stof van Bournes uniform én in de huid links van zijn borst. Het warme bloed sijpelde uit de wond en creëerde een donkere plek in zijn tuniek.

Bourne hield Ouyang op afstand, maar met een sprongetje kwam hij terug. Deze keer wipte hij met de punt van zijn wapen een stukje vlees uit Bournes rechterschouder.

'We kunnen zo nog de hele avond doorgaan,' zei Ouyang. 'En dan sterf je aan duizend kleine snijwondjes. Doodgebloed, net als Rebeka.'

Bourne klapte het scheermes open, maar Ouyang moest om hem lachen.

'Toe nou,' zei hij, 'maak nou geen lachertje van je eigen dood.'

De kling van Ouyangs jian was vijfenzeventig centimeter lang en dubbelzijdig – een veel dodelijker wapen dan Bournes uitklapbare scheermes.

Nadat Bourne zijn mes had uitgeklapt, maakte hij een sprongetje naar Ouyang. Ouyang trok zijn jian in de figuur van de Witte Slang en het Rechte Zwaard. Bourne was daarop voorbereid, bukte van hem weg op zijn voorste been en stak schuin naar boven richting Ouyangs buik. De punt van zijn mes stak door de stof van Ouyangs colbert heen, waardoor zijn tegenstander een stap achteruit in de badkuip moest doen.

Bourne liet geen moment verloren gaan en haalde met zijn mes, in de figuur van de Zeven Sterren, een aantal keren fel naar Ouyang uit. Ouyang stond een moment verbijsterd stil, niet bij machte om de vierde aanval te pareren, waarna het mes van Bourne een horizontale streep trok door Ouyangs witte hemd. Onmiddellijk ontstond er een koraalrode streep, die aan beide kanten uitvloeide.

Ingesloten in de kleine kuip van het bad voelde Ouyang zich in het nadeel. De vorm van de Witte Slang vereiste ruime zwaaibewegingen met de jian om effectief te zijn. De tegelwanden beperkten hem in zijn aanvallen en afweermanoeuvres.

Ouyang liet zijn jian vallen en schakelde over op de figuur van de Rode Feniks, waarbij alleen de handen werden gebruikt: hij strekte zijn armen verticaal tegen zijn lijf, als zuilen die de zachte zijden van zijn lichaam beschermden. Hij stampte met zijn linkervoet, haalde uit met zijn rechterhand en sloeg daarmee de rechtervuist van Bourne open. Het scheermes viel op de grond. Meteen daarna stompte Ouyang Bourne in zijn maag, waardoor die enkele passen achteruitwaggelde. Razendsnel raapte Ouyang zijn jian bij het handvat van de vloer en stapte uit het bad.

De lange kling kwam zwiepend op Bourne af, en pas op het allerlaatste moment sprong hij naar achteren om te voorkomen dat zijn hals doorsneden werd. De kling was zo rakelings langs hem heen gegaan dat hij een seconde werd verblind door het licht dat van het metalen oppervlak kaatste.

Ouyang deed er zijn voordeel mee en haalde uit naar Bournes rechterarm. De kling hakte in zijn huid, het bloed spetterde op het lemmet en droop ervan af toen Ouyang zijn jian terugtrok. Hij schakelde over op de figuur van de Witte Kraanvogel, waarbij normaliter een sabel wordt gebruikt. Ouyang kreeg plotseling dezelfde woedevlaag die hij in het trainingscentrum van Kunlun Mountain Fist had gehad, vlak voordat hij daar zijn nietsvermoedende opponent had neergestoken. Het was voor hem ondenkbaar dat hij Bourne niet zou kunnen verslaan en naar de eeuwige jachtvelden zou sturen.

Bourne, in de verdediging gedwongen, trok zich uit de badkamer terug. In de gang werd hij geraakt op zijn linkeronderarm. De handdoek die hij eromheen had gewikkeld, werd doormidden gesneden en viel in twee rechte stukken op de grond. Het bloed droop uit de wond die eerder door de kling was aangebracht.

Hoe verder Bourne zich terugtrok, hoe sneller Ouyang in de aanval ging, waardoor de mannen bijna rennend in de woonkamer aankwamen. Plotseling draaide Bourne zich om en stormde op Ouyang af in een laatste poging het tij te keren.

Ouyang stak zijn jian naar voren, waardoor Bourne een sprongetje achteruit moest maken. Hij stootte tegen het dressoir aan. De glazen die erop stonden vielen om en er kwam iets op hem af gerold. Uit een ooghoek zag Bourne de flacon met het polonium gevaarlijk op de rand van het dressoir heen en weer wiebelen, en hij draaide zich snel om, een beweging die hem letterlijk bijna de kop kostte.

Grijnzend zwaaide Ouyang weer met zijn jian, deze keer in een flauwe boog, maar met zoveel vaart dat hij al zijn kracht opzoog. De kling vloog rechtstreeks op Bourne af en zou hem zeker diep hebben doorboord als Bourne niet op het laatste moment opzij was gesprongen, waarna de jian een stuk uit het dressoirblad hakte. De flessen sterkedrank vielen om, glazen vielen stuk, de theepot brak in tweeën. De flacon met het polonium stuiterde, sidderde en rolde dreigend naar Bourne.

Ouyang sloeg met een horizontale zwaaibeweging toe. Bourne bukte, de kling zwiepte vlak boven zijn hoofd. De flacon kwam rechtstreeks op hem af. Ouyang trapte naar zijn tegenstander en Bourne vloog zo hard tegen het dressoir aan dat de paar flessen die nog stonden, omvielen en hun inhoud lieten vloeien.

De flacon rolde van de rand van het dressoir. Bourne trok net op tijd een la open, waarin het flesje werd opgevangen, en trapte de lade weer dicht.

Getergd door dit alles stond Ouyang op het punt om met zijn zwaard in beide handen de genadeslag uit te delen. Bourne draaide op het laatste moment weg en de zwaaiende kling van de jian hakte zich in een van de houten pilaren en zat zo diep in het harde hout dat Ouyang, wat hij ook deed, zijn wapen niet meer loskreeg. Hij rukte eraan als een bezetene, totdat hij zo'n harde vuistslag tegen zijn strottenhoofd kreeg dat hij zijn evenwicht verloor.

Bourne stortte zich op Ouyang. De twee mannen waren verwikkeld in een grimmig gevecht waar centimeters, millimeters zelfs, het verschil tussen leven en dood uitmaakten. Hun spieren bolden op, hun pezen werden gerekt, hun botten kraakten onder de kracht, energie en pure wilskracht die beiden in de strijd brachten. Armen werden pijnlijk achterovergedrukt, er werd gestompt op botten en in de onderbuik. Alleen het zweet en de ijzingwekkende stilte gaven blijk van de doodsstrijd die ze voerden. Er was geen weg terug, geen vluchtroute.

Bourne haalde onverwachts uit met een horizontale stoot waarmee hij Ouyangs neus nog net niet van zijn gezicht sloeg. Ouyang kroop achteruit, het bloed spoot uit zijn neusgaten. Bijna bij de keuken aangekomen, zag hij een van de wapens die zijn gedode bewakers hadden laten vallen.

Hij pakte het wapen op, maar op het moment dat hij zijn handen om het vettige metaal klemde, voelde hij een brandende pijn die zo hevig was dat zijn armen verstijfden. Bourne stond op, pakte de jian stevig vast, rukte er uit alle macht aan en brak de kling in tweeën. Hij raapte het handvat met het stompje van het lemmet van de grond en liep naar de plek waar Ouyang met het wapen worstelde.

Bourne trapte zijn tegenstander achterover tegen de vloer en ging op één knie naast hem zitten.

'Doe maar met me wat je wilt,' zei Ouyang.

Bourne plantte het stompje van de jian in Ouyangs hart. Ouyang staarde naar hem. Uit zijn handen, rood als rauw vlees, stroomde bloed; ze waren verbrand door het toxische mengsel dat Bourne had gebrouwen. Zijn hele lichaam verkrampte nu zijn functies begonnen uit te vallen.

'Waarom?' fluisterde hij gorgelend.

Bourne keek zonder een greintje medelijden op hem neer. 'Uit wraak,' antwoordde hij.

'Maar daar krijg je haar niet mee terug.' Het bloed sijpelde tussen zijn lippen en maakte hem moeilijk te verstaan. 'Haar vader en haar grootvader ook niet. De Yadins hebben hun kind verloren.'

Bourne boog zich voorover. 'Wat zeg je?' riep hij, bijna schreeuwend. 'Hoor ik dat goed?'

Ouyang keek naar Bourne, of naar het beeld van hem – het enige dat in zijn steeds vager wordende blikveld nog te zien was. 'Sara. Zo heette ze. Sara Yadin.' Hij probeerde met zijn gezicht nog iets uit te drukken, een gevoel van triomf of wanhoop, maar de man was op. Uit al zijn lichaamsopeningen borrelde bloed, zijn botten leken louter nog uit rode vloeistof te bestaan.

In een laatste oprisping greep hij Bourne bij zijn overhemd en trok hem naar zich toe. Een kort moment beefde hij over heel zijn lichaam en rolden zijn ogen in hun kassen, alsof ze wilden ontsnappen. Daarna concentreerde hij zich opnieuw op zijn aartsvijand.

'Zo gaat het dus,' fluisterde hij. 'Bij jou niet anders.' Hij verkrampte weer, knarste met zijn tanden voor een laatste opleving. 'Maar goed dat ze dood is. Het geluk bestaat niet in dit leven. We zijn geketend aan wat we kwijtraken... verschrikkelijke verliezen... de een na de ander. Tot er niets meer over is... alleen maar tranen... overspoeld... door een zee van bloed.'

56

'Leonid,' zei Bourne in zijn mobiel. 'Ik ben onderweg.'

'Iedereen is uitgerust, het toestel is volgetankt en klaar voor vertrek.'

De verstikkende duistere nacht was als een natte vaatdoek over Beidaihe gevallen. Bourne hoorde de branding van de Zee van Bohai nauwelijks op het strand slaan onder het gekartelde uitsteeksel van de klif. Er stak een frisse, vochtige wind op, en ver aan de horizon waren getande bliksemflitsen te zien, die door de matgrijze wolken schoten.

Gekleed in het pak dat minister Ouyang had uitgekozen voor het congres van morgen, reed Bourne in een jeep over het terrein, weg van de zee en de riante villa's aan het strand.

Het zwarte hemelruim was bezaaid met fonkelende sterren die herinneringen opriepen aan de nacht in Mexico-Stad waarin hij in een gestolen taxi door de stad reed om te voorkomen dat Rebeka zou doodbloeden door de wonden in haar zij. Hij had gedaan wat kon, een tourniquet aangelegd, haar handen op haar wonden gelegd en haar gezegd dat ze die voorzichtig moest dichtdrukken, zodat het leven in haar bleef, totdat ze bij een ziekenhuis waren aangekomen.

Hij kwam aan bij de buitenste poort van het terrein en werd meteen doorgelaten. De soldaten, verveeld en vermoeid aan het einde van hun wacht, hadden weinig belangstelling voor personen die het terrein verlieten. Liever kibbelden ze over het nieuwste ministeriële seksschandaal, dat pikanter dan ooit was.

Eenmaal buiten het terrein sloeg hij bij de splitsing links af richting de vervallen militaire luchthaven, waar het privévliegtuig van

Ouyang klaarstond om Leonid terug naar Moskou te brengen. Hij hield de vaart erin, hoewel het terrein ongelijkmatig was en de slecht onderhouden weg vol met groeven zat. Eén keer moest hij afremmen vanwege een brede scheur in het asfalt van wel een meter diep. Het begon zacht te regenen.

Precies op dat moment meende hij een paar koplampen te zien, die parallel aan hem reden op een smalle weg tussen de bomen aan de rand boven de weg. Hij gaf nog meer gas, en even later zag hij het vliegveld liggen. De lampen schenen als diamanten in de duistere nacht, uitgelopen door de regen.

Hij naderde de poort toen er een schot gelost werd in de zijkant van zijn auto. Even later verbrijzelde een tweede schot het raampje aan de passagierskant. Bourne slingerde van de weg, schakelde de auto in de neutrale stand toen het voertuig over een rotsachtige berm denderde en op zanderige grond tot stilstand kwam.

Bourne was in een mum van tijd uit de jeep. Hij gebruikte het voertuig als schild tussen hem en de schutter, en kroop naar de achterkant. Hij hurkte neer om het terrein te peilen en te bepalen waar de scherpschutter zich schuilhield.

Hij bevond zich nu zo dicht bij de luchthaven dat hij de straalmotoren kon horen toen die werden gestart als voorbereiding op het vertrek. Hij klauterde op zijn zij naar de berm, bereikte de rand van de weg en bleef daar wachten om te zien of hij daar opnieuw zou worden beschoten. De motoren van het vliegtuig klonken luider, en hij trok zichzelf op naar de weg. De poort lag slechts honderd meter verderop. Hij sprintte ernaartoe.

Leonid, wachtend in de stalen romp van het vliegtuig, begon langzaam zijn geduld te verliezen. Als hij niet zo had uitgekeken naar zijn intelligente medereiziger op de weg terug naar Moskou, een man die bovendien een goed woordje voor hem zou kunnen doen bij generaal Boris Karpov – niet alleen een legende binnen de FSB, maar ook binnen de heilige burelen van het Kremlin – dan had hij de bemanning allang de opdracht gegeven dit godvergeten oord zo snel mogelijk te verlaten.

Maar zijn vriend zou komen, dat had hij beloofd, en alles zou goed komen. Hij staarde uit het perspex raam aan de kant van de trap van het vliegtuig, en even later zag hij de koplampen van een voertuig het asfalt op komen, dat vlak voor de trap tot stilstand kwam.

Er stapte een man uit die meteen de trap op ging. Leonids humeur werd beter bij elke trede die de man nam, en hij stond op om zijn vriend te begroeten.

De man liep met twee treden tegelijk de trap op, maar zodra hij binnen stond in het licht van het vliegtuig, deinsde Leonid terug. Dit was niet zijn vriend; hij had deze man nog nooit gezien – een Chinese burger, met de trekken van een inwoner uit Mantsjoerije.

'Wie bent u?' vroeg Leonid met gefronste wenkbrauwen.

'*Cào nǐ zǔ zōng shíbā dài.*' Schijt aan je voorvaderen tot in de achttiende generatie. 'Jij zat op Bourne te wachten.' Kai trok een S&W Bodyguard 380 ACP en schoot Leonid twee keer achter elkaar in zijn borst. De Rus viel achterover in het gangpad, waarna Kai een derde schot tussen zijn ogen loste.

Hij deed een pas naar achteren en gaf Leonid nog een paar flinke trappen na. '*Pìyǎn*!' riep hij spugend. Klootzak!

Uit de cockpit kwam de copiloot, die de schoten had gehoord. Hij had een standaard 9mm-Glock in zijn hand. 'Wat is hier verdomme aan...'

Kai schoot hem in zijn borst. Het slachtoffer viel achterover in de cockpit, waar men van schrik begon te schreeuwen.

'Opstijgen,' eiste Kai, terwijl hij zijn wapen op de piloot gericht hield.

'We wachten nog op een passagier.'

'Ik ben er al.' Kai zwaaide met zijn wapen. 'Opstijgen, nu!'

De steward begon zacht te huilen. Ineengedoken zat hij zo ver mogelijk van het bloed en het geweld, zijn armen om zijn opgetrokken knieën geslagen.

'Dit is een bevel van minister Ouyang.'

'We kunnen nog niet opstijgen. De vouwtrap is nog in gebruik,' zei de piloot.

Kai richtte zijn pistool op de steward, die onwillekeurig een dierlijk geluid vanuit het diepste van zijn keel liet horen. 'Loop naar het gangpad en hijs die trap op.' Hij zwaaide dreigend met de loop van zijn van wapen. 'Schiet op!'

De steward schrok van zijn harde stem en met een gesmoorde kreet stapte hij over het lichaam van de copiloot. Hij liep door het gangpad naar de deur, maar aangekomen bij het lichaam van Leonid, kreeg hij de neiging zich om te draaien.

Kai, die de steward nauwgezet in de gaten hield, herhaalde schreeuwend zijn bevel. Bevend stapte de steward over het bebloede lichaam van Leonid en eindelijk had hij de open deur bereikt. Hij stond op het punt de trap omhoog te halen toen Kai de piloot dwong het toestel van de rem te halen. Het vliegtuig kwam in beweging, steeds sneller naarmate de straalmotoren meer toeren maakten.

Toen de steward net was begonnen met het naar binnen halen van de trap, zag hij iemand naast het vliegtuig rennen. Hij herkende de man als een van de passagiers die in Mexico-Stad was ingestapt – de lijfwacht van ambassadeur Liu en een vriend van Leonid. Hij rende naar de trap. Dit moest de passagier zijn op wie ze zo lang hadden gewacht.

De steward zag dat de man het niet ging halen, het vliegtuig reed steeds sneller. Uiterst voorzichtig daalde hij de trap af, stapje voor stapje, ervoor zorgend dat hij niet zou uitglijden en over het asfalt zou rollen.

De man was nu vlakbij – veel dichter kon hij niet bij de trap komen. Zijn bovenlichaam was volledig gestrekt, zijn arm uitgerekt. De steward daalde naar de laagste tree, liet zich naar voren hangen en bood de man zijn uitgestoken hand aan.

De eerste keer greep hij mis en raakte hem nog net aan met zijn vingertoppen. Daarna sprong de man opnieuw naar de steward. Zijn gewicht trok de schouder van de steward bijna uit de kom. Zijn lichaam slingerde alle kanten op, en als de steward zich niet goed aan de aluminium treden zou vasthouden, zou hij worden meegesleurd.

Maar de steward hield het vol, hees de man langzaam op. Zijn spieren werden tot het uiterste gerekt, hij ademde met diepe, schorre uithalen, totdat Bourne met zijn vrije hand zelf bij de trap kon. Hij slingerde zijn benen de trap op en klom met de hulp van de steward in de romp van het vliegtuig.

'We worden gekaapt door een Chinese man met een pistool,' hijgde hij in Bournes oor. 'Hij ziet er Mantsjoerijs uit – en gedraagt zich ook zo. Hij heeft Leonid en de copiloot al neergeschoten.'

'Waar is hij?' vroeg Bourne.

'In de cockpit bij de piloot.'

Bourne zag het lijk van Leonid, bebloed en met gespreide armen en benen, tussen hem en de cockpit liggen. Terwijl hij ervoor zorgde dat de steward tussen hem en de cockpit bleef staan, hielp Bourne bij het naar binnen halen van de trap. De steward wilde de trap vergrendelen, maar Bourne hield hem tegen.

'Nog niet,' fluisterde hij. De steward huiverde, begreep wat Bourne van plan was.

'Sluit jezelf op in het toilet,' zei Bourne zacht, 'en kom pas weer naar buiten als je mijn stem hoort.'

De steward vroeg bang: 'Maar stel dat ik je niet hoor.'

'Ga nou maar,' zei Bourne. 'Schiet op!'

Voor in de cockpit maakte Kai ruzie met de piloot. Het was harder gaan regenen en vanuit de zee kwam een lage mist opzetten, die tegen de klifwand langzaam omhoogkroop. De piloot was nog niet bereid om op te stijgen; Kai wilde zijn argumenten niet horen.

Nadat de steward zich op het toilet had opgesloten, veegde Bourne het natte vloertje om zijn sporen te wissen, stapte daarna naar de keuken. Daar trok hij een paar kastjes open en vond een grote fles wijn en een blikje lauw bier. Hij liep terug naar de achterste rij stoelen bij de vliegtuigdeur en hurkte neer om zich achter de rugleuningen te verschuilen.

Kai had de discussie blijkbaar gewonnen. Met een schok schoot het vliegtuig vooruit en kwam op snelheid over de landingsbaan. Even later hoorde hij de Chinees iets roepen toen die zijn hoofd uit de deuropening van de cockpit stak.

Bourne wist dat Kai kon zien dat de trap naar binnen was gehaald en de buitendeur dicht was, maar dat de steward nergens te bekennen was. Het vliegtuig kwam van de grond en steeg op in de nachtelijke hemel. Met enkele schokken werd het landingsgestel ingetrokken.

Krom gebogen alsof hij worstelde met straffe tegenwind, liep Kai door het gangpad naar het achterste gedeelte. Bourne schudde met het blikje bier. Vlak voordat Kai bij de open ruimte voor de vliegtuigdeur was, stond Bourne op en sloeg de wijnfles tegen Kais knie aan. Kai kreunde, zakte door zijn been en vlak voordat hij over de laatste rij stoelen heen zou vallen, hield Bourne het blikje bier voor Kais gezicht en trok het lipje open.

Het lauwe bier spoot in Kais gezicht en verblindde hem tijdelijk. Na een karateslag op zijn sleutelbeen liet Kai zijn wapen op de grond vallen. Op handen en voeten dook hij eropaf.

Bourne kromde zich naar voren en stompte de man in zijn zij. Kai greep naar de kolf van zijn pistool en gaf Bourne daarmee zo'n harde klap dat die door het gangpad naar de deur strompelde. Hij wist zich nog net tegen te houden met zijn handen aan beide zijden van de deur, om te voorkomen dat hij erdoor naar buiten viel.

Kai had hierdoor even tijd om zich te herstellen. Hij haalde uit met de loop van zijn wapen en maakte daar een lange scheur mee in een kledingstuk van Bourne en de huid daaronder. Er welde bloed op. Bourne manoeuvreerde zich terug naar het gangpad, alsof hij daar weg wilde komen, totdat hij pal tegenover de deur stond. Hij stak zijn armen in de lucht, greep naar de rand van een rek aan het plafond, hees zich daaraan op en kruiste zijn benen om de hals van Kai.

Kai vocht terug, maar het lukte hem niet de benen van Bourne uit elkaar te trekken. Uit alle macht probeerde hij met zijn handen Bourne de ogen uit zijn gezicht te krabben. Er stroomde bloed over Bournes gezicht. Hij probeerde zijn hoofd te draaien, maar het zat vast in de ijzeren greep van Kais klauwen.

Bourne strekte zich nu volledig uit en trapte met zijn voeten de deur open, waarbij hij Kai losliet; hij zette zijn voeten plat op zijn borst en schopte hem hard naar buiten. Kai viel achterover, struikelde over de rand van de deurstijl en verloor zijn evenwicht. Zwaaiend met zijn armen werd hij het vliegtuig uit gezogen en meegenomen door de wind. Hij verdween in de wolken en liet één lange schrille schreeuw horen, die klonk als het verre gerommel van onweer.

EPILOOG

Tel Aviv, Israël

Een heldere blauwe lucht, zonder ook maar één wolkje, begroette Jason Bourne toen het vliegtuig van zijn commerciële vlucht landde op luchthaven Ben Gurion.

Tot zijn verrassing stond directeur Yadin op hem te wachtten voor de paspoortcontrole, die hem geëscorteerd door agenten van de Mossad om de lange rijen heen leidde via de aankomsthal naar de uitgang.

'Mijn excuses voor de vertraging,' zei Yadin toen ze met grote passen naar buiten liepen. 'Zelf zat ik tot een uur geleden in een bunker. Mortieren uit Gaza.'

'Vergeldingsmaatregelen genomen?'

'Natuurlijk. Precisieaanvallen. Twee Hamas-leiders zijn omgekomen. Toen kwamen de raketten. Schrik niet als je het alarm hoort loeien, dat gaat voortdurend af.'

Hun escorte hield de deur voor ze open, en ze stapten het verblindende zonlicht in op de bloedhete betonnen tegels. Bij de stoeprand stond een enorme, kogelvrije SUV op ze te wachten, bewaakt door soldaten met halfautomatische geweren.

'Ouyang is dood,' zei Bourne toen hij met Yadin in de donkere, ruime auto ging zitten.

'Ik had niet anders verwacht.' Eli boog naar de chauffeur om een adres op te geven en leunde achterover tegen de achterbank. Zijn mannen persten zich voorin, waarna de auto wegreed.

'Cho Xilan is verdwenen,' zei de directeur. 'Alsof hij nooit heeft bestaan.'

'Ouyang heeft hem vermoord,' zei Bourne. 'Vergiftigd met polonium.'

'Polonium?' Eli leek verbaasd. 'Een oude truc.'

Bourne vertelde hem dat het vliegtuig van Ouyang in Moskou een tussenlanding had gemaakt op weg naar Beidaihe om Leonid op te halen. 'Het spul kwam van de FSB,' concludeerde Bourne, 'maar ik denk dat de moord op Cho een persoonlijke wraakactie van Ouyang was.'

'Allemaal zeer ten gunste van Deng Tsu.' Yadin wreef over zijn kin. 'Nu Ouyang is uitgeschakeld en de coalitie van Cho zonder leider zit, kan Deng bepalen wie de nieuwe voorzitter wordt. Opnieuw een reactionair. De hervormingen die hij doorvoert, zullen puur cosmetisch zijn.'

Bourne staarde naar buiten naar de gebouwen in de schaduw, de silhouetten van voorbijgangers. 'Hoe meer er verandert, hoe meer hetzelfde blijft, vooral in China.'

Op dat moment begon het luchtalarm te loeien.

'Het klinkt als alweer een oorlog,' zei Bourne.

'Een korte, goddank. Een korte dankzij het succes van jouw wraak.' Eli glimlachte. 'Minister Ouyang financierde de jihad van de Hamas via elementen in de Sinaï. Nu die bron van inkomsten is weggenomen, zal een staakt-het-vuren binnen een paar dagen een feit zijn.' Hij knikte. 'Wij... ik sta diep bij je in het krijt.'

Bourne liet zijn hoofd rusten op de leuning en sloot zijn ogen. Hij was ongekend moe, als een sprinter die gedwongen was geweest de marathon te lopen.

'Je ziet er vreselijk uit, trouwens.'

'Zo voel ik me ook,' zei Bourne. 'Misschien word ik hier te oud voor.'

Directeur Yadin lachte. 'Jij, beste vriend, jij nooit! Maar je morst bloed over de zitting van mijn auto. We laten je grondig medisch onderzoeken en daarna mag je uitrusten.'

De SUV reed verder door het drukke verkeer van Tel Aviv.

'Eli, het spijt me.'

Yadin draaide zich naar hem toe.

'Ik weet dat Rebeka jouw dochter was. Ik weet hoe groot het verlies om de dood van Sara was.'

Yadin reageerde niet. Hij staarde voor zich uit toen de SUV de Weizmannstraat in reed. Bourne was hier eerder geweest, toen hij de directeur tot aan Medisch Centrum Sourasky was gevolgd.

Toen de auto voor de ingang tot stilstand was gekomen, zei Yadin: 'Kom, Jason. Je ziet er echt vreselijk uit.'

Twintig minuten later, in een behandelkamer op de tweede verdieping, lag een spiernaakte Bourne op een tafel terwijl een chirurg zijn vele wonden inspecteerde. Een aantal moest worden gehecht. Hier en daar werd hij plaatselijk verdoofd en netjes gehecht. Zijn minder diepe wonden en kneuzingen werden verzorgd, hij kreeg een antibioticum voorgeschreven en mocht zich daarna aankleden en vertrekken.

In al de tijd dat hij daar naakt lag, had Eli Yadin de wacht gehouden, naar buiten starend met zijn handen op zijn rug, alsof hij diep in gedachten was verzonken.

'Ik ben je ooit tot aan dit centrum gevolgd,' zei Bourne terwijl hij zijn shirt dichtknoopte.

'O, dat wist ik niet.'

'Ik vreesde dat je ziek was.'

'Ik ben ziek.' Yadin draaide zich naar hem om met een doodse blik. 'Ziek van het leven, Jason. Ik sterf aan de tienduizenden leugens die ik gedwongen moet vertellen omwille van de veiligheid van mijn land. Ik ben een patriot, Jason, maar ik ben tot diep in mijn ziel beschadigd door al mijn leugens.'

Hij wenkte Bourne om de behandelkamer uit te gaan. Samen liepen ze langzaam door de gang vol met verpleegkundigen, patiënten op brancards, en een enkele arts die zich van het ene na het andere spoedgeval haastte.

Geen van mijn wonden ging dieper dan de wond die werd veroorzaakt door de leugen die ik jou moest vertellen.'

Bourne stond stil en draaide zich naar de directeur toe.

'Dat die leugen absoluut noodzakelijk was, dat hij diende om het leven van vele mensen te redden, inclusief het jouwe, maakt het hooguit een beetje draaglijk.'

Hij schudde zijn ongeschoren hoofd. 'Zie je, de leugen die ik je verteld heb, bracht je ertoe achter Ouyang aan te gaan. Die man vormde een ernstige bedreiging voor mij, de Mossad, de staat Israël, maar wat ik ook probeerde, ik kon niet bij hem komen. Jij kwam als een godsgeschenk, zogezegd. Dankzij Rebeka. Dankzij jouw samenwerking met haar, dankzij jouw gevoelens voor haar.

God heeft jou naar me gestuurd, Jason, en ik kon niet anders dan gebruik van je maken. En je hebt het onmogelijke bereikt.' Zijn glimlach was flauw, bijna onzichtbaar. 'Ik weet dat ik je reden geef om mij te haten, maar ik koester de hoop dat je het mij ooit kunt vergeven.'

'Waarom zou ik?' zei Bourne kil. 'Je hebt me net als elke andere geheime dienst schaamteloos gebruikt.'

Eli knikte naar voren en ze liepen verder door de gang. 'Omdat ik jou, geloof me of niet, beschouw als een vriend – als een goede vriend, het is een eer je te kennen.'

'Zo is het wel genoeg, directeur.'

'Ik meen het, Jason, uit de grond van mijn hart.'

'Hoe kun je dat menen als je zelfs tegen je vrienden liegt?'

'Ik lieg alleen als dat absoluut noodzakelijk is.'

'Het probleem is dat jij bepaalt wanneer het noodzakelijk is.'

'Ik vind dat ik dat recht heb verdiend.'

'Dat vindt iedereen.'

Eli bromde wat. 'Laat me weten of je er nog zo over denkt nadat je deze afdeling hebt bezocht.'

Hij duwde de klapdeuren van de intensive care open. De sfeer was bedrukt en naargeestig als in een rouwkamer. Serieus kijkende verpleegkundigen en assistenten gingen van patiënt naar patiënt als bijen die bloemen bestoven.

Elke patiënt lag in een eigen kamer. Het gerochel door adembuisjes en het gepiep van de monitoren waren vrijwel de enige geluiden, als treurige elektronische muziek.

Voor een deur stonden ze stil. 'Ik laat mijn vertrouwen in jou, Jason, blijken door je hiernaartoe mee te nemen, door je zo meteen deze kamer in te laten gaan, omdat daar mijn allergrootste geheim ligt en mijn geschenk aan jou.'

Er viel een lange stilte.

'Ga je met me mee naar binnen?' vroeg Bourne.

De blik in de ogen van Eli Yadin werd vrolijker. 'Een andere keer.'

Bourne maakte de deur open.

'Ik wacht hier, Jason.'

De kamer was ruim en licht, eerder een bescheiden woonkamer dan een ziekenkamer. De deur viel achter hem dicht en nu was hij alleen met de persoon die rechtop in het bed zat achter in de kamer.

'Dag, Jason.'

Even bleef hij als vastgenageld staan. Hij kon niet geloven wat hij met eigen ogen zag. Zijn afgestompte, achterdochtige geest vreesde dat dit weer een van Eli Yadins superieur bedachte leugens was.

'Wil je niet dichterbij komen?'

Bourne was sprakeloos. Droomde hij dit? Hij vond het zo onwerkelijk dat hij bijna omviel. Hij voelde het bloed naar zijn hoofd stijgen. Zijn hart bonsde pijnlijk in zijn borst en hij kreeg nauwelijks adem.

'Rebeka,' zei hij uiteindelijk, 'al die tijd dacht ik dat je dood was.'

'In werkelijkheid heet ik Sara. Sara Yadin.' Ze stak haar hand uit. 'Als je me aanraakt weet je dat ik nog leef.'

'Ik ben...'

'Ik weet het, en het spijt me verschrikkelijk.'

'Ik heb aan niemand anders kunnen denken...'

Haar hand was zo dun, zo bleek, bijna doorzichtig.

Bourne voelde een hitte in zich opkomen, een razende woede in zijn ziel. Hij sloeg zo hard met zijn vuist tegen de muur dat het pleister ervan kraakte. De deur ging open, en hij moest zich bedwingen niet de kamer uit te stormen om Eli Yadin naar de strot te vliegen.

'Ga weg!' schreeuwde hij.

'Ga maar,' riep Sara. 'Er is niets aan de hand.'

De deur ging weer dicht.

Bournes gezicht was vertrokken in een afschrikwekkende grimas. 'Je vader heeft tegen me gelogen, al die tijd heeft hij tegen me gelogen.'

'Hij heeft tegen iedereen gelogen, Jason. Uit bescherming voor mij terwijl ik hier lag, kwetsbaar, krachteloos, herstellende.'

Haar woorden konden zijn woede niet temperen. 'Maar hij was degene die mij manipuleerde. Hij gebruikte mijn diepe rouw om jouw dood...'

'Om de man te doden die mij had willen uitschakelen.'

'Ik zou volledig bereid zijn geweest...'

'Natuurlijk,' zei Sara, 'maar dan was het je misschien niet gelukt. Zelfs jou niet.' Ze glimlachte melancholiek. 'Als hij jou de waarheid had verteld, had je erop gestaan om mij te bezoeken. En als je mij had bezocht, zou een deel van jou hier bij mij blijven. Je aandacht zou verdeeld zijn. Je zou veel minder effectief zijn.'

Op het regelmatige piepgeluid van de hartmonitor na was het stil.

'Je weet dat het waar is, Jason.'

Ze had gelijk, dacht Bourne. Als hij had geweten dat ze nog in leven was, hulpeloos in dit bed lag, zou hem dat razend hebben gemaakt. Hij zou niet helder hebben kunnen denken. Ouyang was te gevaarlijk, een tegenstander die hij met verdeelde aandacht niet had kunnen overwinnen.

'Alsjeblieft.' Ze wapperde met haar uitgestoken handen. 'Ik wil je voelen. Ik wil je vasthouden. Ik wil weten dat je echt bent, dat je levend en wel uit China bent teruggekomen.'

Als een slaapwandelaar liep hij naar het bed. Hij herkende haar, al was ze enorm veranderd. Ze was verschrikkelijk dun en zag zo bleek dat ze een geestverschijning leek. Op sommige plaatsen scheen het blauw van haar aderen met een giftige felheid door haar doorzichtige huid. Ze leek op iemand die nog in de greep was van een bijzonder ernstige en pijnlijke ziekte.

Toen hij dichterbij kwam, trok ze haar nachthemd op om het lelijke litteken in haar zij te tonen, waar ze was neergestoken in de nacht dat ze uit de villa van Maceo Encarnación in Mexico-Stad waren gevlucht. Hij had haar de laatste meters moeten dragen, en toen...

Hij nam haar in haar armen, omhelsde haar, wiegde haar zacht in zijn armen. Terwijl hij met zijn vingertoppen over het nog steeds lijkbleke litteken streelde, voelde hij zijn hart opzwellen tot het leek te barsten. En hij fluisterde: 'Ik zag je doodbloeden op de achterbank van de taxi. Ik liet je achter als een lijk in Mexico-Stad. Ik was erbij toen je hier in Tel Aviv begraven werd. En nu...'

'Nu zijn we hier. Alles is goed.' Ze glimlachte.

Hij herinnerde zich die glimlach, en de gevoelens kwamen in hem op als een bruisende golf.

'Je was zo dapper, Jason. Zo vindingrijk. Zonder jou had ik het niet gered.' Ze nam zijn hoofd in haar handen, kuste hem teder met lippen zacht als de wolken. 'Mijn lief, je hebt mijn leven gered.'

Een schijnbaar eindeloos durende tijd hielden ze elkaar zwijgend vast, om zich ervan te verzekeren dat deze hereniging geen droom was waaruit ze met een gebroken hart en wanhopig zouden ontwaken.

'Jason,' zei ze uiteindelijk. 'Ik heb doodsangsten om jou uitgestaan. Toen mijn vader me zijn plan vertelde, was ik woedend. Dagenlang wilde ik niet met hem praten. Maar hij bleef erover doorgaan, herhaalde telkens weer wat ik jou verteld had, en uiteindelijk zwichtte ik. En hij had gelijk. Jij was de enige die dicht bij Ouyang kon komen, die hem zou kunnen uitschakelen. De enige. En natuurlijk had hij je het perfecte motief gegeven: mijn dood.'

Er klonk verdriet door in haar stem, en ook liefde. Maar er zat onmiskenbaar ook trots in.

Door haar vast te houden, haar stem te horen, haar lippen weer tegen de zijne te voelen, ebde de woede langzaam uit zijn hart en werd hij rustig. Als altijd werkte haar aanraking als balsem tegen al het verraad dat het leven keer op keer voor hem in petto had. En tijdens dit proces begreep hij dat hij, hoewel Eli hem had gebruikt, niet door hem was verraden. Integendeel, Eli had hem de meest gewijde taak toevertrouwd die een vader maar kon opleggen: zijn zwaargewonde dochter wreken.

Rebeka – Sara; het zou nog een tijd duren voordat hij haar zo zou kunnen noemen – verschoof haar lichaam, en hij besefte dat ze nog veel pijn moest hebben.

'Ga maar liggen,' zei hij zacht.

'Alleen maar als je me vast blijft houden.'

Hij legde haar neer, hield haar hand met beide handen vast terwijl ze naar hem glimlachte, en zuchtte diep.

'Luister, mijn lief, dan zal ik je iets vertellen. Toen we elkaar ontmoetten werkte ik als stewardess. Je was op weg naar Damascus, net als ik. Maar niet lang daarvoor had ik Ouyang ontmoet. Het maakte allemaal deel uit van het plan. Ik deed mezelf voor als tussenpersoon die militaire geheimen van Damascus naar Oman smokkelde. Hij zag me als een koerierster, en dat was precies de bedoeling.

Maar in werkelijkheid was ik degene die de geheimen stal. Ik hield me zichtbaar verborgen. Vanaf toen verplaatste zijn aandacht zich van mij naar de mensen aan wie ik de geheimen zou doorgeven. Maar die kon hij niet vinden, simpelweg omdat ze niet bestonden. Hij heeft onvoorstelbaar veel tijd en geld verspild aan de jacht op een onzichtbare honingpot, terwijl ik zijn mensen een voor een uitschakelde.'

'Totdat hij ontdekte hoe de vork in de steel zat.'

'Ja.'

'En toen rustte hij niet totdat je dood was.' Bourne kon het wel uitschreeuwen. Plotseling haatte hij dit leven van geheimen en leugens, haatte hij het afschuwelijke leven dat haar in zoveel gevaar had gebracht.

'Aan het begin van de missie werd er een holle tand in mijn gebit gezet,' ging ze verder. 'Daar zat een snelwerkende capsule in. Het was geen dodelijke pil, maar juist een die ervoor zorgde dat ik onder extreme omstandigheden in leven bleef. Ik slikte een medicijn dat onze wetenschappers hebben ontwikkeld en dat de stofwisseling vertraagt om een staat van dood-zijn te simuleren. Als ik op tijd gevonden zou worden, kon ik weer tot leven worden gewekt, al was de terugkeer tot het leven een lang en pijnlijk proces.'

Een tijdlang hield Bourne haar hand vast.

Er stroomden tranen uit haar ooghoeken. 'Ik heb me dit moment zo vaak voorgesteld, Jason; er met hart en ziel naar verlangd.'

Bourne boog zich voorover om haar tranen weg te kussen. 'Jij gaat niet terug naar het veld.'

'Zou ik jou daarvan kunnen tegenhouden?' Ze keek hem onderzoekend aan. 'Wees reëel. Wat zouden wij anders kunnen doen?'

Lang staarden ze elkaar in de ogen. Uiteindelijk haalde hij het gouden kettinkje van zijn nek. De kleine davidster schitterde tussen hen in, als een komeet in de nachtelijke hemel. Zodra ze het zag begon ze te huilen. Maar ditmaal glansden haar ogen. Ze boog haar hoofd naar voren en hij deed de ketting om haar hals. Het symbool van haar dat hij had meegenomen op het moment van haar zogenaamde dood, lag op haar borst net als die middag dat hij haar ontmoet had, op weg naar Damascus.

'Zie je, je was altijd dicht bij me,' fluisterde hij.

'Jason.' Er lagen dikke tranen in haar ogen die als miniprisma's het licht reflecteerden. 'O, Jason, waar wachten we op?'

Hij boog zich naar haar toe, en Sara Yadin barstte verrukt uit in een gelach.

'Ja,' zuchtte ze, vlak voordat hij zijn lippen op haar mond drukte.